Pendo

URS SCHAUB

DAS GESETZ DES WASSERS

Ein Tanner-Kriminalroman

Pendo München und Zürich

PROLOG

Einem schlafenden Frauenkörper gleich scheidet der sanfteste aller Hügel mit seinen üppig bewachsenen Formen die Elemente. Nach oben die zitternde Luft des Himmels. Nach unten das schwer liegende Wasser. Spiegelglatte Fläche vor geformtem Grün. Im Norden des Sees gleißt ein beunruhigendes Blau. Im Südwesten nimmt das Wasser eine Türkisfarbe an, deren Intensität von Minute zu Minute wächst. Wo das Tiefblau auf das Türkisblau trifft, trennt eine weiße Linie die beiden Wasser, als ob jemand mit Kreide eine Trennlinie gezogen hätte. Zu allem Überfluss der Farben legt die untergehende Sonne ihre glutrote Straße über den See. Mit einem Saum aus purem Gold.

Das vorbeiziehende Ausflugsschiff durchkreuzt mit weiß schäumender Bugwelle die gespiegelte Sonnenbahn. Das Oberdeck des Schiffes ist übervoll. Dicht gedrängt sitzen Ausflügler. Kinder stehen an der Reling. Sie winken einem schmalen Segelboot zu, das heftig schaukelnd das brodelnde Kielwasser des Schiffes kreuzt.

Die Hitze des Tages, der als der heißeste Tag des Jahrhunderts in die Annalen der Meteorologen eingehen wird, liegt schwer über dem sanften Land. Obwohl die Sonne bereits tief im Westen steht, ist noch kein Anzeichen von Abkühlung zu spüren.

Schon seit Tagen ist das Land unter einer Gluthitze gefangen, die alle gewohnte Emsigkeit zum Erliegen bringt. Der Fleiß, auf den sich die Bewohner des kleinen Landes einiges einbilden, ist arg gefährdet. Dem einen oder andern wird langsam klar, unwillig zwar, dass es für Menschen in heißen Ländern nicht so einfach ist, den ganzen lieben langen Tag tätig und fleißig zu sein. In der Glut des Tages bildet sich in manch einem überhitzten Gehirn ungewohnte Trägheit. Und plötzlich aufflammende wilde Begierde, wo sonst gewohnheitsmäßig Taubheit herrschte.

Einzelne Schulen sind bereits seit einer Woche wegen Hitze ge-

schlossen. Die Nachrichten berichten täglich über zunehmende Wasserknappheit, über eine steigende Sterblichkeitsrate unter alten Menschen und erteilen medizinische Ratschläge. Der Ozongehalt der Luft hat längst alle von den Umweltorganisationen genannten Grenzwerte überschritten. Mittlerweile allerdings auch die von der Industrie akzeptierten Kennziffern. Die Regierung des Landes berät Maßnahmen. Verantwortungsvolle Kreise fordern mindestens autofreie Sonntage. Die großen Lebensmittelketten behalten sich vor, bei anhaltender Hitze die Öffnungszeiten ihrer Läden auf den Abend zu verlegen.
Die Gäste auf dem Schiff sind vorwiegend Japaner. Mitarbeiter eines großen Konzerns. Sie sind auf einer Besichtigungstour europäischer Niederlassungen ihrer Firma. Eine davon hat zu einer Dreiseenfahrt eingeladen. Unter den japanischen Gästen sind auch Mitarbeiter des hiesigen Betriebs. Zum Teil mit ihren Familien, denn die Geschäftsleitung legt großen Wert auf persönlichen Kontakt mit den japanischen Geschäftsfreunden. Den Gästen, die während zweier Wochen ein aberwitziges Besichtigungsprogramm in ganz Europa absolvieren, macht die Hitze offensichtlich nichts aus. Fröhlich lächelnd sitzen sie in bunten, luftigen Kleidern auf den harten Bänken. Nicht zum ersten Mal fragen sich die schwitzenden einheimischen Manager, ob ihre japanischen Geschäftsfreunde vielleicht doch von einem anderen Stern stammen.
Ein riesiger Schwarm Möwen begleitet mit gierigen Schreien das weiße Schiff.
Das Segelboot kämpft immer noch gegen die Wellen. Das kleine Boot mit einem viel zu großen Segel wird heftig hin und her geworfen. Der Baum schlägt wild von einer Seite zur anderen. Die beiden Segler versuchen verzweifelt, die Großschot einzuholen. Offensichtlich hat sich in der Hektik des Manövers das Schot verheddert. Jetzt versucht einer aufzustehen, um den Baum mit seinen Händen festzuhalten. In diesem Moment rammt das Segelboot einen Gegenstand im heftig bewegten Kielwasser des Ausflugsschiffes. Der stehende Segler wird mit Wucht über Bord geworfen. Die Kinder auf dem Schiff schreien aufgeregt. Am Heck des Schiffes entsteht Bewegung. Der zweite Segler hat sich vor Schreck erhoben und wird in diesem Moment durch den wild schlagenden Baum ebenfalls vom Boot gemäht. Für einen Moment sind beide über Bord gefallenen Segler untergetaucht. Das unbemannte Boot driftet jetzt überraschend schnell

weg vom Schiff. Immer mehr Gäste drängen sich auf dem Aussichtsdeck des Ausflugsschiffes und halten angestrengt Ausschau nach den beiden Seglern im Wasser. Die Motoren stoppen. Offensichtlich hat die Mannschaft von dem unglücklichen Manöver des Segelbootes Notiz genommen. Die Schraube beginnt nun rückwärts zu drehen, um das Schiff vollends zu stoppen. Das Schiff erschauert, als ob es sich gegen die Umkehr der Fahrtrichtung sträuben würde. Ein anhaltendes Vibrieren durchströmt das Deck. Die Mannschaft öffnet auf der Steuerbordseite die Reling und steht mit Rettungsringen bereit. Zögernd beginnt das Schiff Rückwärtsfahrt aufzunehmen. Aufgeregte Schreie auf dem Oberdeck. Alle starren auf einen wild um sich schlagenden Körper im Wasser. Es ist eine Frau mit langen blonden Haaren. Plötzlich werden ihre Bewegungen ruhiger. Offensichtlich hält sie sich an einem schwimmenden Gegenstand fest. Die Gäste auf dem Schiff können nicht ausmachen, was es ist. Vom anderen Segler fehlt jede Spur. Das Segelboot ist schon weit abgedriftet. Das Ausflugsschiff ist mittlerweile auf der Höhe der Schwimmerin angekommen und der Kapitän spricht beruhigende Worte durch ein Megafon. Die Frau klammert sich mit beiden Händen fest und versucht, rittlings auf einem unterhalb der Wasseroberfläche schwimmenden Objekt zum Sitzen zu kommen. Sie schafft es und winkt zum Schiff. Die Wellen schaukeln sie hoch und jetzt kann man sehen, dass sie lacht. Offensichtlich hat sie noch nicht bemerkt, dass ihr Segelpartner auch über Bord ging. Auf dem Schiff macht die Mannschaft ein Rettungsfloß klar, allerdings schwer behindert durch die Fahrgäste. Plötzlich hört man von der blonden Schwimmerin einen panischen Schrei. Sie lässt sich wieder ins Wasser fallen und krault mit hektischen Schwimmbewegungen weg von ihrem kurzfristigen Rettungsgegenstand. Eine Serie von rollenden Wellen überflutet ihren Blondschopf. Und jetzt kann man nach und nach auch den Gegenstand erkennen, auf dem die Schwimmerin gerade eben noch saß. Zuerst sieht man starre Beine, dann einen ungeheuer aufgeblähten Bauch. Auf dem Schiff herrscht plötzlich Totenstille. Der Körper dreht sich, die Beine verschwinden. Aus dem aufgewirbelten Wasser erhebt sich ein Kopf. Er ist offensichtlich zertrümmert. Aus dem Maul hängt eigenartig verdreht eine bleiche Zunge. Zwei mächtige Hörner glänzen nass im Goldlicht. Beide Ohren sind abgeschnitten. Es ist der mächtige Schädel einer toten Kuh.

EINS

Tanner hält keuchend inne und lehnt sich an den kühlen Sandstein. Trotz der relativ niedrigen Temperatur im Turm ist er schweißgebadet. Was für eine unsinnige Idee, ausgerechnet an diesem heißen Tag die vielen Treppen hinaufzusteigen. Wie vollkommen verlassen wirkt die sonst so geschäftige Stadt. Jeder, der es sich leisten kann, sitzt zu Hause bei geschlossenen Fensterläden und trinkt Eistee oder Bier.
Der historische Platz vor der roten Sandsteinkirche liegt in grellem Sonnenschein. Das Licht lässt ihn, dank der strengen Schattenrisse, noch geometrischer erscheinen. Die gepflegten Häuser aus vergangenen Jahrhunderten wirken als Architekturensemble wie eine scharf ausgeleuchtete Theaterkulisse. Der quadratische Platz neben der Kathedrale mit seinen vierunddreißig mächtigen Kastanien träumt selig von Italien. In regelmäßigen Abständen stehen die alten Bäume, die wohl einen tiefschwarzen Schatten, aber keine Kühle mehr spenden können. Die Hitzeschwaden stehen zwischen den Bäumen geradeso wie in den schmalen Gassen zwischen den Häusern. Das einzig Erfrischende ist das Wasser, das unentwegt in den großen Brunnen plätschert.
Tanner hat seine Arme bis über die Ellbogen ins Wasser gehalten und die beiden steinernen Köpfe betrachtet, die als Wasserspeier dienen und irgendwie an Asterix und Obelix erinnern, bevor er stur seinen Plan ausgeführt hat, den Turm trotz der quälenden Hitze zu besteigen.
Er war vom Bahnhof zu Fuß auf alten Wildwechseln in Richtung Münster gegangen. Seit vielen Jahren ist er das erste Mal wieder in seiner Geburtsstadt. Eine Flut von Erinnerungen begleitete jeden seiner Schritte.
Bei dem alten Kasten in der Nähe des Bahnhofs zum Beispiel, in dem er während des Studiums aushilfsweise unterrichtet hatte.
Was für ein ohrenbetäubender Lärm in seiner Klasse. Die Schüler

waren zu Beginn kaum zu bändigen. Die Gelegenheit war günstig. Er hatte nächtelang nicht mehr schlafen können, bis er im Umgang mit der Bande eine halbwegs brauchbare Strategie fand. Er ließ sie sich in Rollenspielen austoben, bis die anderen Lehrer Einspruch erhoben. Nach fünf Wochen hatte er sich geschworen, sein Studiengeld in Zukunft anders zu verdienen.
Er arbeitete in der Folge nachts bei der Bahnpost oder machte für kleine Transportbetriebe die Buchhaltung.
Er musste unwillkürlich lächeln.
Oje, ich und meine Buchhaltervergangenheit!
Er verstand nämlich selber nicht viel davon, aber die ölverschmierten Kleinunternehmer, die alles aus ihren dicken Portmonees bezahlten, die sie aus der Gesäßtasche zogen, egal ob es sich um private oder geschäftliche Ausgaben handelte, verstanden noch weniger von Zahlen als er. Er staunt noch heute über sich, wenn er an die Berge von Rechnungen denkt, die er in dieser Zeit sortierte. Meist saß er in schlecht gelüfteten Wohnungen an Esstischen, die sich unter der Last unbezahlter Rechnungen krümmten. Aber er war süchtig nach den Geschichten der Fahrer, die ihm von ihren Erlebnissen erzählten, von Russland, dem Nahen Osten oder dem hohen Norden. Damals hatte er ein geradezu schmerzhaftes Fernweh.
Um das städtische Theater hat er vorhin bewusst einen weiten Bogen gemacht. Trotzdem konnte er nicht verhindern, dass seine Gedanken während des ganzen Weges um seine Theatersehnsucht kreisten, die ihn einen Großteil seiner Jugend- und Studienzeit fesselte. Dem Ort, in dem sich damals seine Leidenschaft kristallisierte, wollte er heute nicht leibhaftig begegnen. Vielleicht morgen.
Da er den Gang am Theater vorbei vermied, kam er auch nicht am zweitwichtigsten Tatort seiner Jugendzeit vorbei.
In den Augen der Eltern war dieser Ort *der* Drogenumschlagplatz der Stadt. Womit sie sicher Recht hatten. Er ging heimlich hin. Zeitweise jeden Abend. Drogen interessierten ihn nicht. Aber er war dabei, als Cat Stevens mit seiner Gitarre auftrat, bevor seine Weltkarriere begann. Und er war fasziniert von der schummrigen Atmosphäre des Lokals. Und von der Möglichkeit, Mädchen kennen zu lernen. Das war das Wichtigste. Es spielte sich zwar nur in seiner Phantasie ab, aber immerhin war es sehr aufregend. Er war damals viel zu schüchtern, ein Mädchen anzusprechen.

Einmal lernte er eine Frau kennen. Das heißt, ein Mann sprach ihn im Club an, ob er nicht Lust hätte, einer Freundin ohne männliche Begleitung Gesellschaft zu leisten. Sein Herz schlug bis zum Halse und er brachte kaum ein Wort heraus. Sie hatte pechschwarze Haare, tiefblaue Augen und war etwa dreimal so alt wie er. Nach einer Stunde, in der praktisch nur sie gesprochen hatte, beschloss die kleine Gruppe, in einen Grenzort des Nachbarlandes zu fahren. Man fuhr mit zwei Autos. Schon auf der Fahrt über die nahe Grenze hielt sie irgendwo am Straßenrand, küsste ihn, griff ungeniert nach seinem Schwanz. Kaum hatte sie ihn berührt, machte er auch schon seine Hose nass, was sie in Begeisterung versetzte. Er schämte sich seiner Unerfahrenheit. Nachdem sie zwei Stunden in einem öden Nachtlokal verbracht hatten, fuhr sie ihn nach Hause. Da in dieser Nacht seine Eltern nicht zu Hause waren, gingen sie in die Wohnung. Kaum waren sie in seinem Zimmer, riss sie sich mit dramatischen Bewegungen die Kleider vom Leib. Durch die grünen Holzjalousien der Fensterläden fiel helles Mondlicht auf ihren schlanken Leib. Er wusste nicht recht, was tun. Danach sprachen sie kein Wort. Als sie gegangen war, sah er auf dem Teppich einen Fleck, und so hantierte er mitten in der Nacht mit Teppichschaum und Staubsauger. Seine Mutter bemerkte am nächsten Tag einen fremden Geruch in der Wohnung. Er stellte sich dumm, fühlte aber, wie die Hitze in sein Gesicht strömte, floh in sein Zimmer und versuchte nicht mehr an die Nacht zu denken.
Tanner bog in eine der unzähligen Gassen, die sternförmig von allen Seiten auf das Münster zuführen. Bevor er ins Münster ging, schlenderte er durch den Kreuzgang. Der quadratische Innengarten leuchtete grell hinter den schlanken Säulen.
Im Münster war es vollkommen leer und kühl. Tanner setzte sich eine Weile auf eine der Holzbänke. Es herrschte absolute Stille. Die Sonne brach mit goldenen Lichtfingern in den hohen Raum und ergriff von dem hohen Raum Besitz.
An der Kasse, wo man für die Turmbesteigung bezahlen muss, schlief ein Mann mit offenem Mund. Leise hat Tanner das Geldstück auf die kleine Kassentheke gelegt und ist in die Wendeltreppe eingestiegen.
Endlos ist der Aufstieg. Immer schmaler werden die Treppen und Durchgänge. Die Luft ist zwar verhältnismäßig kühl, aber trocken

und muffig. Auf der Höhe des Uhrwerks angekommen, betrachtet er das technische Wunderwerk, die unzähligen Zahnräder, die Unruh, den Schwinger, die Wellen, die Schnecken und die Gestänge mit derselben Faszination wie damals, als er noch ein Kind war.
Als er die letzten Stufen der schmalen Holztreppe erklimmt, die sich an den mächtigen Glocken vorbei in die Höhe windet, und er auf den umlaufenden Balkon des Turmes tritt, trifft ihn die heiße Luft wie ein Schlag ins Gesicht. Als hätte jemand vor seiner Nase eine Backofentür geöffnet. Einen Moment lang kann er kaum mehr atmen. Der Temperaturunterschied beträgt mindestens dreißig Grad, gefühlsmäßig. Er stützt sich schwer atmend auf die Sandsteinbrüstung.
Da liegt sie nun, seine Geburtsstadt.
Verkleinert und perspektivisch zusammengestaucht. Die ineinander gefügten Dächer mit einer Vielzahl von Lukarnen leuchten matt in allen nur denkbaren Rottönen. Es herrscht eine dumpfe Stille. Als ob unsichtbar ein gewaltiges Tier die Stadt niedergerungen und sich rittlings auf ihre Dächer gesetzt hätte und mit heißem Atem alles Lebendige in Schach hielte.
In Richtung Westen liegt der große Strom. Wasser wie Blei, das die Stadt in zwei Teile zerlegt. In nördlicher Richtung erkennt man die Anlagen der chemischen Industrie, in der sein Vater sein Leben lang schuftete. Ohne sie wäre die Stadt nichts. Gar nichts.
Er hatte jahrelang Reagenzgläschen gewaschen, wie er immer wieder stolz betonte. Später musste er nachts die laufenden Versuche in den Labors überwachen. Seine Chefs, die Chemiker und Doktoren, waren seine Götter. Sein Vater musste in dieser Welt das absolute Ideal eines pflegeleichten Arbeiters verkörpert haben. Noch in den ödesten Arbeitsvorgängen hatte er seine Pflicht mit Sorgfalt, Hingabe und absoluter Treue ausgeübt. Für ein lächerliches Entgelt. Und er identifizierte sich mit seiner Firma bis zur Selbstaufgabe. Wehe, es fiel ein kritisches Wort. Noch in den krassesten Momenten der Ausbeutung hatte er Verständnis und verteidigte auch ganz offensichtlich zynische Maßnahmen seiner Firma.
Als man in Westafrika Pflanzenschutzmittel einer chemischen Firma entdeckte, die zu Kriegszwecken verwendet wurden, war sein Vater erbost über die Berichterstattung, nicht über das Verbrechen.
Als er zwei Jahre vor dem Pensionierungsalter in den Ruhestand trat, kürzte man ihm kaltschnäuzig die Rente. Der Vater schluckte es und

beschwor seinen Sohn, die Kriegsvorbereitungen gegen die Firma einzustellen. Tanner wusste damals nicht, ob er die Firma oder seinen Vater hassen sollte. Dass die geliebte Firma einen Großteil ihrer Gewinne im Ausland erzielte, auch auf Kosten der Dritten Welt, verdrängte sein Vater immer. Genauso wie er an die Märchen von der starken Landesverteidigung während des Zweiten Weltkrieges glaubte, hatte er auch die Mär vom auserwählten Fleiß des Landes und seiner Bewohner verinnerlicht. Nun ist der Vater schon lange tot und seine geliebte Firma hat sich einen poetischen Namen zugelegt.
Tanner beugt sich über die Brüstung und sammelt Speichel in seinem Mund. Er spuckt, verfolgt das scheinbar langsame Fallen. Wie damals als Kind fragt er sich, wie es wohl wäre, selber zu fallen. Wie lange würde der Fall dauern? Würde man den Aufschlag gerade noch spüren und erst danach wäre man tot? Oder fliegt man geräusch- und schmerzlos ins andere Land? Wie durch ein Schlupfloch in der Zeit vielleicht?
Aber die Seele? In welchem Moment wüsste sie, dass sie aus dem Körper herausmuss? Vor dem Augenblick des Aufpralls? Oder schleicht sie sich erst aus dem Körper, wenn er zerschmettert am Boden liegt? Und was macht sie danach? Kehrt sie zurück in Gottes Schoß, wie er es als Kind geglaubt hat? Oder macht sie sich bereit für einen neuen Körper?
Er lacht laut auf.
Mein Gott, jetzt lebe ich schon so lange und bin der Lösung von entscheidenden Fragen noch nicht ein Jota näher.
Im Gegenteil. Damals hatte er noch die tröstende Illusion, dass er irgendwann alles verstehen würde. Wenn er einmal groß und erwachsen wäre. Jetzt ist er groß und erwachsen. Und wo sind sie, die erwarteten Erkenntnisse? Das Schönste, was er über den Tod weiß, sind immer noch die Worte von Hamlet.
… sterben, schlafen/Schlafen, vielleicht auch träumen …
Noch einmal lacht er auf. Eine Taube, die unbemerkt hoch über seinem Kopf in einer Turmnische geschlummert hat, fliegt erschreckt in den heißen Himmel.
Tanner lässt sich erschöpft auf den Boden nieder. Eines ist genauso geblieben wie damals: Nie und nimmer hätte er die Kraft, sich auf diese Brüstung zu stellen und zu springen. Obwohl er heute Gründe hätte.

Ach Elsie, wann wirst du wieder erwachen? Erwachen. Was für ein Glück wäre das!
Lieber Gott, mach, dass sie aufwacht! So hätte er als Kind gebetet. Heute kann er es nicht mehr.
Er fährt sich mit der Hand durch die Haare und muss wieder lachen.
Hat er nicht selber immer lauthals verkündet, dass solche Vorstellungen wie Glück oder Gott eine Erfindung des Menschen sind? Weil der Mensch die Gleichgültigkeit des Lebens nicht ertragen kann.
Ja, das war doch eines seiner Lieblingsthemen. Wie oft hat er damit in Gesellschaft brilliert.
Meine Herrschaften, mit dem Glück verhält es sich wie mit dem Lottospiel. Es folgt nicht Ihren Wünschen. Oh nein! Sie glauben, dass Sie eines Tages das große Los gewinnen? Und zwar, weil es Ihnen zusteht? Und einzig, weil *Sie* daran glauben, denken Sie, Sie könnten dadurch das Glück in die Knie zwingen? Sie hätten sich durch diesen tagtäglichen, fleißigen Glauben sogar das Recht auf Glück erworben? Lachhaft. Es gibt nur Mathematik. Kühle, emotionslose Mathematik. Es gibt kein persönliches Schicksal. Es gibt kein Glück. Keinen Gott. Das meiste, was einem widerfährt, hat man sich sowieso selber eingebrockt.
Er verscheucht den Gedanken an Elsie.
Wenn man durch die Ritzen der Brüstung schaut, gewinnt man den Eindruck, dass das Leben unter der gewaltigen Hitze eingeschlafen ist, aber es hat sich nur in mehr oder weniger kühle Häuser zurückgezogen.
Wie gut, dass er an so einem Tag auf diesen Turm gestiegen ist. Vielleicht sollte er sein Leben hier oben verbringen. Hier oben sitzen bleiben wie ein Buddha. Oder wie Baudolino. Blieb der nicht so lange auf einer Säule sitzen, bis die Menschen glaubten, er sei ein Heiliger? Sie brachten ihm Essen und Trinken, fragten ihn um Rat, überhäuften ihn schließlich mit Geschenken. Leider hat er vergessen, warum Baudolino jemals wieder von seiner Säule gestiegen ist. Sicher wegen einer Frau. Wahrlich der einzige Grund, um von einer Säule zu steigen, auf der man sonst alles hat.
Wann ist er das letzte Mal mit einer Frau zusammen gewesen? Seit Elsie im Koma liegt, nicht mehr.
Er will den Gedanken nicht zu Ende denken, aber es gelingt nicht

ganz. Er zwingt sich aufzustehen und schaut angestrengt über die Stadt, über der jetzt so etwas wie ein Schleier liegt.
Mehr als ein Jahr kein Kontakt zu einer Frau. Wenn ihm das jemand prophezeit hätte! Er hätte nur gelacht.
Mehr als ein Jahr lang pendelte er praktisch nur zwischen seiner Wohnung am See und der Klinik. Er lebte vollkommen zurückgezogen. Gesprochen hatte er in der ganzen Zeit hauptsächlich mit Ärzten. Und natürlich mit Elsie, aber das war sehr einseitig. Und ab und zu mit Ruth und den Kindern. Ach ja, und mit Michel, der sich große Sorgen um ihn machte.
In diesem Augenblick wird die Tür aufgestoßen und drei junge Japanerinnen stolpern kichernd gegen die Balustrade. Ihr Lachen bricht abrupt ab, als sie sehen, dass sie nicht allein auf dem Turm sind.
Tanner nickt ihnen zu. Sie nicken zurück, lehnen sich über die Brüstung und gleich kichern sie von neuem. Sie unterhalten sich schnell, mit hohen Stimmen. Ab und zu werfen sie ihm verstohlene Blicke zu. Wenn er lächelt, drehen sie sich schnell weg und lachen erneut. Alle drei tragen weiße Sommerhütchen. Eng aneinander gepresst, lehnen sie sich an die Brüstung. Aufmerksam studiert Tanner ihre Körper. Ihre Kleidchen sind am Rücken tief ausgeschnitten, zeigen eine makellose Haut. Die Mädchen lassen ihre nackten Arme über die Brüstung baumeln. Die Größte von ihnen hat einen unglaublich runden Po. Tanner schließt seufzend seine Augen. Ungefragt tauchen Bilder von Harumi auf.
Er hatte sie vor langer Zeit in Paris kennen gelernt. Ihre Affäre dauerte leider nur ein paar Wochen. Aber nie hat er ihre Haut vergessen. Und ihre Art der Hingabe.
Seufzend öffnet er die Augen. Die drei Mädchen verschwinden gerade durch die Tür. Die Letzte dreht sich kokett um, winkt ihm zu, lächelt und schließt die Tür.
Na ja, auch gut.
Tanner bleibt noch einen Moment, damit es nicht aussieht, als folge er den drei fernöstlichen Kichererbsen, und beginnt dann gemächlich den Abstieg.
Draußen betrachtet er die Fassade des Münsters. Links sticht der heilige Georg einen kleinen, ziemlich süßen Drachen ab. Rechts teilt der heilige Martin seinen kostbaren Samtmantel.
Zu sehen sind in harmloser Darstellung eine der Kernkompetenzen

und eine der Haupttugenden unserer westlichen Zivilisation. Das arrogante Bezwingen der Natur vom hohen Ross aus und das Mitleid. Wobei Ersteres bis zur Vollendung, beziehungsweise Zerstörung, gekonnt ausgeführt wurde und wird. Mitleid hingegen? Mit sich selbst im besten Fall. Aber vielleicht bewegt er sich ja einfach in einem zu schlechten Milieu, so dass er selten dem Mitleid begegnet. Er dreht sich um, geht auf das Eckhaus gegenüber dem Münster zu. In diesem Haus hat er während des Studiums für ein paar Wochen gearbeitet. Früher war hier das Maschinenamt der Stadt untergebracht. Heute nennen die das Finanzen, Controlling, Informatik.
Mensch, haben die früher eine ruhige Kugel geschoben.
Bereits um neun Uhr schickte man ihn los, um umfangreiche Einkäufe für die erste Pause zu tätigen. Nicht selten befand sich auch Schnaps auf seinem Einkaufszettel.
Er liebte diese Gänge. Er konnte ruhig durch die Gassen der Altstadt schlendern und die Auslagen der Geschäfte bewundern. Man erwartete ihn erst wieder gegen zehn Uhr. Dann wurde ausgiebig ein zweites Frühstück verschlungen, gar zu anstrengend waren die ersten zwei Arbeitsstunden gewesen. Danach schleppte sich die Zeit bis gegen Mittag. Pause. Nach dem Essen döste jeder ungestört an seinem Arbeitspult. Nach einer Kaffeepause gegen drei Uhr kam dann eine gewisse Hektik auf, denn es mussten ja doch in Gottes Namen noch einige Dinge erledigt werden, bevor es Feierabend wurde. Ein angenehmes Leben bei festem Gehalt, Ferien und Feiertagen. Aber das ein ganzes Leben lang? Für den jungen Tanner eine Horrorvorstellung.
Ach ja, da gab es diese blonde Sekretärin. Sie war fünfunddreißig Jahre alt und eine Grenzgängerin, die bei jeder passenden oder unpassenden Gelegenheit ein helles Lachen bereithielt und einen steil aufgerichteten Busen unter ihren hellblauen Pullöverchen zur Schau trug. Regelmäßig streckte sie ihre Arme in die Höhe, räkelte sich mit Inbrunst, gähnte und ordnete genüsslich ihren BH oder das, was er für Geheimnisse barg, mit zärtlich kräftigem Griff. Anschließend pflegte sie nach schräg links zu blicken, wo sie damit rechnen konnte, dass Tanner sie anstarrte wie ein Weltwunder. Dann zwinkerte sie ihm zu und er wurde rot. Er wartete natürlich sehnsüchtig auf diese kleinen Turnübungen, die, dem Himmel sei es gedankt, mit schöner Regelmäßigkeit stattfanden und so den Tag in erträgliche Portionen zerlegten. Ihr Busen stellte das wenige, physikalische Wis-

sen in Frage, das sein Lehrer mühsam in die Tanner'schen Hirnwindungen eingetrichtert hatte.
Eines Tages lud sie ihn zum Nachtessen in ihr kleines Appartement ein. Im Schimmer einer monströsen Kerze mit mehreren Dochten zog sie ihren berühmten hellblauen Pullover und ihren BH aus. Damit war das physikalische Weltbild sogleich wieder im Lot.
Seufzend wendet sich Tanner von dem Hause ab, auch von der Erinnerung, und trottet ziellos in Richtung Innenstadt.

ZWEI

Während Tanners Kindheit gab es um Gustav Adolf Land, seinen Großvater mütterlicherseits, den er nie kennen gelernt hatte, ein großes Geheimnis. Er war *drüben* aufgewachsen und sei später in den Wirren des Zweiten Weltkrieges verschwunden.
Verschollen.
Was für ein Zauberwort. Es begleitete seine Kinder- und Jugendzeit. Später bezeichnete er ihn gerne als den verschollenen Land. Er freute sich spitzbübisch an der ungewohnten Verbindung vom Wort Land mit dem männlichen Artikel.
Hätte er ihn gekannt, hätte er ihn sicher Großvater oder Großpapa genannt, so aber nannte er ihn einfach Land. Gustav Adolf Land besaß wohl als Einziger in der ganzen Familie eine große und schlanke Statur. Wie er. Seine Mutter sagte es oft genug.
Du wirst genauso groß.
Die beiden Dinge hat er sein Leben lang mit seinem Großvater verbunden. Den Hinweis auf die Größe und das Wort verschollen.
Wie hatte dieses Wort die Phantasie des kleinen Tanner beschäftigt. Er sah Land gegen Schneestürme in Sibirien kämpfen, in den Wüsten Afrikas Goldschätze vergangener Königreiche ausgraben oder in einem Unterseeboot die Weltmeere durchpflügen. Später, mit mehr Kenntnis der Geschichte, dachte er, sein Großvater teile wahrscheinlich das Schicksal vieler Soldaten, die irgendwo in der Welt

verscharrt worden waren. Irgendwann dachte er dann nicht mehr an ihn.
Bis Tanners Vater starb. Da erzählte seine Mutter überraschend Fragmente einer neuen Geschichte. Voller Anspielungen. Er sei in einer Fabrik angestellt gewesen und dort sei *etwas* passiert und man habe *ihm* die Schuld gegeben. Was dieses *etwas* gewesen sei, wisse sie nicht mehr. Dann sei er krank geworden, und zwar in der Seele. Seiner Mutter war das Aussprechen dieser Tatsache peinlich. Auch noch sechzig Jahre später. Er sei dann lange Zeit in der psychiatrischen Klinik gewesen. Hier in dieser Stadt. Bis die hiesige Krankenkasse nicht mehr bezahlt habe, da Großvater ja von *drüben* gewesen sei. Also sei er ganz einfach über die Grenze abgeschoben worden. Ganz einfach? Aus ihrem Mund klang es auf jeden Fall irgendwie selbstverständlich. Und seitdem fehle jede Spur von ihm. Tanner war damals entsetzt über die Geschichte und er löcherte seine Mutter mit Fragen. Aber sie gab vor, nichts zu wissen, sie könne sich an nichts mehr erinnern. Tanner war mit seinen Fragen alleine. Wie konnte man einen kranken Menschen, der eine Familie hatte, einfach über die Grenze abschieben? Wo war sie denn, diese Familie? Wusste sie davon? War das mit dem Einverständnis von Tanners Großmutter geschehen? Wie konnte sie mit so einer Katastrophe weiterleben?
Er muss an das Bild denken, dass sich in seine Seele einbrannte, als er sie vor vielen Jahrzehnten zum letzten Mal im Altersheim besuchte.
Sie saß still und schmal auf einem Stuhl vor dem einzigen Fenster ihres kleinen Zimmers. Ihre Hände lagen im Schoß. Die Fingerspitzen berührten sich leicht. Durch den zugezogenen Tüllvorhang erschien die Außenwelt wie aufgelöst. Ohne Konturen. Ein Schwarzweißfoto, das zu lange belichtet wurde. So saß sie während Wochen und Monaten auf ihrem Stuhl, dem letzten Möbelstück, das man ihr gelassen hatte. Jeden Tag.
Wegen ihres Mannes ist Tanner nun in seine Geburtsstadt gekommen. Nach vielen Jahren. Er fand, dass es Zeit wurde, die Wahrheit zu erfahren. Eines Morgens ist er aufgewacht und hat beschlossen, der Frage nach dem Verschwinden seines Großvaters, dem verschollenen Land, auf den Grund zu gehen.
In einer Situation, in der er selber nichts mehr weiß und sich keine

Zukunft vorstellen kann, solange Elsie nicht aus ihrem geheimnisvollen Tiefschlaf erwacht, kann er vielleicht wenigstens diese Frage lösen.
Die Wahrheit ist, dass ihm das Warten und der Stillstand den Atem abzuwürgen drohten. Wie ein Taucher, der sich vorgenommen hat, nur noch unter Wasser zu leben, sich aber über seine Sauerstoffreserven Illusionen gemacht hat, taucht er auf. Heftig nach Luft ringend. Begierig von neuem die Vielfalt des Lebens einzuatmen. Zu leben.
Die alte Ruhelosigkeit hat wieder von ihm Besitz ergriffen und jede Faser seines Daseins fordert ungestüm Bewegung. Sein Geist sehnt sich nach neuen Herausforderungen. Er hat sich sogar überlegt, ob er nicht wieder zurück in seinen Beruf soll. Zum Glück sind seine Ersparnisse immer noch nicht aufgebraucht, so dass er sich noch nicht entscheiden muss. Seinen Beruf hat er zwar immer geliebt und sich nie wirklich eine andere Tätigkeit vorstellen können. Aber nach über zwanzig Berufsjahren erträgt er die Innenwelt der Polizei, und besonders die ihr eigenen Werte- und Verhaltenskodexe, kaum mehr. Und schon gar nicht die Hierarchie.
Er hat sich also in den Kopf gesetzt, am äußersten Rand seiner eigenen Geschichte noch einmal von vorn zu beginnen. Morgen wird er über die Grenze fahren. In das Dorf, wo Gustav Adolf Land geboren wurde.
Tanner steht unvermittelt vor dem kleinen Hotel, in dem er ein Zimmer reserviert hat. Das Gepäck hat er am Nachmittag per Taxi ins Hotel liefern lassen. Er trägt sich ein, lässt sich für den nächsten Morgen ein Auto reservieren und stellt sich für eine herrlich lange Zeit unter die kalte Dusche. Als er endlich durch und durch friert, legt er sich, ohne sich abzutrocknen, auf das Kingsizebett. Er fällt sofort in einen traumlosen Tiefschlaf.
Zwei Stunden später fährt er erschrocken hoch. Er ist schweißgebadet. Hat ihn jemand gerufen? Draußen ist es schon dämmrig. Die Hitze hat noch immer kein bisschen nachgelassen. Er stellt sich noch einmal unter die Dusche und überlegt sich dabei genüsslich, wie schnell sich der Lebensrhythmus in diesem Land verändern würde, bliebe es so heiß.
Als er aus dem Badezimmer kommt, bemerkt er einen Briefumschlag, den jemand unter der Tür durchgeschoben hat.

Wer weiß, dass er in diesem Hotel ist? Er setzt sich auf die Bettkante und wiegt den Brief in seiner Hand. Ein Briefumschlag der teuersten Sorte. In schwarzer Tinte gestochen scharf sein Name. Er riecht an dem Umschlag. Kein besonderer Geruch. Für eine Weile genießt er die Spannung. Dann öffnet er den Umschlag. Der Brief ist von seinem alten Schulfreund Richard Bruckner. Stimmt. Tanner hat ihm vor ein paar Tagen angekündigt, dass er wahrscheinlich heute in die Stadt kommen und in diesem Hotel absteigen werde. Er hat den Brief aufs Geratewohl an die Bank geschickt, in die Richard Bruckner nach seinem Studium eingetreten war. Eine der großen Banken, in der auch Tanner seine Ersparnisse angelegt hat.

Schau mal an, er hat sich an das Datum erinnert und er arbeitet immer noch bei derselben Bank.

Eine Tatsache, die für Tanner schier unvorstellbar ist. Die ganze lange Zeit in der gleichen Stadt und an der gleichen Arbeitsstelle!

Lieber Tanner, ich freue mich, dass du dich nach so langer Zeit bei mir meldest. Gibt es was Neues am neuen Hofe, Sir? Wenn du Zeit hast, könnten wir morgen Abend zusammen essen. Am alten Ort, wenn du einverstanden bist. Zwanzig Uhr? Gib bitte meiner Sekretärin Bescheid, falls du nicht kannst. Und um es gleich jetzt schon zu klären: Ich lade dich ein! Verstanden, Herr Tanner? Keine Widerworte. Wir fangen nichts Neues mehr an, auf unsere alten Tage, gell … Bis dann. Bruckner. Telefonnummer.

Der alte Ton, als ob keine Zeit vergangen wäre. Sogar das Shakespeare-Zitat, mit dem sie sich jeweils begrüßten, weiß er noch.

Tatsächlich hatte damals immer sein Freund bezahlt, denn er stammte aus einer reichen Familie. Und er war unglaublich großzügig. Zudem bewunderte Bruckner ihn immer ein wenig. Wofür eigentlich? Oder war es nur Dankbarkeit, dass er sein Freund war, denn er hatte sonst keine Freunde. Bruckner war damals ein schlanker Jüngling mit dichten, relativ kurz gehaltenen Haaren. Hellroten Haaren. Er hatte in seinem Stil etwas bewusst Englisches. Gab sich meist bescheiden und reserviert. Für die anderen war er wahrscheinlich die Arroganz persönlich. Tanner wusste es besser. Bruckner war scheu. Warum? Tanner wusste es nicht. Aber es war eindeutig. Vielleicht war er zu lange auf teuren Internaten gewesen? Und wer weiß, was ihm dort widerfahren war? Bruckner hat nie darüber gesprochen. Ihre Freundschaft war auf jeden Fall klar entschieden, als sie

das erste Mal das gemeinsame Klassenzimmer betraten und sich ganz selbstverständlich in die hinterste Schulbank am Fenster setzten. Und, oh Wunder, sie ergänzten sich perfekt in den Schulfächern. Überall, wo Tanner schwach war, war Bruckner besonders gut und umgekehrt. Es war eine Arbeitsgemeinschaft, die vier Jahre bis zur Maturität perfekt harmonierte. Gleichzeitig teilten sie ein leidenschaftliches Interesse fürs Theater.
Die anderen Koalitionen in der Klasse wechselten häufig. Sie waren sich immer gleich nahe und gleich distanziert. Sie verbrachten vier Jahre Seite an Seite in der Schule, siezten sich aus einer Laune heraus die ganze Zeit und gingen zusammen ins Theater. Das heißt, Bruckner arbeitete viele Abende im Theater als Platzanweiser. Er tat dies, um dem Theater näher zu sein. Er besorgte Tanner die Eintrittskarten und nach dem Theater aßen sie häufig bei dem alten Italiener. Immer bezahlte Bruckner. Er hatte Geld. Tanner hatte keins. So einfach war das. Nie lud einer den anderen zu sich nach Hause ein. Irgendwie war das tabu. Sie sprachen auch nie darüber.
Bruckners Vater handelte mit Erdöl. Bei der Geburt jedes seiner Kinder kaufte er das Auto, das gerade *en vogue* war, und schenkte es dem jeweiligen Kind bei seiner Volljährigkeit.
Eigentlich wusste Tanner wenig über seinen Freund. Bruckner hatte seines Wissens nie eine Freundin gehabt, er hat ihn aber nie gefragt, warum. Tanner hatte viele Freundinnen und Bekanntschaften. Bruckner äußerte sich nie dazu. Ob Bruckner heute verheiratet ist? Er wird es erfahren. Morgen Abend. Nach dreißig Jahren.
Tanner geht an die kleine Hotelbar und bestellt einen Tomatensaft mit Eis. Alkohol ist bei der Hitze nicht angeraten. Ein wahrscheinlich eilig gekaufter Tischventilator verteilt wild entschlossen die Hitze. Die Frau an der Bar, eine blonde Enddreißigerin, nickt ihm zu, bereitet mit betont langsamen Bewegungen seinen Saft zu und betrachtet ihn durch ihre langen Augenwimpern. Ihr dünnes, weißes Kleidchen klebt verschwitzt am Körper. Tanner bemüht sich, nicht ständig auf ihre Brüste zu starren, die durch den transparent gewordenen Stoff auf- und abwippen. Zur Ablenkung blättert er in der Zeitung. Uninteressiert überfliegt er die Schlagzeilen und die mehr oder weniger langweiligen Artikel. Viele beschäftigen sich mit der ungewöhnlichen Hitze. Meteorologen fühlen sich bemüßigt, unnötige Erklärungen abzugeben. Azorenhoch, Winde aus Afrika. Auch sei mit

Saharastaub zu rechnen. Der Ozonwert sei noch mal gestiegen. Wenn es so weiterginge, würden die Sommerferien für die Schüler vorgezogen.

Eine Notiz erregt seine Aufmerksamkeit. In dem kleinen See, an dessen Ufer er seit kurzem eine Wohnung besitzt, habe bei einem Unglück ein Segler sein Leben verloren. Gleichzeitig habe man eine tote Kuh im See entdeckt. Seither habe sich das Wasser des Sees rot verfärbt. Einen Zusammenhang gebe es aber zwischen den beiden Ereignissen nicht. Der Segler sei aus noch nicht geklärten Gründen ohne Schwimmweste von Bord gestürzt und ertrunken. Seine Begleiterin, die ebenfalls über Bord gegangen sei, habe sich retten können. Der Tote sei japanischer Nationalität und Mitglied der Geschäftsleitung einer hiesigen Chemiefirma.

Tanner leert sein Glas. Die Blonde blickt ihn fragend an. Sie meint wohl, ob er noch einen Saft möchte.

Tanner nickt. Es ist schön, wenn sie sich bewegt. Zwar bewegt sie sich langsam, aber sie bewegt sich. Als sie ihm den zweiten Saft hinstellt, blättert Tanner weiter in seiner Zeitung. Hält inne bei den Sexanzeigen. Interessiert liest er die verschiedenartigen Angebote. Bei einer kleinen Annonce bleibt er hängen. Schöne Japanerin zu Gast, nur heute und morgen, im Studio Schlaraffenländli. Bei dem Stichwort schöne Japanerin denkt er heute schon zum zweiten Mal an Harumi.

Stichwort Japan genügt – und er sieht die langhaarige Harumi vor sich, mit ihren vollen Lippen. Pawlow'scher Reflex. Kurz entschlossen greift Tanner nach seinem Mobiltelefon. Es meldet sich, nach kurzem außerirdischem Rauschen, eine automatische Ansage mit einer munteren Frauenstimme im breitesten Schwäbisch. Sie nennt sich Claudia und berichtet fröhlich über die Angebote im Schlaraffenländli. *Schlaraffenländleee* heißt das in ihrer süddeutschen Mundart. Tanner muss unwillkürlich schmunzeln, worauf ihn die Blonde schon wieder fragend anblickt. Sie richtet sich auf und versucht, einen Blick auf Tanners Zeitung zu erhaschen, denn sie hat bemerkt, dass er eine Nummer aus der Zeitung gewählt hat. Aber *die* Freude gönnt Tanner ihr nicht und legt die Seite um. Enttäuscht schmollt sie und wischt die saubere Theke mit einem schmutzigen Lappen. Ihre Brüste schaukeln entrüstet unter ihrem verschwitzten Kleid. Nachdem er Straße und Hausnummer gehört hat, unterbricht Tanner die

eifrige Stimme des Anrufbeantworters. Ob sie bei der Arbeit auch so munter drauflosplaudert? Damit nimmt sie wahrscheinlich jedem Verklemmten sofort alle Hemmungen. Tanner schmunzelt immer noch, verlangt die Rechnung und bittet um ein Taxi. Die Blonde platzt fast vor Neugierde. Tanner gibt ihr ein großzügiges Trinkgeld. Sie bedankt sich mit einem kleinen Knicks und einem großen Augenaufschlag.
Ich bin den ganzen Abend hier!
Das erste Mal hört Tanner ihre Stimme. Beinahe wäre er vom Stuhl gefallen, so überrascht ist er. Ihre Stimme ist tief und aufreizend rau. Wie die einer Jazzsängerin aus vergangenen Zeiten. Eine Stimme, die einen sofort im Bauchfell kitzelt.
Ich komme auch wieder zurück, schließlich schlafe ich ja hier im Hotel.
Tanner sagt es gedankenlos. Erst zu spät realisiert er, dass sie ihm ein Angebot gemacht hat und er mit seinem unüberlegten Satz auf das Angebot eingegangen ist. Sofort schnurrt sie ein zufriedenes Okay und verschränkt gekonnt anmutig die Arme hinter ihrem Rücken. Die Wirkung auf die Topographie ihres Oberkörpers und auf die Spannung des eh schon engen Kleidchens ist enorm. Tanner reißt seinen Blick von ihr los und verlässt eilig die Bar.
In der Hotelhalle ist es etwas kühler. Gleich darauf fährt das Taxi vor. Zum Glück ist es mit einer Klimaanlage ausgerüstet. Tanner nennt Straße und Hausnummer.
Der Taxifahrer grinst frech in den Rückspiegel und meint, die hätten dort auf jeden Fall auch eine Klimaanlage.
Na, dann ist ja alles in Ordnung.
Tanner grinst entwaffnend zurück.
Wenn ich Ihnen einen Rat geben darf, gehen Sie nicht zu Claudia. Die redet Sie in Grund und Boden. Wählen Sie sich Sophie, wenn Sie auf schlanke Frauen stehen, oder Odette, wenn Sie etwas mehr Fleisch zwischen den Händen haben wollen.
Sehr nett, dass Sie sich Sorgen um mein Wohlergehen machen. Danke.
Seufzend schließt Tanner die Augen. Es gibt doch noch zuvorkommende Menschen in diesem Lande. Noch ist nicht alles verloren.
Blind lässt sich Tanner durch die Stadt fahren. Er weiß trotzdem in jedem Augenblick, wo sie gerade sind. Kurz vor dem Ziel öffnet Tan-

ner die Augen. Der Taxifahrer hält vor dem entsprechenden Haus. Tanner zahlt.
Und sagen Sie jetzt bitte nicht viel Vergnügen, ja?
Der junge Mann nickt schweigend. Mit einem Blick auf die Taxikonzession, die am Armaturenbrett festgemacht ist, stellt Tanner fest, dass der Mann Türke ist. Spontan erhöht er das Trinkgeld. Der Mann bedankt sich artig.
Tanner steht vor einem dreigeschossigen, biederen Haus mit hellblauem Anstrich. Aha, das ist also das Schlaraffenländli. Bei sämtlichen Fenstern sind die hellgrünen Rollläden geschlossen. Aus einem Erkerfenster im mittleren Stockwerk grüßt ein Schweizerfähnchen. Was soll jetzt das heißen? Ist es ein Ausdruck schweizerischer Bodenständigkeit, die das Haus seinen Besuchern verheißt, oder signalisiert es einfach, dass die Damen an Deck sind? Auf jeden Fall verfügen sie über Humor, so viel ist schon mal sicher. Entschlossen betritt er den gepflegten Vorgarten. Die Haustür ist offen. An der Wohnungstür im Parterre stehen drei französische Namen, die Freuden in angenehmer Ambiance verheißen.
Er steigt die Treppe hoch. An der Wohnungstür im ersten Stock verkündet ein großes Schild die Gunst des japanischen Gastes. Durch die Tür hört man leise japanische Flötenmusik.
Tanner muss lächeln und klingelt. Auch Harumi liebte diese Musik. Leise trippelnde Schritte, die Tür wird aufgerissen und im Halbdunkel des Flurs begrüßt ihn mit traditioneller Verbeugung eine langhaarige Japanerin. Ihr Gesicht kann Tanner nicht sehen, aber er erschrickt, denn er glaubt, Harumi vor sich zu haben, was ja gar nicht möglich ist. Genauso hat ihn Harumi an ihrer Haustür auch empfangen. Die dunkle Gestalt im Kimono tritt einen Schritt zurück. Sie hält eine Hand vors Gesicht, als ob auch sie erschrocken wäre. In perfektem Deutsch fragt sie, ob sie so hässlich sei, dass er sich erschreckt habe.
Nein, nein. Ich bitte Sie, mich zu entschuldigen, aber ich dachte tatsächlich, Sie seien Harumi, eine Freundin von früher. Im Gegenteil, Sie sind wunderschön. Guten Tag, ich heiße Simon. Ich freue mich, Ihre Bekanntschaft zu machen.
Danke, und willkommen im Schlaraffenland. Ich muss Sie enttäuschen, ich heiße nicht Harumi. Mein Name ist Michiko. Ich bin aus Kyoto und lebe schon eine ganze Weile in Frankfurt. Hier bin ich nur

zu Gast. Für ein paar Tage. Wollen Sie etwas trinken?
Er bestellt einen grünen Tee und lässt sich von Michiko in die Wohnung führen. Das Zimmer, in das sie ihn bringt, ist angenehm karg eingerichtet. In der Mitte ein großes Bett aus Messing. Ein kleiner Schrank, ein kleiner Sessel mit einem Clubtisch, darauf eine Schale mit Bonbons. Neben dem Bett steht eine Bodenvase aus Kristallglas mit einem großen Strauß frischer Iris. Alles ist sehr sauber und nett, wie man das hier in diesem Land eben erwartet. Noch dazu im Schlaraffenland. Nur dass hier nichts kostenlos ist. Einzig die Lampe, die ein weiches Rotlicht ausstrahlt, ist ein Zugeständnis an das Milieu. Michiko bedeutet ihm wortlos, sich zu setzen. Dann verschwindet sie aus dem Zimmer, wahrscheinlich um den Tee zu holen.
Ob er sich jetzt schon ausziehen soll? Er beschließt zu warten, bis Michiko wiederkommt. Tatsächlich ist es in der Wohnung angenehm kühl, ganz so wie es der türkische Taxifahrer prophezeit hat. Gerade als er sich zu fragen beginnt, was er hier eigentlich tut, öffnet sich die Tür. Michiko serviert ihm anmutig den Tee, lässt souverän ihren Kimono fallen und sagt, dass sie sich jetzt duschen werde. Ob er auch wolle?
Tanner schüttelt den Kopf. Michiko öffnet eine kleine Tapetentür, die Tanner vorher gar nicht aufgefallen ist. Dahinter befindet sich die Dusche. Michiko schließt die Tür nicht und lässt Tanner ungeniert dabei zuschauen, wie sie sich duscht und sorgfältig einseift. Ihre langen Haare hat sie mit einem schnellen Griff hochgesteckt. Tanner guckt stumm.
Gefalle ich Ihnen? Sie sind so schweigsam.
Doch, natürlich, Sie gefallen mir ausgezeichnet, verzeihen Sie, ich bin von der Hitze etwas …
Sie lacht.
Natürlich gefällt sie ihm. Sie hat einen perfekten Körper. Ihre Brüste sind für die Klischeevorstellung von einer Japanerin ziemlich groß und wahrscheinlich nicht natürlich gewachsen, aber immerhin haben sie eine Größe, die mit dem Rest ihres makellosen Körpers gerade noch harmoniert. Bei Tanner stellt sich aber langsam das nämliche Gefühl ein, das er schon bei Harumi hatte und das ihn immer beklommen machte. Ein Körper, der in seiner Perfektion eine Art Unnahbarkeit ausstrahlt, die fast schmerzhaft ist. Ein Körper, dessen Linien und Formen man tagelang anschauen kann, aber immer wird

er sich entziehen. Es sind Körper, die durch ihre Schönheit eine unsichtbare, aber perfekte Barriere aufbauen. Körper, die eigentlich nicht erotisch sind, die nicht zum Anfassen einladen oder dazu, sich in ihnen zu verlieren. Einzig ihr kleiner, schwarzer Pelz spricht in seiner frechen Struppigkeit eine andere Sprache. Und auch ihr Lachen bricht für Augenblicke ihre perfekte Körperinszenierung. Tanner ist gespannt auf das, was auf ihn zukommt. Michiko hat sich unterdessen trockengerieben und setzt sich unbekümmert um Tanners Gedankengänge auf seinen Schoß, nimmt seine Hand und legt sie sanft, aber bestimmt auf eine ihrer Brüste. Tatsächlich Silikon. Tanner spürt deutlich, wo Natur und Kunst aufeinander treffen. Er seufzt. Sie nimmt es für aufkeimende Lust.
Langsam, langsam. Zuerst müssen wir über das Geschäftliche reden. Was willst du?
Bevor Michiko zu Ende gesprochen hat, ertönt in der Wohnung ein fürchterlicher Schrei, der sie in ihrer Bewegung zusammenfahren lässt. Ihre Hand umklammert krampfhaft die seine. Ihre Umklammerung zwingt seine Hand so kräftig um ihre Brust, dass er Angst hat, ihr wehzutun. Aber Michiko rührt sich nicht. Er auch nicht. Das war ein Schrei der höchsten Not und Angst. Oder des Entsetzens. Dieser Schrei hat nichts mit Schlaraffenland zu tun, das ist klar. Er stellt Michiko auf die Füße. Sie lässt es geschehen. Seine Hand will sie aber nicht loslassen. So tritt Tanner mit Michiko an der Hand in den Flur. Vor der Tür gegenüber Michikos Raum steht eine üppige Rothaarige, vollkommen nackt, mit unglaublich weißer Haut, den Mund weit geöffnet, die Augen aufgerissen. Nach der Beschreibung des Taxifahrers kann es sich nur um Odette handeln. Offensichtlich war sie es, die geschrien hat. Nun steht sie starr, als ob ihre weiteren Schreie im Hals stecken geblieben wären. Sie ringt nach Luft, das Gesicht schon gerötet, die Augen treten aus den Höhlen. Gleich wird sie blau anlaufen. Tanner sieht das nicht zum ersten Mal. Entschlossen macht er sich von Michikos Hand los, stellt sich vor die junge Frau und spricht sie sehr energisch mit ihrem Namen an, in der Hoffnung, dass ein direktes Ansprechen das offensichtlich unter Schock stehende Mädchen aus ihrem Atemkrampf befreit. Doch ringt sie weiter nach Luft und ihr schönes Gesicht beginnt sich tatsächlich blau zu verfärben.
Tut mir Leid, dann muss ich halt doch!

Er gibt Odette eine kräftige Ohrfeige. Einen Moment lang geschieht gar nichts. Nur Michiko in seinem Rücken, stellvertretend für Odette, stöhnt kurz auf. Odette fixiert ihn erstaunt mit ihren grünen Augen, dann zuckt sie zusammen, lange nach dem Schlag, holt endlich tief Atem und die Tränen schießen aus ihren Augen. Tanner nimmt sie in seine Arme und bittet Michiko um ein Glas Wasser für Odette.
Er ist tot ... plötzlich ist er zusammengezuckt ... hat geröchelt, um sich geschlagen ... und ist zusammengebrochen. Er ist tot ... ich habe nichts gemacht, das heißt ... er hat mich gerade ge... und kurz vor seinem Höhepunkt ... ist es passiert ...
Nicht sprechen, ruhig atmen, hören Sie, Odette, ganz ruhig atmen. Sie können nachher erzählen. Dass er sie mit ihrem Vornamen anspricht, wundert sie gar nicht. Sie nickt eifrig, japst nach Luft und spricht sofort weiter.
Er war schon ... ein paar Mal hier ... er war ein angenehmer Gast ... hat immer ein großzügiges Trinkgeld gegeben ... er ist in meinen Armen gestorben ...
Michiko kommt endlich mit dem Wasser. Ihr ganzer Körper zittert wie Espenlaub. Tanner gibt Odette das Wasser. Michiko ist immer noch nackt, bedeckt jetzt aber schamvoll Schoß und Brüste mit den Armen. Tanner bedeutet ihr, sie solle sich um Odette kümmern. Sie rührt sich nicht. Tanner nimmt ihre Hände, schüttelt sie energisch, bis sie ihn anschaut. Ihre Augen sind voll ungläubigem Abscheu.
Michiko, hören Sie mir zu! Kümmern Sie sich bitte um Odette!
Sie nickt.
Es wird gegen ihre Panik helfen, wenn sie eine Aufgabe hat.
Er geht zur Tür und öffnet sie. Ein muskulöser Mann liegt auf dem Bett. Das Zimmer ist genau gleich eingerichtet wie Michikos Raum, nur dass in der Vase ein Strauß gelber Tulpen steht. Der Mann ist Japaner. Körperbau und Haare verraten es sofort. Tanner fasst vorsichtig mit zwei Fingern an die Halsschlagader. Kein Zweifel, der Mann ist tot. Der Körper ist noch warm. Klar, es ist ja eben erst passiert. Aus seinem Mund rinnt gelber Schleim.
Als sich Tanner wieder aufrichtet, stürmt eine große Frau mit kurzen, blonden Haaren in das Zimmer. In breitestem Schwäbisch erkundigt sie sich, erstaunlich beherrscht, nach dem Geschehen.
Aha, Claudia, denkt Tanner bei sich.

Der Mann ist tot. Soeben gestorben. Ich habe nichts angerührt, bloß seine Halsschlagader angefasst. Überzeugen Sie sich selbst.
Für einen Augenblick fixiert die Blonde ihn scharf. Ihr Gesicht und alles, was man von ihrem Körper sieht – und es ist nicht gerade wenig –, ist übersät mit Sommersprossen.
Mir genügt es, wenn Sie es sagen. Sie sehen aus, als ob Sie etwas davon verstünden. Ich bin die Claudia. Sind Sie Arzt?
Tanner schüttelt den Kopf und nimmt die Hand, die sie ihm entgegenstreckt. Eine äußerst angenehme, kräftige Hand. Claudia ist eine erfrischend natürliche Person mit offenem Blick.
Wenn Sie kein Arzt sind, dann sind Sie Polizist, oder?
Nein, nein. Das heißt, so was Ähnliches. Übrigens, ich heiße Tanner. Schade, dass wir uns unter solchen Umständen kennen lernen.
Ich gebe Ihnen meine Nummer. Falls die Polizei Fragen hat. Obwohl ich natürlich bis zum Schrei nichts mitbekommen habe. Und jetzt rufen Sie die Polizei, je schneller, desto besser.
Sofort nestelt sie aus ihrem dünnen Kleidchen ein drahtloses Haustelefon und drückt eine Zahl. Offensichtlich hat sie die Nummer der Polizei einprogrammiert. Das ist bei dem Job wahrscheinlich auch sinnvoll. Nach einer Weile hat sie die Verbindung. Claudia, die Beherrschte, gibt in kurzen Worten eine Zusammenfassung von dem, was im *Schlaraffenländleee* passiert ist.
Okay, die Polizei kommt sofort. Ich schlage vor, Sie verschwinden jetzt besser. Ich nehme nicht an, dass Sie warten wollen, bis die Typen hier sind. Und vielen Dank. Vielleicht ein andermal.
Sie verlassen das Zimmer. Claudia verschließt die Tür und steckt den Schlüssel ein. Draußen im Flur stehen Odette und Michiko. Sie haben sich mittlerweile etwas übergeworfen und sehen wie zwei verschüchterte Schülerinnen aus, die auf ihre Bestrafung warten. Tanner verabschiedet sich von beiden. Michiko presst sich einen Moment an ihn, flüstert etwas in sein Ohr, was er aber nicht versteht. War das japanisch? Er küsst sie auf beide Wangen. Sie riecht nach Pfirsich. Klischees sind manchmal doch ganz schön, denkt Tanner, und drückt Odette die Hand, die sich bei ihm überschwänglich für die Ohrfeige bedankt.
Wenigstens lächelt sie wieder. Es ist sicher nicht gerade angenehm, einen wildfremden Mann in den Armen zu haben, der plötzlich stirbt. Dieses Erlebnis wird sie ohne professionelle Hilfe nicht so

schnell wieder los. So etwas bleibt haften. Hoffentlich kümmert sich die Polizei darum.
Draußen auf der Straße holt er zunächst einmal tief Luft. Es ist immer noch heiß. Will es denn heute nicht abkühlen? Er überlegt, ob er nicht trotzdem auf die Polizei warten soll.
Ach, die werden sich sicher melden, wenn sie etwas von mir wissen wollen. Er geht in Richtung Innenstadt.
Also, das ist jetzt sein Ausflug in die Welt der Lust gewesen. Lächelnd schüttelt Tanner den Kopf. Verwundert bleibt er plötzlich stehen. Eigentlich hätte man schon lange die Polizeisirene hören sollen. Sie lieben es doch, in solchen Situationen mit Donner und Gloria einzufahren. Na ja, ist ja eigentlich nicht sein Problem. Wahrscheinlich ist der Mann ein Viagraopfer. Wieso sollte sonst ein kräftiger Mann, kaum älter als fünfundvierzig, während er Sex mit einer Frau hat, plötzlich sterben? Allerdings, der gelbe Schleim. Was hat der wohl zu bedeuten? Waren das Magensäfte?
Tanner beschließt, den Rückweg trotz der Hitze zu Fuß zu machen. Die Luft fühlt sich schwer an. Es erinnert ihn an Marokko. Da waren solche Temperaturen an der Tagesordnung. Jetzt hätte ihn seine damalige Köchin mit ihrer herrlich kalten Suppe erwartet. In diesem Moment realisiert Tanner, dass er furchtbaren Hunger hat. Er winkt sich jetzt doch das Taxi heran, das gerade wie gerufen um die Ecke biegt. Im Taxi ist es erdrückend heiß, zudem pafft der Fahrer ungeniert eine Ekel erregende Villinger. Zum Glück ist die Fahrt nur kurz. Mürrisch bedankt sich der Fahrer für das Trinkgeld und versteht nicht, warum Tanner sich seinerseits für die sehr angenehme Atmosphäre in seinem Taxi bedankt. Einer aus den Bergtälern, der sich in die Stadt verirrt hat und noch immer nicht begriffen hat, dass er im Dienstleistungssektor arbeitet.
In der Innenstadt sucht er sich ein angenehm gekühltes Restaurant und bestellt eine Portion *spaghetti alla vongole.*
Nachdem er gegessen hat, wandert er gemächlich zu seinem Hotel. Der Portier händigt ihm merkwürdig verschmitzt seine Zimmerschlüssel aus. Die Hotelbar ist zu. Also keine Gewissensentscheidung mehr wegen Alkohol und anderer Sachen …
Merkwürdigerweise ist sein Zimmer nicht abgeschlossen. Hat er es vergessen? Ist eigentlich nicht seine Art. Er verharrt einen Moment vor der Tür. Dann reißt er sie mit einem Schlag auf. Eine kleine Tisch-

lampe brennt. Auf dem Tisch steht, in einem Kühler, eine Flasche Champagner, daneben zwei schlanke Gläser. Im aufgeschlagenen Bett räkelt sich die Blonde von der Bar und schaut ihn verdutzt an. Keiner rührt sich, beide starren sich an. Nach einer Weile lächelt sie und dann kommt der Ton zum Bild. Ihre Wahnsinnsstimme.
Das hat aber lang gedauert, ich bin schon eingeschlafen. Willst du nicht die Tür zumachen?

DREI

Pünktlich um sieben Uhr steht der bestellte Mietwagen vor dem Hotel. Tanner unterschreibt die notwendigen Dokumente. Auch dass er mit dem Auto unter gar keinen Umständen nach Polen fahren werde. Der kleine BMW hat tatsächlich eine Klimaanlage. Das war gestern eigentlich seine einzige Forderung an das Auto gewesen. Es sieht nämlich nicht aus, als würde der neue Tag kühler werden.
Nachdem er die Grenze passiert hat, kann er für eine Weile das Auto austesten. Dann verlässt er die Autobahn und fährt gemächlich über Nebenstraßen durch die Landschaft.
Die Klimaanlage im Auto arbeitet zufrieden stellend, Tanner lehnt sich zurück, lässt die Rebberge und Bauerndörfer, die auffallend sanft in die Hügel eingebettet sind, vorübergleiten.
Ein tiefes Wohlgefühl breitet sich in ihm aus. Die Quelle dieses Wohlbefindens sitzt in seinem Bauch. Die Nacht mit der blonden Barfrau ist von einer überraschenden Zärtlichkeit erfüllt gewesen. Wie ist es möglich, dass sich zwei fremde Menschen einzig durch die Berührung ihrer Körper für einen Augenblick so, äh ... berühren können? Ist das ganze Gerede über die Liebe vielleicht doch nur Gewäsch? Vielleicht ist das alles nur von den Hormonen, den Körpersäften und dem Duft abhängig. Sie haben kaum ein Wort gesprochen. Als er zu ihr ins Bett stieg, hat sie ihm mit einer so rührenden Vertraulichkeit ihre schönen Brüste dargeboten, als sei es in ihrem Leben das erste Mal. Sie hob sie mit beiden Händen an, presste sie

leicht. Dann blickte sie ihn mit ihren dunklen Augen an, ließ die Brüste los, lehnte sich zurück und spreizte langsam ihre Beine. Diese Bewegung hatte erstaunlicherweise nichts Obszönes. Sie öffnete ganz einfach, ohne Scham, ihren Schoß und bot ihm seinen Anblick. Gemeinsam betrachteten sie das Wunder. Da erfasste ihn eine Leidenschaft, wie er sie lange nicht mehr gespürt hatte. Und sie trug ihn in immer neuen Wellen durch die halbe Nacht. Bevor sie das erste Mal kam, hat sie ihm ihren Namen ins Ohr geflüstert. Und nach seinem Namen gefragt. Als er am Morgen mit einem Gefühl der Ruhe und Dankbarkeit aufwachte, war sie weg.
In diesem Moment wird ihm klar, dass er soeben die Abzweigung verpasst hat. Er wendet und nähert sich langsam dem kleinen Ort.
Das Dorf besteht aus einem heillosen Durcheinander von alten Bauernhöfen und neuen, gesichtslosen Gebäuden. Einzig der kleine Dorfkern in Richtung Kirche lässt etwas von einer vergangenen Harmonie ahnen. Das Rathaus, an dem *Rathaus* steht, ein pseudohistorisches Gebäude aus der Zeit des Führers, befindet sich gerade im Umbau. Gleich neben der Baustelle sind einige weiße Bürocontainer mit großen Fenstern scheinbar nachlässig aufeinander geschichtet. Hier werden während der Umbauphase die amtlichen Geschäfte getätigt.
Die Standesbeamtin arbeite leider heute nicht, erklärt ihm ihre Stellvertreterin, nachdem er sein Anliegen formuliert hat. Da er aber extra aus der Schweiz gekommen sei – sie macht dabei ein so bekümmertes Gesicht, als sei er mindestens aus Übersee angereist – werde sie versuchen, ihm die notwendigen Auskünfte zu erteilen. Kurz darauf erscheint sie mit einem riesigen, altertümlichen Wälzer. Sie beugen sich beide über das stark nach Verfall riechende Buch. Nach kurzer Zeit des Blätterns legt sie, die hilfsbereite Stellvertreterin, mit einem kleinen triumphierenden Lächeln ihre schmale Hand auf eine bestimmte Seite.
Da ist der Geburtseintrag ihres Großvaters Gustav Adolf Land!
Sie lächelt den Mann aus dem fernen Land an. Leider kann er die alte deutsche Schrift nicht lesen. Stolz liest sie ihm die knappen Eintragungen mit fester Stimme vor.
Aha, er ist also tatsächlich geboren.
Etwas irritiert schaut sie ihn an.
Und auch gestorben. Sehen Sie, hier unten an der linken Ecke steht ein Eintrag. Ihr Großvater ist am 1. Juli 1941 in H. gestorben.

Dabei steht auch die Nummer vom Sterbebuch. Alles korrekt eingetragen.
Bevor sie das Buch mit Schwung zuschlagen kann, bittet er sie um eine Kopie. Stirnrunzelnd überlegt sie eine Weile, ob sie dazu befugt ist. Schließlich siegt die Einsicht, dass er ja extra von weit her gekommen sei. Tanner bedankt sich höflich und zückt seine Brieftasche. Sie wehrt sofort ab und meint, nein, nein, wir machen das ganz inoffiziell. Sie lächelt ihn mit einem kleinen verschwörerischen Schmunzeln an. Nachdem sie ihm die Kopie betont verstohlen ausgehändigt hat, zieht sie ihn schnell in ein anderes Büro.
Wir haben hier ein Exemplar des Kirchenbuches, das kürzlich gedruckt wurde. Da können Sie auch noch nachschauen.
Richtig eifrig ist sie nun geworden. Sie legt ihm das Buch auf einen Tisch. Sie verlässt das Zimmer und meint, das könne er nun alleine lesen, es sei ja gedruckt, und zwar in modernen Buchstaben. Lachend schließt sie die Tür.
Tatsächlich findet er sofort den entsprechenden Eintrag. Sein Großvater hatte neun Geschwister. Noch etwas, das er nicht wusste. Und er erfährt, dass praktisch die ganze Familie, mit Ausnahme seines Großvaters, um die Jahrhundertwende nach Amerika ausgewandert ist. Und auch hier steht schwarz auf weiß, dass er 1941 in H. verstorben sei. Aber was heißt H.? Warum weiß das seine Familie bis heute nicht?
Was war so schlimm, dass man nichts davon wissen wollte? Eine Fahrt in seinen Geburtsort und ein Blick in ein Dokument genügen, um an diese einfachen Fakten heranzukommen. Verschollen? Warum verschollen? Er war in H. wohnhaft gewesen und daselbst gestorben! Zehn Jahre, bevor Tanner zur Welt kam. Aber was hatte er in H. gemacht? Die Frage ist auch, wie er ausgerechnet dahin gekommen ist. Ist er wieder gesund geworden und hat dort ein neues Leben angefangen?
Er geht noch mal ins Büro der hilfsbereiten Stellvertreterin und bedankt sich artig. Sie schenkt ihm wieder ein verschwörerisches Lächeln. Das Rot ihrer Lippen ist eindeutig kräftiger als vorher. Bei seinem Eintritt hat sie verschämt etwas in ihre Handtasche gesteckt. Tanner winkt ihr zu und geht eilends aus dem Büroprovisorium.
Am anderen Ende der Dorfstraße leuchtet weiß der schlanke Kirchturm. Auf dem breit geschwungenen Kirchdach hockt rittlings ein

großer Korb. Eine Brutaufforderung an Störche. Das Grundgerüst zum Nestbau ist allerdings leer. Wahrscheinlich haben die wenigen Störche heutzutage eine breite Auswahl an Wohnmöglichkeiten. Nein, diesmal gehen wir nicht dahin, werden sie sich gesagt und das nächste Dorf ausgewählt haben. Es ist, als ob der leere Nistplatz die verlorene Seele des Dorfes symbolisiert. Eigentlich ist alles da: die Hügellandschaft, das Licht, einige alte Häuser, die Kirche, der Dorfbach. Neugierig blickt Tanner in den Innenhof eines alten Bauernhofes, dessen Eingangstor an den Eingang einer Burg erinnert. Zwei dickliche Hofhunde preschen plötzlich bellend und keuchend um die Ecke. Tanner geht sofort in die Knie und streckt seine Hand aus. Etwas irritiert stoppen die beiden zähnefletschenden Ungetiere und gucken ihn mit schräg gestelltem Kopf an. Aus der Remisentüre dringt eine scharfe Stimme. Jetzt erscheint die Gestalt zur Stimme, die beruhigend und in sympathisch badischem Dialekt auf die Hunde einredet. Ein groß gewachsener, knochiger Bauer mit weißem, spärlichem Haar begrüßt Tanner. Der erhebt sich, stellt sich vor und fragt den Bauern, ob er die Familie seines Großvaters kenne.
Er streicht sich über den Kopf und meint, dass von dieser Familie ja seit langem niemand mehr hier am Ort lebe. Tanner fragt, ob er wenigstens wisse, wo die Familie gelebt habe, aber er schüttelt den Kopf und beeilt sich wieder zu seiner Arbeit zu gehen. Kaum ist der Bauer in der Remise verschwunden, stehen die beiden Hunde sofort wieder auf und beginnen zu knurren. Tanner tritt den Rückzug an und setzt seinen Gang durchs Dorf fort.
Irgendwie hat er sich seinen Besuch im Geburtsort seines Großvaters etwas anderes vorgestellt. Aber wie? Dass er ihm hier begegnen würde? Nein, aber vielleicht hat er gehofft, ein Dorf anzutreffen, das seit der Zeit unverändert vor sich hin schlummerte, wodurch er sich die damalige Zeit besser hätte vorstellen können.
Hinter der Kirche liegt ein überraschend großer Friedhof. Wenigstens gibt es hier Schatten.
Mal sehen, vielleicht erzählen die Toten mehr als die Lebenden.
Langsam und aufmerksam die eingravierten Namen lesend, schreitet er den vorwiegend in glatt poliertem Dunkel gehaltenen Grabsteinen entlang, als ob er eine Parade abnehmen würde. Nach der Qualität der Steine zu urteilen, muss es sich im Durchschnitt um eine reiche, zumindest gut situierte Gemeinde handeln. Immer wieder

fallen gleiche Familiennamen auf. Aber auf Anhieb kann er den Familiennamen seines Großvaters nicht entdecken. Kein Wunder, wenn die meisten schon vor hundert Jahren nach Amerika ausgewandert sind. In einer separaten Abteilung des Friedhofs entdeckt Tanner, gruppiert um ein bronzenes Denkmal, ein regelrechtes Massengrab. Die Opfer eines Grubenunglücks. An die siebzig Opfer bei einem einzigen Unglück. Offensichtlich handelte es sich um ein Kalibergwerk, das Anfang der Siebzigerjahre stillgelegt wurde. Ist mit der Schließung das Leben im Dorf erloschen?
Im Moment, als Tanner sich auf eine Bank setzen will, klingelt sein Mobiltelefon. Zuerst hört er eine Weile nur ein Rauschen, dann von ganz weit weg eine fremde Stimme. Er muss einige Male ins Telefon rufen, bis er den Namen versteht.
Hier ist Michiko … Michiko! Sie haben uns doch Ihre Telefonnummer gegeben. Ich arbeite im Schlaraffenländli. Sie waren bei mir, gestern. Wissen Sie, wer ich bin? Sie waren ja nur ganz kurz bei mir –
Tanner unterbricht ihren Redeschwall, den sie leise und keuchend von sich gibt, als ob sie Angst habe, dass jemand sie belauscht. Er sagt ihr, dass er sie nicht so schnell vergessen hätte.
Ja, Entschuldigung, seien Sie mir bitte nicht böse. Ich muss Sie dringend sehen. Ich muss Ihnen etwas ganz Wichtiges sagen! Etwas, das ich unter keinen Umständen am Telefon sagen kann, verstehen Sie? Es ist ganz wichtig. Können Sie heute Nacht kurz vor Mitternacht beim Brunnen am Theater sein, bitte? Wissen Sie, dieser Brunnen mit den lustigen Maschinen …? Der Rest geht im Rauschen einer plötzlichen Störung unter. Dann endet die Verbindung abrupt. Oder hat sie aufgelegt, um ihm die Möglichkeit zu nehmen, Nein zu sagen? Er beschließt, sie zurückzurufen. Ihre Nummer ist jetzt in seinem Telefon gespeichert. Ihre Angst, die er so deutlich gespürt hat, legt sich kalt um sein Herz. Seine Hand zittert leicht, als er ihre Nummer wählt. Viermal ertönt das Zeichen, dann meldet sich eine Automatenstimme. Beunruhigt beendet er seinen Versuch. Er steht immer noch still, unfähig sich zu bewegen.

Auch Michiko ist unfähig, sich zu bewegen. Die kräftigen Hände des Mannes, der hinter ihr steht, umschlingen ihren Hals. Hart stößt er seine Erektion an ihren Körper. Panik steigt in ihr auf. Sie spürt den Atem in ihrem Nacken. Sie kann nicht sprechen und nicht schreien.

Nicht, dass sie keine Luft bekommen hätte, aber die Angst schnürt ihr die Kehle zu. Die Hände betasten beinahe zärtlich ihr Gesicht. Dann umfasst die eine ihre Stirn, die andere wandert zu ihrem Genick. Sie weiß, was die Finger dieser Hand suchen. Eine bestimmte Stelle zwischen ihren oberen Halswirbeln. Und sie weiß, dass er die Stelle finden wird. Diese Hände haben immer alles gefunden, alles bekommen, was sie je suchten. Die Erkenntnis macht sie unvermittelt ruhig. Einst liebte sie diese Hände, die ihren Körper besser kennen als sie selbst. Sie spürt die anderen Männer im Raum, aber sie kann sich nicht umdrehen. Ihr Kopf ist wie im Schraubstock. Sie schließt die Augen. In ihren letzten Sekunden sieht sich als Kind. Sie spielte so gerne am Wasser. In ihren Ohren beginnt es zu rauschen. Dann spürt sie nur noch die Hitze in ihrem Genick.

Tanner steht immer noch starr. Seine Hand umklammert das Telefon.
Was will sie ihm mitteilen? Was kann so schlimm sein, dass sie es nicht am Telefon sagen kann?
Wohl oder übel muss er sich bis zu ihrem Treffen gedulden. Es muss ja irgendwie mit dem Tod des Japaners zusammenhängen. Was sollte sie ihm sonst zu sagen haben? Sie haben sich ja kaum kennen gelernt. Er hat sie zwar nackt gesehen, sie sogar kurz berührt, und zwar genau so lange, um mit Sicherheit sagen zu können, dass ihre herrliche Brust nicht nur aus Natur besteht, aber dann durchschnitt dieser grelle Schrei … und gleich darauf war er auch schon wieder draußen, ausgestoßen aus dem Schlaraffenland. Ohne von den Früchten genossen zu haben.

VIER

Zurück in der Stadt, weckt Tanner auf dem Zivilstandesamt ein paar Beamte auf, die von der übermächtigen Hitze überwältigt, ihre Siesta halten, ihm aber über seinen Großvater nichts, aber rein gar nichts, erzählen können, denn er existiert in ihren Unterlagen nicht. Natürlich, er ist weder in dieser Stadt geboren noch gestorben. Und geheiratet hatte er Tanners Großmutter wahrscheinlich in Deutschland oder in ihrem Geburtsort.
Meine Herren, Sie können wieder in Ihren Dornröschenschlaf zurücksinken ... verzeihen Sie die Störung!
Mehr Glück hat Tanner in dem herrlich kühlen Staatsarchiv, über dessen Tor ein denkwürdiger Satz in Goldlettern prangt: *Gott lässt seiner nicht spotten.*
Interessanter Hinweis, denkt Tanner amüsiert, aber was ist damit gemeint? Ist es eine Feststellung oder eine furchtbare Drohung? Droht der Satz mit dem berühmten Blitzschlag, der denjenigen treffen soll, der sich über Gott lustig macht?
Tanner geht in den Lesesaal im ersten Stock. Nachdem er knapp sein Anliegen dargelegt hat – und zwar flüsternd, denn die Atmosphäre legt Flüstern nahe –, verweist ihn der zuständige Beamte, dessen Gesichtshaut längst die Farbe und Konsistenz von alten vergilbten Dokumenten angenommen hat und der offensichtlich gerade mit seiner Frau telefoniert, mit majestätischer Geste zu einem immensen Bücherbord voller Adressbücher der Stadt und bemerkt lässig, man müsse jede Suche ganz banal im Adressbuch beginnen, alles Weitere ergäbe sich dann schon. Tanner verbeugt sich stumm vor so viel Weisheit und begibt sich zu besagtem Bücherbord. Tatsächlich stößt er nach ein wenig Blättern auf erste Lebensspuren seines Ahnen. 1924 taucht sein Name das erste Mal in einem Vorort der Stadt auf. Sein Großvater war offenbar Hilfsschreiber. Was ist bitte ein Hilfsschreiber? Hilft er dem Schreiber beim Schreiben? Vielleicht darf der Hilfsschreiber die Bleistifte vom Chefschreiber spitzen oder die Enden von Gänsefedern schärfen? Farbbänder von Schreibmaschinen auswechseln? Im Adressbuch 1927 ändert sich die Berufsbezeichnung. Er ist jetzt Magaziner, nicht mehr Hilfsschreiber. Nach den sehr fragmentarischen Erzählungen seiner Mutter war er tat-

sächlich ein einfacher Magaziner in einem Familienunternehmen gewesen, das führend auf dem Gebiet Starkstrom war. Die Firma existiert übrigens heute noch, auch wenn sie wahrscheinlich kein Familienunternehmen mehr ist. Um diese Firma wird Tanner sich noch kümmern, denn dort begann die Geschichte der Krankheit seines Großvaters. Nach Aussage seiner Mutter ist dort etwas passiert, woran dieser schuld gewesen sein soll …

Wie auch immer, bis 1936 findet Tanner insgesamt drei Adressen. Dann verschwindet der Name seines Großvaters plötzlich. Stattdessen ist nur noch seine Frau, also Tanners Großmutter, aufgeführt. Zu diesem Zeitpunkt ist wohl klar geworden, dass der Mann krank ist und krank bleiben würde. Flüsternd wendet Tanner sich an den Beamten, der schon wieder, diesmal mit Augenrollen gegen einen unsichtbaren Beamtenhimmel, sein sicher wichtiges Privatgespräch unterbrechen muss. Wie es denn jetzt weitergehe mit seiner Suche, will Tanner bescheiden wissen. Es gehe gar nicht weiter, spricht der Vielbeschäftigte mit wichtiger Miene. Er, Tanner, müsse nun ein schriftliches Gesuch an das Staatsarchiv stellen, denn die weitere Suche würde ein angestellter Forscher übernehmen. Gegen Bezahlung, versteht sich. Und zwar für fünfundneunzig Franken pro Forscherstunde. Es könne ja nicht jeder selber in den Dokumenten wühlen, das sei doch klar, so weit käme man noch, Datenschutz und so.

Aha! Ja so!

Jetzt weiß Tanner endlich Bescheid und der Beamte kann seelenruhig sein Telefongespräch weiterführen. Tanner holt tief Luft und überlegt sich, ob er ausnahmsweise seinen abgelaufenen Dienstausweis zu Hilfe nehmen soll. Die im Lesesaal anwesenden Personen, die bis jetzt allesamt ruhig über ihre jeweiligen Bücher, Akten oder Notizen gebeugt waren, blicken ihn erwartungsvoll an, denn der Beamte hat, um seiner Auskunft Nachdruck zu verleihen, plötzlich die Flüsterebene verlassen und mit Stimme gesprochen. Tanner lächelt einer rothaarigen Frau zu, die ihn ebenso erwartungsvoll fixiert wie alle anderen. Während sie an ihrem Bleistift knabbert, vor sich das größte Buch, das Tanner je gesehen hat, zuckt sie mit den Schultern. Das soll wohl heißen, da kann man nichts machen. Wie gesagt, Tanner lächelt, dreht sich um und verlässt den Raum. Also wird er halt in Gottes Namen untertänigst ein Gesuch schreiben.

Draußen in der Enge der Gasse, die sich zurück zum Münster schlän-

gelt, empfängt ihn wieder die lastende Hitze. Er glaubt zu ersticken. Um Atem ringend hält er sich an einer Mauer fest. Kein Wunder, dass weit und breit niemand zu sehen ist. Schließlich warnen die Behörden ja täglich vor dem viel zu hohen Ozongehalt in der Luft.
Also, Tanner, langsam Luft holen und nicht an der Mauer festwachsen.
Sein nächstes Ziel ist die Redaktion der Stadtzeitung. Eine alte Bekannte aus seiner Schulzeit war dort Redaktorin für Verbrechen, Vermischtes und Todesanzeigen. Wenn er Glück hat, ist sie es noch. Auf der Fahrt vom Geburtsort seines Großvaters in die Stadt hat sich Tanner überlegt, dass es vielleicht sinnvoll wäre, seine Bekannte, die ihn immerhin in der Schule einige Male in brenzligen Situationen hat abschreiben lassen, aufzusuchen. Um sie über den Toten aus dem Schlaraffenländli auszufragen.
Martha Vogel, das pausbäckige Landmädchen mit den knarzenden Schuhen aus einem abgelegenen Kaff im Umland der Stadt. Das Mädchen, das bei jeder Gelegenheit rot anlief wie ein reifer Apfel. Tanner mochte sie irgendwie gern. In der Klasse war sie nicht besonders beliebt. Sie war nicht der Mode entsprechend gekleidet, zudem verwendete sie kein Deo und sie war in allen Fächern schlicht und ergreifend die Beste. Sie hatte ihre Hausaufgaben ausnahmslos immer perfekt gemacht. Wahrscheinlich als Einzige. Die Kombination dieser Eigenschaften machte sie zur Außenseiterin. Vielleicht mochte Tanner sie deswegen. Wahrscheinlicher ist, dass er von der uneingeschränkten Bewunderung dieses Mädchens geschmeichelt war. Die zeigte sie natürlich nicht offen, dazu war sie viel zu schüchtern.
Nur einmal, auf einem Schulausflug in den Bergen, verriet sie sich quasi in aller Öffentlichkeit. Der Lehrer hatte von der einsamen Höhe seiner Weisheit herab angeordnet, dass bei der Überquerung einer steilen, abschüssigen Stelle jedes Mädchen die Hand eines Jungen nehmen sollte. Tanner wollte flugs seine Hand – ihren Rucksack trug er ja schon, zusätzlich zu seinem eigenen – seinem damaligen Schwarm reichen, einem der beiden tschechischen Fräuleinwunder, die nach der Flucht aus dem Ostblock wie exotische Schmetterlinge in ihrer Klasse gelandet waren. Exotisch, weil sie zwei Jahre älter waren als der Durchschnitt der Klasse, weil sie aus der gefährlichen Fremde kamen und – weil sie schon richtige Frauen waren. Tanners Schwarm hatte einen Busen, der das schweizerische Mittelmaß bei

weitem überstieg. Und dann trug sie jeden Tag eine dieser blütenweißen Blusen, bei denen gut die Hälfte der Knöpfe nie in Kontakt mit den für sie vorgesehenen Knopflöchern kamen, ja nicht einmal etwas von deren Existenz ahnten, so weit offen trug das arme Flüchtlingskind aus dem bösen Ostblock seine Blusen. In dieser Zeit ging Tanner richtig gern zur Schule. Er organisierte freiwillig eine große Ausstellung über den Einmarsch der russischen Panzer bei den lieben Pragern, nur um seiner Exildame zu gefallen. So erlebte wenigstens Tanner seine Frühlingsgefühle, nachdem der große politische Frühling in Prag platt gewalzt worden war.
Zurück zur abschüssigen, steilen Wegstelle. Tanner wollte also gerade die männlich starke Hand seinem Schwarm reichen, da sprang Martha Vogel mit ihren klobigen Bergschuhen herbei und packte sich besitzergreifend seine Hand. Ihre Hand war klein, fest und – nass vor Schweiß. Ihre blauen Augen leuchteten ihn an und Tanner brachte es nicht übers Herz, die Hand, die ihn so stürmisch ergriff, abzuschütteln. Alles kicherte natürlich. Tanner nahm die Herausforderung an und geleitete die ihm Anvertraute über die gefährliche Stelle. Dafür wurde er dann mit leckeren Käsebroten aus Martha Vogels Rucksack verköstigt. Auch durfte er anschließend in der Schule jederzeit von ihrer fleißigen Arbeit profitieren.
Wenn sie also noch in der Redaktion arbeitet, wird sie ihm sicherlich mit Informationen aushelfen.
Kurze Zeit später steht er schweißüberströmt an der Rezeption des großen Zeitungshauses. Und er hat Glück. Ein dürrer Mensch an der Rezeption gibt ihm näselnd, aber freundlich, im breitesten Stadtidiom, Bescheid. Ja, die Frau *Doktrrr Vooogl* sei im Hause, er müsse aber noch etwas *Geduuuld* haben, sie sei gerade in einer Sitzung. Also nimmt Tanner Platz und durchforstet die heutige Zeitung, auf der Suche nach einer Notiz über den toten Mann aus dem Schlaraffenländli. Das müsste doch für die Zeitung ein gefundenes Fressen sein. Ein Toter im Puff. Dazu noch ein Ausländer. Was für ein Schlagzeilenglück im journalistischen Sommerloch.
Tanner findet nichts und beginnt sich gerade zu wundern, als der Dünne mit den Armen fuchtelt und ihm bedeutet, er könne jetzt mit dem Lift in den zweiten Stock fahren, drittes Büro rechts …
Bevor Tanner an die geschlossene Bürotür klopft, holt er tief Luft.
Da niemand antwortet, geht er hinein.

Hallo, Frau Doktor, darf ich eintreten?
Aus der Tiefe eines sich anschließenden Raumes ertönt eine energische Stimme. Er solle einfach hereinkommen, sie sei sofort da. Enttäuscht stellt er fest, dass ihm die Stimme gar nicht bekannt vorkommt. Viel zu energisch und zu bestimmt, als dass sie zu der erinnerten Gestalt passen würde.
Das Büro von Frau Doktor Vogel ist höchst spartanisch eingerichtet. Unschlüssig steht Tanner mitten im Raum. Soll er sich setzen? Die Entscheidung wird ihm durch das Eintreten einer äußerst attraktiven Frau mit kurz geschnittenen, schwarzen Haaren abgenommen. Elegante Hosen und ein dunkelgrüner Pullover aus Kaschmir betonen ihre schlanke Figur. Sie kommt rückwärts gehend in den Raum, stößt die Tür mit dem Schwung ihrer Schultern auf, denn sie trägt einen Stapel Manuskripte in beiden Händen. Jetzt sieht sie den Besucher mit ihren großen blauen Augen an und friert mitten in der Bewegung ein. Tanner hebt die Hand zu einem lässigen Gruß, aber auch seine Bewegung bleibt mitten in der Luft stehen. Kann diese Frau das Landei aus Tanners Erinnerung sein? Diese Augen?
Bevor Tanner seine Erkundung fortsetzen kann, wird die äußere Bürotür, durch die Tanner soeben eingetreten ist, mit lautem Knall aufgestoßen und eine forsche Männerstimme in Baritonlage überschwemmt die angehaltene Zeit und Stille im Raum. Ein mächtiger Körper folgt der raumfüllenden Stimme.
Marthalein, ich habe unter Einsatz meines Leben alle Unterlagen besorgt, die du so dringend ... oh, pardon, ich sehe, du bist nicht allein. Guten Tag. Stettler, ich bin hier das Mädchen für alles. Martha, ich bin in meinem Büro, wenn du noch Fragen hast. Hiermit habe ich mir aber ein schönes Nachtessen mit anschließendem Dessert mehr als verdient, oder?
Ohne eine Antwort abzuwarten, schickt er einen ziemlich feuchten Schmatz durch das Zimmer, ungefähr in Richtung von Marthas leicht geöffneten Lippen. Jetzt hat Tanner die Gewissheit, dass es sich um niemand anders als um seine ehemals sehr unscheinbare und sehr schüchterne Schulkollegin Martha Vogel handelt. Denn das stürmische und laute Intermezzo hat ihre Wangen aufs Schönste entflammt. Sicher sehr zu ihrem Leidwesen. Aber sonst! Was für eine Veränderung! Wie weggezaubert sind die leicht gebückte Haltung und die meist schräge Kopfhaltung, an die sich Tanner erinnert.

Aufrecht und schlank steht sie vor ihm mit klarem Blick. Ein äußerst erstaunter, kritischer Blick.
Die kurz geschnittenen Haare bringen ihre großen Augen und ihre glatte Stirne wunderbar zur Geltung. Das Alter kann dieser Frau offensichtlich nichts anhaben.
Hallo, Tanner. Du bist doch Tanner, oder? Hat dir der Auftritt von Stettler die Sprache verschlagen. Stettler ist mein Chef. Von wegen Mädchen für alles. Er untertreibt gerne … äh, er übertreibt gerne … also ich meine …
Martha Vogel! Du …! Nicht Stettler, du hast mir die Sprache verschlagen. Ich habe dich kaum wiedererkannt. Das ist ja unglaublich … also, ich meine … also, ich will sagen, du bist so …? Richtig schön bist du geworden.
Ach, jetzt hör doch auf. Fang du nicht auch noch an. Ich hasse es, wenn Männer übertreiben. Zudem werde ich immer noch rot, wie du siehst. Und das hasse ich ganz besonders. Willst du dich nicht setzen? Soll ich uns etwas bestellen? Tee? Wasser? Oder willst du ein Bier?
Sie redet ziemlich schnell, wahrscheinlich um von ihren geröteten Wangen abzulenken. Endlich legt sie den Stapel Manuskripte ab. Sie setzt sich auf ihren Tisch, verschränkt die Arme und lässt die Beine baumeln. Tanner betrachtet bewundernd ihre italienischen Schuhe mit den hohen Absätzen. Nichts mehr von knarzenden Bergschuhen.
Ja, Tanner, viel Zeit ist vergangen. Du bist ja zu keiner Klassenzusammenkunft gekommen. Der Herr Kommissar war ja immer viel zu beschäftigt. Jetzt müssen wir die geballte Ladung unserer Veränderungen auf einmal aushalten. Und dieses erschreckende Gefühl, dass die Zeit schneller vergeht, als wir uns das je vorgestellt haben.
Dann lacht sie unvermittelt ein erstaunlich helles Lachen. Und lässt den Oberkörper auf ihre Schenkel fallen, umfasst mit ihren kleinen, kräftigen Händen beide Fußgelenke. Eine ganze Weile verharrt sie so, auch als das Lachen längst verstummt ist. Tanner schweigt und wartet. Nach einer kleinen Ewigkeit bäumt sich ihr Körper auf, sie springt auf die Füße und geht schnell hinter ihren Schreibtisch. Mit dem Rücken zu Tanner, reibt sie sich die Augen. Als sie sich Tanner zuwendet, schimmern sie immer noch feucht.
Also, Tanner, was verschafft mir die Ehre deines plötzlichen Besuches?

Er seufzt und schaut interessiert an die Decke. Offensichtlich hat sich Martha nach einem Moment der Rührung entschlossen, zu einer Art Förmlichkeit zurückzufinden. Er begreift erst in diesem Moment, dass er den Fall des toten Japaners nicht ansprechen kann, ohne dass offensichtlich wird, dass er selber Besucher dieses Etablissements war. Warum ihn das plötzlich stört, obwohl er sich selber kaum als prüde bezeichnen würde, ist ihm im Augenblick auch klar. Es sind die Augen und das offene Gesicht von Martha.
Tanner, ich habe dich, glaube ich, etwas gefragt. Ich habe leider heute nicht so viel Zeit.
Martha, gestern ist in dieser schönen Stadt ein Mann japanischer Herkunft in einem dieser Etablissements, die offiziell nicht existieren, in den Armen einer sehr existierenden Liebesdienerin gestorben. Die Hitze kann es nicht gewesen sein, die Räumlichkeiten verfügen über Aircondition. Außer, die junge Dame wäre zu hitzig gewesen. Ich meine, für den Herrn. Er sei allerdings ein gut trainierter Mann im besten Alter gewesen. Man hat dann die Polizei gerufen. Was ja in so einem Fall auch vernünftig und normal ist. Was eher nicht so normal scheint, ist die Tatsache, dass in eurer Zeitung nicht die kleinste Information über diese traurige Begebenheit geschrieben steht. Ist das einer ungewöhnlichen journalistischen Diskretion zu verdanken oder wisst ihr nichts davon?
Martha schaut eine Weile schweigend zum Fenster hinaus. Tanner wird in dem Augenblick bewusst, dass er während der Schulzeit vier volle Jahre auf derselben Höhe mit Martha saß, getrennt nur durch einen schmalen Gang. Wie hatte er während dieser ganzen Zeit das Profil von Martha Vogel übersehen können?
Zu seinen Gunsten sagt sich Tanner allerdings, dass er damals, wenn er sie von der Seite ansah, meistens nur zerzauste Haare sah. Heute verstellt keine einzige Haarsträhne den Blick auf die ebenmäßige Linie, die Stirn und Nasenrücken bilden. Freie Sicht auf volle Lippen und auf den frech herausfordernden Schwung der Linie, die unterhalb der Nase die Verbindung zur Oberlippe bildet. Martha blickt ihn einen Moment zögernd an. Hat sie gespürt, wie genau Tanner sie beobachtet? Sie greift energisch zum Telefonhörer. Während sie auf die Verbindung wartet, reibt sie einen imaginären Fleck auf der Tischplatte weg.
Hör mal, wisst ihr was von einem toten Ausländer ...? Gestern

Abend! Ja, im Milieu …! Nein? Gar nichts? Ach, ich habe nur so ein Gerücht gehört … nein, nein. Danke. War nur aus alter Gewohnheit. Ja … entschuldige die Störung. Danke. Wie? Das mit Stettler …? Das ist auch nur ein Gerücht. Und dazu noch ein ganz blödes. Vergiss es, so weit kommt es noch! Also danke.
Martha legt betont sorgfältig den Hörer auf. Während des kurzen Gesprächs hat sie sich auf ihrem Drehstuhl von Tanner weggedreht. Bei der Erwähnung von Stettler fährt sie sich durch ihr Haar, zwirbelt eine Strähne um ihre Finger und verweilt schließlich bei einem kleinen Muttermal am Hals. Dann dreht sie sich entschlossen wieder zu Tanner.
Also, du hast es ja gehört. Die wissen nichts von deinem Toten.
Tanner gibt sich Mühe, sein unschuldigstes Gesicht zu machen. Denn schon bereut er, überhaupt gefragt zu haben. Es wird ja doch nichts bringen, außer einer Reihe hartnäckiger Nachfragen. Und die, die werden kommen, wie das Amen in der Kirche. Das wäre Tanner auch klar, wenn er nicht das schelmische Funkeln in den Augen von Frau Doktor Vogel bemerken würde. Also geht er zum Angriff über …
Martha, wenn du morgen Abend mit mir essen kommst, erkläre ich dir mit allen Details, was es mit dem Toten auf sich hat und woher ich die Information habe. Was sagst du dazu?
Martha lacht auf und droht ihm mit dem Finger.
Das war jetzt sehr raffiniert. Ich gehe aber nur darauf ein, wenn du versprichst, mir auch zu erklären, was insgesamt in diesem Etablissement passiert ist und was deine Rolle dabei ist. Und zwar auch mit allen Details …
Tanner seufzt und hebt spielerisch seine Hand zum Schwur.
So, und jetzt muss ich dich rausschmeißen, auf mich wartet noch eine Menge Arbeit. Wegen unserer Verabredung, lass uns morgen noch einmal telefonieren, ja?
Ihre Umarmung zum Abschied gestaltet sich etwas linkisch, da nicht so recht klar ist, ob sie sich überhaupt umarmen oder sich nur die Hand reichen sollen. Tanner greift sich, nach einem Moment des beidseitigen Zögerns, die Hand von Martha und zieht sie vielleicht etwas zu stürmisch zu sich heran. Tanner spürt in der Umarmung ihren Körper. Es fällt ihm schwer, Martha nicht auf der Stelle zu küssen, so überwältigt ist er. Sie vermeidet es, Tanner noch einmal in die

Augen zu schauen, und schiebt ihn energisch zur Tür hinaus. Dann lehnt sie sich mit dem Rücken an die geschlossene Tür und beißt sich heftig in einen Finger. Das allerdings kriegt Tanner nicht mehr mit.

FÜNF

Erst als Tanner und Bruckner sich über dieses unglaubliche *tiramisù* vom alten Italiener hermachen, das noch immer das beste ist, was Tanner je gegessen hat, und zwar inklusive aller intensiver Feldforschungen zu diesem Thema in Italien, erzählt er seinem Freund von der Begegnung mit Martha Vogel. Bruckner, als er den Namen Martha hört, zaubert dieses besondere Lächeln auf seine Lippen, das Tanner seit jeher bewundert und das ihn gleichzeitig befremdet hat. Eine Mischung aus Wohlwollen und Amüsement, bei der man nie weiß, ob er sich über den Gegenstand oder über sein Gegenüber lustig macht. Oder über sich selbst? Lächeln als Selbstschutz?
Tanner wollte gleich, als sie sich getroffen haben, von Martha erzählen. Er hat sich dann aber doch beherrschen können, zumal er erst einmal die Begegnung mit Bruckner verkraften musste. Bruckner ist zwar älter geworden, aber in seinem äußeren Erscheinungsbild hat sich praktisch nichts verändert. Und das irritierte Tanner ziemlich. Ein schlanker, großer, äußerst attraktiver Mann, dessen Alter erst aus nächster Nähe abzuschätzen ist. Er trägt exakt dieselbe Frisur wie früher, außer dass sich an den Schläfen ein paar silberne Haare zeigen. Seine roten Haare waren schon immer, Tag für Tag, scheinbar gleich lang gewesen. Bei anderen Menschen sieht man, wenn sie ihre Haare geschnitten haben. Bei Bruckner sah man das nie. Die Kleidung ist wie eh und je perfekt. Und teuer. Klassisches englisches Understatement. Damit fiel Bruckner früher in der Schule natürlich auf, weil er einfach zu jung für diesen Stil war. Jetzt nicht mehr. Bruckner ist quasi in seinen schon früh gewählten Stil hineingewachsen. Er trug früher natürlich nur zu bestimmten Anlässen Anzüge. Im normalen Alltag sah man ihn immer in diesen feinen englischen Hem-

den, in Kaschmirpullovern und Pullundern, in Wollhosen mit Bügelfalten und Tweedjacken mit den lederverstärkten Ellbogen. Und das in einer Zeit, in der die anderen um nichts in der Welt auf ihre Jeans verzichtet hätten.
Bei der Begrüßung vor gut einer Stunde haben sie sich zu einer herzlichen Umarmung hinreißen lassen. So etwas wäre früher selbstverständlich nie vorgekommen. Im Gegenteil, sie hatten damals beide mit großem Spaß an ihren betont kühlen Umgangsformen herumgefeilt. Hatten sozusagen ihre Beziehung wie ein kleines Kunstwerk ständig inszeniert und verfeinert. Sehr zum Ärger ihrer Klassenkollegen, die einfach nie herausfanden, ob Tanner und Bruckner das ernst meinten oder sich auf Kosten der anderen einen Spaß erlaubten. Wussten sie es selber?
Bruckner hat denselben Tisch reservieren lassen, an dem sie früher gemeinsam viele Stunden verbracht hatten. Und er stellte wie immer das Menu zusammen und schaute nur am Ende der Bestellung Tanner fragend an. Dieser nickte bloß, auch wie immer, und so wurde die umfangreiche Bestellung in die Küche weitergeleitet. Bis der *cinque terre bianco*, dieser gar nicht so leichte, bernsteinfarbige Weißwein aus Ligurien auf den Tisch kam, der schon immer den Auftakt zu ihren kleinen Gelagen gebildet hatte, sprachen sie kein Wort. Auch dies eine Sitte, die sich die beiden von früher gemerkt hatten.
Als sie schweigend dasaßen, schoss Tanner ein verrückter Gedanke durch den Kopf. Waren die verflossenen Jahre wirklich real gewesen? Die Zeit, die sie sich nicht gesehen hatten, kam ihm plötzlich bloß wie eine kleine Unterbrechung vor. Zum Beispiel so lange, wie es braucht, um auf die Toilette zu gehen. Diese Erkenntnis traf ihn so unvermittelt, dass ihm schwindlig wurde. Er wusste zwar, dass er am Tisch saß, fühlte sich aber plötzlich wie losgelöst von allem. Vom Körperlichen. Vom Stofflichen. Wie frei schwebend. Oder besser noch: frei fallend.
Tanner fragte sich, während er schweigend am Tisch saß, worin eigentlich der Unterschied im Erleben eines Traumes und eines Ereignisses in der alltäglichen Wirklichkeit bestand. Dass man beim Träumen wieder in einer anderen Wirklichkeit aufwachte? Aber wie unterschied sich im Rückblick, in der Erinnerung, Geträumtes und Erlebtes?

Träumen Sie, Tanner? Nein? Worauf sollen wir denn unser Glas erheben? Auf unser Wiedersehen? Das wäre ein bisschen einfallslos, oder?

Bruckner hatte ihm von dem köstlichen Wein eingeschenkt und sein Glas zum Toast erhoben. Tanner überlegte einen Augenblick, dann blickte er Bruckner lächelnd an.

Ich würde vorschlagen, dass wir uns endlich du sagen und damit sozusagen ein Zeichen für eine neue Etappe unserer Freundschaft setzen. Was halten Sie davon, Herr Bruckner?

Herr Tanner, Sie versetzen mich doch immer wieder in Erstaunen! Aber vielleicht haben Sie Recht! Also, ich bin einverstanden. Ich heiße Richard … ha … ha …

Nun überkam Bruckner ein so befreiendes Lachen, dass sich auch Tanner ihm nicht entziehen konnte, zumal auch er ganz förmlich ankündigte, er heiße Simon. Erst nach einiger Zeit hatten sie sich so weit beruhigt, dass sie einen Schluck aus ihren Weingläsern trinken konnten. Mit ihrem Lachen hatte sich einiges von der Nervosität gelöst, die beide natürlich nicht wahrhaben wollten. Immerhin hatten sie sich gut dreißig Jahre nicht mehr gesehen. Warum eigentlich?

Als drei Kellner gleichzeitig aufkreuzten, beladen mit vielen kleinen Platten, Tellern und Schüsselchen, schob Tanner die Fragen erst einmal beiseite.

Die drei Kellner, jeder traditionell in schwarzer Hose, weißem Hemd mit diskret farbiger Krawatte und weißer, gestärkter Kellnerjacke gekleidet, bildeten das perfekte Komikertrio. Wie aus einem alten Schwarzweißfilm. Ein großer Dünner unbestimmten Alters, mit messerscharfem Oberlippenbart, offensichtlich der Chef des Trios; dann ein ganz Kleiner, der das unverzichtbare Dummerle wäre und bei einem Banküberfall höchstens Schmiere stehen und auch dann noch versagen und alle drei ins Unglück stürzen würde; als Dritter im Bund der obligate Dicke, der natürlich in seiner Jugendzeit keine Turnstange hochkam, dafür schon damals die ganze Klasse zum Lachen brachte, indem er sämtliche Lehrer perfekt imitieren konnte. Ein Team, das mit betont ernsten Mienen und elegant eingespielten Bewegungsabläufen dem Gast das Gefühl vermittelt, es gäbe im Moment nichts Wichtigeres auf der Welt als seine Zufriedenheit. Also kurzum, die letzten drei Vertreter einer ausgestorbenen Spezies.

Bruckner und Tanner fühlten sich sauwohl.
Während sie die reichhaltigen *antipasti* aßen, bestehend aus *insalata di mare* mit *seppie, polpi e vongole,* flankiert von übervollen Tellerchen mit *prosciutto, fave e fichi* mit *ravanelli con tonno,* diesen herrlich erfrischenden Radieschen mit Thunfisch und dem köstlich duftenden Weißbrot, berichtete Bruckner über sein berufliches Leben. Tanner wäre überrascht gewesen, hätte sein Freund mit dem Privatleben angefangen.
Bruckner arbeitete tatsächlich immer noch bei derselben Großbank, bei der sicher die Hälfte der Bürger dieses Landes ihr Geld lagern, in der Hoffnung, dass es sich fröhlich vermehren werde. Was es auch lange Zeit getan hatte. Das böse Erwachen angesichts der großen Geldvernichtung begann ja erst vor wenigen Jahren. Dafür umso heftiger und nachhaltiger. Bruckner erzählte, dass er mittlerweile die Kontrolle über das gesamte Kulturbudget der Bank habe. Diese Tatsache kommentierte er mit einem äußerst schiefen Lächeln, er habe ja Gott sei Dank nichts mit der schmutzigen Seite des Geldgeschäftes zu tun. Er verwalte und verteile das *gute* Geld seiner Bank. Das Alibigeld.
Tanner versuchte, matt zu protestieren, indem er von dem einen oder anderen Reichen mit echtem Kunstverstand erzählen wollte. Zum Beispiel habe es diesen Direktor des einen Chemiewerkes gegeben. Dieser knallharte Manager sei ja gleichzeitig Präsident der schweizerischen anthroposophischen Gesellschaft gewesen. Und nicht nur pro forma, sondern der sei wirklich ein Mann des Geistes gewesen. Bei dem Spagat zwischen Beruf und Neigung zwar offensichtlich schizophren veranlagt, aber immerhin.
Ach, hör auf, Simon, komm mir nicht mit einem einzigen, noch dazu mehr als obskuren Beispiel, unterbrach ihn Bruckner lachend und schenkte beide Gläser randvoll, ich habe seit fünfundzwanzig Jahren mit der ganzen Bande zu tun. Es ist allein die Geldgier und Sucht nach immer mehr Macht. Die treibt die Herrschaften an. Und ab und zu verordnet ein gewisser verinnerlichter Mechanismus eine kleine Schamspende an die Kultur. Auch wenn es manchmal große Beträge sind, so scheinen sie doch nur dem Normalverbraucher groß. Für die selber sind das Peanuts.
Bruckner unterbrach die Rede über sein offensichtliches Lieblingsthema, denn das Trio räumte in atemberaubender Choreographie die

leeren Teller und Schälchen ab und zauberte neues Besteck für den nächsten Gang hervor. Als sie wieder weg waren, beugte sich Bruckner über den Tisch und in seinen Augen glimmte dieses eindringliche Leuchten, das Tanner schon früher ab und zu bemerkt hatte. Zum Beispiel, wenn er sich von einem der Lehrer ungerecht behandelt vorkam. Wenn es passierte, überkam ihn ein leichtes Zittern, als ob sein Körper fröstelte, und dieses seltsame Leuchten erschien in seinen Augen. Er fixierte dann den Lehrer, sagte aber nie ein Wort. Heute kommt es Tanner vor, als sei dieses Leuchten ein intensiver Abglanz eines ziemlich großen, inneren Feuers, das hinter der kühlen und kultivierten Maske seines Freundes brennt.

Mein größtes Vergnügen besteht darin, das Geld in Projekte zu stecken, die den innersten Interessen meiner Bank möglichst diametral entgegenstehen. Und meine Chefs merken es nicht einmal, solange ich zur Verschleierung dieser Politik immer genügend konventionelle Projekte unterstütze. Mäzenatentum ist wie eine Art modernes Ablassgeschäft. Mit so und so viel Geld, das sie in die Kultur stecken, also in etwas, das aus dem Blickwinkel ihrer Geschäfts- und Geldwelt völlig nutzlos ist, dürfen sie dann wieder eine bestimmte Menge an Dreckgeschäften machen. Die Kunst besteht darin, das alles immer schön in einer gewissen Balance zu halten. Du musst ihnen nur mit allen Mitteln suggerieren, dass es sich um hohe und wichtige, ja besser noch, um unbequeme Kultur handelt, dann erhöht das den Ablasswert, verstehst du?

Die drei Kellner brachten die unverzichtbare *pasta*, einen neu gefüllten Brotkorb und den köstlichen *montepulciano*. Bruckner hatte sich heute für *Spaghetti alla puttanesca* entschieden, eine Spezialität aus den Abruzzen, mit schwarzen Oliven, Sardellen, viel Knoblauch und mindestens noch einem Geheimnis. Eine brisante Mischung, die ihrem Namen mehr als gerecht wird. Nach den ersten Bissen stößt nämlich der Italienliebhaber einen Satz aus, in dem mindestens dreimal das Wort *putta* vorkommt und ebenso oft *madre*, und das Ganze mit Vorliebe gen Himmel, während die Hände verzweifelt nach dem Brotkorb tasten. Und wehe, der Brotkorb ist leer …

Die Mahlzeit zum *Thema*, grinste Bruckner und verschluckte sich fast vor diebischer Freude an seiner These, dass die einen das Geld immer schön am Rande der Legalität entlangscheffeln und die anderen ihnen Absolution verschaffen, indem sie ihnen zeigen, wie sie es

sinnvoll ausgeben können. Huren sind wir alle ... oh, ist das scharf ... *madre di* ...
Seine Worte endeten in einem regelrechten *suffocato*, und nur das Stück Brot, das Tanner ihm reichte, konnte ihn vor dem sicheren Erstickungstod erretten. Nachdem Bruckner sich erholte hatte und die Tränen getrocknet waren, die ihm die Schärfe des Essens in die Augen getrieben hatte – oder war's das Vergnügen am Thema? –, meinte er ernsthaft, dass ihm sein Beruf große Freude mache. Da er schon immer gewusst habe, dass er selber über keinerlei künstlerische Fähigkeiten verfüge, sich aber immer leidenschaftlich zur Kunst hingezogen fühlte, sei das für ihn genau die richtige Beschäftigung. Er vermittle zwischen teilweise ignoranten, aber reichen Kulturbanausen und Künstlern, die er, Bruckner, für unterstützungswürdig befinde.
Dann meinte Bruckner unvermittelt, er habe fürs Erste genug erzählt. Jetzt sei Tanner an der Reihe. Bruckner legte prophylaktisch ein Stück Brot neben seinen Teller und drehte sich geschickt eine nächste Portion Spaghetti auf die Gabel. Er tat dies sehr kunstvoll und brauchte dazu auch keinen Löffel. Tanner schwieg, trotz der Aufforderung zu erzählen. Bis Bruckner ihn verwundert ansah.
Ja, Richard, eh ... bei mir ist das leider nicht so einfach. Einen Beruf habe ich im Augenblick keinen mehr. Oder sagen wir, ich habe keine Stelle. Will auch keine mehr. Oder wenigstens im Moment nicht. Du siehst, ich stottere. Mh ... also, ich war ja lange im Ausland, in Marokko, und das endete leider äußerst ... sagen wir mal unglücklich. Nein, unglücklich stimmt nicht, es endete desaströs. Ich kam auf Umwegen in die Schweiz, verfolgte den Fall, um dessentwillen ich aus Marokko geschmissen worden war, in der Schweiz. Ich fand sogar den Mörder. Aber um welchen Preis ... verfluchte Schei...
Tanner brach abrupt seinen wirren Bericht ab und legte beide Hände auf sein Gesicht. Bruckner legte seine Gabel behutsam auf den Teller. Erzähl mir das alles später, wenn du magst. Jetzt sag mir doch einmal, was dich in unsere schöne Stadt treibt, die du vor dreißig Jahren fluchtartig verlassen hast und seither gemieden hast, als drohte sich das Erdbeben vom Jahre 1356 zu wiederholen. Sollen wir übrigens auf den nächsten Gang verzichten? Es ist einfach zu heiß, oder? Ich gehe schnell in die Küche und kläre das.
Er warf die Serviette auf den Tisch, sprang auf und verschwand in Richtung Küche.

Diskretion und Takt waren schon immer die großen Stärken von Bruckner gewesen. Auch darin haben sie sich ergänzt, wenn man das ergänzen nennen kann. Das waren ja nun noch nie Tanners Stärken. Im Gegenteil: Bitte, wo geht's zum nächsten Fettnäpfchen?
Tanner war Bruckner dankbar, dass er ihn alleine am Tisch ließ. Er war von seinem eigenen Gefühlsausbruch völlig überrumpelt. Vielleicht war es die Hitze. Oder weil er den ganzen Tag unterwegs gewesen war. Oder die unvermittelte Begegnung mit seiner Jugendzeit.
Sein Körper zitterte, als ob er fröre. Er spürte aber keine Kälte. Eigentlich spürte er überhaupt nichts. Er hatte nur das Gefühl, unvermittelt in ein großes Loch gefallen zu sein, in dem es keine Geräusche mehr gab. Obwohl er doch mitten in einem Restaurant saß und Menschen um ihn herum waren. Er sah ihre Münder. Sie bewegten sich. Aber er konnte nichts hören. Als ob sich über ihn ein akustisch toter Raum gestülpt hätte. In seinem Innersten zog sich etwas zusammen, wurde immer kleiner, bis es ganz klein war. Etwas, das gleichzeitig sehr schwer, sehr heiß und äußerst schmerzhaft war.
Wenn das jetzt nicht aufhört, schreie ich, hämmerte es in seinem Schädel. Im Moment, wo Tanner glaubte, er würde es nicht mehr ertragen, gab es in seinem Innersten plötzlich ein Geräusch. Eine Art *plop*. Ein ganz und gar banales Geräusch, für das sich Tanner insgeheim schämte, obwohl er nicht wusste, weshalb. Aber immerhin löste sich Tanners innerer Krampf so schnell, wie er gekommen war. Er holte tief Atem.
So viel zum Thema, ob die vergangene Zeit real gewesen ist. Und zur Frage, was denn der Unterschied zwischen Leben und Traum sei ...!
Ach gut, du lachst ja wieder, Tanner. Eh ... ich meine, Simon.
Er hatte gar nicht bemerkt, dass Bruckner zurückgekommen war. Tatsächlich lachte er. Auch das bemerkte er erst, als Bruckner ihn darauf ansprach. Warum er lachte, war ihm nicht bewusst.
Tut mir Leid, Richard. Ich hoffe, ich habe dir unser gemeinsames Essen nicht verdorben.
Bruckner winkte ab und lächelte ihn aufmunternd zu.
Ich bin in dieser Stadt, weil ich auf der Suche nach der Geschichte meines Großvaters bin. Ich weiß nicht, ob ich dir früher mal von ihm erzählt habe? Ich habe ihn natürlich nicht gekannt. Es hieß in unserer Familie, dass er verschollen sei. Einfach verschwunden. Er hat sich irgendwie in Luft aufgelöst. Es wurde früher kaum darüber gesprochen.

Das Wort *verschollen* besaß für mich lange Zeit eine gewisse Magie, wie du dir sicher vorstellen kannst. Bis meine Mutter – übrigens bei der Beerdigung meines Vaters – eine merkwürdige Bemerkung über ihren Vater machte, also über meinen verschollenen Großvater Land. Da begann ich zu ahnen, dass sich hinter dem Wort wahrscheinlich nichts Magisches und auch nichts Poetisches versteckt.
Tanner berichtete von den mageren Resultaten seiner bisherigen Recherche. Bruckner anerbot sich sofort, Tanner zu helfen. Er kenne in dieser Stadt schließlich Gott und die Welt. Beim Stichwort Gott erschien das Kellnertrio und zelebrierte die Ankunft, besser gesagt, die Niederkunft der göttlichen Nachspeise. Dann stellten sich die drei zum Gruppenfoto in taktvollem Abstand zum Tisch und warteten auf die Reaktion ihrer Gäste, ganz wie Mütter sehnsuchtsvoll auf das Bäuerchen ihres Babys warten. Bruckner vollzog mit seinem Löffel, stellvertretend für beide, den ersten Spatenstich ins *tiramisù*. Schon die Konsistenz, spürbar beim Einstechen mit dem silbernen Löffel in die Masse, verführte Bruckner zu einem leisen Seufzer, den die drei mit einem wissenden Lächeln quittierten. Bruckner führte den vollen Löffel zu seinem Mund, roch plötzlich kritisch an der Ladung und – verzog das Gesicht. Die Kellner schlugen voller Entsetzen die Hände vors Gesicht. Daraufhin lachte Bruckner, steckte sich den Löffel in den Mund und stöhnte voll demonstrativem Entzücken. Die zwei Klügeren vom Trio begriffen sofort, dass sie hereingelegt worden waren, und lachten erleichtert auf, obwohl sie es trotzdem für ein Sakrileg hielten. Man spielt nicht mit dem Essen, und schon gar nicht mit den sensiblen Seelen von Kellnern. Dem dritten mussten sie die Sache auf dem Weg in die Küche erklären.
Jetzt essen sie beide schweigend von der köstlichen Nachspeise. Dann endlich erlaubt sich Tanner seinem Schulfreund von der Begegnung mit ihrer gemeinsamen Schulkollegin Martha Vogel zu berichten. Und Bruckner lächelt sein Lächeln. Nachdem Tanner seine Eindrücke ausführlich geschildert hat, lächelt Bruckner noch immer. Früher hätte ich gesagt, der Befund ist eindeutig. Du hast dich auf der Stelle verliebt. Ich weiß natürlich nicht, ob du heute immer noch so … so leicht entflammbar bist. Bist du?
Richard, hast du dein Auto dabei? Lass uns wie früher eine nächtliche Spritzfahrt machen. Du fährst. Ich sitze neben dir und erzähle dir einige Dinge.

Bruckner nickt und springt auf.
Gute Idee! Ich gehe in die Küche und bezahle beim Alten.
Kurz darauf sitzen sie in Bruckners angenehm kühlem und komfortablem Jaguar und fahren in Richtung Süden, aus der Stadt hinaus, durch das merkwürdig fremde Tal, das schon früher ihre Lieblingsstrecke gewesen ist. Es ist noch nicht ganz dunkel und die Hitze ist immer noch unerträglich.
Vielleicht wird es weiter oben kühler, da, wo sich das Tal verengt, manchmal fast schluchtartig. Erinnerst du dich?
Tanner nickt.
Bis sie die Zementfabrik passiert haben, mit dieser ewig langen, leicht schräg gestellten Röhre, in der Kalk und Ton gebrannt werden und die sich langsam dreht, schweigen sie beide. Man hört nur das leise Schnurren des Jaguars. Ein Motorengeräusch kann man das kaum nennen. Zufriedene Wohllaute einer ausgefeilten Technik. Für ein paar ausgewählte Reiche, zu denen sein Freund ohne Zweifel gehört.
Tanners Augen streifen bewundernd über diese Mischung von Leder, Wurzelholz und digitalen Raffiniertheiten. Bruckner fährt mit großer Gelassenheit und Sicherheit. Liebevoll steuert er den schweren Wagen durch die jetzt schnell hereinbrechende Nacht. Er passt perfekt in das Interieur des Autos. Als wäre das alles für ihn maßgeschneidert worden. Tanner mustert seinen Freund von der Seite und staunt wieder über dessen jugendliche Züge. Und wie früher fragt sich Tanner, wie wohl die dunklen Seiten seines Freundes aussehen. Denn, dass es sie bei jedem Menschen gibt, darüber besteht kein Zweifel. Um den Reichtum hat Tanner ihn früher dann und wann beneidet, aber er hat ihm das viele Geld nie missgönnt, zumal Bruckner die gleiche Leidenschaft für Kunst, Politik und Gerechtigkeit an den Tag legte wie Tanner.
Übrigens, Simon, ich kenne in groben Zügen die Geschichte deiner Taten in Marokko. Ich weiß auch, wie unfair du von der Regierung behandelt worden bist. Wie gesagt, ich kenne Gott und die Welt. Das bringt mein Job so mit sich. Und mit deinem Fahndungserfolg hier in unserem Land vor einiger Zeit waren die Zeitungen ja voll. Ich habe natürlich alles genau verfolgt, wie du dir denken kannst.
Tanner nickt, behält aber seine Verwunderung für sich. Was heißt das: alles genau verfolgt? Spricht er von den oberflächlichen Berich-

ten in der Zeitung, oder besitzt sein Freund andere Informationskanäle? Bruckner schweigt.
Tanner hat keine Lust nachzufragen, streckt seufzend seine Beine ganz aus und überlässt sich der Magie der nächtlichen Fahrt. Bruckner betrachtet mit einem schnellen Seitenblick seinen Freund, macht die Musik an – Mozart, wie eh und je – und drückt aufs Gaspedal. Nach und nach stellt sich bei Tanner die Trance ein. Wie früher.
Der schwere Wagen wiegt sich leise durch die Kurven. Der Körper wird schwerelos. Die Materie löst sich auf. Die kinetische Energie der Bewegung wird scheinbar null. Nicht das Auto fährt, sondern die Landschaft rast und fließt dem Auge entgegen. Das Licht sägt aus dem Dunkel einen Film mit rasch wechselnden Bildern. Das monotone Band der Straße mit seiner weißen, regelmäßig unterbrochenen Linie bildet die stetige Basslinie, den Takt des rasenden Bilderreigens. Der schwarze Asphaltfluss reiht tausend Bildfetzen aneinander. Von grellen Scheinwerfern der schwarzen Nacht entrissen. Kaum geschaut, selten ganz begriffen, blitzen Gegenstände flüchtig auf und werden sofort wieder unwiderruflich in ihre dunkle Existenz entlassen. Zurück in das Nichts. Bäume, Sträucher, Gehsteige, Fragmente von Häusern, Gärten, Brücken, Bäche, nicht zu identifizierende Gegenstände am Straßenrand. Auch die banalsten Gegenstände bekommen durch die rasende Abfolge ihrer kurzfristigen Erscheinung eine neue Bedeutung. Die schnellen Schnitte schaffen neue Zusammenhänge. Ein Verkehrsschild warnt vor Schleudergefahr, ein Fuchs starrt mit seinen diamantenen Augen ins gleißende Licht, das fahl erleuchtete Fenster einer allein stehenden Hütte, der verlorene Kinderschuh am Straßenrand, aus dem offenen Fenster eines am Waldrand parkierten Autos blendet die weiße Haut eines nackten Frauenarms.
Der nackte Frauenarm …
Als er Elsies nackten Arm über den Bettrand hängen sah – das Erste, was er erblickte, als er das letzte Mal in ihr Zimmer trat –, wusste er Bescheid. Sie würde nie mehr erwachen. Sie würde aus dem Koma direkt ins andere, ins ferne Land wechseln. Wie konnte er das an ihrem über den Bettrand hängenden Arm erkennen? Er wusste es nicht. Er wusste nur, dass er es sofort und mit erschreckender Klarheit erkannte. War es dieses schwer fassbare Leuchten, das in den letzten Stunden ihren ganzen Körper umgab? Dreizehn Monate, drei

Tage und sieben Stunden dauerte bis zu diesem Zeitpunkt ihr Koma. Seit einem Jahr lebte er wie betäubt in seiner Wohnung am See, die er nach den Ereignissen im Eiskeller bezogen hatte. Er konnte nicht alleine im Haus von Elsie leben, die Kinder waren ja sofort zu Ruth und Karl gezogen. Nach Elsies wahrscheinlichem Tod würden sie die Kinder adoptieren. Er, Tanner, verließ das große Haus am See, dessen obersten Stock er bewohnte, nur dann, wenn er seine stumme Geliebte im Spital besuchte. Sie, Elsie, *sie* war jetzt plötzlich zum Dornröschen geworden. Und er konnte sie nicht aufwecken. Er war offenbar nicht der Prinz, der über diese Fähigkeit verfügte. So vergrub er sich in dem alten Haus, spielte Tag für Tag stundenlang sinnloses Zeug auf dem alten Flügel, den der Hausbesitzer im unbewohnten Parterre des Hauses hatte stehen lassen.
Elsies Kinder haben sich damals sofort instinktiv an Ruth und Karl geklammert. Und genauso instinktiv haben sie sich von Tanner zurückgezogen, als ob er für ihre armen kleinen Seelen zu stark mit Elsie verknüpft war, oder schlimmer noch: Vielleicht gaben sie ihm unbewusst die Schuld am Zustand ihrer Mutter? Würden sie ihm später auch einmal die Schuld an ihrem Tod geben?
Ich muss dringend wieder einmal Ruth anrufen, denkt Tanner. Dann zuckt er zusammen.
Apropos Anruf … so ein Mist, sagt Tanner unvermittelt laut in die Stille. Wie spät ist es, Richard?
Es ist kurz nach elf. Was hast du denn? Du kannst einen vielleicht erschrecken.
Entschuldige, Richard. Es gibt eine ganz wichtige Sache, die ich beinahe vergessen hätte. Ich muss gegen Mitternacht in der Innenstadt sein. Ich kann dir das jetzt nicht näher erklären. Und schau mich nicht so schief an. Es geht um eine Informationsübergabe. Dreh bitte sofort um, es ist wichtig.
Mehr will Tanner seinem Freund nicht preisgeben. Viel mehr weiß er selbst ja auch nicht. Und über die Umstände, wie er Michiko kennen gelernt hat, will er mit Richard nicht reden. Der ist taktvoll genug, nicht weiter zu fragen. Etwas anderes hat Tanner von ihm auch nicht erwartet.
Warum er das Treffen mit Michiko beinahe vergessen hat, ist ihm schleierhaft. Die ganze Zeit hat es ihn beschäftigt, nur in den letzten paar Stunden war der Gedanke an diese Verabredung wie ausradiert

gewesen. Er findet keine Erklärung für diesen Vorgang. Und das beunruhigt ihn.
Nachdem Bruckner das Auto bei der nächsten Gelegenheit gewendet hat, redet sein Freund nur noch über Belangloses. Anekdoten von ehemaligen Schulkollegen und deren beruflicher Entwicklung, über die er ziemlich gut Bescheid weiß. Das schöne Schweigen ist anscheinend nicht mehr möglich und Tanner fühlt sich außerstand, seinem Freund von Elsies Zustand zu erzählen. Es wird sicher eine andere Gelegenheit geben. Bruckner lässt sich nichts anmerken und plaudert munter drauflos. Er lässt Tanner irgendwo in der Nähe der Innenstadt aussteigen. Obwohl Tanner schon zwanzig Minuten zu spät ist, will er die letzten Schritte zu Fuß gehen. Bruckner soll nicht denken, er habe beim Theaterbrunnen ein Rendezvous. Denn der Ort, wo Michiko ihn hinbestellt hat, ist wirklich einer der beliebten Treffpunkte für Liebespaare. Zumindest war es früher so. Sie verabschieden sich etwas steif und förmlich. Trotzdem haben beide das Gefühl, dass der unterbrochene Kontakt wieder geknüpft ist und dass man sich in Zukunft öfter sehen wird. Unter welchen Umständen das sein wird, kann sich noch keiner der beiden vorstellen.

SECHS

Zwanzig Minuten nach zwölf ist der Platz um den Brunnen bereits großräumig abgesperrt. Laut Protokoll meldete sich exakt um Mitternacht bei der Hauptwache der Polizei ein anonymer Anrufer, der stammelnd von einem Toten im Brunnen mit den komischen Maschinen berichtete. Danach habe er sofort das Gespräch beendet. Der Mann habe das Stadtidiom mit einem starken Akzent gesprochen. Bei der Polizei wusste man natürlich sofort, um welchen Brunnen es sich handelte.
An diesem Abend hat Hauptkommissar Schmid von der Mordkommission Dienst. Er ist ein Mann um die sechzig. Mit dürrem und schlaksigem Körper. Seine schütteren Strähnen sind sorgfältig nach

rechts gekämmt und mit einer Spur zu viel Gel an die Kopfhaut geklebt. Schmid ist Pessimist. Wer ihn kennt, weiß es aus Erfahrung. Man braucht ihn allerdings nicht erst zu kennen, um es zu wissen. Seine ganze Körperhaltung drückt tiefen Pessimismus aus. Wer in seine Augen blickt, sieht nur Skepsis, Misstrauen und einen bestimmten Ausdruck von beleidigter Trauer.
Hauptkommissar Schmid ahnte schon während des ganzen heißen Tags, den er in seinem geliebten Schrebergarten im aussichtslosen Kampf gegen eine bestimmte Sorte Ungeziefer verbrachte, die seinen selber gezüchteten Mini-Romano-Salat attackierten, dass heute noch etwas Unangenehmes passieren würde.
Kurz vor Mitternacht sagte sein engster Mitarbeiter namens Natter, der ein wortkarger, schwergewichtiger Mann mit einer uralten BMW-Maschine war, die er an seinen freien Tagen liebevoll, geradezu zärtlich pflegte, heute werde wahrscheinlich nichts mehr passieren. Er spüre das im Urin. Schmid räusperte sich nur kurz und sagte nichts, legte aber seinen Kopf in diese alles und jedes bezweifelnde Schieflage.
Schmid hasst diese unnatürliche Hitze. In seiner Gartenanlage darf man schon seit Tagen nicht mehr wässern. Als Mitglied der Polizei und als Vorstandsmitglied im Pflanz- und Gartenverein hat er naturgemäß eine gewisse Vorbildfunktion, also darf er nicht gegen das Bewässerungsverbot verstoßen. Bei seinen kleinsten Setzlingen hat er sich allerdings erlaubt, ein Glas Wasser auszugießen. Er tat so, als ob er selber trinken wollte, worauf er aus gespielter Unachtsamkeit stolperte und das Glas Wasser vergoss. Nur für den Fall, dass ihn jemand beobachtet hätte. Und beobachtet wurde man im Kleingartenverein eigentlich immer. Alle wussten von allen, wer wann wie viel Dünger verwendete oder wie groß die Tomaten wurden. Oder wer seinen ihm anvertrauten Garten vernachlässigte. Nach der unrechtmäßigen Wasseraktion fühlte sich Schmid wie ein Verbrecher. Er konnte also nur noch zuschauen, wie sein Gemüse und seine Salatzüchtungen, die noch nicht vom Ungeziefer befallen waren, langsam verdorrten. Andererseits bestätigte ihm diese klimatische Unbill, dass er mit seiner Neuzüchtung sowieso kein Glück haben würde. Zudem hatte er sich vom ewigen Durchzug im Büro einen Schnupfen eingefangen. Und das mitten im Sommer. Und nur weil die Kollegen ständig die Türen offen ließen.

Eine Minute vor Mitternacht gab er seinen Mitarbeitern das Zeichen für den Aufbruch in die Polizeikantine. Es war Zeit für das »Mittagessen« der Nachtschicht. Und genau in dem Moment, wo sich alle von ihren Stühlen erhoben, auf denen man von der Tageshitze noch in der Nacht festklebte, klingelte das Telefon.
Die nackte Frauenleiche liegt mitten im Brunnenbecken. Da die Maschinen und Objekte nachts abgestellt werden, ist das Wasser still und schwarz. Am Rande des Beckens hat ein Polizist zwar bereits Scheinwerfer auf Stativen bereitgestellt, aber noch ist der Strom nicht eingeschaltet. Man kann ohne Licht nicht genau sehen, ob der hellhäutige Körper im Wasser schwimmt oder auf dem flachen Bassinboden aufliegt.
Hauptkommissar Schmid sitzt zusammengesunken auf einer der Bänke, die in der Nähe des Brunnens aufgestellt sind. Er ist sichtlich verärgert. Um nicht zu sagen: stinksauer. Aber nicht wegen der Leiche. Er findet es eine zum Himmel schreiende Ungerechtigkeit. Seine neueste Salatkreation verdorrt und hier in der Stadt läuft den lieben langen Tag das Wasser in unzählige Brunnen. Allein mit dem Wasser, das jetzt das große stille Becken füllt, könnte er seinen Garten drei Wochen lang bewässern.
Dass Natter kommt und ihm schwer atmend berichtet, dass sich auf dem Platz, wo sich viele Schaulustige hinter der Absperrung tummeln, kein Einziger findet, der als Zeuge etwas aussagen kann oder will, verbessert seine Laune auch nicht.
Tanner sitzt etwas abseits hinter der Absperrung auf einer Treppenstufe. Der weiße Stein ist noch warm von der Hitze der Sonneneinstrahlung.
Michiko, es ist etwas mit Michiko passiert, dachte er sofort, als er von weitem die vielen Fahrzeuge der Polizei, das Feuerwehrauto und den Krankenwagen erblickte. Er brauchte nicht zu warten, bis die Polizei die Leiche im Wasser umdrehte. Ein Blick von weitem auf den makellosen, hell schimmernden Körper bestätigte seinen schlimmen Verdacht.
Dass Tanner zu spät gekommen ist, tut eigentlich nichts zur Sache, denn es ist ganz offensichtlich, dass Michiko nicht hier in der Öffentlichkeit umgebracht worden ist. Dass sie tot und nackt hierher gebracht und ins Wasserbecken des berühmtesten Brunnens der Stadt gelegt wurde, stellt eine unglaublich freche Provokation dar. Norma-

lerweise werden Leichen im Wald verscharrt. Oder zerstückelt und in separaten Paketen an verschiedenen Orten versteckt. Oder die Leiche wird in ein tiefes Wasser versenkt. Auf jeden Fall geht es immer um die – meist trügerische – Hoffnung des Verbrechers, dass die Leiche möglichst lange unentdeckt bleibt, und damit auch er selber. Ohne Leiche kein Verbrechen.
In Michikos Fall haben der oder die Mörder es auf eine sofortige Entdeckung geradezu angelegt. Es handelt sich um Kalkül. Aber mit welcher Absicht?
In diesem Moment lassen die Scheinwerfer der Polizei den Brunnen in hellem Licht erstrahlen. Ein Polizist macht von allen vier Seiten Fotos des Leichnams. Dann treten drei Polizisten mit Gummistiefeln über den niedrigen Beckenrand, nähern sich langsam dem reglosen Körper, als ob sie ihn nicht erschrecken wollten, und greifen vorsichtig ins Wasser. Sie tragen ihn auf eine neben dem Becken bereitgestellte Bahre. Bevor sie ihn auf die Bahre niederlassen, sind die drei Polizeibeamten unschlüssig, ob sie den Körper sofort umdrehen oder ob sie ihn zuerst auf den Bauch legen sollen. Die drei verständigen sich stumm durch Blicke und Bewegungen ihrer Köpfe. Sie beschließen, die Leiche sozusagen in der Luft zu drehen. Dazu müssen die drei Polizisten ihre Griffe an dem nassen, wahrscheinlich glitschigen Körper ändern und es entsteht für einen Augenblick eine eigenartige Skulptur von drei sich bückenden Gestalten um den in der Luft schwebenden makellosen Körper von Michiko, mit sechs sich teilweise kreuzenden und ineinander verschlungenen Händen und Armen. Im Moment, wo Michikos Körper auf die Bahre gelegt wird, kommt der Polizeiarzt angerannt und die drei Beamten treten von der Toten zurück. Sie sind sichtlich erleichtert, dass sie ihre schwierige Aufgabe ohne größere Schwierigkeit gemeistert haben. Verstohlen wischen sie die Hände an ihren Hosen trocken.
Tanner ist ratlos. Wenn ihn Michikos Tod etwas angeht, muss er jetzt aufstehen und der Polizei mitteilen, was er weiß. Aber was weiß er denn schon?
Komm, hör auf. Keine billigen Ausflüchte. Du weißt vielleicht nicht viel, aber vermutlich mehr als die Polizei, murmelt Tanner leise zu sich selbst.
Dass der Tod Michikos in irgendeiner Weise im Zusammenhang mit dem Tod des japanischen Kunden im Schlaraffenländli steht, liegt

eigentlich auf der Hand. Weil beide Japaner waren? Natürlich nicht. Aber ihr Anruf kann doch nur etwas mit diesem Ereignis zu tun haben. Was sonst hätte sie ihm mitzuteilen gehabt. Der Tod des Japaners und seine zufällige Anwesenheit waren ihre einzige Verbindung. Obwohl er sich darauf noch keinen Reim machen konnte. Es handelte sich ja wahrscheinlich um einen Unfall. Das einzig Seltsame an diesem Unfall ist, dass davon bisher nichts in der Zeitung stand.

Bei ihrem Anruf sprach Michiko unglaublich hastig und ihre Stimme klang, als ob sie unter Druck stehe. Hatte sie Angst? Wusste sie damals schon, dass sie in Gefahr war? Was hatte sie ihm mitteilen wollen? Tanner beginnt sich Vorwürfe zu machen, dass er nicht sofort in die Stadt gefahren ist und versucht hat, Michiko zu finden. Vielleicht hätte er ihren Tod verhindern können.

Es ist ihm natürlich klar, dass er mit der Polizei sprechen *muss*. Schon allein wegen seiner Telefonnummer, die in Michikos Mobiltelefon gespeichert ist. Falls es von der Polizei gefunden würde, stände er ganz schön blöd da. Er hat aber absolut keine Lust, jetzt aufzustehen, durch die Absperrung zu gehen, sich anschnauzen zu lassen, dass er da nichts zu suchen habe … und so weiter. Er wird einfach später aufs Präsidium gehen, es liegt sowieso ungefähr in Richtung seines Hotels.

Vorerst wird er aber noch auf seinem warmen Stein sitzen bleiben und dem Treiben der Polizei zusehen. Vielleicht kann er später noch selbst die Beckenränder und die Umgebung des Brunnens auf Spuren untersuchen. Schließlich ist der Transport einer toten nackten Frau in ein Brunnenbecken ein aufwändigeres Manöver, als eine Glücksmünze in einen Brunnen zu werfen.

Der Polizeiarzt hat mittlerweile den Leichnam von Michiko zum Abtransport freigegeben. Polizisten und Techniker mit Handschuhen suchen die Umgebung des Brunnens ab. Ab und zu packen sie kleine Gegenstände in Plastiktüten. Hauptkommissar Schmid sitzt immer noch in sich zusammengesunken auf derselben Bank. Dann und wann beugt sich der neben ihm stehende Natter zu ihm hinunter und flüstert ihm etwas zu. Schmid nickt dann bloß oder wiegt skeptisch seinen Schädel. Einmal führt Schmid mit seinem Handy ein kurzes Telefongespräch. Vielleicht mit seiner Frau? Um ihr zu sagen, dass er später als sonst nach Hause kommt? Vielleicht beauftragt er

sie, an seiner Stelle in den Garten zu gehen, da er wegen des neuen Falles auch den ganzen Tag über im Dienst bleiben muss.
In der Zwischenzeit hat sich die Menge der Leute hinter der Absperrung verlaufen, denn es gibt nichts Spannendes mehr zu sehen. Einzig Tanner sitzt noch auf seiner Treppenstufe. Die Nachtluft ist endlich angenehm kühl. Still ist es geworden. Die Straßenbahnen fahren nicht mehr und Autos sind nur noch sporadisch zu hören.
Tanner stellt sich die kleine Gedankenaufgabe, wie er es anstellen würde, mitten in der Stadt eine nackte Leiche im Brunnenbecken zu platzieren. Über Motiv oder Tathergang kann er ohne Anhaltspunkte gar nicht nachdenken. Er weiß ja nicht einmal, *wie* Michiko ermordet wurde. Wegen der Distanz zum Brunnen konnte er weder eine Verletzung noch eine Schusswunde erkennen.
Es müssen auf jeden Fall mehrere Täter gewesen sein. Mindestens drei. Für eine professionelle Nachtaktion mitten in der Stadt wären vier oder fünf Männer besser. Die Männer kommen mit einem Auto – wahrscheinlich mit einem Lieferwagen – und fahren so nahe wie möglich zum Brunnenbecken. Es gibt zwei Stellen, wo ein Auto unweit des Brunnens relativ unverdächtig anhalten könnte. Wenn die Polizei weg ist, wird Tanner aufstehen und beide Stellen überprüfen. Also, bei der einen oder anderen Stelle hält ein Lieferwagen. Drei bis fünf Männer sitzen im Auto. Sie kurbeln die Fenster runter und beobachten ruhig den Brunnen und die Umgebung. Wahrscheinlich flanieren noch ein paar Leute beim Brunnen. Das eine oder andere Paar sitzt auf dem Beckenrand, küsst sich und hält sich liebevoll umschlungen. Die Männer im Auto haben Zeit und Geduld. Irgendwann kommt der Zeitpunkt, da ist plötzlich die Luft rein. Blitzschnell steigen sie aus dem Auto. Zwei behalten weiterhin die Umgebung scharf im Auge. Die beiden anderen packen die leblose Michiko, die wahrscheinlich in ein dunkles Tuch gehüllt ist – oder in einem großen Behältnis oder Wäschekorb liegt – und tragen sie ruhig zum Brunnen. Schwer war Michiko ja nicht. Tanner erinnert sich an den Moment, wo sie auf seinen Knien saß. Nach einer weiteren Sicherheitsüberprüfung steigen die zwei Träger in den Brunnen und legen die Leiche ins Wasser. Die ganze Aktion könnte nach Tanners Berechnung in neunzig Sekunden erledigt gewesen sein. Die zwei Träger, die in das flache Brunnenbecken steigen mussten, haben jetzt nasse Schuhe. Oder sie haben Stiefel getragen. Das Tuch, in das Michiko gehüllt

war – oder der Transportbehälter, in dem sie lag – wird zurück ins Auto getragen. Alle steigen wieder ein – der Fahrer ist wahrscheinlich sowieso im Auto sitzen geblieben – und weg sind sie.
Wie auch immer, auf jeden Fall deutet alles darauf hin, dass es sich um professionelle und skrupellose Täter handelt. Professionelle Täter handeln zwar – nach Lehrbuch – im Verborgenen und versuchen, so wenige Spuren wie möglich zu hinterlassen. Trotzdem kann man sich die Aktion, die hier stattgefunden haben muss, nicht von Amateuren ausgeführt vorstellen. Dass die Leiche Michikos in einen öffentlichen Brunnen mitten in der Stadt gelegt wurde, ist eine Botschaft. Aber an wen ist sie gerichtet? Auf jeden Fall müssen sich die Täter oder ihre Auftraggeber geradezu unverschämt sicher fühlen.
Die Scheinwerfer erlöschen. Die Polizei hat ihre Untersuchung beendet. Eine Untersuchung, die für Tanners Geschmack etwas oberflächlich war und vor allem ziemlich schnell abgebrochen wurde. Zum Beispiel wurde das Brunnenbecken nicht methodisch und gründlich abgesucht. Tanner hätte auf jeden Fall das Wasser abgelassen und filtriert, um zu schauen, ob im Wasser irgendetwas zum Vorschein gekommen wäre, was Rückschlüsse auf die Täter oder das Opfer erlaubt hätte.
Ja, ja, du! Du hättest … du bist aber nicht mehr im Dienst, und gerade mit solchen Aktionen, wie zum Beispiel hier mitten in der Nacht das Wasser des ganzen Beckens abzulassen, hast du dich nicht gerade beliebt gemacht …
Tanner lacht über seine eigenen Gedanken. Und zuckt einen Augenblick später zusammen, als plötzlich eine hohe Fistelstimme spricht.
Lach nur! Lach! Dir wird das Lachen schon noch vergehen, wenn der Gerechte kommt und dich packt.
Die Stimme kommt aus einem Gebüsch dicht unterhalb der Brunnenanlage. Es sind mehrere mannshohe, dornige Büsche, die zusammen ein undurchdringliches Gebüsch bilden. Nach kurzer Pause spricht die Stimme weiter.
Die Stadt lebt in Sünde. Die Menschen dieser Stadt sind alle zum Sterben bestimmt. Zuerst kommt der Tod leise. Als Mahnung und Vorwarnung. Dann, wenn sich die Tage erfüllt haben, kommt ein brausendes Feuer vom Himmel mit großem Lärm über die Stadt.
Tanner steht auf und geht näher an den sprechenden Busch heran.
Wir wissen, dass wer von Gott geboren ist, der sündigt nicht, son-

dern wer von Gott geboren ist, der bewahrt sich, und der Arge wird ihn nicht antasten. Erstes Buch Johannes, Kapitel fünf, Vers achtzehn …
Die Stimme schweigt. In der Stille hört Tanner ein leises Rascheln. Es klingt, als würde jemand in Plastiktüten wühlen. Dann wird eine Flasche entkorkt. Gleich darauf hört man deutlich Trinkgeräusche. Jetzt spricht sie wieder, die Stimme aus dem Busch.
Was ist das Größre vor dem Herrn? Ein ausgespiener Apfelkern, ein Hund, ein Kind, ein Halm im Wind oder die Reue einer Dirne?
Schweigen. Dann wieder Trinkgeräusche.
Prost! Auf Ihre Gesundheit! Darf ich Sie kurz stören?
Kaum hat Tanner gesprochen, wird es sofort wieder still im Gebüsch. Tanner versucht, durch die Zweige ins Innere des Gestrüpps zu sehen, aber es ist einfach zu dunkel. Dann wieder die Fistelstimme.
Hau ab, Mensch, sündiger. Du störst. Wenn du beichten willst, komm morgen wieder. Verschwinde, sonst jag ich meine Hunde auf dich …
Und wie zur Bestätigung hört man das Knurren mehrerer Hunde. Es klingt, als ob es große Hunde wären. Tanner beschließt sich zurückzuziehen.
Also gut, ich komme morgen wieder. Abgemacht?
Die Antwort ist ein Knurren. Man kann nicht sagen, ob es der Laut eines Menschen oder der eines Tieres ist. Tanner nimmt es als Bestätigung und zieht sich zurück.
Ein seltsamer Wohnort. Mitten in der Stadt und trotzdem unsichtbar. Tanner ist gespannt, was für ein Wesen sich hier sein Nest gebaut hat. Er hat schon Penner und Clochards in Kartonschachteln gesehen, in Abfallcontainern, in ausgebrannten Autos, unter Brücken, in Berge von Zeitungen eingehüllt, in umgestürzten Telefonkabinen. Aber in einem Busch, einem schier undurchdringbaren Gestrüpp … das ist neu. Und wie geht er rein und raus? Das Rätsel wird sich im Tageslicht lösen. Abhauen wird er ja bis morgen nicht. Möglicherweise hat das Wesen im Busch etwas von den nächtlichen Vorgängen beobachtet.
Tanner inspiziert die beiden Stellen, die er in seinem Gedankenspiel vorhin als mögliche Halteorte für das Auto der Verbrecher eruiert hat. Aber er findet nichts. Keinen einzigen Anhaltspunkt.
Enttäuscht und aufgewühlt geht er in Richtung Innenstadt. In Richtung des breiten Stroms. Der Fluss teilt die Stadt in einen größeren,

älteren Teil, in dem sich Tanner zur Zeit befindet, der traditionell immer der reichere, gebildete, bürgerliche Teil der Stadt war; und in einen kleineren Teil, auf den früher die Bewohner des größeren Stadtteils naserümpfend hinunterblickten. Nur in dem kleinen Stadtteil war früher das Laster angesiedelt. Heute hat sich alles und jedes auf beide Stadtteile verteilt.
Die Straßen sind wie ausgestorben. Durch die andauernde Hitze der letzten Tage hat die Stadt einen ganz fremden Geruch angenommen. Einen mediterranen *goût*. Beinahe riecht sie schon wie eine Stadt im Süden. Eine weiße Stadt im Nahen Osten vielleicht. Es ist diese schwer zu definierende Duftmischung aus heiß gewordenem Asphalt, Abgasen, überreifen Früchten, die schon bald vergären, und Abfällen, die zu lange der Tageshitze ausgeliefert waren. Es fehlt nur der Salzgeschmack eines nahe gelegenen Meeres.
Er muss an Michikos Schicksal denken. Er hat sie ja nicht eigentlich kennen gelernt. Er hat bloß ihren makellosen Köper gesehen und ihn einmal kurz berührt. Und dann hat er ihren Schrecken beim Angstschrei ihrer Kollegin gespürt. Da verwandelte sich die unnahbar kühle Schönheit in das kleine Mädchen, das sie hinter der professionellen Maske geblieben war. Ob sie Verwandte in Europa hatte? Dachten sie, ihre Tochter studierte in Europa? Allzu lange konnte Michiko noch nicht als Prostituierte arbeiten, denn sie hatte noch nicht diesen müden, desillusionierten Blick, den alle früher oder später bekommen, die in diesem Milieu arbeiten. Was sie wohl für Träume gehabt hat? Was für Zukunftspläne?
Tanner passiert eine enge Gasse, in der ein übervoller Abfallcontainer eines chinesischen Fast-Food-Restaurants den Weg beinahe versperrt. Wahrscheinlich hat sich seine Bremse gelöst. Um weitergehen zu können, muss Tanner sich zwischen Container und Hauswand hindurchzwängen, den Container sogar etwas beiseite schieben. Sofort raschelt es laut und eine regelrechte Horde fetter Ratten flieht aus dem Küchenabfall ins nächste Kellerloch. Angewidert beschleunigt Tanner seine Schritte. Wenn es noch lange so heiß bleibt, werden die Bewohner dieser Stadt noch einige Überraschungen erleben.
Kurz darauf steht er vor dem Polizeipräsidium. Er fragt nach dem Dienst habenden Kommissar und lässt ihm ausrichten, dass er einige Auskünfte zur Leiche im Brunnen geben könne. Nach telefoni-

scher Rückfrage wird Tanner von einem jungen Bereitschaftspolizisten durch lange Gänge in eine Art Vorraum oder Warteraum geführt. An der Wand hängen Plakate mit steckbrieflich gesuchten Gewaltverbrechern. Die Mehrheit der gesuchten Männer ist aus den drei Osten.

Sagt man hier einfach *Osten*, dann sind *die* aus dem Balkan, aus dem ehemaligen Jugoslawien oder *die* aus der ehemaligen Sowjetunion gemeint.

Mit dem Begriff des *Nahen Ostens* meint man undifferenziert alle *die*, die aus dem arabischen Raum kommen. Auch *die* aus der Türkei. Unter dem schönen Begriff des *Fernen Ostens* sind *die* aus Sri Lanka, die Tamilen, aber auch *die* von der chinesischen und japanischen Mafia gemeint.

Wie beruhigend, Verbrecher kommen aus dem Osten. Selten aus dem Westen. Aus dem Westen kommt das Wetter. Unsere eigenen Verbrecher sitzen ja eher in klimatisierten Räumen, tragen weiße Hemden, dezente Krawatten, fahren große Limousinen, bewohnen Hotelsuiten, haben nicht so böse Gesichter und werden nie auf solchen Plakaten abgebildet.

Was für eine schöne westliche Tradition: Die Gefahr kommt aus dem Osten. Das Irrationale, das Ekstatische, das Fanatische, das Asiatische, die Hunnen, der Ostjude, der Türke, die gelbe Gefahr.

Jetzt reicht es, denkt Tanner. Jetzt sitze ich schon zwanzig Minuten in diesem öden Raum. Und das mitten in der Nacht. Jetzt reicht es.

Tanner geht zur Verbindungstür, die ins Büro des Kommissars führt, und klopft energisch. Als keine Antwort kommt, öffnet er kurz entschlossen die Tür.

Drei Schreibtische sind in dem großen Raum so verteilt, dass jeder möglichst ungestört vom anderen arbeiten kann. Die Luft ist stickig und verbraucht. An der Decke sondern fahle Lampen ein kaltes Licht ab. An den Schreibtischen leuchten die obligaten Schreibtischlampen. In der Ecke steht ein billiger Ventilator, der ratternd die Hitze schön gleichmäßig im Raum verteilt. Cremefarbene Jalousien verschließen den Blick nach draußen. Zwei der Männer haben offenbar bis zu Tanners Eintritt auf den Monitor ihres Computers gestarrt, jetzt blicken sie ihn mit gehässigen Blicken an. Hauptkommissar Schmid sitzt zusammengesunken an seinem leeren Schreibtisch und fixiert die grüne Schreibunterlage. Bevor Tanner seinem Ärger freien

Lauf lassen kann, räuspert sich Schmid laut. Dann spricht er schnell und ungehalten. Ohne aufzuschauen.
Sie haben zwar geklopft, aber niemand hat *herein* gesagt! Oder haben Sie etwas Derartiges gehört? Ich würde vorschlagen …
Ich würde vorschlagen, dass Sie mich jetzt einfach anhören. Sonst kann ich auch wieder gehen. Schließlich habe ich eine Information für *Sie.* Ich komme freiwillig hierher, mitten in der Nacht, und Sie lassen mich grundlos warten. Das ist nicht besonders höflich. Also, entscheiden Sie sich. Ich kann morgen auch direkt zum zuständigen Staatsanwalt gehen.
Jetzt blickt Schmid endlich von seinem Schreibtisch auf, unsicher, ob er seiner schlechten Laune nachgeben und den Besucher einfach rauswerfen soll. Seine Mitarbeiter erwarten es von ihrem Chef, das spürt er ganz deutlich. Andererseits gibt es etwas an Tanners Auftreten, das Schmid irgendwie beeindruckt. Er weiß nur noch nicht, was es ist. Aber vielleicht hat der nächtliche Störenfried ja doch eine brauchbare Information.
Gut. Entschuldigen Sie, dass ich Sie warten ließ. Natter und Waibel, lasst uns einen Moment allein.
Die Angesprochenen erheben sich zögernd von ihren Stühlen, als ob sie noch nicht so richtig an die Ernsthaftigkeit der Aufforderung glauben. Aber Schmid unterstreicht sie mit einer Geste. Er will seine beiden Mitarbeiter bei dem Gespräch nicht dabeihaben, da er instinktiv spürt, dass Tanner ihm vielleicht intellektuell überlegen sein könnte. Und so eine Situation konnte Schmid noch nie aushalten. Zudem ist es immer von taktischem Vorteil, alleiniger Herr über wichtige Informationen zu sein. Wichtig vor allem für die Karriere, das haben ihn fünfunddreißig Berufsjahre gelehrt. Dass *er* heute Hauptkommissar ist, und nicht einer seiner Mitarbeiter, hat viel mit wohl überlegter Informationspolitik zu tun. Schmid weiß das. Auch wenn er es nie zugeben würde.
Also, nehmen Sie Platz. Wie ist Ihr Name und was haben Sie mir denn so Wichtiges zu sagen. Um zwei Uhr siebenundzwanzig.
Tanner lehnt sich zurück und schaut offen und direkt in die beleidigte Miene und die skeptischen Augen seines Gegenübers. Bis Schmid ausweicht. Er kaschiert diese erste Niederlage, indem er sich aus der untersten Schublade seines Schreibtisches ein Bündel weißes Papier holt.

Ich habe dem Schild an der Tür entnommen, dass Sie Kommissar Schmid sind. Ist das richtig?
Hauptkommissar, ja, das stimmt.
Schmid könnte sich die Zunge abbeißen, dass er in die erste plumpe Falle gestolpert ist, die ihm Tanner gestellt hat. Aber jetzt ist es zu spät. Wenigstens lässt er sich nichts anmerken.
Freut mich, Herr Hauptkommissar Schmid. Ich heiße Tanner und bin für ein paar Tage in meine Geburtsstadt zurückgekommen. Ich bin seit dreißig Jahren nicht mehr hier gewesen. Es hat sich zwar einiges verändert, aber es ist immer noch eine der schönsten Städte in diesem Land, wie eh und je. Außer, dass ich mich nicht erinnern kann, dass es früher in dieser Stadt jemals so heiß gewesen wäre.
Als Schmid höflich über diese kleine rhetorische Pointe lächelt, schießt Tanner die Frage gezielt ab.
Sie haben keine Ahnung, wer die tote Japanerin aus dem Brunnen ist, oder?
Schmid verliert für einen Moment die Beherrschung über sein Gesicht. Ein Gesichtsmuskel zuckt und verzerrt seinen Mund zu einem schiefen Grinsen. Schnell wischt er sich mit dem Handrücken über den Mund.
Wie kommen Sie darauf, dass wir sie nicht kennen?
Jemand hat mir verraten, wie Ihre Mitarbeiter unter den Zuschauern vor Ort nach Zeugenaussagen gefragt haben. Bei der Gelegenheit hat man einem Ihrer Mitarbeiter eine Frage gestellt, und der war so frei, offen zuzugeben, dass die Polizei keine Ahnung habe, wer die Tote sei.
Tanner blufft natürlich. Aber er ist sich sicher, dass die Polizei wirklich keine Ahnung von der Identität der Toten hat.
Gut. Es stimmt. Wir wissen nicht, wer die Tote ist.
Schmid schwitzt bereits an den Händen. Das Gespräch dauert noch keine zwei Minuten und schon drei Punkte für Tanner.
Die Tote heißt Michiko. Das ist ein japanischer Vorname. Die japanische Kaiserin heißt auch so. Michikos Familiennamen kenne ich nicht. Sie lebte in Frankfurt, sprach ziemlich gut deutsch und war regelmäßiger Gast im Schlaraffenländli. Das heißt, sie war natürlich kein Gast, sondern sie arbeitete dort regelmäßig. Sie brauchen also nur nachzufragen. Sie kennen das Schlaraffenländli, oder? Ach, und noch etwas: Falls Sie je ihr Handy finden, werden Sie dort mit großer

Wahrscheinlichkeit auch meine Nummer auf ihrer Anrufliste finden. Sie hat mich nämlich gestern angerufen.
Schmid starrt Tanner an. Irgendwie ist ihm jetzt die Frage, die er logischerweise stellen muss, peinlich. Tanner hätte ja gleich alles erzählen können. Aber so einfach wollte der es ihm nicht machen.
Woher kennen Sie denn diese … diese Michi…, diese Dame? Ich meine, Sie müssen natürlich nicht antworten.
Oh, kein Problem. Ich kenne sie natürlich aus dem Schlaraffenländli. Und ich hatte sie gebeten sich zu überlegen, ob wir uns nicht außerhalb dieses Etablissements treffen könnten. Deswegen habe ich ihr meine Telefonnummer gegeben. Ja, und deswegen hat sie mich gestern angerufen.
Tanner ist richtig in Fahrt gekommen. Die Lügen sind wie flüssiger Honig aus seinem Mund geflossen. Schmid schaut ihn an, den Kopf in seiner berühmten schiefen Haltung. Wenn Tanner ihn kennen würde, wüsste er, dass Schmid ihm kein Wort glaubt. Schmid glaubt nie jemandem. Grundsätzlich nicht. Und schon gar nicht einem Tanner, der mitten in der Nacht großspurig daherkommt und mir nichts, dir nichts so locker von seinem Besuch im Puff berichtet. Dann nickt er aber Tanner anerkennend zu.
Doch. Doch, da haben Sie uns ganz schön geholfen. Klingt alles sehr plausibel. Doch, alles klar. Vielen Dank, Herr Tanner. Dürfen wir Ihre Telefonnummer *auch* haben? Und Ihre Wohnadresse? Und in welchem Hotel Sie in der Stadt logieren? Bleiben Sie überhaupt noch weiter hier?
Tanner überhört die Anzüglichkeit, die in dem Wörtchen *auch* steckt, und bringt die gewünschten Angaben zu Papier. Hauptkommissar Schmid starrt wieder gebannt auf die grüne Schreibunterlage. Jetzt weiß Tanner auch mit Bestimmtheit, dass Claudia vom Schlaraffenländli nicht die Polizei angerufen hat. Er erhebt sich, verabschiedet sich und wendet sich zur Tür. Schmid räuspert sich, bevor er noch einmal ruhig spricht.
Ein bisschen verwunderlich ist es schon, dass Sie mitten in der Nacht zu uns kommen, finden Sie nicht auch? Sie hätten uns das doch alles auch direkt am Tatort sagen können, oder? Aber gehen Sie nur. Sie werden sicher müde sein. Wir sehen uns ja sowieso wieder, da bin ich mir ganz sicher …

SIEBEN

In der Zeitung, die Tanner zum Frühstück durchblättert, steht selbstverständlich noch nichts von der ermordeten Michiko. Sie wurde ja erst nach Mitternacht gefunden. Stattdessen liest Tanner einen kleinen Bericht über eine weitere tote Kuh, die in dem kleinen See gefunden wurde, an dem er sich niedergelassen hat.
Wer, um Gottes willen, ermordet Kühe, schneidet ihnen die Ohren mit den gelben Erkennungsmarken ab und wuchtet die toten Kadaver in den See? Tanner beschließt, seinen Freund Serge Michel anzurufen. Vielleicht hat er mit dem Fall zu tun. Leider meldet sich aber nur der Anrufbeantworter und Tanner verspürt keine Lust eine Botschaft zu hinterlassen.
Heute steht ein Besuch der Firma, in der sein Großvater früher gearbeitet hat, auf Tanners Programm. Er will unbedingt wenigstens die Fabrik sehen. Vielleicht gibt es noch alte Gebäude, die damals schon standen. Wenn er Glück hat, besitzt die Firma ein Archiv, in das er Einblick nehmen könnte. Gar zu gerne würde Tanner herauskriegen, an welcher Art von Unglücksfall seinem Großvater die Schuld gegeben wurde. Diese Schuld, oder diese vermeintliche Schuld, sei – nach Aussage seiner Mutter – der Auslöser für seine Krankheit gewesen. Genaueres hatte seine Mutter über die Krankheit ihres Vaters nie gesagt.
Auf Tanners Besuchsliste stehen neben dieser Firma die örtliche Krankenkasse und die psychiatrische Klinik.
Die psychiatrische Klinik nannte man damals kurz und bündig Friedmatt, heute heißt sie PUK. Psychiatrische Universitätsklinik. Wer die Abkürzung nur hört und Shakespeare kennt, denkt zwangsläufig an den *Puck* aus dem *Sommernachtstraum.*
Tanner muss unwillkürlich schmunzeln.
Ist das eine Ironie des Schicksals? Man hatte den volkstümlichen Namen Friedmatt, der für alles stand, was mit Psychiatrie zu tun hatte, endlich durch einen seriösen Namen, eine korrekte Abkürzung ersetzt und ist dadurch unbeabsichtigt bei Puck gelandet, dem koboldhaften Verstörer, der den Mädchen mit Vorliebe böse Streiche spielt, und so manchen Wanderer, der durch altenglische Moore streifte, mit seinen Irrlichtern in ein Sumpfloch, sprich: in den Tod

führte. So hat es der Zufall – oder eine andere unbekannte, ordnende Macht – verhindert, dass die psychiatrische Klinik eine kühle, verwaltungstechnisch korrekte Bezeichnung bekam, sondern stattdessen einen poetisch verrückten Namen aus der Welt der Träume und der Phantasie.
Neben der Friedmatt gab es für das quasi Nicht-Normale noch einen Ort: die Webstube. Werkstätten für alle, die in den Augen der Gesellschaft zwar nicht normal, aber ungefährlich waren. Das waren vor allem die Mongoloiden, wie man sie damals noch nannte. Inklusive alle anderen Arten von geistig und körperlich Behinderten, für die man noch nicht so differenzierte Bezeichnungen hatte wie heute, außer natürlich den unflätigen. Also nannte man sie allesamt die Webstübler. Man erkannte sie schon von weitem an ihren völlig deplatzierten Kleidern und Mützen. Sie wurden aus Kleidersammlungen für Arme versorgt.
In der nächsten Umgebung der Friedmatt waren auch ein Friedhof, die Kehrrichtverbrennung, eine Knochensiederei, die Großwäscherei für Spitäler und eine Sammelstelle für Kadaver angesiedelt.
Alles, was man in der Stadt nicht mehr haben wollte, und alles, was erst gründlich ausgekocht, gewaschen, durch die Mangel gedreht, therapiert, mit Medikamenten quasi »chemisch gereinigt« werden musste, bevor man es wieder in die Stadt hineinlassen konnte, war in diesem Stadtteil versammelt. Ort der Ausgrenzung. Ort der Verwandlung. Der Gärung. Der Zersetzung. Der alchemistischen Prozesse. Es roch nach Tod. Oder wie man in Tanners Geburtsstadt sagen würde: es *schmeckt* nach Tod … Heute wird er das noch mal mit anderen Augen sehen.
In den großen Schulferien arbeitete Tanner einmal in der städtischen Kehrichtverbrennungsanlage. Er saß mit zwei Männern mittleren Alters Tag für Tag acht Stunden und fünfundvierzig Minuten in dem kleinen Haus. Ihre Aufgabe war es, sämtliche ankommende Fahrzeuge, die Kehricht brachten, aufs Genaueste zu wiegen. Nach dem Abladen wurde das leere Fahrzeug noch einmal gewogen und die *drei von der Waage* ermittelten mittels einer einfachen Subtraktion das gelieferte Nettokehrichtgewicht.
Einer war natürlich der Chef. Er öffnete am Morgen, wenn's losging, die Schranke des Werkhofs und senkte sie bei Feierabend. Er, und nur er, grüßte jeden aufs Gelände hereinfahrenden Fahrer und

jeden, der das Gelände wieder verließ. Er verfügte über eine breite Palette fein abgestufter stummer Gruß- und Winkformen.
Zum Beispiel grüßte er den Direktor der Kehrichtverbrennungsanlage, der als einziger einen Mercedes fuhr, und zwar selbstverständlich einen schwarzen, mit militärischen Ehren. Zweimal täglich. Der König kommt. Der König geht. Er stand stramm und grüßte mit mathematisch exakt angewinkelter Hand an der Stirn. Bis der König, also der Direktor, außer Sichtweite war. Dabei summte er regelmäßig eine ziemlich rassige Marschmelodie, die der Direktor allerdings nicht hören konnte. Am unteren Ende seines Grußregisters gab es nur noch ein nachlässiges, kaum angedeutetes Nicken. Sichtete er einmal wöchentlich die Frau des Direktors in ihrem roten Mercedes Coupé, hob er begeistert beide Arme und schüttelte seine beiden Hände wie zu einem verrückten Tanz, bis der Wagen nicht mehr zu sehen war. Sie war einmal *Miss Schweiz* gewesen und beschäftigte zu hundert Prozent die sexuelle Phantasie sämtlicher Angestellter der städtischen Verbrennungsanlage. Die Arbeiter rissen sich einmal die Woche darum, ihr Auto mitten auf dem Werkhof waschen zu dürfen. Es fehlte nicht viel und sie hätten noch auf Knien – und mit einer Zahnbürste bewaffnet – die Profile der Reifen gereinigt.
Einen wöchentlichen Auftrag allerdings hasste Tanner. Er musste die Rechnung in die Knochensiederei bringen. Und da roch es so fürchterlich nach Verwesung und Tod, dass er anschließend jeweils noch zwei Tage glaubte, den Geruch in der Nase zu haben. Diesen Ort würde Tanner auch nicht für viel Geld noch einmal besuchen wollen.
Er wird also in die Psychiatrische Universitätsklinik gehen. Erstens, um zu sehen, wo sein Großvater bei Ausbruch seiner Krankheit eingeliefert worden war, und zweitens, um ein Gesuch um Akteneinsicht zu stellen. Und vor allem will er noch einmal zu dem *sprechenden Busch*. Die Sprache des verborgenen Wesens hat ihn neugierig gemacht. Außerdem könnte er vielleicht etwas über die Mörder von Michiko erfahren.
Am Nachmittag wird er im Gartenbad hinter dem großen Fußballstadion baden gehen. Ein weiterer Nostalgieabstecher. Außerdem verspricht der Tag wieder heiß zu werden und heute Abend will er ausgeruht und erfrischt zum Essen mit Martha erscheinen. Falls sie es nicht vergessen hat. Sie will ihn ja deswegen noch anrufen. Tanner beendet sein Frühstück und macht sich auf den Weg zum Theaterbrunnen.

In der Stadt herrscht reges Treiben. Jeder, der kann, macht seine Einkäufe und geschäftlichen Besorgungen am Morgen, solange die Luft noch relativ frisch ist.
Tanner sieht etliche Leute, die immer wieder den Himmel mustern. Tatsächlich hat der blaue Himmel einen ungewohnten Gelbstich. Wäre das Gelb noch ein bisschen intensiver, man hätte Weltuntergangsvisionen. Der Himmel verspricht eine unangenehme Hitze für den Tag und sieht irgendwie kränklich aus. Weit und breit keine Wolken.
Tanner gewöhnt sich nach und nach an die Hitze. In Marokko hatte er sie richtig schätzen gelernt. Ein Gräuel blieben ihm allerdings die feucht-kalten Tage im Winter, denn in seinem Haus gab es keine Heizung. Dafür gab es die unendlichen Variationen der *tajines* von Khadjia. Und abends legte sie warme Steine in sein Bett, die sie in heißem Wasser erwärmt hatte …
Aber das war lange her und die Erinnerungen an seine Jahre in Marokko erschienen ihm plötzlich nicht wie Erinnerungen an eine Wirklichkeit, sondern an eine geträumte Zeit. Der Rauswurf aus dem Land wie ein unsanftes Wecken …
So hektisch und betriebsam es in den Straßen der Innenstadt zu- und hergeht, so leer und ausgestorben ist die Anlage um den Theaterbrunnen. Die Touristen und die Kiffer schlafen noch. Auch für die Liebespaare ist es noch zu früh. Sie träumen noch von ihrer letzten Liebesnacht. Zumal der Bereich um den Brunnen immer noch abgesperrt ist.
Tanner beschließt, sich nicht direkt dem Busch zu nähern, sondern zuerst eine Weile das auch bei Tageslicht undurchdringlich scheinenden Gestrüpp und dessen Umgebung zu beobachten. Er lässt sich auf einer Bank unweit der Stelle nieder, setzt seine Sonnenbrille auf und wartet.
Die Anlage mit dem großen Brunnenbassin, dessen verspielt heitere Maschinen und Figuren aus polizeilichen Gründen noch nicht in Bewegung sind, erscheint heute Morgen inmitten der Betriebsamkeit der Stadt wie eine Oase der Trägheit und Stille. Ab und zu kommen einzelne Passanten durch die Unterführung, durchqueren die Anlage, ohne den Brunnen oder den still dasitzenden Tanner zu beachten.
Nichts deutet darauf hin, dass jemand in diesem Busch sitzt oder jemals saß. Außerdem ist es ein Rätsel, wie man in dieses undurchdring-

liche Gestrüpp hineinkommt. Oder wieder herauskommt. Immerhin handelt es sich um eine üppig wuchernde Pflanze mit Dornen. Aber die Stimme gestern Nacht war real. Da ist sich Tanner ganz sicher. Das hat er nicht geträumt, obwohl er oft genug an seiner Wahrnehmung zweifelt. Auch war er nicht betrunken. Der Tod von Michiko, der Anblick ihres hellen, bewegungslosen Leibes mitten im dunklen Wasser, die schnelle und flüchtige Arbeit der Polizei, der Besuch bei Kommissar … pardon, Hauptkommissar Schmid, das alles hat er schließlich auch nicht geträumt. Etwas fällt jetzt auf. Die Vögel …
Vögel fliegen den Busch an, setzen sich auf die Zweige und – verschwinden nach kurzem Zögern dann. Tanner versucht sich zu konzentrieren. Kommen sie auch wieder heraus? Vielleicht auf der von ihm abgewandten Seite des Busches? Denn da, wo sie in den Zweigen verschwinden, kommen sie offensichtlich nicht wieder heraus. Na ja, denkt Tanner, vielleicht haben die Vögel im Busch eine Gipfelkonferenz. Wenn es so ist, dann ist es aber eine sehr stille Konferenz. Man hört nämlich keinen Laut. Meditieren Vögel? In der Gruppe? Tanner lacht still in sich hinein.
In diesem Moment kommt durch die Unterführung eine gebückt gehende Frau. Sie ist klein und schmal, hält ihren Kopf gesenkt und schleppt einen prall gefüllten, einachsigen Einkaufswagen hinter sich her. Diese Art von Einkaufswagen hatte früher auch Tanners Großmutter benutzt. Jetzt steht sie einen Moment still und atmet tief durch. Ihre grauen Haare sind straff nach hinten gekämmt und in einem kleinen Knoten am Hinterkopf zusammengehalten. Sie trägt trotz der Hitze mehrere dünne Mäntel übereinander und dicke graue Strümpfe. Jetzt setzt sie ihren Weg fort und verschwindet aus Tanners Blickfeld hinter dem Busch. Da sie nicht wieder auftaucht, denkt Tanner, sie müsse schon wieder eine Verschnaufpause machen. In diesem Moment rauscht es in den Zweigen, und ein Schwarm Vögel schwirrt aus dem Inneren des Dickichts. Wie auf Kommando schießen sie heraus in die Freiheit. Im nächsten Augenblick sind sie schon verschwunden. In alle Himmelsrichtungen. Sind sie vom Auftauchen der Frau erschreckt worden? Und wo bleibt sie eigentlich? Tanner beschließt nach einer Weile, näher zum Busch zu gehen. Ohne Hast und so unauffällig wie möglich nähert er sich.
Plötzlich hört er Stimmen. Tanner bleibt stehen und lauscht. Zwei Stimmen sprechen ohne Punkt und Komma hastig aufeinander ein,

gleichzeitig rascheln Papier und Laub. Tanner geht näher und erkennt jetzt die hohe Stimme, die gestern aus dem Busch heraus gesprochen hatte. Offensichtlich schimpft die Stimme mit der Frau, die sich energisch, aber mit gepresster Stimme zur Wehr setzt.

Batterien bring mir Batterien das machst du extra du bist eine Verdammte/*ja ja immer brauchst du Batterien ich habe dir vor zwei Tagen welche gebracht* warum hast du sie vergessen das machst du extra um mich zu quälen/*das bildest du dir ein du quälst mich mit deinen ewigen Vorwürfen*/Gottes Strafe soll dich treffen, der Wurm in meinem Ohr hat es mir gesagt/*sei still du undankbarer Mensch was würdest du denn ohne mich machen*/ich brauche auch wieder neue Zeitungen die hast du mir auch nicht gebracht du weißt dass ich sie zum Schutz gegen die Geister brauche die alten sind schon ganz verschwitzt/*ja ja du du du brauchst brauchst und ich soll springen wenn es dem Herrn gefällt*/schweig Alte gehe heim und bringe mir Batterien und nicht wieder die falschen die dicken runden die brauche ich und jetzt schweig ich muss beten/*ja ja ja …*

Die Frau murmelt noch eine Weile Unverständliches. Als sie hinter dem Busch wieder sichtbar wird, ist ihr Einkaufswagen leer. Immer noch murmelnd und maulend geht sie zurück, in Richtung Fußgängerunterführung.

Tanner zieht sich leise zurück. Er will sich dem Wesen im Busch nicht mit leeren Händen nähern. Im nächsten Warenhaus findet er, was er sucht.

Diesmal geht er direkt auf den Busch zu. Von derselben Seite, wo die Alte stand. Da befindet sich anscheinend der Besuchs- und Lieferanteneingang. Tanner zitiert zu seiner Anmeldung die Frage, die er gestern Nacht aus dem Busch gehört hat.

Was ist das Größre vor dem Herrn? Ein ausgespiener Apfelkern, ein Hund, ein Kind, ein Halm im Wind, die Reue einer Dirne?

Es bleibt still im Busch. Tanner neigt sich etwas vor, kann aber durch das enge Geflecht der Zweige und Blätter nichts erkennen. Wenn ihn jetzt jemand beobachtet hätte, ihn sogar gehört hätte, er müsste denken, Tanner sei nicht bei Trost, er sei sicher einer dieser durchs Radio Gesuchten. Gebeten wird um schonendes Anhalten. Na ja, wenn schon.

Vorsichtig beginnt er, mit beiden Händen in die Äste zu greifen. Bevor er sie richtig anfassen kann, schreit die Fistelstimme.

Wage es nicht, den Hakeldamach zu betreten. Wage es nicht, ihn auch nur zu berühren, sündiges Stück Fleisch. Ich allein bewohne den Blutacker. Die flammenden Schwerter meiner Erzengel werden dich zerfleischen …

Und wieder geht die hohe Stimme in mehrstimmigem Knurren und wilden Geräuschen von zähnefletschenden Hunden unter. Diesmal hört man aber deutlich, dass die Batterien des Tonbandes bald am Ende sind. Was gestern Nacht noch einigermaßen überzeugte, wird zum rührend lächerlichen Versuch, böse Geister vom Busch fern zu halten. Damit kann man aber höchstens kleine Kinder erschrecken. Oder vielleicht ganz kleine Hunde, die an den Busch pinkeln wollen.

Tanner versucht das Tohuwabohu von Fistelstimme und mehrstimmigem Hundechor ab Konserve zu übertönen.

Ich will nichts Böses. Ich will nur mit Ihnen reden. Und ich bringe neue Batterien, die dicken runden, die sind doch richtig, oder?

Der Busch gibt abrupt Ruhe. Diesmal hört Tanner auch deutlich den Schalter des Tonbands. Nach einer Weile wiederholt er sein Anliegen.

Und ich möchte wirklich wissen, *was das Größre ist vor dem Herrn …*

Lange Stille. Tanner rührt sich nicht.

Was glaubst *du* denn? Fragen muss man selber beantworten, sonst nützen die besten Antworten nichts. Aber überlege es dir gut!

Tanner verschränkt die Arme. Ja, was ist denn das Größere vor dem Herrn. Die Reue einer Dirne? Reue für was? Das klingt sehr moralisch. Angesichts der toten Michiko sowieso.

Am poetischsten wäre natürlich der Halm im Wind. Ein fast schon japanisches Bild. Die Schönheit an sich. Die Kunst. Ob die Kunst das Größte vor dem Herrn ist? Wohl kaum.

Am philosophischsten ist das Bild vom Apfelkern. Auch wenn er ausgespien wurde. Oder gerade dann. Das scheinbar Unwerte. Der Apfelkern ist winzig, äußerlich banal, unscheinbar, und doch birgt er Leben und es kann daraus ein großer, blühender Apfelbaum entstehen. Und im Laufe seiner Zeit wird er Tausende von Äpfeln produzieren. Und wieder Apfelbäume. Der unscheinbare Apfelkern birgt eine Explosion von Leben in sich.

Und was ist mit dem Kind? Als Antwort wahrscheinlich zu sentimental, auch wenn Jesus gesagt hat, lasst die Kinder zu mir kommen. Ein Hund? In dieser Art von Fragestellung ganz gewiss nicht die

richtige Antwort. Also trifft Tanner seine Entscheidung. Kaum hat er sie ausgesprochen, juchzt der Busch auf.
Nein, falsch! Ganz falsch. Ganz daneben. Da wollte einer klug sein … philosophisch sein, ha, ha … völlig falsch gedacht. Ha, ha, falsch … falscher … am falschesten …
Die sonst schon hohe Stimme überschlägt sich und geht in ein heiseres Singen und Lachen über.
Argumentieren hat wohl keinen Sinn, überlegt Tanner, schweigt und wartet, bis der Anfall vorüber ist.
Du kannst die Batterien in die Kiste legen. Und morgen früh darfst du es wieder probieren … mit einer Antwort, meine ich, ha, ha … jeden Morgen eine Antwort. Wenn du die richtige weißt, werde ich mit dir reden … aber erst dann.
Tatsächlich schiebt sich zwischen dem Boden und der untersten Reihe von Ästen eine flache Holzkiste hervor und bleibt auffordernd vor Tanners Füßen liegen.
Seufzend legt Tanner die Batterien hinein. Sofort wird die Kiste in das undurchdringliche, blickdichte Gebüsch zurückgezogen. Und wieder hüllt sich der Busch in Schweigen. Tanner überlegt, ob er noch mal fragen soll, etwa gezielt nach der Toten im Brunnen, aber wahrscheinlich wäre die Antwort unter den gegebenen Umständen nicht ergiebig. Er muss sich wohl oder übel dem begonnenen Frage-und-Antwort-Ritual unterziehen.
Wie mag dieser Mann in den Busch gekommen sein? Ist er einfach ein Clochard, der seinen Ort gefunden hat? Was hält ihn gefangen? Innerhalb des Busches kann er ja allerhöchstens zwei Quadratmeter Platz haben. Und wer weiß von seiner Existenz? Die Behörden ja wohl kaum. Und was ist mit den Gärtnern? Die werden doch die Anlage regelmäßig pflegen. Die müssen es ja wissen. Und wer ist die alte Frau, die ihm als Verbindung zur Außenwelt und als Versorgerin dient? Ist sie seine Frau? Der Dialog zwischen den beiden wirkte wie gehässige Eheroutine.
Ohne sich zu verabschieden, entfernt Tanner sich vom Busch. Jede Art von Verabschiedung wäre ihm lächerlich erschienen. Morgen wird er einen zweiten Versuch mit der Antwort machen. Die Alternativen sind ja an einer Hand abzuzählen. Hätte Tanner ein bisschen aufmerksamer auf die Umgebung des Brunnens geachtet, wäre ihm nicht entgangen, dass er nicht der Einzige ist, der sich für den Busch interessiert.

ACHT

Im spanischen Restaurant sitzt Martha mit hochgezogenen Schultern am Tisch. Die Hände zwischen die Knie geklemmt, starrt sie stumm abwechselnd auf ihren leeren Teller und auf Tanner. So attraktiv sie in der weißen Bluse, in dem kurzen Lederrock und den neuen italienischen Schuhen auch wirkt, die Hilflosigkeit in ihren Augen, verstärkt durch die Haltung ihres Körpers, machen aus ihr in diesem Moment wieder das scheue, ungeschickte Mädchen vom Land, das Tanner aus der gemeinsamen Schulzeit in Erinnerung hatte.
Sie hatte ihn am frühen Nachmittag angerufen und gefragt, ob es ihm etwas ausmachen würde, sie in der Weltstadt am See zu treffen, da sie den ganzen Tag dort beschäftigt sei. Er hatte natürlich sofort eingewilligt, obwohl er nicht besonders gerne in die Stadt seiner früheren beruflichen Tätigkeiten zurückkehrte.
Sie reagiert heftiger auf Tanners leisen Bericht über Elsie, ihre Liebe und ihren wahrscheinlich nahen Tod, als Tanner erwartet hatte. Eigentlich wollte er es ihr nicht erzählen, schon gar nicht an diesem Abend, aber irgendwie hat Martha, durch und durch raffinierte Journalistin, ihm schließlich die ganze Geschichte entlockt.
Zur Bedingung, dass sie überhaupt mit ihm essen ging, gehörte ja das Versprechen, dass er ihr von seinem Besuch im Schlaraffenländli erzählte, und zwar mit allen Details, wie sie ausdrücklich betonte. Nun, ihr alle Details dieses Besuches zu erzählen, war kein Problem für Tanner. Zumal es ja ein ziemlich abrupt abgebrochener Besuch war. Aber wie macht man einer Frau begreiflich, *warum* man zu einer Nutte geht? Und auch noch einer Frau, die einem ungemein gut gefällt?
Und so wurde das Gespräch zwischen Martha und Tanner ernster, leiser und die Spannung zwischen ihnen immer greifbarer. Und zwar eine Art Spannung, die einen immer stärker verkrampft, je mehr man ihr entkommen möchte. Tanner hatte sich den ersten gemeinsamen Abend ganz anders vorgestellt. Dabei hatte ihre Begrüßung und die erste halbe Stunde ihrer Begegnung ein unbeschwertes Klima gehabt. Sie sprachen über unverfängliche Dinge aus der gemeinsamen Vergangenheit. Sie lachten gemeinsam über ihre ehema-

ligen Mitschüler und über ihre alten Lehrer. Kurz, es war eine Leichtigkeit und Vertrautheit zwischen ihnen, die Tanner freudig überrascht und dementsprechend animiert hatte. Sie versetzte ihn in Hochform. Martha hingegen reagierte anders. Als ob diese Schwingungen sie erschreckten. Als ob diese Stimmung, die sich spontan zwischen ihnen eingestellt hatte, nicht in ihr Konzept passte. Man konnte direkt sehen, wie sie geradezu mit Fleiß und mit System ihre Ausgelassenheit und Offenheit zurücknahm. Wie eine Fischerin, die ihre Netze einholt. Ihre Fragen wurden zunehmend penibler, ihre Ansichten zu allem, was Tanner sagte, schärfer und eigenartiger. Und das Schlimmste für Tanner war: Je mehr er von sich preisgab, desto bedrückter wurde Martha. Es begann ein eigenartiger Teufelskreis: Da er das Gefühl hatte, dass sie ihn immer weniger verstand, holte er immer weiter aus, durchpflügte die Vergangenheit seines Lebens, berichtete von seinen Beziehungen und schilderte ihr so plastisch wie möglich einschneidende Ereignisse. Aus lauter Verzweiflung erzählte er hundert und eine Anekdote. Es nützte alles nichts. Er sah deutlich in ihren Augen, dass er sie nicht überzeugen konnte. Sie bestand darauf, dass er vom Wesentlichen sprach. Und so erzählte er schließlich doch die Geschichte von Elsie. Da begann sie stumm zu werden. Bei allen anderen Dingen, von denen Tanner vorher sprach, hatte sie unerbittlich nachgehakt. Jetzt lauschte sie nur noch stumm seinen Worten. Vom Essen bekam Tanner für einmal wenig mit, obwohl der spanische Koch ohne Zweifel exzellent kochte.

Als Tanner endlich zu Ende erzählt hat, schweigen sie lange. Martha rührt in ihrem Kaffee. Dann blickt sie ihn lange an.

Ich habe dich doch falsch eingeschätzt, Tanner. Es tut mir Leid … *du* tust mir Leid … die Kinder, obwohl ich sie nicht kenne, tun mir Leid … Elsie tut mir Leid … ja, ja, jetzt fange ich auch noch an zu weinen, Scheiße!

Martha erhebt sich abrupt und verschwindet durch die Reihen der vielen verschiedenen Palmenpflanzen, die das Restaurant in einen wahrhaften Dschungel verwandelt haben; wahrscheinlich flieht sie zu den sehr gepflegten Toiletten, die sich in den Kellerräumen befinden. Unzählige gierige Männerblicke verfolgen die nackten Beine der schlanken Gestalt, bis sie das grüne Dickicht verschlungen hat.

Affen … lauter Affen … Affen im Urwald, murmelt Tanner wütend vor sich hin. Er weiß selber nicht, auf wen er eigentlich wütend sein

soll: auf all die Männer, die jedem Minirock hinterherhecheln, oder auf sich selber, weil er es nicht verstanden hat, den Verlauf ihrer Begegnung in andere Bahnen zu lenken.
Barscher als beabsichtigt verlangt er die Rechnung bei dem sympathischen Kellner, der in dem Restaurant arbeitet, seit es unter der Herrschaft des Spaniers mit dem Bleistift hinterm Ohr steht. Tanner erschrickt selber über seinen unfreundlichen Ton. Zum Ausgleich gibt er dem Kellner ein geradezu fürstliches Trinkgeld und entschuldigt sich mit einem etwas verkniffenen Lächeln.
De nada, choder … muchas gracias.
Tanner steht auf und geht Martha nach.
Er lauscht an der Tür der Damentoilette. Offensichtlich telefoniert sie mit ihrem Handy. Leider kann er kein Wort verstehen.
Kein Wunder, bleibt sie so lange verschwunden, denkt Tanner und klopft an die Tür.
Bist du noch da, Martha?
Sie unterbricht ihr Gespräch.
Ich bin gleich fertig, Tanner, entschuldige …
Keine Ursache, ich wollte nur sicher sein, dass du noch da bist. Ich warte hier unten auf dich, ich habe bereits bezahlt. Lass dir Zeit.
Tanner setzt sich seufzend in einen Kinderstuhl bei der Märchenecke, die für die kleinsten Besucher des Restaurants eingerichtet wurde.
Mit wem Martha wohl telefoniert?
Nie im Leben würde er es erraten. Vor allem, was ihr zweites Gespräch betrifft. Aufschlussreich wäre es allerdings schon gewesen, wenn er es gekonnt hätte. Tanner holt tief Atem und seufzt. Gedankenverloren greift er zu einem der Kopfhörer. Eine widerlich süßliche Frauenstimme erzählt in einem völlig falschen Märchenton von Schneewittchen. Und wie es scheint, in ziemlich freier Form. Einer der Zwerge fragt gerade atemlos, welchen von den sieben Zwergen hinter den sieben Bergen sie denn am meisten lieb habe. Er fragt es im Brustton der Überzeugung, dass ganz bestimmt nur *er* der Auserwählte sein kann. Darauf lässt die Erzähltante das Schneewittchen ziemlich zickig auflachen. Wahrscheinlich war ein liebliches Prinzessinnenlachen gemeint …
Aber ich habe euch doch alle gleich gern, ihr dummen Zwerge, ihr seid mir alle gleich lieb und wichtig.
Was für eine verlogene Antwort, denkt Tanner verstimmt. In diesem

Moment tippt ihm Martha auf die Schulter. Er dreht sich zu ihr um. Martha lacht. Die Sonne im Märchen könnte dem naiven Müllersohn nicht freundlicher strahlen.
Du siehst, es geht mir besser. Ein bisschen kaltes Wasser ins Gesicht kann manchmal Wunder wirken.
Martha sieht tatsächlich nicht nur erfrischt aus, sondern sie hat offensichtlich auch ihre gute Laune wiedergefunden. Dass das alles aufs Konto von kaltem Wasser gehen soll, bezweifelt Tanner allerdings. Mit wem sie nur telefoniert hat? Hat *sie* angerufen oder war es einfach ein Zufall, dass ihr Telefon klingelte, während sie auf der Toilette war? Tanner hat große Lust danach zu fragen, verkneift es sich aber. Was geht es ihn an? Er hat sich über dreißig Jahre lang nicht bei ihr gemeldet, ja nicht einmal an sie gedacht, und jetzt ist er schon verstimmt, wenn ein paar fremde Männer ihr nachblicken und sie ein privates Telefongespräch auf der Damentoilette führt.
Warum habe ich bloß dieses beharrliche Gefühl, dass dieses Gespräch mich irgendwie betrifft, fragt er sich im Stillen. Er beschließt, das Gefühl einfach zu ignorieren. Es fällt ihm gar nicht so schwer, denn Martha hängt sich in diesem Moment mit einem wirklich verführerischen Lächeln bei ihm ein.
Komm, Tanner, lass uns fahren. Ich hoffe, du hast ein schnelles Auto. Ich will mal sehen, wie du wohnst.
Sie holen den kleinen BMW, den Tanner wieder gemietet hat, aus dem Parkhaus. Tanner bezahlt an einem der hypermodernen Parkautomaten, ohne mit der Wimper zu zucken, den horrenden Betrag …
Ich will mal sehen, wie du wohnst …
Dieser von Martha leicht hingeworfene Satz dröhnt in Tanners Schädel und will nicht leiser werden. Er hat das Gefühl, als habe ihn irgendetwas Mächtiges geschubst. Sagen wir mal: eine Abrissbirne. Und zwar in eine Richtung gezwungen, die Tanner im Moment etwas unheimlich vorkommt. Wollte er das nicht auch? Wie? Die Nacht mit ihr verbringen! Ja? Nein? Ja, schon, aber …
Leise hört Tanner die alten Richter seines inneren Hohen Tribunals vor sich hin kichern. Sie hatten sich lange nicht mehr gemeldet. Vielmehr: Es hatte lange nichts zu melden gegeben.
Martha plaudert auf ihrem kurzen Weg durch die Innenstadt ohne Punkt und Komma. Wie weggeblasen ihre Verstimmung, ihr Traueranfall. Sie erzählt unbeschwert von ihren Kolleginnen und Kollegen

bei der Zeitung, von ihrem bärbeißigen Chef, den Tanner ja kurz gesehen – und vor allem gehört hatte. Sie berichtet von ihrer neuen Arbeit. Sie bildet wohl eine Art ziemlich selbstständige Abteilung für besondere Aufgaben. Direkt der obersten Leitung unterstellt und niemandem sonst Rechenschaft schuldig.
Tanner hat Mühe, ihren frei assoziierenden Wörterkaskaden zu folgen. Mit ihrer kurzen Bemerkung hat sie ihn ganz schön durcheinander gebracht. Was ist nur in Martha gefahren? Woher dieser Umschwung? Auf einmal, quasi aus heiterem Himmel, will sie seine Wohnung sehen. Sie will also partout nicht in ihre Stadt zurückfahren, sie will Tanners Wohnung am kleinen See sehen.
Hätte ihn jemand gefragt, ob *er* Martha heute bitten würde, ihn in seine Wohnung zu begleiten, er hätte ihn entweder offiziell für verrückt oder zu einem psychologischen Vollidioten erklärt. Zu einem kompletten Ignoranten der weiblichen Seele auf jeden Fall.

NEUN

Das Haus am See, in dem Tanner sich eine Wohnung gemietet hat, ist voll mit antiken Möbeln und mit ebenso vielen Geschichten und Historchen. Erbaut im 17. Jahrhundert – übrigens vom selben Architekten wie das nahe gelegene Schloss – war es zunächst Gasthof und Relaisstation für die Postkutschen, die die reichen Herrschaften von Paris in die Schweiz oder nach Italien und zurück beförderten. Die Legende des Hauses behauptet, dass auch die Gattin von Napoleon und andere hochwohlgeborene Persönlichkeiten aus Politik und Adel in diesem Hause übernachtet haben sollen.
Später wurde das Haus zu einem vornehmen Institut für die – wie man sie damals nannte – höheren Töchter und deren Erziehung zu perfekten Gattinnen umgewandelt. Eine Vorstellung, die Tanner ganz besonders amüsiert. Kurzzeitig war das Haus ein Restaurant, bis es dann als vornehmes Privat- und Patrizierhaus seine endgültige Verwendung fand.

Der jetzige Besitzer, ein schrulliger, pensionierter Apotheker, hat es von seiner noch schrulligeren Mutter geerbt, die fast dreißig Jahre lang das große, mit Glyzinien bewachsene Haus mutterseelenallein bewohnte, nachdem ihr Mann, ein Kunstlehrer aus Genf, gestorben war. Sie pflegte allerdings während der letzten Jahre immer zu behaupten, dass ihr Mann erst vor sieben Jahren gestorben sei. Das unterste Stockwerk besteht zur Hauptsache aus einem großen, dunklen Empfangs- und Wohnraum, mit einem Kamin, in dem ohne weiteres ein kleines Kammerorchester Platz nehmen könnte. In der Beletage im ersten Stock ist es heller und wohnlicher. Diese beiden Stockwerke sind bis auf weiteres unbewohnt, da der Besitzer sich nie richtig entscheiden konnte umzuziehen. Schön renoviert hat er das Haus für eine Riesenstange Geld, aber bewohnen will er es offenbar nicht. Tanner bewohnt den ganzen obersten Stock. Da, wo früher die Bediensteten hausten. Der Blick aus den Fenstern ist schlicht atemberaubend. Der Park. Der See. Das gegenüberliegende Ufer mit seiner sanft geschwungenen Hügelkette. Es ist einmalig.
In der ersten Zeit hatte Tanner allerdings keinen Blick für diese Schönheit. Der Schmerz um das Schicksal seiner Geliebten machte ihn blind für solche Äußerlichkeiten. Er hatte sich für die Wohnung entschieden, weil er sofort den Geruch dieses Hauses mochte. Ein Schritt ins Haus hinein, ein Atemzug … und er wusste, dass er hier wohnen wollte. Tanner fehlen jeweils die Worte, wenn er jemandem von diesem Geruch erzählen will. Auch jetzt, da er mit Martha auf dem Weg zu seinem neuen Zuhause ist.
Martha, du wirst es ja gleich selber riechen. Das Haus ist halt aus richtigem Stein gebaut, dazu viel altes Holz und komplett bewachsen mit diesen wunderschönen Glyzinien.
Martha nickt nur leicht mit dem Kopf, nun ihrerseits verwundert über den ununterbrochenen Erzählfluss von Tanner. Sie interessiert sich zwar auch für alte Häuser, aber Tanner spricht die ganze Zeit über dieses Haus, als ob er über eine Geliebte spräche.
Andererseits weiß sie natürlich, dass sie ihn mit dem Entschluss, mit ihm zu fahren, nervös gemacht hat. Eigentlich verstand sie selber im Nachhinein ihre spontane Entscheidung kaum noch, aber nachdem ihr Chef so lange am Telefon genervt und sie endlich einmal den Mut gefunden hatte, ihm ungeschminkt die Meinung zu sagen, vor allem über seine plumpen Annäherungsversuche, war es ihr, als ob ein uner-

trägliches Gewicht von ihr abgefallen wäre. Seit Monaten versucht Stettler, sie in sein Bett zu kriegen. Dabei mochte sie ihn anfänglich sehr gerne. Er ist ungeheuer intelligent, wortgewandt und witzig und von einer geradezu barocken Lebens- und Sinnenfreude. Aber seit er sich offenkundig in den Kopf gesetzt hat, sie in die lange Liste seiner Eroberungen einzureihen, findet sie ihn von Tag zu Tag widerlicher. Und das Ganze dauert nun schon ewige Monate. Zugegeben, am Anfang fühlte sie sich von seinen unverblümten Avancen geschmeichelt, immerhin ist er der große Boss der Zeitung, aber diese Zeit ist längst vorbei. Mittlerweile fühlt sie sich sogar bei ihrer Arbeit behindert und überlegt sich ernsthaft, ob sie nicht eine neue Stelle suchen soll.
Sie betrachtet Tanner von der Seite, der ununterbrochen von diesem Wunderhaus schwärmt, und überlegt, ob sie vielleicht mit ihm darüber reden sollte. Besser nicht. Sonst bildet er sich am Ende noch mehr ein, als er es eh schon tut. Unter dem Vorwand, seinen Schwärmereien aufmerksam zuzuhören, kann sie ihn ausgiebig betrachten. Früher in der Schule hatte sie das kaum gewagt, obwohl sie doch die gesamte gemeinsame Schulzeit, und noch lange danach, rasend in ihn verliebt war. *Er* hat sie natürlich nicht beachtet. Sie, das hässliche Entlein vom Lande. Außer natürlich, wenn er von ihr eine Arbeit abschreiben durfte oder sie ihm gnädigst eine schwierige Mathematikaufgabe siebenmal erklären durfte. Was war er doch für eine Flasche in Mathematik! Sie kann nicht verhindern, dass sie lachen muss. Tanner lacht mit und denkt wohl, seine Erzählung sei witzig. Er hat gerade von dieser alten Frau erzählt, deren Haarteil nicht selten an einem tief hängenden Baumast im Garten hing. Martha hört nur mit halbem Ohr zu.
Attraktiv ist er immer noch, denkt Martha bei sich, vielleicht sogar noch mehr als damals. Und wie er da sitzt. Wie er das Auto lenkt, als wär's ein Teil von ihm. Sie betrachtet seine glatte Stirn. Obwohl er immer noch diese dichten Strähnen besitzt, ist die Stirn deutlich höher geworden. Dadurch wirkt seine Nase energischer. Und der Mund noch weicher. Seine Haare hätte sie früher so gerne angefasst, mehr hatte sie ja gar nicht gewollt. Mehr konnte sie sich damals auch gar nicht vorstellen. Jetzt dürfte sie wahrscheinlich alles an ihm anfassen, wenn sie nur wollte. Aber das wird nie geschehen. Das hat sie sich geschworen. Leide nie zweimal wegen demselben Mann. Ein ehernes Gesetz. Und dass sie leiden würde, war sonnenklar. Früher

oder später. Wenn hier also einer leidet, dann soll *er* es sein. Er hat sie lange genug behandelt, als sei sie Luft. Weniger als Luft, denn die braucht man zum Leben. Diesen Moment, damals in den Bergen, wo er ihre Hand halten musste, weil der Lehrer es befohlen hatte, den wird sie allerdings nie vergessen. Da war eine Hitze in ihr, die sie später nie mehr erlebt hat. Und diesen Augenblick wird sie ihm nie verzeihen. Nie wird sie ihm verzeihen, dass er in diesem Moment nicht auch diese Hitze spürte. Im Gegenteil: dass er bei der nächsten Gelegenheit ihre zitternde Hand gleich wieder losließ und schleunigst zu dieser Schlampe, dieser Schlagersängerin aus Prag, überlief. Die einzige Genugtuung bezog sie damals aus der Tatsache, dass *die* ihn nicht ranließ. Die spielte nur mit ihm. Und auch nur während der Schulstunden. Kaum war nämlich die Schule aus, wurde sie von ihrem viel älteren Freund in einem schnellen Sportwagen abgeholt. Und dann litt Tanner. Und wie er litt. Es war ihm genau anzusehen. Nach ein paar Augenblicken des Genusses hatte sie dann doch Mitleid mit ihm und hasste umso mehr die andere.

Ja, was für ein netter Teufelskreis.

Ihre selbstvergessene Bemerkung passt an dieser Stelle zum Glück ganz gut zu der Erzählung von Tanner, der gerade berichtete, dass die alte Frau nachts in ihrem Bett Filme sah, die ein böser Nachbar projiziert haben soll. Wenn sie dann das Bett gewechselt habe, sei ihr der Film auch dort erschienen.

Eines gefällt ihr an Tanner immer noch. Leider. Schon als Junge besaß er diese Traurigkeit, die sich niemand erklären konnte. Auch heute kann sie sich dieser Trauer kaum entziehen. Immerhin kennt sie einen aktuellen Grund. Diese Elsie, die seit über einem Jahr im Koma liegt, die liebt er anscheinend. Martha graut bei der Vorstellung. Im Koma liegen. Nicht leben, nicht sterben. Aber traurig war er schon immer. Oder war es eher der Ausdruck einer nicht zu stillenden Sehnsucht? Eine Sehnsucht, die vielleicht durch nichts und durch niemanden zu stillen ist? Martha ist sich plötzlich nicht mehr sicher. Auf jeden Fall wird sie sich wappnen. Und nicht mit ihm ins Bett gehen. Keinesfalls.

Tanner räuspert sich und zeigt auf irgendwelche dunklen Umrisse.

Schau, Martha, da ist das Schloss, von dem ich dir erzählt habe, weißt du? Derselbe Architekt, ein französischer Offizier, der das Haus erbaut hat, in dem ich wohne. Hörst du mir überhaupt zu?

Martha schreckt hoch. Dann nickt sie schnell.
Entschuldige, Tanner, ich bin plötzlich müde. Die Autofahrt hat mich jetzt doch angestrengt und ich hatte einen mühsamen Tag. Und die Hitze.
Tanner versteht natürlich. Zum Glück sind sie gleich da. Er verlangsamt das Tempo seines Autos. Sie fahren durch ein großes Tor, der Kiesweg knirscht unter den Rädern.
So. Da sind wir.
Tanner nickt befriedigt. Er steigt aus und öffnet auf ihrer Seite die Wagentür. Es ist immer noch sehr warm. Über ihnen wölbt sich ein sagenhafter Sternenhimmel. Ein dickbauchiger Mond hängt über den Hügeln. Das dicht bewachsene Haus liegt im Schatten. Es ist still. Nur die Grillen zirpen und in der Ferne bellt dann und wann ein Hund. Der Brunnen zwischen dem Haupthaus und dem niedrigeren Gärtnerhaus plätschert friedlich, als ob er eine unendliche Geschichte zu erzählen wüsste. Martha taucht ihre nackten Arme bis über die Ellbogen in das kühle Wasser. Lange verharrt sie so, wie eine Skulptur. Tanner schaut sie an und wagt nicht, sich zu rühren, als ob er Angst hätte, etwas zu zerstören. Sie dreht ihm ihr Gesicht zu, ohne die Arme aus dem Wasser zu nehmen, schaut ihn lange an. Dann spricht sie leise, aber in einem sehr bestimmten Ton. In diesem neuen Ton, der ihn so überrascht hat.
Eines sage ich dir, Tanner. Wir werden heute Nacht nicht miteinander schlafen. Und wenn du lieb bist, dann diskutierst du jetzt nicht mit mir. Ich sage es dir und ich meine es genau so, wie ich es sage. Und ich spiele keine Spiele.
Natürlich liegt Tanner die Frage auf der Zunge, warum sie sich überhaupt entschlossen hat, mit ihm nach Hause zu fahren. Schließlich lag sein Haus ja nicht gerade am Weg. Aber er hütet sich, etwas zu sagen. Es kommt sowieso noch mehr von Martha. Das spürt er. Sie zieht die Arme aus dem Wasser und schüttelt sie ausgiebig.
Und wenn du dich jetzt zufällig fragen solltest, warum sie denn überhaupt mitgefahren ist, die blöde Kuh, so ist die Antwort ganz einfach. Ich war neugierig auf den Ort, wo sich unser Tanner, der sich all die Jahre so äußerst rar machte, niedergelassen hat. Und das Haus ist wirklich schön. Ja, wunderschön. Und ich wollte nicht allein zurück in meine leere Wohnung. Okay? Jetzt werfen wir noch einen Blick auf den See und danach zeigst du mir das Wunderhaus von innen.

Ich bin auch sehr gespannt auf den berühmten Duft, den dieses Haus angeblich verströmt.
Lachend nimmt sie seinen Arm und zieht Tanner ungestüm in Richtung See, quer durch den Garten, bis zu der steinernen Balustrade, die den Garten abschließt. Das kurze Teilbad im Brunnen hat sie wohl aufgeweckt.
Hier erst begreift man, dass der Garten wie eine Terrasse ist, von der aus man praktisch den ganzen See überblicken kann. Martha lässt seinen Arm los und blickt stumm in die funkelnde Nacht hinaus.
Da fehlen mir echt die Worte, das ist … einfach toll. Tanner, ich beneide dich. Okay! Und jetzt der Duft.
Sie tänzelt los in Richtung Haustür, dreht sich dort auf dem Absatz um und blickt herausfordernd zu Tanner, der für ihren Geschmack ein bisschen zu langsam hinterhertrottet.
Tanner, öffne den Sesam. Ich will den Duft. Jetzt! Schläfst du schon? Ah, jetzt mach nicht so ein Gesicht, freu dich doch, dass ich hier bin.
Sie schnappt sich den Schlüssel aus Tanners Hand und öffnet schnell und geschickt die Tür. Sie steht im dunklen, kühlen Steinflur und nimmt einen tiefen Atemzug. Und noch einen. Dann dreht sie sich um und strahlt den etwas zu offensichtlich verstummten Tanner an. Sie hat beschlossen, darauf gar nicht einzugehen.
Wow, du hast Recht, es riecht, wie, äh … wie wenn man zu Hause angekommen ist. Von weit her. Nach einer sehr, sehr langen, beschwerlichen Reise. Ja, genau. So riecht es hier.
Martha hat Recht. Genau so duftet es. Tanner nickt und schließt gottergeben die schwere Haustür hinter sich. Martha schwebt in der Zeit bereits die ausgetretenen Steinstufen empor. Sie hat sich auch schon ihre italienischen Schuhe ausgezogen und sie einfach fallen gelassen. Tanner bückt sich seufzend und trägt sie hinauf. Er hört, wie Martha oben seine Wohnung aufschließt. Gleich darauf einige Laute des Entzückens. Als er oben ankommt, hat sie schon alle Türen aufgerissen und erforscht barfuß seine Wohnung. Das Mondlicht schimmert auf den dunklen Holzböden. Tanner lässt sich in der großen Zimmerflucht mit dem Blick zum See auf das Sofa fallen. Ihre Schuhe hat er immer noch in der Hand. Aus dem hintersten Zimmer, wo sein Bett steht, hört er sie lachen.
Das ist genau die Wohnung, wie ich sie auch möchte. Unendlich viele

Zimmer, die alle leer sind, ruft sie. Eine Wohnung, durch die man rennen kann.
Er schließt die Augen und hört zu, wie sie mit ihren nackten Füßen durch seine Wohnung rennt.
Er seufzt.
Wie wird dieser Abend enden? Oder ist er schon zu Ende?
Seine Wohnung ist natürlich nicht ganz leer. Aber sie hat Recht. Sie wirkt ziemlich leer, weil jedes Zimmer höchstens ein Möbelstück beherbergt. Dort ein Tisch. Da ein Sofa. Im Zimmer ganz hinten ein Bett. Im Zimmer daneben eine lange Bücherwand und eine Musikanlage. In einem Zimmer liegt bloß ein dicker Teppich aus Marokko. All die anderen Sachen hat Tanner im leeren Gärtnerhaus eingestellt. Im Grunde braucht er sie alle nicht mehr.
Ich bin gespannt, wie du meine Badewanne findest, die ist nämlich riesig und ova...
Oh, wow! Verflucht! Eine ovale Badewanne. Wahnsinn!
Kreischend verkündet sie die Entdeckung. Tanner lächelt.
Wusst ich's doch!
Er stellt ihre Schuhe auf den Boden, zieht seine aus und bettet sich bequem auf das Sofa, die Hände hinter dem Kopf gefaltet.
Jetzt bin ich gespannt, wie sich das Rätsel Martha weiterentfaltet, denkt er bei sich und findet seine gute Laune und auch seine Selbstsicherheit wieder. Ja, eigentlich amüsiert ihn das Ganze, zu offensichtlich entschlüsselt sich dem geschulten Kenner ihr Verhalten.
Genüsslich beginnt er eine Melodie zu summen, die ihm für die Situation sehr passend vorkommt. Zuerst summt er sie leise, dann etwas lauter. Plötzlich hört er Martha in seinem Rücken. Sie singt gekonnt die Melodie mit. Etwas später übernimmt sie das Lied ganz. Kein Wunder: Sie kennt die Worte, die Zerlina singt. Und noch etwas, was er nicht wusste: Martha singt wunderschön. Er dreht sich auf den Bauch, um sie zu sehen. Sie steht sehr aufrecht in der Tür, hält sich mit beiden Händen am Türrahmen fest und singt mit geschlossenen Augen die zärtlichen Worte des Liebesduetts.
An einer der schönsten Stellen bricht sie ab und öffnet die Augen. Jetzt könnte nicht die kleinste Stecknadel ungehört auf den Boden fallen.
In welchem Bett schlafe ich?

Ganz hinten steht ein breites Bett, es ist zufällig frisch bezogen. Ich schlafe hier auf dem Sofa. Wann möchte Zerlina denn frühstücken? Ich muss morgen um neun Uhr in der Hauptstadt sein. Fährst du mich hin? Am Nachmittag muss ich ins Büro und zurück in den Alltag.
In Ordnung. Ich kann dich am Nachmittag auch in deinen Alltag zurückfahren. Ich habe ja immer noch mein Hotelzimmer und meine Sachen dort. In deiner Alltagsstadt, meine ich. Außerdem habe ich dort noch einiges zu erledigen.
Wunderbar, Tanner.
Sie macht einen zögernden Schritt, dann dreht sie sich noch einmal zu ihm um.
Bist du mir böse? Ein bisschen? Ich hoffe nicht. Schlaf gut.
Sie huscht unvermittelt zu ihm und küsst ihn mitten auf den Mund, allerdings: Hätte man die Zeit messen wollen, in der sich ihre Lippen berührten, würden Geräte aus der Welt der mechanischen Zeitmessung leider nichts anzeigen. Aber die Zeit reichte immerhin, um ihren Duft wahrzunehmen.
Als sie längst im Dunkeln verschwunden ist, kommt ziemlich verspätet die Antwort auf ihre letzte Frage. Sie ist ja auch nicht für ihre Ohren bestimmt. Dann ist es plötzlich sehr still. Nur der Duft verweilt noch eine Weile. Vielleicht bildet er sich das auch nur ein. Ja, so ist das mit den Düften.

ZEHN

Serge Michel sitzt in seinem klimatisierten Dienstwagen und kaut lustlos an einem mächtigen Spezialsandwich, das die Vermieterin des trostlosen Appartements, das er seit Jahren bewohnt, fachgerecht für ihn zubereitet hat. Fachgerecht im Michel'schen Sinne. Das macht sie jeden Tag.
Für das Sandwich nimmt sie eines jener unglaublich knusprigen Halbweißbrote, ein halbes Kilo schwer, schneidet es mit ihrem schar-

fen Sägemesser einmal quer durch, bestreicht die aufgeschnittenen Brotteile dick mit Butter, die sie sich bei dem Bauern um die Ecke besorgt. Auf die Butter kommt eine dicke Lage Senf. Ein viertel Glas geht dabei spielend drauf. Dann kommen verschiedene Lagen Fleisch und Gemüse. Auf die glatte Senfpiste kommt erst einmal eine ebenso glatte Schicht fein geschnittener, gekochter Schinken. Dann eine Lage Speckstreifen, und zwar in krauser, aufgelockerter Form, nicht glatt hingelegt. Auf den Speck kommt je nach Jahreszeit eine Lage frische Tomaten, gebratene Auberginen, gedämpfte Peperoni oder in Gottes Namen halt sonst ein Gemüse, das die Frau vielleicht noch vom Mittagessen des Vortages übrig hat. Nur jede Art von Kohl hat sich der gute Michel verbeten. Und keine Gurken. Michel hasst Gurken. Auf das möglichst farbige Gemüsebeet oben drauf – quasi als innerster Kern des Sandwichs – wird gebratenes Fleisch gebettet. Wiener Schnitzel hat er am liebsten. Es darf ab und zu auch einmal das ausgelöste Fleisch eines gebratenen Huhns sein. Auf diese innerste Fleischschicht kommt dann in umgekehrter Reihenfolge wieder Gemüse, Speck, Schinken. Am Schluss die zweite mit Butter und Senf bestrichene Brothälfte. Symmetrie ist alles.

Dass er lustlos isst, kommt bei dem kolossalen Vielfraß Serge Michel im Schnitt erwiesenermaßen höchstens alle zehn Jahre einmal vor. Jetzt ist die Statistik allerdings ins Wanken geraten, denn vor zwei Wochen ist es schon einmal vorgekommen. An dem Tag nämlich, als ihn seine Geliebte mit den Worten verließ, sie könne leider nicht mit einem Polizisten zusammen sein. Es sei für sie ganz und gar unmöglich, da sie nämlich jeden Tag vor Angst um ihn fast sterben müsse. Sie würde das bei aller Liebe und trotz allnächtlicher sexueller Ekstase, was sie so noch nie erlebt habe – wie auch, sie war ja noch Jungfrau, als sie den dicken Michel kennen lernte – einfach nicht aushalten. Er sei ja als Polizist mit dem Abschaum der Menschheit konfrontiert und ständig in Gefahr. Außerdem wolle sie Kinder, und das ginge nun partout nicht, nein, nein. Ein Vater, der ständig in Gefahr sei. Kinder, die mit einem Bein schon im Waisengrab stehen. Nein, nein, nein!

Sie war nicht zu bremsen, waren ihre Bilder und Beispiele auch noch so abstrus. Wie ein steter Lavafluss strömten ihre Argumente. Jedes, das Michel widerlegte, gebar sieben neue. Er mühte sich ab, erklärte, beschwor, flehte auf Knien und weinte. In den letzten Nächten ihres

Beisammenseins steigerte er seine Bemühungen um ihre sexuelle Befriedigung ins schier Übermenschliche. Sie bebte und zitterte vor Lust. Ihr weißer Leib glühte vor angeheiztem Verlangen. Die pralle und an köstlich steil aufragenden Erhebungen, Spalten und Ausbuchtungen so reich gesegnete Topographie ihres Fleisches wurde von Michels Händen derart bearbeitet, als gälte es, sie neu zu formen. Die Wellen ihrer Wollust nahmen geradezu beängstigende Formen an, quasi tsunamihafte Ausmaße. Er sah nach diesen Tagen seines erbitterten Kampfes aus, als hätte er ganz allein noch einmal die blutige Schlacht von Solferino geschlagen. Und verloren.

Eines Morgens war das Bett neben ihm leer und im Badezimmer waren alle ihre Sachen weg. All die Fläschchen, Döschen und sonstigen geheimnisvollen Gerätschaften, die eine Frau braucht, die sich an den Schimären der illustrierten Hefte orientiert – alles war verschwunden. An diesem Tag hat Michel wirklich wenig gegessen und das Wenige lustlos.

Heute allerdings will sich der übliche Heißhunger aus einem anderen Grund nicht einstellen. Die dritte erschlagene Kuh ist im See gefunden worden. Und er hat immer noch nicht den geringsten Hinweis in der Hand. Nicht das leiseste Anzeichen von einer Spur. Es ist zum Davonlaufen. Auch die Laune des Herrn Oberstaatsanwalt verschlechtert sich von Tag zu Tag. Tote Kühe im See machen sich irgendwie nicht besonders gut. Die Hotels am See klagen schon über sinkende Bettenbelegungen.

Zu allem Überfluss hat sich das Wasser des Sees über weite Flächen in tiefrotes Blut verwandelt. Da die farbliche Verwandlung zeitlich hinterlistig exakt nach dem Auftauchen der ersten erschlagenen Kuh begann, verbindet die einfache Volksseele das rote Wasser mit den toten Kühen. Dass es sich um eine explosionsartige Vermehrung der so genannten Blutalgen handelt, ein Phänomen, das sich in diesem See alle paar Jahre wiederholt, kann nichts an der Penetranz ändern, mit der eine gewisse Presse genüsslich einen Zusammenhang mit dem Blut der Kühe suggeriert, lechzend und bereitwillig aufgenommen von einer sensationslüsternen Bevölkerung. Normalerweise ergötzte sich der Volksmund an der Verbindung zu den in diesem See kurz nach Pfingsten 1476 abgeschlachteten Burgundern. Wenn sich also alle paar Jahre der See rot färbte, sprach man mit angenehmem Schaudern vom Burgunderblut.

Michels Auto steht ganz oben auf dem sanften Hügel. Weit unterhalb liegt der blutrote See. Wer um Gottes willen erschlägt wehrlose Kühe? Und mit so ungeheurer Gewalt? Um einen massigen Kuhschädel derart zu zertrümmern, muss einer schon mit einem riesigen Bauhammer mit ungeheurer Kraft zuschlagen. Muss mit einem langstieligen Hammer ausholen wie der Waldschrat mit der Riesenaxt auf dem berühmten Bild. Im Moment des Ausholens muss die Kuh den Täter mit ihren großen, sanften, ja zärtlichen Augen angeschaut haben, denn die Schläge sind genau frontal geführt worden. So viel hat die Gerichtsmedizin in ihrem kurzen Bericht geschrieben. Und das Motiv? Niemand hatte eine brauchbare Vorstellung davon. Sein Freund Tanner würde jetzt sicher Shakespeare zitieren. Ein Königreich für ein Motiv oder so.
Michel schüttelt sich vor Abscheu, legt sein Sandwich kurz auf den Beifahrersitz und betet die Kette seiner Lieblingsflüche herunter. Während der nicht enden wollenden Reihe angelt er sich, ohne hinzugucken, vom Hintersitz den Flachmann, den er dort für Notfälle bereithält, schraubt mechanisch den Deckel auf und leert ihn in einem Zug, so groß ist schließlich seine Not. In letzter Zeit häufen sich allerdings die Notfälle bedenklich, das muss sich Michel selber eingestehen. Wenigstens in hellen Momenten. Jedes Mal, wenn Michel den Flachmann geleert hat, beschließt er aufs Neue, ihn beim nächsten Mal wegzuschmeißen. Allerdings erst beim *nächsten* Mal. Schließlich hat ihm der kleine Schluck richtig gut getan. Er gibt sich einen Ruck, greift erneut nach seinem Brot, nimmt einen kräftigen Biss und während er kaut, schreibt er auf seinen bereitgelegten Notizblock.
In einer Spalte notiert er in Stichworten die Dinge, die er bereits geklärt hat. Zum Beispiel hat er mit seiner ganzen Mannschaft systematisch die Bauernhöfe abgeklappert, die direkt um den See herum liegen. Fazit: Kein einziger Bauer vermisst eine Kuh. Und schon gar nicht drei. Und bei keinem ist irgendetwas Verdächtiges gefunden worden. Weder ein mit Blut verschmierter Hammer noch abgeschnittene Ohren. Auch keine gelben Ohrenmarken mit Registrierungsnummern. Die Abklärung betreffend der Rasse hat auch nur ergeben, dass praktisch die meisten Bauern in der Gegend genau diese Art Kühe in ihren Ställen haben. Er kam sich schon ziemlich merkwürdig vor, bei den Bauern die Fotos der toten Kühe rumzuzei-

gen und sie ernsthaft zu fragen, ob sie eine dieser Kühe kennen. Die meisten Bauern taten ihm zwar den Gefallen und betrachteten lange und ernsthaft die Bilder, aber keiner konnte zu den Kühen etwas sagen. Hinter seinem Rücken hörte er sie dann lachen.
Er hat Thommen und Lerch in das zentrale Registeramt geschickt, in dem über sämtliche Kühe des Landes Buch geführt wird. Sie sollen die Listen, die ihm jeder einzelne Bauer übergeben musste, mit den Eintragungen im Amt vergleichen. Viel wird da nicht herausschauen, das weiß Michel schon jetzt. Aber so ist er wenigstens seine Mitarbeiter für ein paar Stunden los, deren Anwesenheit er im Moment schlecht erträgt. Und er muss sich nicht ihre dummen Vorschläge zu diesem dummen Fall anhören, in dem er feststeckt wie ein Schuh in der Kuhscheiße. Das letzte Wort wiederholt er einige Male laut vor sich hin. Sehr laut.
Auf der gleißenden Goldfläche entdeckt er jetzt ein Boot. Von hier oben sieht es winzig aus und die blutrote Wasserfläche reflektiert so stark, dass er nur mutmaßen kann, ob es sich um eines der kleinen Kursschiffe handelt oder um eine private Yacht. Wahrscheinlich um ein Kursschiff, denn wer würde freiwillig bei dieser Hitze aufs Wasser fahren, zumal absolute Windstille herrscht. Ihn würden sowieso keine zehn Pferde auf so ein schwankendes Schiff bringen, egal ob mit Wind oder ohne. Die feste Erde unter den Füßen ist ihm da tausendmal lieber. Überhaupt diese verfluchte Sucht alles zu befahren, alles zu besteigen, in alles hineinzukriechen, zu fliegen, zu tauchen … die Menschen spinnen doch. Hat er nicht letzthin in einem sehr weisen Buch gelesen, dessen pessimistische Grundhaltung gerade so recht seiner eigenen Lebenssituation entsprach, dass alles Unglück in dem Augenblick beginnt, da man sich entschließt, sein Bett zu verlassen, statt sich die Decke über den Kopf zu ziehen und weiterzuschlafen?
Er wäre heute Morgen auch besser im Bett geblieben.
Dies ist nicht mein Tag, sagt er leise und greift nach dem Zündschlüssel. Da entdeckt er am südwestlichen Horizont einen winzigen Punkt am Himmel, der sich erstaunlich schnell vergrößert. Er zögert mit dem Starten des Motors.
Es ist ein Helikopter. Der Pilot nimmt offensichtlich Kurs auf den See. Jetzt kann man sehen, dass der Helikopter an einem langen Seil irgendeinen Gegenstand transportiert. Der Helikopter hat mittler-

weile die Mitte des Sees erreicht und geht zügig tiefer, auf die Wasseroberfläche zu. Michel lehnt sich zurück.
Was zum Teufel? Was treibt der denn?
Einen Augenblick später begreift er, dass das nicht irgendein Behälter ist, der da unter dem Helikopter hängt, sondern dass es sich um eine Art überdimensionierten Wassereimer handelt, der jetzt eben ins Wasser getaucht und gefüllt wird. Da wird Michel klar, dass der Helikopter hier Wasser holt, um ein Feuer zu löschen. Und tatsächlich hat er im Radio gehört, dass weiter unten im Welschland ein Wald brennt.
Na ja, kein Wunder bei der Hitze.
Er dreht entschlossen den Zündschlüssel.
Im Moment, da er den ersten Gang einlegt, kommt ihm der Gedanke. Vor Schreck lässt er die Kupplung zu schnell los und würgt den Motor ab.
Scheiße! Mit dem Helikopter! Auweia, das ist die Lösung! Die haben die Kühe mit dem Helikopter transportiert! Oder?
Da ihm niemand antwortet, wischt er sich mit einer seiner heiß geliebten Windeln den Schweiß vom Gesicht und nickt dabei heftig mit dem Kopf, als ob er sich in einem lächerlichen Rollenspiel selber eine Bestätigung geben möchte.
An den erschlagenen Kühen hatte man nämlich keinerlei Schleifspuren entdeckt, was bislang rätselhaft war. Denn wären die Kühe mittels der gängigen Transportmöglichkeiten, die – sagen wir mal – einem gewöhnlichen Bauern zur Verfügung stehen, transportiert worden, ginge so ein Transport vom Tatort bis zum See ganz sicher nicht ohne Schleif- und Kratzspuren ab. Aber mit einem Helikopter sieht die Sache ganz anders aus. Die Kuh wird auf ein am Boden ausgebreitetes Transportnetz geführt, dort erschlagen und das Netz wird samt Inhalt an den Helikopter gehängt.
Nachtflug zum See … ausklinken … wegfliegen … und fertig ist die Lauge! Das Letzte spricht Michel EINS wieder laut, worauf Michel ZWEI erneut energisch nickt.
Oh, jetzt krieg ich euch, ihr Schweine. Ihr verfluchten Kuhmörder. Ihr Schweine, ihr.
Wieder dreht Michel den Schlüssel, gibt aber vor Aufregung zu viel Gas – und der Motor säuft ab. Nach mehreren erneuten Startversuchen ist die Batterie am Ende, denn der gute Michel hat viel zu lange

bei ausgeschaltetem Motor die Klimaanlage laufen lassen. Die Flüche, die jetzt erklingen, hört zum Glück niemand, denn auf die Anhöhe, wo das Michel'sche Auto steht, verirren sich Ausflügler höchstens an Wochenenden.
Was jetzt folgt, hasst Michel am allermeisten. Er muss einen seiner Blödmänner anrufen und um Hilfe bitten. Lerch oder Thommen – je nachdem, wer zufälligerweise sein Mobiltelefon gerade einmal *nicht* vergessen hat. Schwer seufzend greift er nach seinem. Im Moment, da seine Hand in die Leere greift, fährt ihm die Erkenntnis wie ein heißer Strahl ins Hirn, dass er das Telefon in seiner Wohnung hat liegen lassen. Angeschlossen an den Stromkreis seines kleinen Appartements, da er beim Aufstehen erst bemerkt hatte, dass der Akku leer war.
Wäre ich nur im Bett geblieben ... quod erat demonstrandum!

ELF

Was ist das Größre vor dem Herrn? Ein ausgespiener Apfelkern ... hallo, ich bin wieder da. Ich habe jetzt die Antwort!
Der Busch, vor dem Tanner einmal mehr steht, antwortet nicht. Auch das Tonband mit den fürchterlichen Höllenhunden bleibt stumm. Gut, es ist schon ziemlich spät am Abend, aber trotzdem ist es rätselhaft. Wie kann der Mann sein Dornenreich verlassen? Abgesehen davon hatte Tanner den Eindruck gewonnen, dass der Mann wie ein Einsiedler lebt, sein Platz gar nie verlässt, nicht mehr verlassen will. Warum müsste ihn denn sonst seine Frau versorgen? Er wird es in einer Stunde noch einmal versuchen.
Tanner setzt sich in das halb leere Gartenrestaurant, das sich oberhalb der Brunnenanlage befindet, und bestellt ein Bier. Ob er Martha anrufen soll? Vielleicht besser nicht.
Beim Frühstück war sie wieder merkwürdig reserviert und zurückhaltend gewesen. Wie weggeblasen war die aufgedrehte Laune der Nacht, da sie so schön und zärtlich gesungen hatte.

Mitten in der Nacht schlich er sich zu ihrem Bett, um zu sehen, wie sie schlief. Ein Streifen milden Mondlichts fiel quer über die Bettdecke. Ihre Schultern und ein kleiner Ausschnitt ihrer Brust waren zu sehen. Tanner setzte sich behutsam auf die Bettkante. Ihr Gesicht, ohne die geöffneten großen Augen und ohne ihre lebendige Mimik, sah im Dunkel seltsam slawisch aus. Ihre Wangenknochen wirkten höher und ausgeprägter als im Tageslicht. Irgendwie katzenartig. Wie ein Wesen von einem fernen Stern. Als sie sich ihm plötzlich zudrehte, erschrak er, denn er dachte, er hätte sie geweckt. Aber sie schlief fest. Durch die Drehung gab die Bettdecke ihr linkes Bein frei, bis hinauf zu ihrem Po. Was würde passieren, wenn er sie jetzt berührte? Es kostete ihn einige Anstrengung, sie *nicht* anzufassen. Seine Hand fuhr bloß mit gutem Abstand über Po und Bein, um quasi in der Luft ihre schönen Linien nachzuvollziehen. Er tat dies mehrmals. Den Abstand jeweils verkleinernd, bis er die Wärme ihrer Haut zu spüren glaubte. Dabei ließ er es klugerweise bewenden und kehrte zurück zu seinem Sofa. Dort lag er dann bis am Morgen mehr oder weniger schlaflos und belauschte die Konferenz einer immensen Vogelvollversammlung.

Das Gespräch beim Frühstück bestritt Tanner praktisch allein. Martha hatte ihn nach dem Zustand von Elsie gefragt. Dies wahrscheinlich, um den Abstand zwischen ihnen zu festigen. Anfänglich erzählte er deswegen auch nur das Nötigste. In Fahrt kam er erst, als er von seinem regelmäßigen Vorlesen sprach. Elsie hatte ihm nämlich in den Tagen ihres kurzen Glücks gebeten, wenn sie einmal gemeinsam viel Zeit hätten, müsse er ihr sämtliche Geschichten aus *Tausendundeiner Nacht* vorlesen. Zwischen ihren Liebesakten sozusagen. Sie kannte einige Geschichten von der Schule her und liebte sie sehr.

Als Tanner nun tagelang verzweifelt neben Elsie saß und irgendwann nicht mehr wusste, was er ihr erzählen sollte, denn man hatte ihm dringend empfohlen, täglich mit Elsie zu sprechen, kam ihm die Idee mit dem Vorlesen. Am Anfang fühlte er sich eigenartig verklemmt dabei, seiner Geliebten vorzulesen, die zwar atmet, aber sonst wie leblos daliegt. Aber die Ärzte meinten, man wisse eben nicht, ob jemand, der im Koma liege, nicht trotzdem alles mitbekäme. Vielleicht fände er einen Weg, in ihr Bewusstsein vorzudringen, auch wenn es sich bis auf den Meeresgrund zurückgezogen hätte.

Meeresgrund war übrigens das Wort, das Glöckchen, die jüngste Tochter von Elsie, verwendete, um sich und ihren Freundinnen den Zustand ihrer Mutter zu erklären.
So begann er dann eines Tages mit dem Vorlesen. Jeden Tag eine Geschichte. Die vergangenen Tage waren die ersten, an denen er nicht bei Elsie war. Wegen der Recherchen über seinen Großvater. Heute Vormittag hat er die Geschichte der dreihundertsten Nacht vorgelesen, das heißt einen *Teil* der Geschichte von *Abu Mohammed, dem Faulpelz.* Tanner hatte es sich angewöhnt, genau der Einteilung von Schehrezâd zu folgen, die klugerweise die Geschichten jeweils an einer spannenden Stelle unterbrach, wenn der Morgen kam, und erst in der nächsten Nacht weitererzählte. So hielt sie die Spannung auf die Fortsetzung der Geschichte über den Tag wach. Im Falle von Elsie hielt mit dieser Methode die Spannung bis zum nächsten Tag. Er hoffte es wenigstens. Denn, das war ja die schlimmste aller Ängste: eines Morgens zu kommen – und Elsie könnte nicht mehr zuhören. Insgeheim dachte und hoffte Tanner, dass eine der Geschichten so etwas wie ein Zauberschlüssel sei, der sie aus der Gefangenschaft ihres Zustandes befreien werde. Je länger er las, desto besessener war er von diesem Gedanken. Aber welche Geschichte wird es sein? Wird es morgen sein, wenn sie die Fortsetzung der Geschichte von Mohammed, dem Faulpelz hören wird? Wird es erst in vier Tagen sein, wenn es Mohammed gelingen wird, seine Geliebte aus den Händen des bösen Geistes Mârid zu befreien? Oder will sie sich sämtliche Tausendundeine Geschichten anhören? Und erst dann aufwachen? Tanner wischt diese Gedanken weg, die ihn ja sowieso nur wahnsinnig machen. Von diesen Dingen berichtete er Martha auch kein Wort.
Weißt du, Martha, zu Beginn dachte ich noch, ich würde allein wegen Elsie lesen. Jetzt brauche ich das Vorlesen genauso. Das Lesen stellt für mich mittlerweile eine Art Verbindung zu ihr her. Wenn ich nicht mehr lese, bricht diese Verbindung ab. Kannst du das verstehen? Wenn sie sich denn wirklich auf dem Meeresgrund befindet, wie Glöckchen in ihrer kindlichen Ernsthaftigkeit behauptet, so wäre das tägliche Lesen in Glöckchens Bild so etwas wie der Sauerstoffschlauch bei einem altertümlichen Taucher. Wie auch immer: Ich habe mich an das tägliche Lesen gewöhnt und bin überzeugt, dass Elsie auf ihre Art die Geschichten hört.

Für ihn selbst sind die Geschichten auf jeden Fall schon zur Medizin geworden. Denn seit er vorliest, hat sein Leben wieder einen neuen Sinn bekommen.
Die Vielfalt dieser Geschichtensammlung lässt sich in ihrer Bedeutung und Tiefe ohne weiteres mit dem gesamten Repertoire der klassischen Musik vergleichen.
Und auch die Wirkung auf mich ist ähnlich magisch, wie wenn ich klassische Musik höre.
So redete er heute Morgen drauflos und Martha nickte verständnisvoll.
An dieser Stelle seines Berichtes strich ihm Martha flüchtig übers Haar und schenkte ihm ein zärtliches Lächeln, trotz ihrer morgendlichen Reserviertheit. Ansonsten hörte sie mehr oder weniger stumm zu. Er vermied es, mit irgendwelchen Fragen in sie zu dringen. Obwohl da schon einige Fragen waren, die er gerne hätte stellen wollen. Auf dem Weg in die Hauptstadt sprachen sie nur noch über belanglose Dinge.
Er setzte sie in der Nähe des Kunstmuseums ab und sie verabredeten einen Zeit- und Treffpunkt für die Rückfahrt am Nachmittag. Zurück in ihren Alltag, wie sie es nannte.
Tanner fuhr dann in die kleine Klinik, die etwas außerhalb der Stadt liegt, um Elsie vorzulesen. Sie lag da wie immer, mit leicht geöffnetem Mund, und man hatte wirklich den Eindruck, als schliefe sie. Er küsste sie lange auf den Mund, nahm ihre Hand in die seine – und begann zu lesen. Ab und zu schaute er auf, um zu sehen, ob sie vielleicht auf eine besonders schöne Stelle der Erzählung reagierte. Heute war er nicht ganz so konzentriert wie sonst. Immer wieder geriet ihm das schlafende Katzengesicht von Martha dazwischen und zugegeben: auch die sanfte Linie ihres Pos und ihres Beines. Der heutige Abschnitt war kurz. Er blieb noch eine Weile sitzen, dann verabschiedete er sich, sprach kurz mit dem jungen Arzt, der Dienst hatte. Der konnte ihm natürlich nichts Neues sagen, aber Tanner hatte es sich zur Gewohnheit gemacht, jeden Tag mit dem Dienst habenden Arzt zu sprechen. Auch dies gehörte zum Ritual. Etwas leichter ums Herz, verließ er die Klinik.
Auf dem Weg zu seinem Mietauto rief ihn Michel an und bat dringend um ein Treffen. Sie verabredeten sich in einem Gartenrestaurant.

Michel bestellte sich zwei große Bier aufs Mal. Damit der Kellner nicht gleich wieder kommen müsse, meinte er erklärend. Tanner begnügte sich mit einem Espresso und einer Karaffe Wasser. Seit der ganzen Finidorigeschichte, oder wie Michel sie nannte: der Finidorischeiße, waren sie richtig gute Freunde geworden. Oft erschien er unangemeldet bei Tanner, dann saßen sie, wenn es das Wetter erlaubte, bis in alle Nacht draußen im Garten oder gingen runter an den See – und schwiegen. Sie konnten unglaublich gut zusammen schweigen. Oder Tanner kochte für sie.
Heute war Michel ausgesprochen gesprächig. Er berichtete Tanner über alle Details seiner Leidensgeschichte mit den Kühen. Er sprach etwas wirr von seinen Theorien, von Helikoptern und allerlei weiteren abenteuerlichen Spekulationen. Am Schluss war klar, Michel wusste nicht, wie weiter und erhoffte sich von Tanner einen Rat.
Lieber Kollege, du weißt ja genauso gut wie ich: Wenn man gar nichts in der Hand hat, bedeutet es meistens, dass man etwas übersehen hat. Oft etwas sehr nahe Liegendes. Da man dieses aber nicht auf Knopfdruck finden kann, denn es gibt ja einen Grund, warum man es nicht sieht, wenden wir uns erst einmal dem Problem des Motivs zu. Keine Tat ohne Motiv. Schon gar nicht, wenn es sich um eine wiederholte Tat handelt. Da wir also den Täter nicht kennen, müssen wir erst einmal ein überzeugendes Motiv finden. Bist du so weit einverstanden, Michel?
Er nickte und wischte sich den Schweiß von der Stirn.
Da es sich in dem Fall nicht um Menschen handelt, können wir alle Motive, die sich auf die Opfer selber beziehen, ausschließen.
Ach? Wie meinst du das?
Wie ich das meine? Lieber Michel, ich glaube nicht, dass jemand eine Kuh umbringt, weil er sie persönlich hasst. Ich kann mir auch kein Eifersuchtsdrama zwischen Mensch und Kuh vorstellen oder so.
Ja, ja. Ich verstehe.
These eins: Die Kühe werden umgebracht, um den Besitzer zu schädigen.
Michel nickt.
These zwei: Darüber hinaus soll damit ein Zeichen gesetzt werden. Verstehst du, was ich meine? Es soll nicht nur in der Öffentlichkeit geschehen, es soll die Menschen auch aufregen, besser noch

aufwühlen. Es soll dramatisch sein. Würde der Täter bloß jemanden schädigen wollen, könnte er doch einfach die Kühe vergiften, oder?
Das stimmt. Aber warum schneidet der Täter dann den Kühen die Ohren mit den Erkennungsnummern ab, wenn er will, dass es öffentlich wird?
Stopp, Michel! Ich habe gesagt, er möchte den Besitzer schädigen. Ich habe nicht behauptet, der Täter wolle unbedingt den Besitzer der Kühe *bloßstellen*. Das ist ein Unterschied.
Michel nickte, trank einen Riesenschluck Bier, rülpste und maulte irgendwas von spitzfindig. Dabei grinste er.
Wir müssen aber auch überlegen, was es bedeuten würde, wenn es der Besitzer *selber* wäre, der seine Kühe erschlägt, die Ohren abschneidet und sie in den See schmeißt. Was würde das für einen Sinn machen? Ich meine, abgesehen davon, dass sich mit dieser Theorie das Ohrenabschneiden relativ gut erklärt. Ich würde aber diese Gedankenspur vorläufig beiseite lassen, sie kommt mir irgendwie zu abstrus vor. Bleiben wir einmal bei These eins und zwei.
Okay, Tanner. Und wir vernachlässigen erst einmal die Frage nach dem *Wie,* stimmt's?
Ja. Das *Wie* überlegen wir uns, wenn wir ein überzeugendes Motiv gefunden haben. Ich meine, wenn wir eine überzeugende These zu einem Motiv gefunden haben.
Dann schwiegen die beiden und beobachteten eine Gruppe japanischer Touristen, die in den Garten strömten. Wahrscheinlich waren sie gerade mit einem Bus angekommen. Michel räusperte sich, so wie er es immer tat, bevor er ein neues Thema ansprechen wollte.
Mir hat ein Japaner erzählt, dass sie so viele Fotos machen, weil sie normalerweise nur einmal im Leben nach Europa kommen. Sie werden dann innerhalb von zwei Wochen organisiert durch sämtliche Länder und Städte gekarrt. Sie könnten das alles gar nicht richtig aufnehmen. Die Fotos aber könnten sie in Ruhe noch jahrelang studieren. Und damit übrigens auch beweisen, dass sie überall gewesen sind. Deswegen stellen sie sich so gerne in den Vordergrund der Fotomotive, verstehst du das? Ich finde das lächerlich. Was ist aus dem Volk der Samurais geworden …
Tanner dachte an ganz andere Dinge. An die schöne Michiko, die er kennen gelernt hatte und die jetzt tot war. Er spürte plötzlich eine

Wut in sich, die sich gestern oder vorgestern gar nicht eingestellt hatte.
Was hast du denn plötzlich, Tanner?
Nichts, nichts! Ich dachte nur gerade an eine Japanerin, die ich mal gekannt habe.
Haben die wirklich so eine kleine, äh … du weißt schon? Also, das muss ja unglaublich sein.
Michel, nicht ablenken. Wir waren bei einem möglichen Motiv. Ich sehe zwei Möglichkeiten.
Na, da bin ich ja gespannt. Dann schieß mal los, Herr Lehrer.
Entweder hat es mit den Kühen *selbst* zu tun oder es hat mit den *Kühen* nichts tun.
Ach ne. Wie meinst du das? Immerhin sind die Kühe tot.
Michel kichert wie ein Schuljunge. Tanner fährt unbeirrt fort.
Nehmen wir an, es gibt einen Wettbewerb um die besten Milchkühe. Wenn jetzt einer die Kühe von seinem Konkurrenten erschlägt, damit *seine* Kühe gewinnen, dann geht es doch um die Kühe selbst. Wenn einer aber dem anderen die Kühe erschlägt, um sich zum Beispiel zu rächen, weil der andere ihn mit seiner Frau betrogen hat, dann geht es offensichtlich nicht primär um die Kuh, verstehst du? Also, was ist denn daran so komisch?
Ich lache wegen der Vorstellung, ein Gehörnter erschlägt Hornvieh, um sich zu rächen. Hornvieh erschlägt Hornvieh.
Ja, es war ja nur ein Beispiel. Mann …! Jetzt sei mal wieder ernst.
Okay! Ich habe es kapiert. Es war nur ein Beispiel. Entschuldigen Sie, Herr Professor, die Hitze …
Du hast alle Bauernhöfe im Umkreis kontrolliert, sagst du. Bist du da ganz sicher? Abgesehen davon: Deine Helikoptertheorie erweitert den Umkreis natürlich mächtig. Hast du das bedacht? Nein? Na, dann denk mal drüber nach. Gibt es hier irgendeinen Versuchshof, wo sie neue Kühe züchten oder so. Genetisch manipulierte Kühe. Einen Hof, den du übersehen hast. Vielleicht sieht er nicht aus wie ein traditioneller Bauernhof? Und noch was. Habt ihr denn die Kühe überhaupt untersucht? Wenn es Versuchstiere wären, müsste sich das doch feststellen lassen. Wenn es dann nicht der Fall ist, kannst du diese Möglichkeit ausklammern. Aber wissen muss man es. Vielleicht stellt sich doch heraus, dass es irgendein Fanatiker ist, der etwas gegen genmanipulierte Kühe hat. Man weiß ja nie. Verstehst du?

Si, Tanner. Io capito. Das sieht aber alles nach sehr viel systematischer Arbeit aus. Und das bei dieser mörderischen Hitze. Und du kennst ja meine Schwachköpfe.
Noch etwas, Michel. Ich meine, wenn ihr den Fall wirklich ernsthaft lösen wollt. Das geht jetzt allerdings wieder mehr auf das Konto der Frage nach dem *Wie*. Wisst ihr genau, wo die Kühe im See jeweils aufgetaucht sind, respektive, wo sie gesichtet wurden? Durch den See fließt ja der Fluss, also gibt es eine Strömung. Man könnte sich mal über diese Strömung Gedanken machen.
Wie denn? Soll ich mich ins Wasser werfen und schauen, wo es mich hintreibt?
Ja, Michel, das ist endlich mal eine gute Idee von dir. Gewicht und Volumen kommen ja auch in etwa hin …
Tanner duckte sich lachend, um dem Schlag auszuweichen, zu dem Michel, über sein ganzes Gesicht feixend, ausholen wollte.
Aber jetzt mal ernsthaft. Man könnte mit dem Strömungsverhalten zum Beispiel herausfinden, wo man eine Kuh in den See werfen muss, damit ihr Körper dort hingetrieben wird, wo die Kühe gesichtet wurden. Wer weiß, vielleicht ergeben sich dadurch neue Aspekte. Frag mal einen der Surfer, die Tag für Tag auf dem See zu sehen sind. Die kennen sich bestimmt mit den Strömungsverhältnissen aus. Möglicherweise sind die Kühe nicht mitten in den See geworfen worden, sondern da, wo der Fluss in den See fließt. Dort gibt es zum Beispiel ein Kieswerk und eine Werft. Hast du diese stillgelegten Anlagen schon einmal unter die Lupe genommen? Wenn nicht, dann weiß ich nicht, warum du immer noch hier rumsitzt.
Okay, Tanner, du hast gewonnen. Ich weiß jetzt, was ich zu tun habe. Ob unser frisch gebackener Oberstaatsanwalt all diese Abklärungen genehmigen wird, wird sich herausstellen.
Sie verabschiedeten sich freundschaftlich. Und ein jeder ging seiner Wege, wie es so schön heißt.
Den Rest des Nachmittags verbrachte Tanner mit dem erfolglosen Versuch, in der Fabrik, wo sein Großvater gearbeitet hatte, etwas zu erfahren. Eine aufgedonnerte Mittvierzigerin am Empfang hörte sich zwar freundlich seine Bitte an, aber weiterhelfen konnte sie ihm nicht. Von der Direktion seien alle im Ausland. Und ob die Firma über ein Archiv verfüge, könne sie im Moment leider auch nicht sagen.

Tanner seufzt und kommt zurück von seinem kleinen Erinnerungsausflug. Er trinkt sein Glas aus. Mittlerweile ist es schon knapp vor Mitternacht.
Er steht auf und legt das Geld hin. Leider muss er einige Zeit beim Brunnen warten, denn ein sehr junges Liebespaar küsst sich ausgerechnet neben dem sprechenden Busch. Der Junge hat dem Mädchen das T-Shirt hochgeschoben und massiert ihre großen Brüste, die wunderbar weiß im Schein der Laterne leuchten. Nach einer Weile hat Tanner genug und räuspert sich. Das Paar erschrickt, das Mädchen zieht schnell ihr Hemdchen wieder runter und sie eilen davon. Wahrscheinlich denken sie, er sei ein Spanner.
Na ja, wenn schon. Man hat schon Schlimmeres von mir gedacht, murmelt er.
Tanner steht vor dem Busch, zückt seine kleine Taschenlampe und versucht, in das wirre Gestrüpp zu leuchten. Sofort ertönen, diesmal sehr laut, die Hunde. Tanner löscht das Licht.
Hallo, Buschmann, ich weiß jetzt die Antwort. Hören Sie mich?
Die Hunde werden leiser gestellt.
Ich sehe dich. Her mit der Antwort.
Die Hunde werden ganz abgestellt. Man hört deutlich den Tonbandschalter.
Tanner sagt das Wort.
Stille.
Er sagt es noch einmal. Und erntet ein gehässiges Lachen.
Nein. Falsch. Falsch. Du denkst falsch. Ganz falsch. Du hast ja keine Ahnung. Glaubst du überhaupt an Gott? Los, sag!
Tanner zögert. Ist das jetzt auch eine Prüfung? Er beschließt, mit einem berühmten Zitat zu antworten. Vielleicht kommt er damit durch. Die Anrede aus dem Zitat wird er allerdings tunlichst weglassen.
Hm …also: Wer darf sagen: Ich glaub an Gott? Magst Priester oder Weise fragen, und ihre Antwort scheint nur Spott über den Frager …
Ha, ha, ha! Danke für die Antwort. Ich bin aber nicht das Gretchen. Wenigstens hast du mich nicht mit *Liebchen* angesprochen. Du glaubst also nicht an Gott.
Der Buschmann spricht plötzlich klarer als die anderen Male. Ohne diesen aggressiven, keifenden Ton.
Sieh mal einer an, er kennt Goethe. Das ist ja ein ganz neuer Aspekt.

Entschuldigen Sie, ich wollte nicht spotten oder so. Ich finde aber wirklich, dass die Frage nicht so einfach zu beantworten ist.
Warum? Entweder du glaubst an Gott oder nicht. Was ist daran schwierig?
Also gut, wenn Sie es genau wissen wollen: An den Gott, an den man mich lehren wollte zu glauben, an *den* glaube ich nicht. Habe ich auch nie geglaubt. Das, woran ich jetzt glaube, ist, eh ... ja, das ist nicht so leicht zu beschreiben.
Der Mann im Busch lacht meckernd.
Schmonzes ... Balonzes! Alles Mumpitz. Du hast einfach Angst, wie alle, an etwas zu glauben. Und ich sage dir, ihr macht euch alle etwas vor. Bastelt an eurem eigenen Bild herum, bis es passt. Und bis alles hineinpasst, was hineinmuss. Bis es euch eben in den Kram passt. Aber damit kommt ihr nicht durch, wenn der Jüngste Tag einmal da ist, ha, ha, ha ... Und was die andere Sache angeht, musst du halt morgen wiederkommen und eine neue Antwort versuchen. Und jetzt verschwinde! Ich habe zu tun.
Stille. Nicht einmal ein Rascheln ist zu hören.
Ich habe zu tun? Was hat er denn in seinem Busch zu tun?
Tanner ist aber klar, dass die Sitzung für heute zu Ende ist. Dafür war die Ansage aus dem Busch zu kategorisch.

ZWÖLF

Als Tanner aufwacht, werden ihm zwei Dinge gleichzeitig klar, obwohl sie beide nichts miteinander zu tun haben. Die Geräusche, die ihn geweckt haben, stammen nicht von den *Dar Boukas* aus dem geliebten Marokko, zu deren Klängen er in seinem Traum Elsie eben noch hatte tanzen sehen, sondern von kräftigen Hammerschlägen auf einen Meißel, die so nahe schienen, als wolle jemand ein Loch durch die Wand seines Hotelzimmers schlagen. Elsie hielt bei ihrem Tanz die Augen geschlossen und hatte merkwürdig hohe Wangenknochen. Auch trug sie ein Kleid, das er nicht kannte und an dem

irgendetwas irritierte. Aber in dem Maße, wie er sich bemühte, dieses Traumbild noch einmal vor sein geistiges Auge zu holen, zum Beispiel um zu sehen, ob sich das Gesicht von Elsie vollends in das Gesicht von Martha verwandelt hätte, verblasste es zunehmend, bis er gar nichts mehr wahrnahm.
In diesem Augenblick hören die Hammerschläge abrupt auf. Die eingetretene Stille wirkt beinahe bedrohlich. Dafür steht ihm die zweite Erkenntnis glasklar vor Augen: Er befindet sich in Gefahr. Je klarer es ihm wird, desto unbegreiflicher ist es, dass ihm erst jetzt diese Gefahr bewusst wird.
Mensch, bin ich denn ein Träumer? Ich verhalte mich wie ein Anfänger, entfährt es ihm. Nein, ich bin einfach ein Trottel, der jetzt auch noch anfängt mit sich selber zu sprechen.
Tanner springt aus dem Bett und kontrolliert, ob er gestern Nacht wenigstens sein Zimmer abgeschlossen hat.
Na, wenigstens etwas.
Er stellt sich unter die Dusche und versucht, einen klaren Kopf zu bekommen. Die Leute, die die sanfte Michiko umgebracht haben, besitzen ganz sicher auch ihr Mobiltelefon, das heißt, abgekürzt gesagt, sie haben auch ihn. Je nachdem, welche Rolle die schwäbische Claudia in diesem Spiel spielt, wissen die dann auch, dass er dabei war, als der Japaner starb. Offensichtlich hat Claudia ja nicht die Polizei gerufen, sondern wahrscheinlich die Mörder von Michiko. Oder, wer weiß, was sie Michiko angetan haben, bevor sie getötet wurde, um alles zu erfahren? Eins und eins macht immer noch zwei.
Die interessante Frage ist nun, warum die sich noch nicht bei ihm gemeldet haben, denn schließlich sind das Profis, davon ist Tanner überzeugt. Oder anders gefragt: Warum ist er noch am Leben?
Jetzt muss er handeln, das ist ihm klar. Er kann nicht einfach warten, bis die ihn gefunden haben.
Außerdem ist er gespannt, wann sich der Herr Hauptkommissar Schmid wieder bei ihm melden wird. Tanner beschließt kurzerhand, dem Schlaraffenländli einen erneuten Besuch abzustatten. Heute allerdings mit anderer Absicht als vor vier Tagen.
Ist das wirklich erst vier Tage her, dass er den lebendigen Körper von Michiko spürte? Sie saß auf seinen Knien und legte seine Hand mit einer kindlichen Anmut auf ihre Brust. Die Geste war erstaunlich natürlich gewesen und hatte sagen wollen: Sie gehört dir. Auch wenn es

nur für einen begrenzten Augenblick gewesen wäre. In ihrem struppigen Pelzchen glänzte noch die Nässe vom Duschen. Vergeblich versucht er, die Bilder aus seinem Kopf zu verscheuchen. Es scheint ihm heute, als hätte er Michiko schon lange Zeit gekannt, so vertraut schien sie ihm. Er muss an die Erzählung von Michel denken, dass die Japaner noch jahrelang von den Bildern, diesen winzigen Momentaufnahmen, die sie mit den Kameras auf ihren flüchtigen Reisen gebannt haben, zehren. Er hat das Gefühl, dass es ihm mit den wenigen Bildern, die er von Michiko gespeichert hat, genauso gehen wird. Er sieht ihren schlanken Hals, die zarte Linie ihres Haaransatzes, die feinen Härchen, die wie ein schmales Bächlein zwischen ihren schönen Schulterblättern abwärts strömen und zwischen ihrem runden Po verschwinden, in ein von ihm unerforschtes Dunkel. Ihre Schultern und Arme besaßen diesen olivebraunen Schimmer, der sich in Richtung ihrer Brust deutlich aufhellte. Die Haut ihrer Brüste selbst war überraschend weiß, als ob die Natur dadurch das leichte Rosa ihrer vordersten Brustspitzen, die von der kalten Dusche auffordernd frech hervorstanden, erst richtig zur Geltung bringen wollte. Ihr glattes Haar roch nach Zedernholz.
Ja, nach Zedernholz.
Heute braucht er kein Taxi zu nehmen, denn er hat immer noch den gemieteten BMW.
Als er eine Viertelstunde später in einer kleinen Nebenstraße parkt, unweit von dem hellblau gestrichenen Haus, ist die Luft schon wieder sehr warm. Das damals aufmüpfig flatternde Nationalfähnchen ist heute nicht zu sehen.
Wenn es doch nur bald wieder einmal regnen würde, stöhnt er, als er aus dem Auto klettert. Als ob er nicht andere Sorgen hätte.
Die Haustür ist offen. Im Korridor steht ein Wagen mit Reinigungsutensilien. Aus der Wohnung hört man die Geräusche eines Staubsaugers und eine Frauenstimme, die in einer slawischen Sprache ein Lied singt.
Aha, das transitorische Paradies wird gereinigt.
Er steigt die Treppe zum ersten Stock hoch. Die Tür, an der ihn damals Michiko empfangen hatte, ist zu. Vorsichtig bewegt er die Klinke. Die Tür ist verschlossen.
Er klingelt. Die Klingel ist wegen des Staubsaugers im Parterre nicht zu hören. Gerade als er sich abwenden will, öffnet sich die Tür einen

Spalt und das an Sommersprossen so reiche Gesicht Claudias erscheint. Sie starrt in an, ohne etwas zu sagen. Im Moment, da sie ihn erkennt, will sie sofort die Tür schließen. Aber Tanner ist schneller und stellt einen Fuß in den Spalt. Da nützt aller Kraftaufwand nichts.
Mensch, verschwinde! Wir haben geschlossen. Und zwar nicht nur heute. Wir haben für immer geschlossen. Verschwinde, Arschloch! Oder soll ich die Polizei rufen? Ist es das, was du willst?
Aha, die gute Claudia kann auch rüde sein.
Ach, die Polizei? So wie Sie es vor vier Tagen gemacht haben. Meinen Sie das?
Claudia ist für einen Augenblick perplex. Diesen Moment nutzt Tanner, stößt grob die Tür auf und setzt blitzschnell mit seinem Körper nach. Er schließt die Tür mit einem lauten Knall hinter sich. Durch den ziemlich kräftigen Stoß ist Claudia bis an die Rückwand des Wohnungsganges geflogen, wo sie verharrt, als ob sie festkleben würde. Beide Handflächen gegen die Wand gepresst. Ihr Körper zittert vor Wut. Sie starrt ihn an. Offensichtlich überlegt sie, wie sie aus dieser überraschenden Situation wieder herauskommen könnte. Tanner wartet geduldig auf ihre nächste Aktion. Was dann folgt, hätte er allerdings nicht erwartet. Das Zittern ihres Körpers nimmt plötzlich zu, sie senkt den Kopf und beginnt zu weinen. Sie lässt ihren Körper an der Wand niedergleiten, bis sie auf dem Boden sitzt und bitterlich schluchzt.
Ist das jetzt Taktik oder ist es wirklich ein unerwartet schneller Zusammenbruch? Tanner wartet weiter geduldig.
Hast du kein Taschentuch oder so? Und guck nicht so!
Aha, sie bleibt zwar beim Du, aber ihr Tonfall wechselt zum Trotz eines kleinen Mädchens.
Nein, ich habe leider kein Taschentuch oder so.
Dann hol mir doch ein Kleenex aus einem der Zimmer, bitte!
Tanner zögert. Dann zieht er den Schlüssel aus dem Türschloss und holt ihr aus dem ihm bekannten Zimmer eine Hand voll Taschentücher.
Okay. Hier, nehmen Sie.
Danke. Das ist sehr nett.
Sie schnieft und schnäuzt sich ungeniert ein paar Mal, dann blickt sie ihn an. Die Tränen kullern immer noch über ihre Wangen. Es

sieht so aus, als ob sie sich mit den vielen Sommersprossen vermischen wollten. So, wie Claudia jetzt guckt, sieht sie eigentlich wieder ganz nett aus. Kurz zuvor machte sie eher den Eindruck einer rothaarigen Furie.
Du bist so ne Art Polizist, oder?
Tanner nickt vage. Sie atmet einmal tief durch.
Ich nehme an, Sie wissen, dass sie Michiko getötet haben, oder?
Sie stockt und versucht die heranrollende neue Welle von Tränen zu unterdrücken, aber es gelingt ihr nicht. Es fließt aus Augen und Nase. Erstaunlich, wie viel Nässe aus einem Menschen herausfließen kann. Tanner holt eine neue Ladung Taschentücher. Diesmal setzt er sich neben sie auf den Boden und lehnt sich ebenso wie sie an die Wand. Vielleicht fällt es ihr so leichter zu reden als Aug in Aug.
Wie heißt du eigentlich? Oder willst du mir deinen Namen nicht verraten?
Tanner sagt es ihr.
Okay, Tanner. Glaubst du, die haben …, äh … *sie* umgebracht, weil sie dich angerufen hatte?
Das wissen Sie?
Ja, sie hat mir gesagt, dass sie dich anrufen will.
Offensichtlich konnte oder wollte sie den Namen nicht mehr aussprechen, aus Angst vor einer neuen Tränenattacke.
Tanner überlegt, ob sie ihm damit eine moralische Mitschuld an Michikos Tod in die Schuhe schieben will. Ihrem Tonfall war allerdings nichts Hinterhältiges anzumerken. Was war wohl mit dem etwas fetten Mädchen? Er hatte ihren Namen vergessen. Die war ja auch eine Zeugin vom Tod des Japaners. Oder geht es vielleicht gar nicht darum? Claudia, was haben die gegen Sie in der Hand, dass die sich nicht die Mühe machen mussten, auch Sie umzubringen?
Kaum hat Tanner diese Frage gestellt, bricht Claudia wieder in Tränen aus. Diesmal ist ihr Schmerz offenbar besonders heftig. Plötzlich schlingt sie ihre Arme um ihn und die Nässe tropft auf seinen Hals, sein Hemd.
Okay, jetzt weinen Sie sich richtig aus. Danach erzählen Sie mir alles der Reihe nach.
Er legt gottergeben den Arm um sie und wartet, bis das Gröbste vorbei ist. Diesmal kommt das Weinen ohne Zweifel von ganz tief innen.

Okay, ich glaube, langsam komme ich wieder zu mir. So was habe ich ja schon lange nicht mehr erlebt, verfluchte Scheiße.
Sie beginnt noch unter Tränen zu lachen und Tanner befürchtet schon, dass das Lachen sich auch zu so etwas wie einem unkontrollierten Ausbruch auswachsen könnte. Aber sie lacht nur für einen Moment. Dann schnäuzt sie sich ausgiebig.
Woher weißt du, dass sie mich in der Hand haben? Du hast Recht. Es macht keinen Sinn mehr, es zu verbergen. Außerdem vertraue ich dir komischerweise, obwohl ich dich gar nicht kenne. Wir haben ja nicht einmal zusammen gebumst. Na ja, vielleicht besser so, oder? Die Frage übrigens ist schnell erklärt.
Erstens bin ich …
Statt weiterzureden schiebt sie den Ärmel ihres Morgenrocks hoch und hält ihm ihren Arm unter die Nase.
Alles klar? Und zweitens habe ich einen vierjährigen Sohn. Die haben gesagt, wenn ich plaudere, würden sie mir meinen Sohn wegnehmen und ich könnte ihn dann scheibchenweise wiederhaben. Per Post.
Hier bricht sie erneut in Tränen aus. Tanner nimmt sie nicht wieder in den Arm, sondern wartet, bis sie sich fängt.
Was ist denn eigentlich mit Ihrer Kollegin los, die damals mit dem japanischen Herrn …
Du meinst Odette? Ich habe sie, kurz nachdem du weg warst, nach Hause geschickt. Ich habe, um sie zu schützen, gesagt, *ich* hätte mit dem Japaner gebumst. Es war ein ziemlich diffiziler Moment, denn die wussten, dass der Japaner auf fettes Fleisch steht. Ich habe dann behauptet, dass er mal eine Abwechslung gebraucht hätte. Und dass eben an diesem Abend Odette gar nicht hier gewesen sei, weil ihre Mutter plötzlich ins Krankenhaus musste. Das haben sie dann geschluckt. Außer Michiko sei gerade niemand im Haus gewesen. Michiko wollte partout nicht gehen, weil sie mich nicht allein lassen wollte. Ich muss zugeben, die Überlegung war auch, dass mir niemand geglaubt hätte, dass ich an diesem Abend alleine gearbeitet habe. Bei Michiko kam es mir nicht so gefährlich vor, weil sie am nächsten Abend sowieso nach Frankfurt zurückfahren wollte. Dass sie dann aber nicht gefahren ist, sondern die Dummheit besaß, sich mit dir treffen zu wollen, damit hätte ich nie gerechnet. Ich habe auch heute noch keine vernünftige Idee,

warum sie es getan hat. Und ich weiß auch nicht, wie die es herausbekommen haben. Plötzlich standen die mitten am helllichten Tage wieder hier. Ich war gerade mit einem sehr anspruchsvollen Gast beschäftigt. Anspruchsvoll heißt, ich war mit Handschellen ans Bettgestell gefesselt. Ich habe ihren Schrei gehört. Als ich endlich aus dem Zimmer kam, war sie schon tot. Sie haben sie gepackt und sind mit ihr verschwunden. Das konnte ich heimlich beobachten.
Sie flüstert.
Ich habe natürlich der Polizei nichts erzählt, die gestern plötzlich auftauchte. Ich habe denen nur bestätigt, dass sie hier gearbeitet hat. Ansonsten habe ich die beschränkte Nutte gespielt, die von nichts weiß. Ob der miesepetrige Kommissar mir wirklich geglaubt hat, kann ich nicht sagen, auf jeden Fall zottelten sie wieder ab.
Sie schaut ihn einen Moment lang an.
Okay, jetzt habe ich mich ganz schön in deine Hand gegeben. Was wirst du jetzt mit all dem anfangen? Und warum interessiert dich das überhaupt?
Ehrlich gesagt, Claudia, mit Interesse hat es wenig zu tun. Es ist schlicht eine Frage des Überlebens.
Aber warum?
Tanner schaut sie zweifelnd an. Sie weiß es wirklich nicht.
Die sehen auf Michikos Mobiltelefon meine Nummer.
Oh, du heilige Scheiße. Das heißt, du bist in Gefahr, Tanner! Dabei hast du mit Michiko und der ganzen Sache ja gar nichts zu tun.
Ja, das stimmt.
Er verheimlicht Claudia natürlich den quasi persönlichen, gefühlsmäßigen Anteil an seiner Beziehung zu Michiko. Gefühle? Aufkeimende Spuren von Gefühlen, sollte man sagen, die allerdings erst nachträglich entstanden sind. Sozusagen erst im Nachspann zu seinem kurzen Erlebnis mit Michiko. Tanner findet, dass jetzt der Zeitpunkt gekommen ist, die wichtigste Frage zu stellen.
Wer sind *die*?
Wie? Wer sind die? Was meinst du?
Also, Claudia, stellen Sie sich jetzt nicht dumm, bitte. Sie wissen genau, was ich meine.
Tut mir Leid. Das erfährst du von mir nicht. Wenn ich es dir sage, bin ich morgen tot.

Und wenn du es mir nicht sagst, bin *ich* morgen tot.
Claudia schließt die Augen und schweigt. Nach einer Weile blickt sie ihn wieder an.
Trotzdem. Tut mir Leid. Das Risiko ist für mich und meinen Kleinen zu groß. Ich kann es dir nicht sagen.
Okay. Das kann ich verstehen. Dann frage ich anders. Sie müssen nur mit dem Kopf nicken, ja? Tun Sie das?
Sie schließt erneut die Augen und auf ihrer Stirn erscheinen kleine Schweißperlen. Schließlich nickt sie, ohne ihn anzusehen.
Waren es Japaner?
Sie atmet tief durch – und nickt.
Tanner macht eine Pause.
Ist Ihnen etwas aufgefallen, irgendetwas Besonderes?
Sie presst ihre Augen noch fester zu und nickt.
Bei dem einen konnte ich eine Tätowierung sehen, weil sein Ärmel zurückgerutscht ist. Der zweite hatte eine am Hals. Mehr habe ich nicht gesehen. Der andere hat sich kaum bewegt. Der war am unheimlichsten. Ein Riese. Ich dachte immer, Japaner sind eher klein. Vielleicht waren es ja auch Chinesen. Ich bin mir nicht sicher. Ich war so durcheinander.
Es waren also drei?
Es kann sein, dass einer unten im Auto wartete.
Es ist, wie Tanner es befürchtet hat. Fernöstliche Mafia. Und das hier! Das ist eine neue Dimension. Jetzt, wo er Gewissheit hat, ist allerdings höchste Vorsicht und Umsicht geboten.
Noch eine Frage: Wen haben Sie denn anstelle der Polizei angerufen?
Ohne sie anzusehen, kann er fühlen, wie sie mit sich ringt.
Ich kann es dir nicht sagen, versteh doch. Wenn ich dir den kleinen Finger gebe … und so weiter, dann stirbt mein Kleiner. Kannst du das nicht verstehen?
Er sagt nichts. Sie lehnt sich erneut an ihn, wahrscheinlich um zu zeigen, dass sie es nicht böse meint.
Wie heißt denn Ihr Sohn?
Maxli. Also, er heißt richtig Maximilian. Und er ist noch so klein.
Sie flüstert wieder, als ob sie Angst hätte, dass sogar die Nennung seines Namens verheerende Folgen haben könnte. In diesem Moment tut sie ihm wirklich Leid.
Ohne es zu wollen, ist auch er ins Flüstern gekommen. Als ob sie in

einer Ehrfurcht gebietenden Kathedrale säßen und nicht auf dem Fußboden eines Puffs.
Hat er das Viagra von euch bekommen?
Woher weißt du ...? Nein. Sicher nicht. Ich habe dir gesagt, dass ich nichts mehr sage.
Aber er hat Viagra genommen, oder?
Ja. Na und? Er ist nicht der Einzige.
Sind die in eurem Service inbegriffen?
Sie seufzt.
Also gut. Ja! Aber nur bei Stammkunden. So. Und jetzt sage ich nichts mehr.
Gut. Ich verstehe. Er hat also die Tablette von Odette kredenzt bekommen, so viel ist klar.
Claudia protestiert nicht.
Die Frage ist, wer die Möglichkeit hatte, eine Tablette zu manipulieren und hineinzuschmuggeln.
Er schaut Claudia von der Seite an.
Wie hieß eigentlich Michiko mit Nachnamen?
Edelmann.
Und kennen Sie auch ihre Adresse in Frankfurt?
Sie nennt sie ihm.
Haben Sie schon einmal versucht, aus all dem auszusteigen? Ich meine, von der Nadel wegzukommen und eine andere Arbeit zu suchen?
Wie steigt man aus der Nadel aus? Einmal drin, immer drin. Alles andere sind Ammenmärchen. Und der Job? Der macht mir Spaß, ob du es glaubst oder nicht. Ja, Herrgott! Ich glaub's einfach nicht! Immer wollen einen die Männer vor dieser Arbeit retten. Pustekuchen. Ich bumse gern und nehme ja nur die, die mir passen. Sex ist schön. Ich liebe Sex über alles. Die Liebe hat mir immer nur Unglück gebracht. Damit habe ich abgeschlossen. Aber Sex ist gut.
Das alles erzählt sie ziemlich hastig und sie ist allem Anschein nach noch nicht fertig. Sie muss jetzt reden. Wahrscheinlich um alles andere wegzureden.
Ich sage dir jetzt etwas, worüber die meisten Frauen nicht reden.
Sie rückt noch ein bisschen näher zu ihm. Er lauscht geduldig.
Ich liebe Schwänze. Lach nicht. Ja, ich liebe sie. Große, kleine, dicke, krumme, grade. Ich liebe sie alle. Und ich liebe meine Fähigkeit, im-

mer zu wissen, wie man jeden einzelnen auf Hochtouren bringt. Wie gesagt, ich geh nicht mit jedem ins Bett. Wenn mir aber ein Mann gefällt, wenn er gut riecht und kein Psycho ist, dann freue ich mich jedes Mal auf den Moment, wo ich seinen Schwanz auspacke. Ich male mir vorher schon aus, zu welchem Typ er gehört. Meistens ist meine Trefferquote nicht schlecht. Manchmal liege ich natürlich auch voll daneben. Aber selten. Bei dir bin ich mir noch nicht so sicher. Wahrscheinlich eher klein …
Sie prustet los, als sie die Miene sieht, die Tanner bei dieser Bemerkung zieht.
Nein, das war nur Spaß. Ich werde dir nicht verraten, was ich denke.
Sie lacht leise in sich hinein und lehnt sich wieder an die Wand.
Ja. Sex ist mein Leben und auch das Einzige, was ich wirklich gut kann, verstehst du? Was glaubst du, wie viele Männer mich schon gefragt haben, wie man eine Frau richtig an ihrer Muschi streichelt. Welche Stelle gestreichelt werden soll und welche nicht, weil es da nur nervt. Glaubst du, einer von denen hätte es gewagt, jemals seine eigene Frau zu fragen? Pustekuchen! Und wir Frauen können halt, so oft wir wollen. Ich habe auf jeden Fall kein Problem damit. Erstens sind Muschis robuster, als die meisten Frauen es zugeben würden, zweitens werde ich schnell feucht, sehr feucht, und wenn es mal nicht klappt, gibt es gute Cremes. Warum soll ich also diesen Job aufgeben. Abgesehen davon, sag mir bitte schön, in welchem Job ich so viel Geld verdienen würde? Und ich verdiene ganz schön, du.
Daraufhin kann Tanner eigentlich nicht viel sagen. Aber es gibt ihm Gelegenheit, ohne allzu unhöflich zu sein, endlich aufzustehen und zu gehen.
Er muss ihr allerdings noch einmal versichern, dass er sie und ihren Sohn nicht in Gefahr bringen wird. Am liebsten würde sie es ihn gleich schwören lassen.
Eigentlich mag er den schwäbischen Dialekt, aber jetzt ist es ihm doch ein bisschen zu viel geworden.
Als er im Auto sitzt, spürt er eine Sehnsucht nach Elsie, die ihn schier zerreißt. Mit ihr sind solche Reden und Fragen von allem Anfang überflüssig gewesen. Ob es jemals wieder so sein wird? Wird *er* überhaupt noch in der Lage sein, bei der Gefahr, die ihm droht? Grimmig schaltet er in den ersten Gang.

DREIZEHN

Im stillgelegten Kieswerk, das direkt bei der Mündung des Flusses liegt, herrscht Totenstille. Die Luftmassen über den unnütz gewordenen Maschinen, Gleisen, Silos und Türmen vibrieren und wabern.
Ebenso lautlos fließt träge der Fluss vorbei und schmuggelt sein dunkles Grün in das türkisfarbene Wasser des Sees. Eine Weile noch kann sich das Grün behaupten, aber schon bald verliert es sich. Löst sich auf im Nirwanablau.
Michel befindet sich inmitten der verlassenen Anlage. Er steht zwischen zwei mächtigen Kieshügeln wie am Boden festgeschraubt und ist stinksauer.
In ihm kocht eine brüllende Wut, gegen die – um es mal in seinem poetisch abwechslungsreichen Originaljargon zu benennen – die Scheißhitze dieses Scheißsommers an diesem Scheißtag in seinem Scheißleben auf dieser Scheißerde höchstens als lauwarm zu bezeichnen ist.
Er ist wütend auf Tanner. Und auf sich. Und auf seine Vermieterin, die heute sein tägliches Sandwich mit zu vielen Tomaten und zu wenig Fleisch belegt hat, so dass das gesamte Brot bis auf die Kruste aufgeweicht ist.
Und wütend ist er auf den Oberstaatsanwalt, der bestimmt gemütlich in seinem klimatisierten Büro sitzt und an einer seiner importierten Spezialhavannas saugt. Leider hat er heute Morgen sämtliche Vorschläge gutgeheißen, die Tanner sich aus den Fingern gesogen hatte und die er, der gutmütige Michel, seines Zeichens der größte Volltrottel unter der Sonne, schnurstracks dem Oberstaatsanwalt unterbreitet hatte, als wären sie auf seinem Mist gewachsen. Die Strafe folgte auf dem Fuße. Nicht einmal gelobt hat der Oberstaatsanwalt ihn dafür. Stattdessen hat er selbstherrlich Aufgaben und Aufträge verteilt, als sei er der Generalstabschef einer Armee, die kurz vor ihrem Sieg steht. Den beiden Blödmännern befahl er, in das Institut für Veterinärmedizin zu gehen, wo die drei Kuhkadaver aufbewahrt werden, mit dem Auftrag, alle notwendigen Untersuchungen in die Wege zu leiten und nicht eher wiederzukommen, als bis sie die Resultate in der Hand hielten.
Die hocken jetzt natürlich in der vollklimatisierten Kantine, spielen

Eile mit Weile, schlagen sich den Bauch voll und warten gemütlich auf die Berichte.
Den Michel schicken wir an die heiße Front, hat der Oberstaatsanwalt genüsslich verkündet, worauf seine beiden Blödmänner losgegackert haben. Dies alles hat er stoisch über sich ergehen lassen, aber alles wurde fein säuberlich ad hoc in seinem Elefantenhirn aufnotiert.
Name. Datum. Anlass. Schwere des Vergehens.
Das gibt Rache. Und die Rache wird süß sein, ihr Männer von Athen, murmelt Michel. Ihr werdet leiden, das schwör ich euch, beim Schweiße meines Angesichts.
Und dieser Schweiß fließt nun so üppig, dass er es längst aufgegeben hat, seine geliebten Windeln zu verschwenden. Er sieht aus, als wäre er den grünen Fluten des Flusses entstiegen. Allerdings wie ein sehr zorniger Flussgott.
Über seinem Kopf, hoch oben am Himmel, kreisen einige Vögel mit weit ausgespannten Flügeln. Wahrscheinlich Mäusebussarde. Vielleicht ist auch der eine oder andere Milan dabei. Ein paar kleinere Vögel. Möwen. Raben. Krähen. Michel erblickt sie, als er seinen Racheschwur gen Himmel schickt. Er betrachtet sie neidisch.
Ihr habt es gut da oben. Ihr habt die Übersicht und Luft unter den Flügeln. Wir Sterblichen krepieren hier im heißen Staub und sehen kaum über die Spitze unserer dummen Nase hinaus.
Als Michel vor gut einer halben Stunde das Gelände erreichte, hat er die Vogelbande schon einmal gesehen. Sie ist über dem Kieswerk mit lautem Geschrei aufgeflogen, als er sich ebenso laut fluchend seinen Weg durch das dornige Gestrüpp bahnte, das auf gutem Weg ist, sich das verlassene Gebiet zurückzuerobern.
Er stocherte und stolperte mehr oder weniger ziellos durch das Gelände, das ihn immer stärker an die verlassenen Goldgräberstädte aus den Spaghettiwestern seiner Jugendzeit erinnerte. Nur, dass dort immer ein unheimlicher Wind den Staub aufwühlte. Ein Wind, der hier leider gänzlich fehlte. Oder stammte der aufgewirbelte Staub von den galoppierenden Pferden der Gangsterbanden, die sich in diesen verlassenen Nestern zu verstecken pflegten? Er hat es längst vergessen.
Er liebte damals diese Filme. Und die verruchte, vergammelte Atmosphäre, die in dem Kino herrschte. Und natürlich das Mädchen an der Kasse.

Das Mädchen an der Kasse. Du lieber Gott ... *mein Mädchen* ...
In der sengenden Sonne erinnert er sich plötzlich mit schmerzhafter Schärfe an sie, als ob es gestern gewesen wäre. Die Erinnerung überschwemmt sein Inneres so heftig, dass er glaubt, den Boden unter den Füßen zu verlieren. Tausend Bilder, Gerüche und Einzelheiten quellen gleichzeitig aus einer lange Zeit fest verschlossenen Zauberbüchse hervor, fügen sich zu lang vergessenen Bildteilen, geraten in Bewegung, werden zum dreidimensionalen Geschehen. Und er, Michel, mittendrin, wie im Zentrum eines Hurrikans, gleichzeitig Handelnder und Zuschauer.
Aber wieso jetzt? Hier in der brütenden Hitze zwischen zwei Kiesbergen, wo er beschlossen hat stehen zu bleiben, bis er eine Inspiration hat. Oder einen Hitzschlag. War es das Zauberwort ... *mein Mädchen*? Es ist ihm, als ob unter dem Einfluss der Hitze alles andere wie Schnee in der Frühlingssonne rasend schnell dahinschmelze. Als ob alles, was in seiner Vergangenheit unwichtig ist, der Auflösung zum Opfer falle, um den einzig wahren Kern seiner Vergangenheit bloßzulegen, der für immer Bestand haben wird. Die leuchtende Mitte seiner nackten Existenz.
Ist das jetzt vielleicht der Hitzschlag? Es ist egal, längst ist er mittendrin in seinem Erinnerungssturm.
Wie oft ist er mit pochendem Herzen in das einzige Kino des katholischen Landstädtchens geschlichen, das ihm seine Eltern verboten hatten? Tausendmal?
Das Mädchen, das die Kasse bediente, war nur wenig älter als er. Ihren Namen wusste er lange Zeit nicht mehr. Wie oft hat er sich dafür geschämt, denn sie war immerhin das, was man die erste Liebe nennt. Jetzt tauchen Name und Gestalt plötzlich vor seinem von der unbarmherzigen Sonne geblendeten Auge auf wie eine Fata Morgana. So nah ist sie ihm, er bräuchte nur die Arme auszustrecken, um sie zu berühren.
Maria war von ihrer verstorbenen Mutter streng katholisch erzogen worden. Später entwickelte sie mit Leidenschaft und unerschöpflicher Phantasie eine Art obsessiven Rachefeldzug gegen diese Religion. Vollzogen hat sie sie allerdings am eigenen Körper.
Ihr Vater war ein hoffnungsloser Trunkenbold. Marias Mutter war in die Krankheit geflüchtet, weil sie das Elend ihres Mannes nicht mehr mit ansehen konnte. Scheidung kam ja nicht in Frage. Michel hasste

ihn bis aufs Blut und verabscheute diese hagere Gestalt. Den schlurfenden Gang und die gierigen Lippen, die beständig an der Wodkaflasche hingen. Noch mehr hasste er aber die wässrigen Augen, die geil jede Bewegung seiner Tochter verfolgten. Als guter Katholik verdrosch er sie regelmäßig und nannte das Erziehung. Sogar im Dunkel des Kinos konnte man dann und wann die blauen Flecken auf ihrer sonst so makellos weißen Haut sehen. Michel schmiedete jede Menge Mordpläne, die er aber aus Feigheit nie ausführte.
Trotz alledem war Maria das unbeschwerteste Wesen, das Michel je getroffen hatte. Sie huschte mit ihren kleinen Füßen durch ihren mühseligen Alltag, als würde sie in einem Traum leben. Warum nur verlor er sie aus den Augen? Er hätte sie heiraten sollen und mit ihr sieben Kinder zeugen. Er wäre bestimmt glücklicher geworden, als er es später je wurde.
Ihr Vater war Besitzer des Kinos und Filmvorführer in einer Person. Nicht selten brannte der Film durch, weil er stockbesoffen in der Vorführkabine lag und nicht merkte, wenn irgendwas mit dem Projektor oder mit der Perforierung des Films nicht stimmte. Dann rannte Maria in die stickige Kabine und weckte entweder ihren Vater oder flickte kurzerhand den Film gleich selber. Sie war sehr geschickt. Nicht nur im Filme flicken.
Sie verkaufte in einem winzigen Kassenhäuschen die Karten. In der Pause zwischen den beiden Filmen schnallte sie sich einen Bauchladen um und verkaufte Eis und Zigaretten. Es war die Zeit, da man im Kino auf dem Balkon noch rauchen durfte. Die Balkonplätze waren natürlich teurer. Michel konnte sich nur eine Karte für das Parterre leisten, aber Maria, die auch die Karten am Eingang zerriss, erlaubte ihm, auf dem Balkon zu sitzen. Wenn sie sich während der Vorführung leise wie eine Katze zu ihm hinschlich, saßen sie immer auf einem Platz, der durch die Fensterchen der Vorführkabine nicht zu sehen war. Für den Fall, dass ihr Vater einmal nicht besoffen wäre. Dann hielten sie sich an den Händen, flüsterten dummes Zeug oder schauten gebannt auf die flimmernde Leinwand.
Später tauschten sie heiße Küsse und knutschten, was das Zeug hielt. Das heißt, *sie* begann eines Tages damit und nannte es: *Wir machen die wahre Religion.*
Manchmal, wenn sie Glück hatten und alleine auf dem Balkon des Kinos saßen und sie durch seine fleißige Arbeit an ihrem *Rosen-*

kränzchen schon mehrmals unter leisem Stöhnen gekommen war – sie nannte das: *wir beten das Ave Maria* –, während sein unerlöster Schwanz von all dem Geknutsche immer größer und praller wurde und zuletzt zu platzen drohte, kniete sie sich zwischen seine Knie und nahm ihn *barmherzig* mit ihren weichen Lippen auf. Sie nannte das: *Wir kommen jetzt zum Abendmahl und trinken aus dem Kelch*.
In diesem Moment fühlte er sie wirklich: die *wahre* Religion. Dann und wann flüsterte sie ihm schlimme Verse ins Ohr.
... reibe, reibe sanft das Jesulein/bis Maria geht gen Himmel ein/ Dann singen alle Engel Lieder/und hoffen, du tust es immer wieder/ morgens, mittags und auch in der Nacht/dann erst zeigt sich Gottes wahre Pracht.
Wenn sie sich dann endlich entschloss, ihn zu erlösen, sah sie ihn kurz vorher an und sagte: *Jetzt tue ich es.*
Er liebte nichts mehr auf dieser Welt als diesen Satz.
Außerhalb des Kinos trafen sie sich wenig, weil sie immer arbeiten musste. Auch war das Zusammensein draußen am Tageslicht einfach nicht so schön. Zudem hatten sie ja keinen Ort. Sie sprachen zwar nicht darüber, aber sie beschlossen stillschweigend, sich nur im Kino zu treffen.
Das ist die ganze verdammte Wahrheit über mein Leben, schreit Michel in die Stille des verlassenen Kieswerks, ihr Männer von Athen, die ganze Wahrheit und nichts als die Wahrheit. Und ich möchte sofort wieder zurück in das dunkle Kino, verflucht. Und Maria soll sagen *Jetzt tue ich es!* und meinen verdammten Schwanz in den Mund nehmen!
Michel steht immer noch an der gleichen Stelle, einem Hitzschlag nahe, seine Hose ausgebeult wie lange nicht mehr und mit einem Gefühl, als ob das heulende Elend ihn gleich packen würde.
Warum hat sie das Versprechen nach dem *wahren Paradies* nie wahr gemacht? Warum?
Nein, es stimmt ja gar nicht. *Er* hat es nicht wahr gemacht. *Er* allein ist daran schuld. *Er* ist abgehauen, bevor es geschehen konnte. Hat eines Tages fluchtartig sein Elternhaus und das verhasste Städtchen verlassen, wie in einem Wahn. Ohne ihr etwas zu sagen. Nicht einmal geschrieben hat er ihr. Und sich wie ein gottverlassener Wahnsinniger in die vermeintlichen Sensationen der großen Stadt gewor-

fen. Und sie einfach vergessen. Ihr Bild ist nach und nach verblasst, bis er nichts mehr erkennen konnte. Dann hat er sogar ihren Namen vergessen.
Wie ist das möglich? Kann ein Mensch wirklich so blöd sein? Sein Glück einfach aus den Händen gleiten zu lassen? Nicht mal aktiv weggeschmissen, nein, er hat es einfach aus den Händen gleiten lassen! Freiwillig!
Dann bricht es laut aus ihm heraus.
Jaaaa, verdammte Scheiße. Man *kann*! Man kann so hirnverbrannt blöd sein. Ich ... ich, Serge Michel kann es bezeugen. Hier steht nämlich dieser Mensch. Seht ihn euch an, ihr Männer von Athen! Schaut genau hin. So sieht ein Mensch aus, der sein Glück aus der Hand gegeben hat. Der es ohne Not aus der Hand gegeben hat. *Oh, Maria, gebenedeit seist du, voll der Gnaden ...*
Plötzlich reißt er sich die schweißnassen Kleider vom Leib und rennt mit fürchterlichem Geheul in Richtung Fluss. Die kantigen Steine, die Glas- und Metallteilchen, mit denen der heiße Boden dicht übersäht ist, spürt er in seinem Wahn nicht. Sein mächtig erigiertes Glied schwengelt hin und her, als wäre es der Klöppel einer Domglocke bei Feueralarm.
Bei einer Art Pier angekommen, springt er ohne innezuhalten mit einem mächtigen Satz in die grünen Fluten.
In dem kurzen schwebenden Augenblick, bevor sein mächtiger Körper ins Wasser klatscht und er noch immer schreit, denkt er gleichzeitig, entweder sterbe ich jetzt an einem Herzschlag oder, falls nicht, gehe ich heute Nacht zu meiner Lady und –
Eine zischende Explosion beendet sein eigenes Geschrei. Und auch den Subtext. Dann ist es Knall auf Fall ganz still. Als ob jemand mit der gezielten Bewegung eines blitzenden Samuraischwertes jede Verbindung zur Welt durchtrennt hätte.
Erst einige Bruchteile von Sekunden später realisiert er, dass er im Wasser ist. Schwerelos fällt er tiefer und tiefer. Auf einen Schlag ist alles weggewischt. Keine Hitze mehr. Kein Schweiß, der in den Augen brennt. Keine Gedanken mehr. Kein Schwanz, der nach Erlösung schreit. Nur Stille.
Nein, da ist Musik ...
Eine wunderbare Musik. Wie ein melodisches Rieseln in einem ewig langen Regenrohr. Michel lauscht verzückt. Hunderttausend Luft-

bläschen umgeben ihn. Sie tanzen aufwärts, wie in einem Champagnerglas. Er gleitet hinab. Durch die Bläschen hindurch. Sie durch ihn hindurch. Ist das jetzt der Herzschlag?
Nein, das ist das Herz*gleiten*, flüstern die rieselnden Melodiesteinchen. Herz*gleiten* ... Herz*schweben* ... Herz*fliegen* ... *schmiegen* ... *liegen* ... *biegen* ...
Er schließt die Augen, um sich ganz dem Flüstern hinzugeben. Streifte ihn jetzt die Schwanzflosse einer Seejungfrau, vielleicht sogar mit dem geliebten Körper und dem ernsten Gesicht von Maria, und nähme ihn bei der Hand, er fände es nicht weiter ungewöhnlich. Nein, im Gegenteil, schon wundert er sich, warum es noch nicht passiert ist.
Als seine Beine im dichten Seegras versinken, merkt er, dass er eben doch kein schwereloses Fabelwesen, sondern nur ein Säugetier ist, dem die Luft ausgeht. Für einen Augenblick überlegt er, ob er nicht da unten bleiben sollte, um sich ganz dieser Musik hinzugeben. Vielleicht würde ja dann doch noch die Seejungfrau auftauchen und ihn bei der Hand nehmen. Ganz bestimmt gibt es auch Süßwasser-Seejungfrauen.
Und wer würde ihn denn schon vermissen? Seine Lady würde denken, er hätte sich aus Verzweiflung umgebracht.
Oh, Gott, was für ein himmlischer Gedanke.
Sie würde ihr ganzes Leben lang unter der Last dieser Schuld weiterleben müssen. Tanner würde ihn vielleicht ein bisschen vermissen. Der hätte ja niemanden mehr, den er so leicht hochnehmen könnte.
Doch ohne Vorankündigung überkommt ihn heftig ein unwiderstehlicher Drang. Es ist ein kategorischer Imperativ und der heißt – schwimm nach oben!
Er rudert wild, den Blick starr dorthin gerichtet, wo es licht wird. Aber es scheint eine unüberwindliche Strecke zu sein. Er hat das Gefühl, dass er kein Stückchen vorwärts kommt. Dafür aber kommt jetzt die Panik und treibt ihn an.
Jetzt ist es endlich so weit. Herrlich! Jetzt geht's um Leben oder Tod, denkt er. Der Gedanke verdoppelt seine Kraft. Als ob er den Schalter zu seinem *Overdrive* gefunden hätte, schießt er durchs Wasser. Trotz allem hat er noch Zeit, triumphierend zu denken, dass jetzt für einmal seine Körpermasse ein vielleicht lebensrettender Vorteil ist. Denn: Masse gleich Auftrieb.
Hätte jetzt jemand am Ufer gestanden, wäre er durch ein urplötzlich

aus dem Wasser schießendes Projektil erschreckt worden. Er würde erst einen Moment später zu seiner Beruhigung feststellen, dass es sich einfach um einen ziemlich dicken Mann handelt, der nach Atem ringt und Wasser geschluckt hat.
Da niemand am Ufer steht, sind es höchstens die Vögel, die das sehen. Erschreckt worden sind die allerdings nicht. Oder sie lassen sich nichts anmerken.
Michel zieht sich an einer rostigen Leiter hoch, die fest an der Pier verankert ist. Glücklich oben angekommen, legt er sich auf den Rücken. Er ist außer Atem und erschöpft. Auf eine seltsame Art aber auch wie neugeboren. Trotz seiner Erschöpfung lächelt er still vor sich hin. Der harte Betonboden fühlt sich gut an. Nicht weich, aber gut. Und … die Erinnerung an Maria kann ihm niemand nehmen. Die gehört allein ihm. Er hat sie wieder in sich entdeckt, als ob sie in ihm leben würde. Und er? Er lebt … lebt … lebt.
Erst das Horn eines Schiffes weckt ihn ziemlich unsanft wieder auf. Das Schiff durchpflügt mit weiß rauschender Bugwelle den Fluss in Richtung See. Es ist eines dieser kleinen Kursschiffe, die zweimal am Tag von einem See zum anderen fahren, die durch diesen Fluss miteinander verbunden sind. Im engen Flussbett wirkt es viel größer als auf dem offenen Wasser. Michel, auch noch geblendet von der Abendsonne, kommt es vor, als rausche ein stählernes Ungetüm an ihm vorbei – so nahe, dass er es fast berühren könnte. Zum Glück ist es praktisch leer, nur die Mannschaft feixt zu ihm herüber.
Was ist, habt ihr noch nie einen nackten Mann gesehen, brüllt er.
Doch schon, aber noch nie so einen krebsroten, brüllt einer der Matrosen zurück und alle fallen in ein schallendes Gelächter ein, das sich aber gnädigerweise schnell entfernt.
Michels Haut ist tatsächlich krebsrot. Er schnellt erschreckt hoch, als ob ihn eine Schlange gebissen hätte.
Oh je, wie lange habe ich denn geschlafen?
Er fragte es in die Runde, aber niemand antwortet ihm.
Die Sonne steht deutlich tiefer und die Vögel sind verschwunden.
Schnell geht er zu der Eisenleiter und taucht seinen ganzen Körper ins Wasser, als ob er das Rot abwaschen wollte. Die Röte bleibt natürlich, aber das Wasser kühlt und weckt ihn vollends auf.
Er geht zu seinen Kleidern und zieht sich hastig an. Sich trocknen ist sinnlos, er wird sowieso gleich wieder schwitzen.

Im Schnellschritt will er quer durch das Gelände zu seinem Auto zurück. Er stolpert und fällt der Länge nach ins Gestrüpp.
Du, verfluchte Scheiße ... was ist denn das?
Er ist über ein schmales Gleis gestolpert, das von niederem Buschwerk überwachsen ist.
Moment einmal, entfährt es ihm und er bückt sich. Was auf den ersten Blick wie gewachsenes Buschwerk aussah, sind in Wirklichkeit Zweige, die lose über das Gleis geschichtet sind. Er legt in einem wütenden Arbeitsanfall einige Meter des alten Gleises frei, richtet sich dann auf und rennt in Richtung Fluss. Am Ufer neben der Pier führen die Gleise auf einer schrägen Rampe ins Wasser.
Oha, jetzt schlägt's dreizehn, zischt er laut.
Er überlegt einen Moment, dann rennt er in gebückter Haltung in die andere Richtung, vom Fluss weg. Wie ein Jagdhund, der eine Spur aufgenommen hat. Und von der ihn höchstens sein Meister wieder zurückpfeifen könnte. Falls er gut erzogen ist. Also hetzt er seiner Spur nach, bis sie vor einem halb verfallenen Schuppen endet. Beinahe wäre Michel in seinem Eifer mit dem Kopf in das Tor des Schuppens hineingerannt. Dies hätte ihn sicher noch einmal schlafen gelegt, denn sein Tempo war erstaunlich.
Er richtet sich auf und zieht keuchend ein erstes Resümee. Er tut dies in Form einer Rede, wie man sie an Landsgemeinden zu halten pflegt. Oder auf Liebhaberbühnen. Während er redet, *schreitet* er. Die Hände auf dem Rücken. Er tut das immer, wenn er a) allein und b) sehr aufgeregt ist.
Wir haben da also ein altes Gleis, das bis ins Wasser führt. Und zwar von diesem Schuppen bis zum Fluss. An sich nichts Außergewöhnliches in einem Kieswerk, das danach jahrelang auch noch als Werft benutzt wurde. So weit, so gut. Was daran wirklich außergewöhnlich ist, ja geradezu in das Reich der Phänomenologie gehört, ist allerdings die Tatsache, dass sich jemand die Mühe gemacht hat, dieses alte Scheißgleis eines stillgelegten Scheißkieswerks, das zuletzt auch als Scheißwerft genutzt wurde, auf einer Strecke von – sagen wir – gut zweihundertfünfzig Metern mit immergrünen Scheißzweigen liebevoll und kunstvoll zuzudecken. Jetzt fragen Sie sich natürlich: Warum hat sich jemand dieser schweißtreibenden Scheißmühe unterzogen?
Kunstpause. Siehe Rhetorikbuch für Anfänger, Seite dreizehn.

Das Gleis wurde zugedeckt, auf dass wir es nicht mehr *sehen*. Unwissend bleiben. Keine Ahnung haben. Deppen sind.
Die nächste Pose und Diktion, insbesondere auch, was die Lautstärke angeht, soll eine Hommage an den ohne Zweifel beliebtesten Politiker dieses Landes sein.
Und wieso sollen wir es *nicht* sehen, meine Damen und Herren? Wieso verbirgt man vor uns die *Dinge*. Vor allem die Dinge, die von *da* nach *dort* führen? Ich will es Ihnen sagen. Und zwar in aller Deutlichkeit. Weil hier eine Sauerei passiert ist und vielleicht weiter passieren wird. Wir sind aufgerufen, wir alle, diesen Stall auszumisten. Und zwar gründlich.
Michel hält inne. Er hat plötzlich den Spaß an seiner wohlgesetzten Rede verloren.
Verdammt. Tanner hatte Recht. Hier ist etwas faul im Coupe Dänemark, oder ich heiße nicht mehr Michel.
Er nimmt Abstand vom Schuppen, rennt los und wirft sich mit seinem ganzen krebsroten Körpergewicht gegen das Tor. Als Folge dieser Handlung passieren drei Dinge. Das Tor ächzt und hält stand. Michel ächzt auch, hält aber seine Schulter.
Die einzig wirklich dramatische Folge aber ist: Durch das teilweise offene Dach fliegt aufschreiend und krächzend die ganze Vogelbande davon, als wäre sie aus einem Katapult geschossen worden. Mäusebussarde, Milane, Möwen, Raben, Krähen.
Ich werd verrückt … jetzt werde ich, glaube ich, *wirklich* verrückt. Das kann ja … du heilige Scheiße, das kann nur *eines* heißen …

VIERZEHN

Seit Tanner vom Schlaraffenländli weggefahren ist, folgt ihm ein dunkler Mercedes. Das Polizeikennzeichen ist so verschmutzt, dass er die Ziffern nicht erkennen kann. Um herauszufinden, ob der Wagen ihn wirklich verfolgt, biegt Tanner in eine kleine Nebenstraße ein und kurvt völlig sinn- und ziellos in dem Wohnquartier herum. Der Mercedes bleibt hinter ihm.

Tanner fährt auf die Autobahn. Bei der ersten Ausfahrt verlässt er sie wieder. Er fährt in die Gratistiefgarage eines großen nordischen Möbelhauses. Er fährt betont langsam durch die Reihen geparkter Autos und wartet auf eine günstige Gelegenheit. Als er vor sich einen geparkten Lieferwagen bemerkt, der aus der Parklücke herausfahren will, sieht er seine Chance. Schnell zwängt er sich an dem Lieferwagen vorbei, der sich bereits in Bewegung gesetzt hat. Hinter ihm fährt der Wagen zügig aus dem Parkfeld und versperrt dem Mercedes die Weiterfahrt. Tanner atmet auf und drückt aufs Gaspedal. Mit kreischenden Rädern verlässt er das Parkhaus. Draußen fährt er in die dunkle Einfahrt eines Nebengebäudes, hält an und stellt sofort den Motor ab. Nach wenigen Augenblicken rast der Mercedes an ihm vorbei, ohne ihn zu bemerken. Tanner wartet noch eine Weile, dann fährt er, so schnell er es verantworten kann, in Richtung Hauptstadt. Er muss unbedingt Elsie sehen und ihr vorlesen, sonst kann er die nächsten Tage nicht überstehen.
Unterwegs ruft er als Erstes Claudia im Schlaraffenländli an. Zum Glück erreicht er sie gleich.
Ich bin es, Tanner. Hören Sie mir jetzt genau zu. Ich bin beobachtet und verfolgt worden, seit wir uns verabschiedet haben. Das heißt, die wissen, dass wir miteinander gesprochen haben. Sie müssen sofort mit ihrem Kleinen verschwinden. Haben Sie verstanden?
Oh Gott! Ja! Aber wo soll ich hin?
Das ist egal. Rufen Sie ein Taxi, holen Sie Ihren Maxli, fahren Sie zum Flughafen, steigen Sie ins nächste Flugzeug, das Sie erreichen können. Halten Sie sich nicht mit Packen auf. Sie müssen sofort los. Haben Sie Geld?
Ja, sicher.
Er hat Claudia richtig eingeschätzt. Sie ist eine starke Frau.
Schicken Sie mir eine Nachricht, wenn Sie in Sicherheit sind. Sie müssen mir nicht sagen, wo Sie sind. Es ist besser, wenn es überhaupt niemand weiß. Ich möchte einfach nur wissen, dass Sie in Sicherheit sind.
Claudia beendet das Gespräch.
Hoffentlich geht das gut …
Tanner macht gleich einen zweiten Anruf. Er ruft Nicki an, die Barfrau. Als sie seine Bitte und die angedeuteten Beweggründe hört, ist sie sofort Feuer und Flamme. Er bittet sie nämlich, sein Gepäck, das

sich noch in seinem Zimmer befindet, so unauffällig wie möglich in ein anderes Hotel zu bringen, da er sich in Gefahr befinde. Er gibt ihr zu verstehen, dass er als eine Art Staatsbeamter verdeckt in einer wichtigen Sache handle. Für sie klingt es auf jeden Fall nach Abenteuer. Er fragt sie, in welchem Hotel denn die meisten japanischen Geschäftsleute absteigen. Sie nennt ohne zu zögern eines der teuersten Hotels in der Stadt. Also bittet er sie, sein Gepäck dorthin zu bringen und ein Zimmer für ihn zu reservieren. Er werde heute Abend in diesem Hotel einchecken. Des Weiteren solle sie bitte einen Tisch für zwei Personen in dem Hotelrestaurant bestellen. Und zwar für zwanzig Uhr. Sie verspricht ihm, alles genau so zu erledigen, wie er es beschrieben hat. Und er solle sich doch wieder bei ihr melden, *sie* habe schließlich ihre gemeinsame Nacht nicht vergessen, schnurrt sie am Schluss.
Ich schon, sagt Tanner laut, nachdem er sich bedankt und die Verbindung unterbrochen hat.
Er wählt sofort wieder eine Nummer. Es kommt nur die Ansage des Anrufbeantworters. Auch gut, denkt Tanner, denn ich kann keine Absage gebrauchen.
Lieber Richard, ich muss dich heute Abend unbedingt sehen. Ich sage deutlich: Ich muss. Ich hoffe, du kannst mir meine dringende Bitte erfüllen. Zwanzig Uhr. Wir werden zusammen essen. Heute zahle ich, ist das klar?
Er nennt noch den Namen des Hotels und legt auf.
Elsie, ich komme.
Er drückt aufs Gas und lenkt das Auto auf die linke Spur. Fünfzig Minuten später ist er bei ihr.
Elsi liegt wie immer ruhig da, die Lippen leicht geöffnet. Sie ist wunderschön. Nach dem üppigen Strauß Wiesenblumen zu schließen, war Ruth schon hier. Sie hat Elsie ein bisschen geschminkt und ihre Lippen rot angemalt. Das macht sie manchmal. Auch hat sie auf einen Zettel geschrieben, dass ihn alle vermissten. Die Kinder auch. Das *auch* hat Ruth dick unterstrichen.
Und ich Trottel bin schon wieder in die unglaublichste Geschichte verstrickt, stöhnt er vor sich hin.
Dann wendet er sich wieder Elsie zu.
Heute sieht sie wie Schneewittchen aus. Ein reifes Schneewittchen natürlich, aber mit einem unglaublich jugendlichen Gesicht. Er wagt es nicht, sie zu küssen. Er will das Rot ihrer Lippen nicht verschmie-

ren, das Ruth so liebevoll und sorgfältig gemalt hat. Dafür küsst er ihre kühle Stirn und beide Wangen, dann die Stelle am Hals, wo sie es immer so gerne hatte. Und weil es grad so schön ist, öffnet er das blassrosa Hemdchen und küsst sie auf beide Brüste, streichelt ihrer Rundung entlang, spürt endlich wieder einmal ihr pulsierendes Herz und atmet ihren Duft. Er liebkost ihren Bauch, dann tastet er sich scheu zu ihrer Scham.

Ihr Pelzchen ist spürbar buschiger geworden. Er wird Elsie bitten, ihr Nestchen so zu belassen, wie es sich jetzt anfühlt. Struppig und weich zugleich. Er würde so gerne daran riechen.

Wie oft hat er schon daran gedacht, mit ihr Liebe zu machen. Es wenigstens zu versuchen. Vielleicht wäre das ja auch ein Weg, in ihr fernes Bewusstsein vorzudringen.

Gerade will er sie schweren Herzens wieder zudecken – da klopft es leise an die Tür und ein roter Kopf erscheint. Zum Glück hat Tanner immerhin das Hemdchen schon wieder zugeknöpft.

Entschuldige Tanner, ich will euch nicht stören, aber ich muss dich dringend sprechen. Mein Gefühl sagte mir, dass ich dich bei Elsie finde.

Bevor Tanner etwas sagen kann, steht Michel in seiner vollen krebsroten Schönheit am Bettende und starrt Elsie an.

Mein Gott, Tanner, wie schön sie ist. Wie eine Göttin. Sie strahlt ja richtig, von innen.

Michel hat Recht. Tanner sieht es auch. Ist das die Folge der intimen Berührungen?, fährt es Tanner durch den Kopf. Er wischt den Gedanken aber sofort wieder weg. Das ist ja wohl doch zu einfach, denkt er entrüstet und wendet sich Michel zu.

Unter welcher Bestrahlung warst du denn, Mensch? Du siehst ja aus wie ein überdimensionierter Hummer.

Tanner schiebt Michel etwas weg vom Bett, möglicherweise meint der nämlich mit *von innen* auch nur das sehr zarte Hemdchen, das viel von ihren vollen Brüsten ahnen lässt.

Michel winkt ab und reagiert nicht einmal auf seine Anspielung von wegen überdimensioniert.

Ich muss dich sprechen.

Ja, lieber Michel, entweder setzt du dich mit ans Bett und hörst zu, wie ich von Mohammed, dem Faulpelz vorlese, oder wir treffen uns in einer Stunde an unserem üblichen Ort.

Michel blickt auf die Uhr.
Okay, ich bleibe. Und höre meinem großen Meister zu.
Sie setzen sich hin und Tanner beginnt vorzulesen.
In Abweichung seiner Gewohnheit liest er heute gleich die ganze Geschichte zu Ende. Normalerweise würde er die Geschichte, gemäß der Einteilung von Schehrezâd, verteilt über sechs Tage lesen. Da er aber nicht sicher ist, ob er die nächsten Tage überhaupt zum Vorlesen kommen wird, bricht er für einmal die Regel.
Michel langweilt sich am Anfang der Lesung ein wenig. Er horcht erst auf, als der Affe, in dem sich der böse Geist Mârid versteckt, von dem schönen Mädchen spricht, das so schön wie der Vollmond ist. In seiner Einfalt steht *Vollmond* als Bezeichnung für die korpulenten runden Formen einer Frau, und so stellt er sich flugs seine Lady vor, die nun wirklich *vollmondig* in Michels Sinne ist. So schafft sich eben jeder auf seine Weise den persönlichen Bezug.
Bei der Stelle, als der törichte Mohammed seine junge Braut mit den Worten beschreibt: ... *denn ihre wunderbare Anmut war so groß, dass keine menschliche Zunge sie zu schildern vermag ...,* nickt Michel heftig mit dem Kopf und seine Hände kneten unbewusst einen Teil des Bettzeugs. Von diesem Moment an lebt Michel voll in der Geschichte mit. Er durchleidet Mohammeds furchtbare Qualen, als der merkt, dass durch seine eigene Handlung, deren Bedeutung er erst zu spät begreift, sein schöner Vollmond verloren gegangen ist. Und wie neidisch ist er auf diesen Trottel, wenn es ihm später mit Hilfe der *Ifriten,* den hilfreichen Geistern, gelingt, seine Braut zurückzuholen.
Elsie regt sich die ganze Zeit nicht, auch am Ende nicht, wenn sich am Schluss alles zum Guten wendet.
Tanner ist enttäuscht. Wie immer, wenn er denkt, der Moment des Aufwachens müsste doch jetzt nahe sein und es werde vielleicht an genau *der* Stelle des Buches passieren. Und dann passiert gar nichts.
Er tröstet sich damit, dass seine größte Hoffnung die Geschichte von *Zumurrud* ist, die zwischen der dreihundertachten und dreihundertsiebenundzwanzigsten Nacht erzählt wird. Es ist seine Lieblingsgeschichte. Schon allein der Klang des Namens ist wie ein Zauber.
Zumurrud, die schöne Sklavin, die nicht nur selber bestimmen darf, an wen sie verkauft werden soll, sondern auch ihrem auserwählten Käufer das Geld heimlich zusteckt, so dass er sie überhaupt kaufen

kann. Und dann verliert dieser Trottel sie, nur weil er ihr nicht gehorcht. Tanner seufzt.
Er weiß natürlich, dass das alles Unsinn ist. *Wann* Elsie aufwacht, wird allein sie bestimmen oder in Gottes Namen irgendeine Macht, für die Tanner keinen Namen hat.
Lass mich bitte noch einen Moment allein mit Elsie.
Michel nickt verständnisvoll, wirft Elsie einen Kuss zu und verschwindet aus dem Zimmer. Tanner geht ganz nahe ans Bett und flüstert ihr ins Ohr.
Danach schreibt er Ruth eine Antwort auf den Zettel. Nach kurzem Zögern fügt er noch ein Versprechen hinzu, obwohl er weiß, dass er es nicht so schnell wird erfüllen können.
So, jetzt erzähl mal, wo es brennt, sagt Tanner, als er Michel auf dem Korridor einholt. Nein, sag mir zuerst, wo du dir diesen Sonnenbrand zugezogen hast.
Es ist alles eins, du wirst es nicht glauben. Es ist alles eins.
Was meinst du? Es ist alles eins? Ich verstehe nicht.
Ja, der Sonnenbrand und die Geschichte, die ich dir erzählen will, beides gehört zusammen. Ich habe mir sozusagen in Ausübung meines Amtes einen Sonnenbrand geholt. Aber bevor ich dir das Ganze erzähle, muss ich einen Schluck trinken. Mein Hals ist ausgetrocknet wie die Wüste Gobi.
Als Michel endlich sein Bier vor sich hat, beginnt er von seiner Entdeckung im Kieswerk zu erzählen. Am Anfang stockend, denn der eigenartig verstörte Michel muss während des Erzählens erst die Spreu vom Weizen trennen. Denn das meiste von dem, was ihm beim Kieswerk widerfahren ist, unterliegt selbstverständlich einer strengen Zensur. Was übrig bleibt, ist eigentlich schnell erzählt. Viel zu schnell. Denn wie erklärt sich dann dieser fürchterliche Sonnenbrand? Das ist eine Frage, die Michel leider erst in dem Augenblick, bewusst wird, da er zu erzählen beginnt. Wäre er nicht schon rot im Gesicht, er wäre jetzt bestimmt rot geworden. Er ärgert sich stumm, aber maßlos. Statt sich diese kindische Geschichte von Muhammed Ali, oder wie der hieß, anzuhören, hätte er sich in der Zeit besser seine eigene zurechtgezimmert.
Also flunkert er, nach einer umständlichen und selbst für ihn unverständlichen Einleitung, von seiner den ganzen Nachmittag andauernden systematischen, ja akribischen Durchsuchung des Geländes.

Jedes Steinchen habe er umgedreht. Zur Illustration dreht Michel jeden Bierdeckel um, der auf dem Tisch liegt.
Was guckst du so kritisch, Tanner? *Den* Blick kenn ich.
Was hast du unter den Steinen erwartet? Erschlagene Kühe? Abgeschnittene Ohren?
Nein, du Oberdepp, Spuren natürlich. Also manchmal kannst du Fragen stellen, Tanner! Machst du dich lustig über mich oder was? Du kannst mir jetzt doch auch einmal in Ruhe zuhören, oder?
Endlich hat Michel einen Grund gefunden, sich Luft zu verschaffen. Es fehlte nicht viel und er hätte auch noch gesagt, er habe sich jetzt schließlich auch eine geschlagene Stunde diese saublöde Geschichte angehört. Michel ist aber froh, dass er sich vorher stoppen konnte. Er räuspert sich geräuschvoll und will fortfahren.
Ach, Mist! Jetzt weiß ich nicht mehr, wo ich war. Du kannst einen aber auch aus dem Konzept bringen, du!
Du hattest gerade Bierdeckel umgedreht, Michel.
Ha, ha, sehr witzig. Auf jeden Fall, um die Sache abzukürzen: Ich habe ein altes Gleis entdeckt, das die dazu benutzt haben, die Kühe ins Wasser zu befördern. In einem alten Schuppen steht der dazu gehörende Kippwagen. In dem Wagen haben wir eine vierte erschlagene Kuh gefunden, die allerdings bereits von einer Horde Raubvögel angeknabbert wurde. Mit dem Rest befassen sich nun die Würmer. Ein Anblick, sage ich dir, für die Götter.
... haben wir? Ich dachte, du bist allein dort gewesen?
Ja, zuerst war ich ja auch alleine. Ich konnte aber das Tor zu dem Schuppen nicht alleine öffnen. Da habe ich meine Blödmänner angerufen, sie sollen schleunigst herkommen und gefälligst Werkzeug mitbringen. Ja, genau, und da ich auf die warten musste, habe ich in der Zwischenzeit im Fluss ein Bad genommen und mich danach etwas zu lange in die Sonne gelegt. Das heißt, es verging halt eine Ewigkeit, bis die Schlappschwänze endlich aufgetaucht sind. Du kennst ja das atemberaubende Tempo meiner Männer. Und dann haben sie sich auch noch verfahren. In der Zeit habe ich mir den Sonnenbrand geholt. Ja, genau, so war es.
Michel ist richtig in Fahrt gekommen, dermaßen erleichtert ist er, doch noch eine einigermaßen plausible Erklärung für seinen bösen Sonnenbrand gefunden zu haben.
Wegen des schweren Sonnenbrandes konnte er gestern Abend das,

was er sich im Moment, als er ins Wasser gesprungen ist, vorgenommen hatte, nicht durchführen. Er hat zwar die Nacht, oh Wunder, bei seiner Geliebten verbracht, die ihn sofort aufgenommen hat, als sie von seinem Pech hörte. Aber er konnte aus begreiflichen Gründen körperlich keineswegs zu der Strafaktion schreiten, die er sich zu gönnen versprochen hatte, falls er nicht an einem Herzschlag stirbt. Seltsamerweise war sie sehr glücklich über seine Hilflosigkeit gewesen. Es verstehe einer die Frauen, hat er gedacht, und sich ihrer aufopfernden Pflege überlassen.
Sie hat ihm liebevoll seine brennende Haut mit Gurkenscheiben belegt und obwohl er Gurken hasst, hat er gestern ihre kühlende Wirkung auf seiner Haut zu schätzen …
He, Michel, träumst du. War das alles oder suchst du in deinem Gedächtnis noch nach dem Rest?
Ja, im Prinzip war das alles. Wir haben alles abgesucht, aber nichts gefunden, was auf die Täter hinweisen würde. Der Rest ist jetzt Sache des Labors.
Dann erzählt er Tanner noch die Geschichte der Rache an seinen Blödmännern, die ihm schneller und süßer geschenkt wurde, als er es sich erträumt hatte. Und das ging so: Bis die also kamen, hat er sich tatsächlich noch ein paar Mal ins Wasser begeben um seine brennende Haut zu kühlen, insofern hat er gar nicht so arg gelogen. In Wirklichkeit sind sie aber viel schneller gekommen, als er es ihnen je zugetraut hätte. Sie haben natürlich erst blöd gegrinst, als sie ihn sahen, so rot und so. Dann hat er ihnen befohlen, die Tür aufzubrechen. Als sie einwandten, sie sollten sich vielleicht zuerst eine Bewilligung vom Herrn Oberstaatsanwalt besorgen, hat er sie nur kalt angeschaut und stumm auf das Tor gezeigt. Da sie mit Lerchs Geländewagen gekommen waren, haben sie das Tor einfach kurz und schmerzlos mithilfe einer Kette aufgerissen. Lerch platzte fast vor Stolz über seine Tat. Aber wie heißt es so schön: Hochmut kommt vor dem Fall.
In dem Schuppen stank es zum Gotterbarmen. Hunderte von Fliegen und anderem Ungeziefer umschwirrten und belagerten den Kadaver. Michel forderte seine Männer auf, in den Schuppen zu gehen und nach weiteren Spuren zu suchen. Die beiden banden sich ihre Taschentücher vor die Nasen, gingen in den Schuppen – Befehl ist Befehl – und stocherten mit langen Stecken in dem heillosen Durcheinander, das drinnen herrschte. Berge von eingetrockneten Farb-

dosen, leeren Flaschen, Kisten und Ballen vergammelter Schiffsblachen lagen verstreut herum.
Jetzt kommt gleich die Rache. Michel lacht unterdessen Tränen.
Die Rache kam in Gestalt von Wespen. Von ziemlich vielen Wespen, die sich irgendwie gestört gefühlt haben müssen, als Thommen, die blinde Nuss, in ihrem Nest herumstocherte.
Ich war mir sicher, dass ich die abgeschnittenen Ohren gefunden habe, eingewickelt in ein Tuch, das hinter einem Stapel Blechkanister versteckt war, plärrte er später weinend.
Ja, so kann's gehen. Manchmal straft Gott eben sofort.
Die beiden wurden umgehend und gnadenlos attackiert. Sie heulten fast gleichzeitig auf und rannten ungefähr ähnlich schreiend wie Michel vor Stunden, wenn auch aus anderen Gründen, im gestreckten Galopp in Richtung Fluss, wo sie präzise an derselben Pier ins Wasser sprangen, um sich vor den wütenden Wespen zu retten. Der Schwarm verweilte noch eine Weile wie eine dräuende Wolke über dem grünen Wasser und verschwand dann jenseits des Flusses. Es verging noch eine ganze Weile, bis die beiden jaulend und nach Luft schnappend aus dem Wasser auftauchten.
Ob sie auch die schöne Musik im Wasser gehört hätten, wollte Michel von ihnen wissen, als er sich von seinem Lachanfall erholt hatte.
Welche Musik? Wir haben keine Musik gehört.
Sie schüttelten den Kopf. Beide waren mit roten Pusteln übersäht. Bald würde ihre Haut fast ebenso rot sein wie die von Michel.
Es gibt doch eine Gerechtigkeit im Himmel.
Michel schnäuzt sich.
Ja, Michel, das ist eine sehr schöne Rache, das muss ich sagen, aber zurück zu dem Fall: Was schließt du denn jetzt aus all dem?
Ich dachte, du sagst es mir. *Du* bist doch hier die Intelligenzbestie. Aber ich denke, die haben wahrscheinlich alle vier Kühe aufs Mal gekidnappt, alle erschlagen und eine nach der anderen in den See befördert. Warum sie die letzte einfach haben vergammeln lassen, weiß ich nicht. Hast du eine Idee?
Vielleicht. Möglicherweise war es nicht mehr notwendig.
Wie meinst du das?
Vielleicht sollte der Besitzer der Kühe zu etwas gezwungen werden, dem er sich vorher widersetzt hat. Verstehst du? Nachdem drei seiner Kühe im See aufgetaucht sind, hat er wohl klein beigegeben. Das

würde doch Sinn machen, oder? Das würde auch erklären, warum der Besitzer den Verlust seiner Kühe nicht gemeldet hat. Damit hätte er nämlich die Sache, um die es hier geht, publik gemacht. Offensichtlich wollte er aber gerade dies vermeiden. Womit sich der logische Kreis wieder schließt. In einer Frage sind wir leider noch keinen Schritt weiter: Worum geht es hier eigentlich?
Michel kratzt sich vorsichtig an seiner tiefroten Stirn.
Ja, wenn ich das wüsste …
Also, lieber Michel, wahrscheinlich können wir nichts anderes tun, als auf die Resultate der Laboruntersuchungen zu warten. Wann, meinst du, können wir damit rechnen? Hallo, Michel, ich habe dich etwas gefragt.
Aber Michel ist in seinem Geiste schon wieder in die Bilder der gestrigen Nacht abgedriftet.
Seufzend trinkt er sein Bierglas aus.

FÜNFZEHN

Der Oberstaatsanwalt, dem Michel gegenübersitzt, ist ein durch und durch hölzerner Mensch. Auch wenn er aus adligem Holz geschnitzt ist, so bleibt es doch – Holz. Und diesem Material fehlt jegliche Phantasie.
Er stammt aus einer der uralten Familien dieses Landes, deren Vorfahren man bis in die Zeiten der Staatsgründung zurückverfolgen kann. Sie haben mit Morgensternen alles, was ihnen vor die Augen kam, zu Brei geschlagen oder Köpfe mit scharf geschliffenen Hellebarden glatt von ihren Körpern getrennt. Beim Rütlischwur standen sie in vorderster Reihe. Später gingen sie für den lieben Gott und für fremde Fürsten rauben, morden und brandschatzen. Und Geld raffen. Als sie genug angehäuft hatten, sind sie zurückgekommen, schwer tragend an Juwelen, anderen Kostbarkeiten und jeder Menge Privilegien. Zurück in ihrer Heimat haben sie Burgen und Schlösser gebaut – und das in einem Land, das frei sein wollte, wie seine Väter

waren. Sie wurden sesshaft, lernten ihre Methoden verfeinern und wurden Staatsanwälte.
Seine quasi handgeschnitzte Aus-, Lebens- und Einbildungsbildung bekam der junge Mann zuerst in einem sündhaft teuren Internat in dünner Bergluft und später an ausländischen Eliteuniversitäten. Er ist einzig und allein für die Laufbahn eines Staatsanwaltes erzogen worden. Alle diesem Ziel nicht zuträglichen Ablenkungen wurden methodisch von ihm fern gehalten. Denn alle seine männlichen Vorfahren waren Staatsanwälte. Ausgenommen eben jene Vorvorfahren, die Krieger und Söldner gewesen waren. Pardon. Und außer den beiden familiären Ausnahmeexemplaren natürlich, die in derselben ländlichen Irrenanstalt ihr Leben beendeten, allerdings im Abstand von hundert Jahren. Wahrscheinlich mussten die zwei für die ganze Schuld ihrer edlen Urahnen büßen. Hätten sich auf dem zwei Quadratmeter großen speckig olivebraunen Stammbaumpergament mit Goldschrift nicht zwei unverständliche Unterbrüche ergeben, hätte man sie am liebsten einfach weggekratzt.
Aber dann hätten sich die Hochwohlnachgeborenen zu Recht gefragt, wie denn ihre biologische Linie trotz dieser zeitlichen Lücken fortgesetzt, respektive fortgepflanzt worden sei. Abgesehen davon ist es außerdem nach wie vor eine berechtigte Frage, wie Menschen dieses hölzernen Schlages sich *überhaupt* fortpflanzen. Vielleicht durch Pfropfen? Dieses Rätsel harrt wohl oder übel bis auf weiteres seiner Lösung.
Nach seinen erfolgreichen Studien wurde er durch ein fein gesponnenes und bewährtes Beziehungsgumminetz ohne nennenswerte Umwege in die Staatsanwaltschaft katapultiert, wo er sich wie eine Zecke festsetzte. In Rekordzeit wurde er Oberstaatsanwalt. Bei seiner Ernennung spendierte er zwei Flaschen Mineralwasser und ein paar feucht gewordene Totenbeinchen, arrangiert auf einem Pappteller mit Blumenmuster. Zum Ausgleich dafür war seine Rede staubtrocken, lang und so kompliziert gedrechselt, dass niemand ein einziges Wort verstand. Eine Methode, die er auch im Gerichtssaal anwendet. Schon mancher Richter hat ihm einfach deswegen Recht gegeben, damit er nicht mehr länger seine Reden anhören musste.
Für den atemberaubend schnellen Aufstieg zum Oberstaatsanwalt sorgte der Herr Oberstaatsanwalt allerdings höchstpersönlich. Die Akribie seines Aktenstudiums ist schon jetzt Legende.

Michel sitzt nun schon eine geschlagene halbe Stunde in dem für seine Körpermasse nicht geeigneten, extrem asketischen Stuhl, also auf einer verflucht schmalen Sitzfläche, während der Oberstaatsanwalt aufrecht und steif in seinem überaus bequemen Lederchefsessel trohnt, ohne aber die überaus bequemen Möglichkeiten des Sessels zu nutzen.
Nach kurzem einführenden Geplänkel über belanglose Themen der Tagespolitik hat sich der Herr Oberstaatsanwalt umständlich eine Zigarre angezündet, ohne Michel eine anzubieten, und wendet sich seinem Lieblingsthema zu. Der Gegenstand dieses in der Tat unerschöpflichen Themas ist natürlich – wir ahnen es – er selber.
Ich bin, wie *ich* zu sagen pflege, aus Holz geschnitzt. Aus dem besten, das dieses Land zu bieten hat, sinniert er dann seufzend, egal ob sein Gegenüber es hören will oder nicht – oh je, wie oft hat Michel diesen endlosen Sermon schon anhören müssen –, aber ich habe *Gott sei's gedankt* überhaupt keine Phantasie *und das ist gut so,* wie *ich* zu sagen pflege. Deswegen bin ich der jüngste Staatsanwalt aller Zeiten. Und natürlich der beste.
Jetzt macht er eine bedeutungsblöde Pause und bläst geräuschvoll, um die Stille irgendwie trotzdem auszufüllen, die beißenden Rauchschwaden der kostbaren Zigarre Michel mitten ins Gesicht.
Sind Sie erkältet, Sie Ärmster?
Nein, wieso?
Ja, weil Sie husten!
Nein, nein, es ist nur ...
Und fuchteln Sie nicht so mit den Armen, Michel, das macht einen ja ganz nervös.
Entschuldigen Sie, Herr Oberstaatsanwalt.
Also, ich habe keine Phantasie. Das ist meine Qualität. Ja, jetzt staunen Sie, Michel. Ich vertraue das nur *Ihnen* an, weil ich Sie schätze. Ihre ruhige Art zuzuhören, zum Beispiel. Und dass Sie nicht so viel Unsinn reden, wie die meisten Menschen heutzutage. Also, ich verfüge über keinerlei Phantasie und kein Quäntchen Vorstellungskraft. Deswegen bin ich noch nie auf eine Lüge reingefallen und auf keine einzige Intrige. Mir muss man alles genau erklären. Lückenlos. Phantasie ist Abweichung. Dient nur der Verwirrung. Produktion von Nebel.
Erneute Rauchschwaden in Michels Richtung, der sofort die Atmung stoppt, damit er nicht wieder husten muss.

Ich gebe mich mit nichts, was *ungefähr* oder *vage* ist, zufrieden. Deswegen muss man mir alles haargenau erklären. Hätte ich nämlich Phantasie, würde ich die Lücken *selber* ausfüllen und wäre nicht mehr fähig, die Wahrheit zu sehen. Ich würde mir ein *Bild* machen. Es entstünde ein übles Gemisch aus *Fakten* und *meiner* Phantasie. Und wie *ich* immer zu sagen pflege: Du sollst dir kein Bild machen.
Er betrachtet selbstsgefällig seine Zigarre.
So. Michel. Jetzt kommen Sie aber endlich mal zur Sache. Sie halten damit viel zu lange hinter dem Berg, wie *ich* zu sagen pflege. Wir brauchen Fakten. Fakten. Und noch einmal Fakten. He, Michel, mein Gott, was ist mit Ihnen, Sie sind ja ganz blass, weißer als ein Linnen, wie *ich* zu …
Michel, der sich bis jetzt nicht getraut hat zu atmen, gibt nun seinem verständlichen Drang nach und schnappt keuchend nach Atem. Und der Husten? Ja, der Husten …
Er hat ihn ja mit heldenhafter Verklemmung und Knebelung seines Körpers vermeiden wollen, aber jetzt überfällt er ihn mit doppelter Wucht. Der Oberstaatsanwalt zieht an seiner Zigarre und bläst diesmal den Rauch gegen die hohe Zimmerdecke, die mit den schwülstigen Phantasien eines nicht sehr begabten oberitalienischen Künstlers bemalt ist.
Schauen Sie, Michel, dieser Künstler hatte Phantasie, und da lasse ich sie auch gelten. Aber nur da.
Er deutet mit der Glutspitze seiner Zigarre auf ein Dutzend draller Seejungfrauen in einem aufgewühlten Teich, die mit allerlei lasziven Verrenkungen einen äußerst mageren Gott Pan, der am Ufer mit seinen Hufen scharrt, überreden wollen, zu ihnen ins Wasser zu kommen.
Die können lange winken, Ziegen pflegen nicht ins Wasser zu gehen, das weiß ich genau … he, he, he! Aber jetzt zur Sache, lieber Michel. Was ist jetzt mit diesen Kühen los?
Eh … nichts!
Wie nichts?
Es sind ganz normale Milchkühe. Stinknormales Braunvieh, verzeihen Sie den Ausdruck, Herr Oberstaatsanwalt. Schweizerisches Mittelmaß.
Und dafür haben Sie all diese kostspieligen Untersuchungen angeordnet, Michel? Das wird ein Nachspiel haben, das sage ich Ihnen.

Mit Verlaub, *Sie* haben die Untersuchungen angeordnet.
Ja, aber auf Ihren Rat, Michel. *Sie* haben mir den Floh ins Ohr gesetzt, wie *ich* zu sagen pflege. Wollen Sie das etwa abstreiten?
Ja, äh ... also, nein. Aber Sie waren ja hell begeistert von der Idee, die Untersuchungen anzuordnen, um bestimmte Dinge *auszuschließen*.
Also, von hell begeistert kann bei meinem Naturell gar keine Rede sein. Sie können sich da leider nicht aus der Verantwortung stehlen, Michel. Sollte die Finanzkontrolle damit Probleme haben, werde ich die an Sie verweisen, ist das klar?
Wie gedenken Sie überhaupt in diesem Fall weiterzumachen. Die Presse sitzt mir im Nacken. Verstehen Sie, Michel. Haben Sie endlich brauchbare Hinweise auf die Täter gefunden? Wenn nicht, dann gibt es ein Nachspiel, und zwar ein gehöriges, darauf können Sie Gift nehmen, wie *ich* zu sagen pflege.

SECHZEHN

Als Tanner deutlich vor zwanzig Uhr das klimatisierte Restaurant des vornehmen Hotels betritt, in dem Nicki ein Zimmer für ihn hat reservieren lassen, ist er nicht besonders überrascht zu sehen, dass die Gäste praktisch ohne Ausnahme japanischer Herkunft sind. Er hat es erwartet, denn Nicki hat ihm ja das Hotel deswegen angegeben.
Verblüffend ist eine andere Tatsache. Sein Freund Bruckner – an seinem roten Haarschopf von weitem unter all den schwarz- und grauhaarigen Herrschaften zu erkennen – sitzt bereits im Restaurant. Inmitten einer Runde japanischer Geschäftsleute.
Soll er sich Bruckner gleich bemerkbar machen, oder soll er die Gelegenheit nutzen und die Runde an dem reich gedeckten Tisch noch eine Weile beobachten, überlegt Tanner.
Es ist halt eine Berufskrankheit, denkt er, wendet sich an eine kleingewachsene Dame im farbenprächtigen Kimono und fragt sie diskret, wo denn sein reservierter Tisch sei. Sie führt ihn trippelnd zum

Fenster, von wo er Bruckner beobachten kann, ohne dass er in dessen Blickfeld liegt. Er bestellt ein Wasser und sagt, er warte noch auf einen Freund. Tiefgründig lächelnd verbeugt sie sich leicht und schwebt davon, als ob sie Rädchen statt kleiner Füße hätte.
Bruckner mitgezählt, sitzen acht Herren am Tisch. Den Vorsitz führt offensichtlich ein grauhaariger Japaner, der Tanner den Rücken zukehrt. Er sitzt an der Stirnseite des Tisches. Sein Gegenüber ist der einzige junge Mann in der Runde, soweit Tanner es von seinem Beobachtungsplatz aus sagen kann. Als Einziger hält er den Kopf gesenkt, starrt auf seine Hände, die er merkwürdig diszipliniert auf das weiße Tischtuch gelegt hat. Alle, inklusive Bruckner, lauschen interessiert, geradezu andächtig, den Ausführungen des Grauhaarigen.
Tanner lässt seinen Blick schweifen. Praktisch jeder Tisch ist besetzt. Zu zweit oder zu viert sitzen, bunt gemischt, eifrig schwatzende und essende Geschäftsleute, Reisende und Touristen. In einer Ecke, etwas abseits, eine Gruppe junger Künstler, erkennbar an ihren auffallend grellen Brillen. Da und dort einige attraktive japanische Frauen, meist sehr elegant gekleidet, die das in der Hauptsache dunkel gehaltene Tableau angenehm aufhellen. Sein Blick bleibt bei einer jungen Frau hängen, die ihr Haar sehr kurz trägt. *Bubikopf* nannte man das in Tanners Jugend. Auch straft sie das Klischee von der kleinen, respektive kurzbeinigen Japanerin Lügen. Sie ist erstaunlich groß und hat lange feingliedrige Hände. Die drei rundlichen Geschäftsmänner, mit denen sie am Tisch sitzt, verstärken diesen Eindruck. Offensichtlich gelangweilt von den Gesprächen ihrer Partner, spielt sie gedankenverloren mit ihrer kleinen Tasche, die vor ihr auf dem Tisch steht. Die drei Glatzköpfe spüren garantiert nichts von den schiefen Größenverhältnissen, so gefangen sind sie in ihrem erregten Gespräch. Tanner lächelt vor sich hin.
In diesem Moment blickt der Bubikopf auf und schaut genau in sein lachendes Gesicht. Er neutralisiert sofort seine Mimik, aber zu spät. Sie hat es gesehen und seine Reaktion bestätigt rückwirkend, dass sein Grinsen irgendetwas mit ihr zu tun haben muss. Eine kleine Zornfalte erscheint auf ihrer Stirn und ihre Hand hört mit dem Handtaschenspiel abrupt auf. Fühlt sie sich durch sein Grinsen ertappt? Spürt sie, was er gesehen hat? Oder interpretiert sie sein Lächeln als Anmache? Tanner versucht die Situation zu retten, indem er noch einmal lächelt und entschuldigend den Kopf schüttelt. Hof-

fentlich bedeutet diese Kopfbewegung in japanischen Augen dasselbe. Er wird es nie wissen, denn bevor sie zu einer für ihn lesbaren Reaktion kommen könnte, wird sie von einem der drei kleinen Bonzen angesprochen. Als sie knapp antwortet, erregt der sich offensichtlich und gestikuliert wild mit den Armen.
Schade, kann ich nicht verstehen, was die reden.
Tanner schaut wieder zum Tisch, wo Bruckner sitzt.
Vielmehr saß. Denn er sitzt nicht mehr dort. Der junge Mann, der mit gesenktem Haupt an der Stirnseite saß und auf seine Hände starrte, ist ebenfalls verschwunden.
Das ist wieder typisch …, murmelt er.
Tanner ärgert sich über seine mangelnde Aufmerksamkeit. Er hätte allzu gerne gesehen, ob die beiden zusammen oder einzeln hinausgegangen sind. In diesem Moment kommt Bruckner durch die Eingangstür zurück in das Restaurant. An derselben Stelle, wo Tanner kurz vorher die kleine Dame nach seinem Tisch gefragt hat, bleibt er stehen und entdeckt Tanner. Mit ein paar schnellen Schritten ist er bei ihm.
Gibt es was Neues am neuen Hofe, Sir? Mensch, Simon! Sitzt hier und träumt vor sich hin. Hättest mir ja auch winken können. Bist du schon lange hier? Du hast ja bereits ein Wasser bestellt.
Schwungvoll setzt sich Bruckner hin und greift nach der Speisekarte.
Ja, lieber Bruckner, äh … Richard, ich wollte dich nicht stören, ihr habt alle so andächtig dem grauhaarigen Zenmeister zugehört. Ich wusste gar nicht, dass du japanisch sprichst.
Woher weißt du? Kannst du Lippen lesen?
Nein, natürlich nicht. Es war so ein Schuss ins Ungefähre. Aber du hast mir ja gerade die Bestätigung gegeben. Wo hast du es gelernt? Das ist toll. Ich beneide dich.
Danke, Tanner. Ich war für die Firma eine Weile in Japan. Soll *ich* bestellen oder willst du? Du bist ja heute anscheinend wild entschlossen, die Rechnung zu übernehmen. Dann gebührt dir natürlich auch die Ehre der Bestellung. Ach, wie schön, ich kann mich einfach zurücklehnen.
Sprach es und lehnt sich mit verschränkten Armen zurück.
Eins nach dem anderen, denkt Tanner und nickt. Er greift betont langsam nach der umfangreichen Speisekarte. Während er sie ausgiebig studiert, denkt er über das soeben Gehörte nach.

Bruckner war also für die *Firma* in Japan. Das ist ja eine interessante Neuigkeit. Und: Nennt man seine Bank die *Firma*? Er ist doch bei der Bank für die Verteilung der Sponsorengelder zuständig. Hat er in Japan Sponsorengelder verteilt? Wohl kaum. Bruckner ist eigenartig aufgedreht, sein Gesicht merkwürdig gerötet. Ist Bruckner nervös? Tanner überlegt fieberhaft, welche Methode er anwenden soll, um sich Klarheit zu verschaffen, ohne zu auffällig seine Neugierde preiszugeben.
Also, jetzt bestellen wir mal was Schönes. Was hältst du davon, wenn wir mit einer *hamaguri no ushiojiru* beginnen?
Einverstanden. Ich mag Venusmuscheln. Und hier kann man sicher sein, dass sie frisch sind und aus einem sauberen Meer kommen. Und wie geht es weiter?
Ich würde sagen mit einem herzhaften *takokyuuri*. Bist du dabei?
Iiiih nein, ich bitte dich. Ich hasse Krakenarme. Als ich die das letzte Mal vorgesetzt bekam, habe ich drei Tage lang nichts mehr essen können. Allein die Vorstellung …
Ist ja gut, war nur ein Scherz. Wir nehmen frischen Thunfisch mit grünem Meerrettich.
Ja, das ist eine gute Idee. *Maguro no wasabiae*. Gut bei heißem Sommerwetter. Ich nehme es ganz ohne weitere Beilage.
Gut. Ich auch.
Zum Nachtisch nehmen wir einfach Eis. Ich habe keine Lust auf Bananen-*tenpura* oder so was. Einverstanden?
Sehr einverstanden. Wir können zum Eis immer noch ein bisschen *mitsumame* bestellen. Ich meine, um *japanisch* zu bleiben. Du scheinst ja heute offenbar großen Wert auf japanische Umgebung zu legen.
Ja, stimmt. Und das *mitsumame* ist eine gute Idee.
Harumi hat es gerne selber zubereitet, auch wenn man es gerade so gut in Dosen kaufen kann … *mitsumame*. Diese fremde Mischung aus Agar-Agar-Würfeln, Früchten und dreierlei gekochten Bohnen, die mit Honig gesüßt werden. Eiskalt serviert, mit Vanilleeis. Bevor er es lieben lernte, hat sie sich manchmal auf seine Knie gesetzt und ihn damit gefüttert. Ein Löffelchen für einen Kuss, ein Löffelchen für das Öffnen des BHs …
Darf ich jetzt Ihre Bestellung aufnehmen?
Die kleine Dame im Kimono ist lautlos an den Tisch geschwebt und schaut Bruckner erwartungsvoll an.

Nein, nein, mein Freund bestellt *und* bezahlt. Bitte, Tanner, leg los.
Tanner bestellt die besprochenen Gerichte. Und japanisches Bier.
Zu heiß für *sake*. Einverstanden?
Bruckner nickt lächelnd. Nach einer Weile fragt Tanner ganz unvermittelt.
Kennst du die junge Frau mit den ganz kurzen Haaren, die direkt hinter dir sitzt, gemeinsam mit drei japanischen Bowlingkugeln?
Sie heißt Chiyo und ...
Bruckner gibt die Antwort ohne sich umzudrehen und ohne nachzudenken, immer noch lächelnd. Er unterbricht sich allerdings, als das Bier kommt. Die kleine Kimonodame bringt es in Begleitung eines jungen Kellners, der das Einschenken besorgt.
Sie ist die Chefin des Restaurants.
Bruckner sagt es leise, nachdem die beiden wieder lautlos abgetreten sind.
Prost, Tanner!
Zum Wohl, Bruckner.
Sie trinken.
Und ...?
Und was?
Sie heißt Chiyo *und* ... du wurdest unterbrochen.
Ach ja. Was wollte ich sagen? Die drei Bowlingkugeln, wie du sie nennst, sind drei der bekanntesten Anwälte von Kyoto.
Aha!
Tanner hat das komische Gefühl, dass Bruckner vor der Störung etwas anderes sagen wollte. Das in der Luft hängen gebliebene *und* klang irgendwie verheißungsvoll, ein Geheimnis versprechend sozusagen. Auf jeden Fall klang es vielversprechender als die Information, dass die drei Anwälte sind.
Und was macht ein so auffallendes Exemplar japanischer Schönheit mit *drei* Anwälten, Bruckner? Außerdem langweilt sie sich offensichtlich.
Also, Tanner, du bist ja ein ganz Neugieriger. Ist das der Grund, warum du mich so dringend in dieses schöne Restaurant bestellt hast? Weil du wissen willst, wer diese – ich gebe es zu – außergewöhnlich schöne Frau ist? Wohl kaum. Du konntest ja gar nicht wissen, dass sie hier ist. Also, was ist los? Spann mich nicht auf die Folter. Ich bin ganz schön erschrocken, als ich deine Nachricht hörte.

Ja, lieber Freund, dafür möchte ich dir danken. Entschuldige, dass ich es erst jetzt tue. Also, was ich dich fragen wollte, ähm … es ist nicht ganz einfach. Es war mehr so ein vages Gefühl, dass es gut wäre, mit dir über einige Dinge zu reden. Und jetzt weiß ich nicht, wie anfangen, tja …
Dann warten wir erst mal auf die Suppe mit den Venusmuscheln, einverstanden? Danach findest du vielleicht deinen Anfang leichter.
Tanner nickt.
Das erlaubt mir auch, kurz auszutreten. Entschuldige mich einen Augenblick.
Tanner erhebt sich und geht nahe an dem Tisch vorbei, an dem die Schöne namens Chiyo sitzt. Sie blickt zwar nicht auf, aber er spürt, dass sie sein Vorbeigehen wahrnimmt.
Der Toilettenraum ist leer. Er stellt sich vor eine der spiegelblanken Pissoirschüsseln. In dem Augenblick geht die Tür auf und ein Mann stellt sich kurzerhand neben ihn, obwohl alle anderen Stehschüsseln unbesetzt sind. Tanner blickt nicht auf, kann sich aber nicht gegen den Eindruck wehren, dass neben ihm eine äußerst unangenehme Person steht. Ein Gefühl des Unbehagens erfasst ihn, und er fragt sich, ob das wirklich die Ausstrahlung des Mannes neben ihm ist oder ob er einfach so heftig auf die Verletzung einer ungeschriebenen Pissoirregel reagiert. Seltsam ist allerdings, dass der Mann neben ihm steht und in keiner Weise das tut, was man normalerweise tut, wenn man sich ans Pissoir stellt. Er steht einfach ruhig da und blickt gegen die Wand. Tanner beendet seine Tätigkeit, schließt die Hose und blickt auf. Es ist der junge Japaner, der am Tisch mit Bruckner saß und die Hände so auffallend auf den Tisch gelegt hatte. In diesem Moment spricht der Japaner.
Aber nicht etwa zu Tanner, sondern gegen die Wand. So scheint es ihm zumindest, denn er versteht ja kein Japanisch. Der Japaner dreht nun den Kopf zu ihm. Tanner erschrickt über das kalte Leuchten in seinen Augen, das er in so einer Intensität noch bei keinem anderen Menschen gesehen hat. Kurz darauf lächelt er zwar, aber der Eindruck, den die Kälte in seinen Augen auf Tanner gemacht hat, kann auch nicht durch das charmanteste Lächeln wettgemacht werden. Ist der Mann krank? Oder ist er schwul und das Ganze soll so eine Art Anmache gewesen sein?

Er wäscht die Hände. Der Mann folgt ihm mit seinem Blick. Tanner verlässt den Toilettenraum. Ob ich Bruckner davon erzählen soll?
Auf dem Weg zurück ins Restaurant erhält er eine SMS-Nachricht.
Sind in Sicherheit. Sonne und Meer. Alles Gute. Claudia.
Tanner fällt ein Stein vom Herzen. Zum Glück hat er sie sofort zum Handeln aufgefordert.
Erleichtert nimmt er zwei Stufen auf einmal.
So. Ich bin zurück und gerade zur rechten Zeit.
Diesmal wird die kleine Dame im Kimono von *zwei* Kellnern begleitet. Die beiden Suppenteller landen exakt gleichzeitig vor ihnen auf dem Tisch. Angesteckt durch die Harmonie dieser Gleichzeitigkeit, greifen Bruckner und Tanner ebenso zeitlich abgestimmt zu ihren flachen Porzellanlöffeln.
Guten Appetit.
Danke gleichfalls.
Bruckner schlürft genießerisch die Suppe.
Also, was macht nun diese schöne Frau mit Namen Chiyo mit den drei bekanntesten Anwälten von Kyoto? Hier in dieser Stadt? An diesem Abend? In diesem Restaurant? Lach nicht, Bruckner, es interessiert mich wirklich. Ich will dich nicht nerven, aber ich habe das Gefühl, dass du es weißt. Also, sage es mir bitte. Sonst denke ich den ganzen Abend an nichts anderes.
Mensch, Tanner, du kannst ja ganz schön hartnäckig sein. Ist das das Geheimnis deines Erfolges? Wahrscheinlich. Die Suppe ist wirklich ausgezeichnet. Und diese Muscheln …
Nicht ablenken, Bruckner.
Also, und das behältst du aber für dich. Die Dame ist nämlich ganz privat und inkognito hier in unserer schönen Stadt. Na ja, hierzulande kennt sie natürlich niemand …
… außer Bruckner, der eine Weile in Japan – wo übrigens, sagtest du? – gelebt hat.
Ich glaube nicht, dass ich dir gesagt habe, wo ich gelebt habe. Also, was willst du jetzt wissen? Wo ich gelebt habe oder was es mit Chiyo auf sich hat?
Alles natürlich. Schön der Reihe nach. Wie in Paris, pflegte meine Großmutter zu sagen.
So, so. Wie in Paris? Wusste deine Großmutter, was damit eigentlich gemeint war?

Bruckner lacht und verschluckt sich an seiner Suppe.
Du lenkst schon wieder ab, Bruckner.
Nein, du lenkst ab. Habe *ich* plötzlich angefangen von Paris zu sprechen oder du?
Ist ja gut, Richard. Ich höre und esse stumm meine Suppe.
Chiyo ist in Japan ein Star, verstehst du. Zu Hause könnte sie nicht einfach in ein Restaurant essen gehen.
Aha. Ist sie ein Filmstar?
Nein, Tanner. Sie ist kein Filmstar.
Er beugt sich zu Tanner hinüber und flüstert plötzlich.
Sie ist im *mizushobai* tätig.
Bruckner lehnt sich wieder zurück, schaut kurz über seine Schulter, um einen Blick auf Chiyo zu werfen. Sie ist wieder intensiv mit einer Schlaufe ihrer Handtasche beschäftigt. Dafür blickt einer der drei Herren zu Bruckner und nickt ihm lächelnd zu. Bruckner antwortet mit einer angedeuteten Verbeugung. Als er sich wieder Tanner zuwendet, kann dieser sehen, wie derjenige, der gegrüßt hat, den anderen etwas zuflüstert. Wahrscheinlich, dass er Bruckner gesehen hat.
In *was* ist sie tätig? Was ist *mizushobai*?
Sie ist im Wassergeschäft. Natürlich ist sie eine Aristokratin in diesem Geschäft. Ein Star eben.
Wassergeschäft? Verkauft sie Mineralwasser?
Nein, Tanner, sie verkauft kein Mineralwasser. Sie ist eine Geisha. Im Moment der absolute Star unter den Geishas.
Was? Das ist ja ...
Mizushobai, das Wassergeschäft, war ursprünglich eine buddhistische Formel für die Vergänglichkeit des Lebens. Heute bezeichnet man damit in Japan jenen ziemlich großen Wirtschaftszweig, der sich in Jahrhunderten zur Befriedigung männlicher Freuden entwickelt hat. Ist deine Frage beantwortet, Tanner?
Eh ..., eigentlich lautete meine Frage, die übrigens jetzt noch interessanter geworden ist, was so eine schöne Frau mit diesen drei Fröschen tut, pardon, mit drei der bekanntesten Anwälte von Kyoto?
Sie ist wahrscheinlich geschäftlich hier. Du musst wissen, eine Geisha ihrer Klasse verdient enorme Summen, die müssen irgendwie angelegt werden. Ja, so könnte es sein. Wahrscheinlich ist sie geschäftlich hier.

Demonstrativ widmet Bruckner sich wieder seiner Suppe.
Tanner wartet ab und senkt seinen Löffel ebenfalls in die golddunkle Flüssigkeit. Er spürt, dass Bruckner seine Erklärung selber unbefriedigend findet. Nach zwei weiteren Löffeln räuspert sich Bruckner, tupft mit der Serviette seine Lippen trocken.
Weißt du, Tanner, es ist doch typisch, dass man bei uns im Westen gerne glaubt, dass Geishas bessere Nutten sind. Man kann sich hier die strikte Trennung zwischen geistvoller Unterhaltung und fleischlicher Lust gar nicht vorstellen. Man weiß hier meistens auch nicht, dass die Geishas am Anfang ausschließlich Männer waren. Erst im achtzehnten Jahrhundert übernahmen Frauen diese Rolle. Sie sind perfekt ausgebildet in Tanz, Gesang, in der Teezeremonie, im Zupfen der Laute, in Ikebana, in der Kalligraphie. Sie verlangen horrende Preise von denen, die sich um ihre Gesellschaft bemühen. Dass ihr quasi musischer Service in einen intimen übergehen kann, ist zwar kein Geheimnis, aber äh … es ist eher eine Ausnahme und nicht die Regel. Einflussreiche Männer versuchen natürlich, solche begehrten Geishas an sich zu binden.
Bruckner lacht.
Da gab es zum Beispiel 1989 die ziemlich peinliche Geschichte vom damaligen japanischen Premierminister Sosuke Uno, der eine Liaison mit der Geisha Mitsuko Nakanishi hatte. Beharrliche Gerüchte besagen, sie hätte darüber vor Journalisten geplaudert, weil der gute Ministerpräsident zu knauserig gewesen sei. Zwölftausend Franken als monatliche Entschädigung wären etwa angemessen gewesen. Er hatte ihr aber bloß dreitausend Franken angeboten. Also umgerechnet, meine ich. Eine Frau im Range Chiyos würde natürlich viel mehr kriegen.
Tanner dämmert plötzlich, dass ihm Bruckner auf eine ziemlich umständliche Weise suggerieren möchte, dass sie vielleicht als Mätresse von dem einen oder gar von allen dreien fungiert.
Bruckner, entschuldige, dass ich dich unterbreche. Deine Ausführungen über das Wesen der Geishas sind hochinteressant, aber ich wollte von dir wissen, was sie hier *wirklich* tut. Du willst doch nicht im Ernst behaupten, diese Frau sei die Mätresse von denen? Komm, Bruckner, das glaubst du doch selber nicht. Da ist eine ganz andere Spannung zwischen denen. Das sieht man doch aus zehn Kilometern Entfernung.

Bevor Bruckner antworten kann, entsteht an besagtem Tisch eine plötzliche Aufregung. Wie ein unvermittelt auftretender Wirbel in einem stillen Teich. Die Stimmen werden lauter. Die Gesten heftig. Chiyo steht auf, schlägt mit der Tasche auf den Tisch, spricht erzürnt einen Satz, den Tanner natürlich nicht versteht, und verlässt beinahe rennend das Restaurant. Hätte bei der Ausgangstür nicht zufällig ein Kellner gestanden, der die Tür geistesgegenwärtig auffing, der sie einen überraschend kräftigen Stoß gegeben hatte, ihr Abgang hätte einen ziemlich deutlichen akustischen Schlusspunkt gehabt. Dennoch ist es schlagartig mäuschenstill im Raum. Nach einem Augenblick angespannter Ruhe sagt der Grauhaarige, an dessen Tisch Bruckner vorhin saß, laut und deutlich einen kurzen Satz. Danach brechen alle Anwesenden in Lachen aus. Das heißt, *fast* alle lachen. Die drei Anwälte nicht. Und Tanner hat die Pointe – offensichtlich handelte es sich um eine – als Einziger natürlich nicht verstanden. Bruckner kämpft eine Weile vergebens gegen sein aufkommendes Lachen, offensichtlich schämt er sich des Lachens, schließlich verliert er den heroischen Kampf und lässt seinen Gefühlen freien Lauf, bis die Tränen kommen. Tanner blickt um sich. Als hätte man allen eine Droge ins Essen geträufelt, werden die bis gerade eben noch vornehm plaudernden Herrschaften von grotesken Lachanfällen geschüttelt. Mit weit aufgerissenen Augen blicken sich die Lachenden an, sich gegenseitig aufs Neue anheizend, mit Worten und Gesten. Wie eine Woge auf- und abschwellend bewegt sich die Hysterie im Raum hin und her, bis dem Lachen endlich die Nahrung ausgeht und einem betretenen Schweigen Platz macht, nur da und dort durchbrochen von einzelnen Nachlachern, die jetzt deplatziert wirken.
Eine andere Person hat auch nicht gelacht. Tanner bemerkt sie plötzlich. Die kleine Dame im Kimono steht still und traurig am Rand des Geschehens. Als das Lachen langsam abebbt, dirigiert sie ihre kleine Mannschaft zu sich, erteilt Anweisungen. Danach schwärmen alle aus und servieren auf Kosten des Hauses einen eisgekühlten Aprikosenlikör. Nach und nach werden die jäh fallen gelassenen Gesprächsfäden wieder aufgehoben, weitergewoben und der oktogonförmige Raum füllt sich wieder mit leisem Murmeln. Ganz so, wie es sich für ein vornehmes Restaurant gehört. Nur die drei Anwälte sitzen eingefroren, ein Bild der leibhaftigen Scham.
Darf ich jetzt auch lachen, lieber Bruckner?

Auf Deutsch klingt es, glaube ich, nicht so lustig. Er hat gesagt: Auch die schönste Blume muss mal furzen, wenn sie äh … gebläht ist. Bruckner sieht richtig unglücklich aus, nachdem er es ausgesprochen hat.
Eine Blume gebläht? Ist das eine japanische Metapher?
Ja, äh … nein! Aber es geht das Gerücht um, dass sie schwanger ist. Man sieht zwar noch nichts, aber …
Aha. Und was hat *sie* gesagt?
Sie? Hat sie was gesagt?
Ja, natürlich. Bevor sie den Raum verlassen und die Handtasche auf den Tisch geknallt hat.
Ach so, ja. Sie hat gesagt, dass sie es schon herausfinden werde. Mit ihrer Hilfe oder ohne. Ja, das hat sie gesagt, so ungefähr.
Aha.
Und wer ist denn der grauhaarige Komiker?
Bruckner windet sich ein bisschen. Er hält den Teller etwas schräg, nimmt einen letzten Löffel Suppe und wischt sich mit der grünen Stoffserviette erneut umständlich den Mund.
Also, Tanner, du wirst es vielleicht nicht glauben, aber das ist einer der erfolgreichsten japanischen Wirtschaftsführer. Tetsuo Amagatsu. Er leitet allerdings keine der hier im Westen bekannten Firmen. Dafür besitzt er eine der größten Holding-Gesellschaften in Japan und ist an allem beteiligt, was du dir vorstellen kannst. Vom Beruf her ist er Naturwissenschaftler, hat einige wichtige Dinge auf dem Gensektor herausgefunden und besitzt ungeheuer wertvolle Patente. Sein Vermögen wird auf rund drei Milliarden US-Dollar geschätzt.
Soll ich jetzt beeindruckt sein? Seine Scheißmillionen sind mir egal. Mich interessiert er nach dem Satz, den er vorhin hat fallen lassen, nicht mehr, da kann er so viele Millionen und Patente haben, wie er will.
Ach, Tanner, sei nicht päpstlicher als der Papst. In der japanischen Kultur liegen das Große und das Kleine oft sehr nahe beieinander.
Du meinst das Vulgäre und Schöne, oder?
Ja, natürlich, das auch. Japaner können in allem sehr extrem sein. Vor allem auch in den Wechseln ihrer Launen oder Einstellungen. Die Japaner haben im Laufe der Geschichte sehr oft schlagartig ihre Meinung geändert. Und nicht selten in Momenten, wo es gar nicht zu er-

warten und schon gar nicht logisch erklärbar war. Wir Westler verstehen das nicht. Als etwa die Parole »... wir vertreiben die Barbaren« am lautesten zu hören war, hat sich plötzlich die Stimmung gedreht, und man war für die »Öffnung des Landes« ... äh ..., entschuldige, ich schweife ab. Das Wesen der japanischen Seele ist so was wie ein Lieblingsthema von mir. Tetsuo Amagatsu ist ein außerordentlich kultivierter Mann, sehr belesen. Du kannst dir nicht vorstellen, wie viele wertvolle Kulturprojekte er weltweit unterstützt. Du musst verstehen, Chiyo hat aufgrund ihres Ranges und Bekanntheitsgrades etwas Unverzeihliches begangen. Ich meine, in japanischen Augen. Sie hat in aller Öffentlichkeit einen Ausbruch produziert. So was tut man in Japan nicht. Dieses Hotel wird als eine Art japanisches Hoheitsgebiet behandelt, es verkehren ja auch praktisch nur Japaner hier. Nun, er hat ihren Fauxpas ausgebügelt. Versuche es einmal so zu betrachten, Tanner. Und er war von der Stellung her der Einzige, der das tun konnte. Er hat sie mit seinem Spruch beschützt.
Okay, ich verstehe. Bruckner, deswegen habe ich dich ja auch in dieses Restaurant bestellt. Es gibt da einige Ungereimtheiten, die ich gerne verstehen möchte. Du kennst ja praktisch alle wichtigen Leute, die hier vor Ort tätig sind. Ich kann dir aber meinerseits nicht alle Details verraten, verstehst du?
Ja, ist gut. Ich verstehe.
Die kleine Dame schwebt einmal mehr herbei, diesmal begleitet von – *drei* Kellnern. Einer nimmt die beiden Suppenteller vom Tisch, die beiden anderen servieren den Fisch. Die kleine Dame schenkt das restliche Bier in die Gläser. Sie tut das sehr anmutig.
Soll ich noch zwei bringen?
Tanner und Bruckner nicken lächelnd.
Also, noch einmal: Guten Appetit.
Danke. Gleichfalls.
Nach ein paar Bissen und den unweigerlich nachfolgenden zufriedenen Grunzlauten der beiden Feinschmecker – der Thunfisch ist selbstverständlich sachgerecht nur auf einer Seite langsam gebraten worden – bringt die kleine Gastgeberin mit der ernsten Miene höchstpersönlich die zwei Biere.
Noch mal: Prost Richard. Ich werde dir jetzt sagen, was ich gerne von dir wissen möchte.
Sie trinken.

Also, in dem kleinen See, an dessen Ufer ich seit kurzem das Privileg habe zu wohnen, ist vor ein paar Tagen ein Japaner bei einem Segelunfall ertrunken. Er war ein wichtiger Mitarbeiter in der großen Chemiefirma gewesen. Davon war in Form einer kleinen Notiz in den Zeitungen zu lesen. In dieser Stadt ist vor wenigen Tagen ein weiterer Japaner ums Leben gekommen. Nicht beim Segeln, sondern in den Armen einer Dame, die *auch* im Wassergeschäft tätig ist. Allerdings würde ich diese Dame nicht als Aristokratin bezeichnen. Eher als fleißige Arbeiterin an der Front. Darüber stand erstaunlicherweise nichts in den Zeitungen. Auch die Polizei weiß nichts davon. Kurz darauf ist ein japanisches Mädchen, das ebenfalls im Wassergeschäft tätig war, tot in dem Brunnenbecken nahe beim Theater aufgefunden worden. Dies stand gezwungenermaßen in der Zeitung. Das mit dem Wasser ist vielleicht ein Zufall. Jetzt aber zu dem, was nach meinem bescheidenen Gefühl kein Zufall sein kann. Das japanische Wassermädchen war eine Kollegin der anderen Wasserdame, in deren Armen der zweite Japaner starb. Ich sehe zwar inhaltlich noch keinerlei Zusammenhänge, aber irgendetwas weigert sich in mir, all diese Ereignisse als reine Koinzidenzen zu betrachten.
Tanner ist ganz ruhig geblieben und präpariert sich jetzt einige schöne Bissen des Thunfischs. Er wendet jedes Stückchen sorgfältig in der frischen Meerrettichsauce, um dem Fisch rundum gleichmäßig die geliebte Schärfe zu verleihen. Bruckner hat während der ganzen Rede weitergegessen und scheinbar interessiert zugehört. Beim Stichwort Koinzidenz hat er einmal mehr die grüne Serviette benutzt. Die Farbe seines Gesichtes mit weiß zu bezeichnen, wäre allerdings eine matte Untertreibung. Gerade die wiederholte Verwendung der dunkelgrünen Serviette verschärft diesen Eindruck noch.
Bruckner füllt erneut beide Gläser mit Bier. Seine Hand ist absolut ruhig. Er vollzieht diese kleine Handlung geradeso, als ob er sich und Tanner beweisen wollte, dass er ganz ruhig ist, oder anders gesagt: als ob ihn das alles nichts anginge.
Ja, lieber Simon, das sind ja schreckliche Geschichten. Ich frage mich nur, warum du *mir* das alles erzählst?
Bruckner, ich erzähle dir diese Dinge, weil ich dich fragen wollte, ob du irgendetwas gehört hast? Gibt es irgendwo da oben, wo die Luft dünn ist, irgendeine Form der Unruhe? Verstimmungen? Gerüchte?

Das ist das Erste, was ich dich fragen wollte. Du bist der Einzige, den ich hier fragen kann und der sich in der Geschäftswelt dieser Stadt auskennt. Und zweitens will ich gerne wissen, wer all die handverlesenen Herrschaften sind, die hier verkehren.
Bruckner seufzt.
Mit dem Zweiten kann ich dir gerne dienen. Den Grauhaarigen habe ich ja schon beschrieben. Alle, die an seinem Tisch sitzen, sind Geschäftsfreunde von ihm oder wichtige Mitarbeiter. Willst du ihre Namen wissen?
Nein, vorerst nicht. Aber ich möchte gerne wissen, zu welcher Kategorie der junge Mann gehört, der dem Grauhaarigen gegenübersaß und den du, glaube ich, hinausbegleitet hast.
Das war Ito, sein Neffe, also der Sohn des verstorbenen Bruders vom Grauhaarigen. Amagatsu hat ihn heute zu seinem Nachfolger erkoren.
Ach nein? Und warum saß er dann die ganze Zeit so demütig und wie gebrochen am Tisch und hat immerzu seine eigenen Hände angestarrt?
Er hat sich nach japanischer Tradition tadellos verhalten. Schlicht, einfach und mit der gebührenden Demut. Er ist jetzt wahrscheinlich feiern gegangen.
Tanner erzählt ihm auch jetzt nichts von der seltsamen Begegnung mit Ito. Stattdessen greift er mit der Gabel nach dem letzten Stück Fisch auf seinem Teller, hält die Gabel hoch und mustert interessiert Farbe und Konsistenz des Fischfleisches.
Könnte es sein, dass Chiyo die Schwester von der Leiche im Brunnen ist?
Die Frage floss aus Tanners Munde, als ob er diesen Gedanken gar nicht selber gedacht hätte, sondern nur kurzfristig der Aufbewahrer und Aussprecher einer Frage wäre, die ihm eine geheimnisvolle Instanz in den Mund gelegt hat. Als ob durch eine kleine Lücke in seiner Aufmerksamkeit diese Frage, vielleicht direkt aus seinem Unbewussten, vorbeigeschleust an den Vernunftinstanzen, sich hatte Luft verschaffen können. Aus welchen Komponenten sich diese Frage in Tanners Innerstem gebildet hat, ist im Augenblick nicht zu klären. Ein Ort, wo hundert leiseste Ahnungen, tausend Spurenelementchen von Wahrnehmungen und abertausend Erfahrungssplitter mit der Schnelligkeit eines Hochleistungsrechners geprüft, verglichen, ver-

worfen oder zusammengesetzt werden. Ganz selten werden die delikaten Resultate dieser Vorbewusstseinsmaschine *gedacht*, dringen selten an die Oberfläche des Bewusstseins und wenn es trotzdem einmal passiert, werden sie meist auch gleich wieder als unsinnig verworfen.
Tanner ärgert sich im Stillen maßlos über seine Dummheit. Wie auch immer, die Frage war nun geboren. Sie tanzt mit frecher Aufdringlichkeit in der klimatisierten Luft des Restaurants und lässt sich nicht mehr einfangen, schon gar nicht wieder zurücknehmen. Die Reaktion von Bruckner auf diese hingeworfene Unüberlegtheit ist im höchsten Maße schlicht und einfach.
Er steht nämlich auf und verlässt ohne ein Wort den Raum.

SIEBZEHN

Nachdem Bruckner so unvermittelt den Raum verlassen hat, bittet Tanner nicht sofort um die Rechnung. Erstens macht es keinen Sinn, Bruckner einfach blind hinterherzurennen, und zweitens ist er überzeugt, dass mit diesem schnellen Abgang Bewegung in die ganze Geschichte kommen wird.
Geschichte? Welche Geschichte? Bis jetzt gibt es eine Menge unübersichtlicher Zufälle. Als ob aus verschiedenen Puzzles von Kinderhänden Teile vermischt worden wären und niemand mehr weiß, welche Teile zu welchem Spiel gehören. Und was ist die Rolle seines Schulfreundes? Spielt er überhaupt eine? Oder ist er bloß eine Figur, die zufällig in ein fremdes Spiel hineingestolpert ist? Oder ist er hineingestoßen worden? Er sei ja für seine *Firma* ein paar Jahre in Japan gewesen. Tanner erinnert sich plötzlich wieder an diese Information und an sein eigenes Erstaunen, ja Unbehagen, das er empfunden hat, als Bruckner seine Bank *Firma* nannte. Es klang nach einer Saloppheit, die so gar nicht zu Bruckner passen wollte. Oder schwerlich zu dem Bild, das Tanner von seinem Schulfreund hat, besser gesagt. Alles ist verworren und dunkel.

Tanner seufzt. Er kennt diese Situation. Und erträgt sie trotzdem von Mal zu Mal schwerer. Dabei weiß er aus Erfahrung, dass er jetzt einfach warten muss.
Die Reihen am Tisch, an dem Bruckner zu Beginn des Abends mit den erlauchten japanischen Herrschaften saß, haben sich merklich gelichtet. Der grauhaarige Tetsuo Amagatsu, der große Firmenlenker, hat den Tisch verlassen, ebenso einige der anderen Herren. Dadurch fallen Tanner erst jetzt die drei allein zurückgebliebenen Männer auf. Dafür umso eindrücklicher. Zwei sitzen mit dem Rücken zu Tanner. Auffallend sind die kräftigen, muskulösen Oberkörper, über die sich die dunklen Anzüge spannen. Stiernackig beugen sich die kurz geschorenen Schädel über die Teller. Der Dritte verschwindet fast vollständig hinter den mächtigen Schultern der beiden anderen. Nur ab und zu richtet er sich auf und lässt seine kalten Augen prüfend durch den Raum schweifen. Die Regelmäßigkeit und Hektik dieses Kontrollblicks erinnert an ein Tier, dass während des Fressens ohne Unterlass die Umgebung nach Feinden absucht, die ihm gefährlich werden könnten. Oder nach neuen Opfern für den eigenen Speisezettel.
Wenn das Geschäftsleute sind, dann fress ich einen …
Entschuldigen Sie, Herr Tanner. Ich bringe Ihnen die Rechnung.
Erstaunt blickt Tanner auf. Er hat keine Rechnung verlangt. Die kleine Dame im Kimono steht lächelnd an seinem Tisch und überreicht ihm ein kleines mit Ornamenten verziertes Lackkästchen.
Tanner nimmt es. Die Dame verbeugt sich, nun mit ernstem Gesicht, und lässt ihn mit dem schönen Kästchen allein. Tanner öffnet es, entnimmt ihm die Rechnung, die ziemlich gesalzen ist. Er greift nach seiner Kreditkarte und legt sie mit der Rechnung zurück. Erst jetzt bemerkt er den kleinen gefalteten Zettel, der unter der Rechnung lag. Unauffällig nimmt er den Zettel und lässt ihn unter seiner Serviette verschwinden. Die kleine Dame kommt wieder, nimmt das Kästchen entgegen und trippelt von dannen.
Tanner rührt sich nicht, bis die kleine Dame wiederkommt. Er unterschreibt und bedankt sich für die zuvorkommende Bedienung. Die Dame lächelt und zieht sich mit einer anmutigen Verbeugung zurück. Nur allzu gern hätte Tanner ihren Namen gewusst, aber es wäre aus japanischer Sicht sicher unhöflich gewesen, sie einfach danach zu fragen. Er steht auf, steckt den Zettel in die Hosentasche und ver-

lässt das Restaurant in Richtung Ausgang. Schnell geht er zu den Toiletten und schließt sich in eine Kabine ein. Auf dem Zettel stehen einige eilig hingekritzelte Worte in Englisch. Er soll unverzüglich in die unterirdische Parkgarage kommen. Dort werde er eine weiße Lexuslimousine finden. Unterschrift unleserlich.

Ist das jetzt die Bewegung, die er aus dem unvermittelten Abgang seines alten Schulfreundes ahnte? Oder ist es eine Falle?

Oh je, Tanner. Für solche Spiele bist du einfach zu alt.

Instinktiv greift seine Hand an die Stelle, wo einst seine Dienstwaffe steckte. Aber es ist schon lange her, dass es zur täglichen Routine gehörte, die Waffe einzustecken. Er selber findet die Geste, die ihm unbewusst passiert ist, nur lächerlich.

Zum Glück hat mich jetzt niemand gesehen.

Er betätigt die Spülung und verlässt die Toilette. An der Rezeption macht er kurz Halt, denn er hat noch nicht eingecheckt. Ein gut aussehender, junger Japaner bedient ihn in perfektem Hochdeutsch. Leider hat Tanner im Moment keine Idee, wie er an die Hoteleintragungen herankommen könnte. Allzu gerne möchte er einen Blick darauf werfen. Aber es herrscht zu viel Betrieb in der Hotelhalle und zudem wuseln ständig Hotelangestellte hinter den Schaltern herum. Wahrscheinlich müsste er mindestens Feueralarm auslösen, um unbeobachtet an den Hotelcomputer ranzukommen. Das gute alte Reservierungsbuch, das man unter günstigen Umständen schnell einsehen konnte, hatte ja leider schon längst ausgedient. Tanner setzt sich in einen der Sessel, die im Überfluss in der Hotelhalle herumstehen. Er kann gleichzeitig den Haupteingang und die beiden Lifttüren zu den Parkgaragen beobachten. Er hat die Beine übereinander geschlagen, den Kopf in seine Hand gestützt. Wenn dir jemand sagt, du sollst ganz besonders schnell irgendwo hinkommen, dann setz dich erstmal in Ruhe hin und beobachte die Umgebung. Dies ist eine von Tanners goldenen Regeln. Allzu viele hat er ja nicht.

So sitzt er also. Er sieht aus wie einer, der gewohnt ist, auf seine Gattin zu warten, oder einer, der sich noch nicht entschieden hat, ob er sich an der Hotelbar oder sonst wo in der Stadt voll laufen lassen soll. Wenn er jetzt aufsteht, um der Aufforderung des kleinen Zettels Folge zu leisten, dann wird es keinen Ausweg aus der Geschichte mehr geben. Das wird ihm schlagartig klar. Überraschenderweise hat

dieser Gedanke für Tanner gar nichts Erschreckendes an sich, sondern macht ihn unvermittelt ruhig. Keinem bekannten Beruhigungsmittel würde das in so kurzer Zeit gelingen. Wann hat man schon das Glück, solch einen Entscheidungsmoment so klar zu erkennen. Chirurgisch fein herausoperiert, bloßgelegt von allem Überflüssigen liegt er nun da, dieser Moment der Entscheidung.
Danach … ja, danach wird er sich dann aber ausschließlich auf die Geschichte seines Großvaters konzentrieren, die er wegen der Ereignisse der letzten zwei Tage beinahe vergessen hat.
Die große Lexuslimousine steht weiß leuchtend am dunkelsten Ende der Parkgarage, in der die Luft heiß und zum Schneiden dick ist. Die Fenster sind schwarz und geben nichts vom Innenleben der Limousine preis. Tanner steht eine kleine Ewigkeit, im Schatten einer Säule, und beobachtet den Wagen. Es geschieht nichts. Als es ihm zu dumm wird, stellt er sich mitten in die helle Fahrspur. Einen Augenblick später leuchten die Scheinwerfer des Lexus auf. Ganz kurz. Wie ein Blinzeln.
Ach, schau mal, der Tod zwinkert einem zu, bevor er ausholt …
Tanner bleibt stehen und setzt übermütig zu einer langsamen, tiefen japanischen Verbeugung an, denn er ist überzeugt, dass die Insassen im weißen Lexus japanischer Herkunft sind. Weit kommt er mit seiner Verbeugung nicht. Kaum neigt er den Oberkörper, sieht er das Aufblitzen des grellen Mündungsfeuers, den Schuss hört er schon nicht mehr. Aber der Ansatz der Verbeugung rettet sein Leben. Statt dass die Kugel seinen Schädel zerschmettert, pflügt sie lediglich seine Schläfe. Davon weiß Tanner allerdings nichts mehr. Sein Körper fällt in einen unendlich tiefen Schacht. Zuerst rasend schnell, dann immer langsamer, bis er in Zeitlupe einem hellen Lichtpunkt entgegenschwebt. Seltsamerweise spürt Tanner, wie sein Körper fällt, und sieht sich gleichzeitig fallen. Die Wände des Schachtes sind mit merkwürdigen Zeichen übersäht. Dann und wann erinnern sie an japanische Kalligraphie, dann an gesprayte Geheimzeichen jugendlicher Banden, zeitweise an verschlungene Ornamente, wie sie auf tätowierten Körpern zu finden sind. Tanner fühlt sich eigenartig leicht und hell. Sein Gehirn funktioniert völlig normal, als ob nichts geschehen wäre. Sein Geist akzeptiert ohne kritische Widerrede, dass sein Körper sich quasi ohne nennenswerten Übergang auf einem geheimnisvollen Flug in einem ewig lan-

gen Schacht oder Kanal befindet. Das Einzige, was er nicht wirklich ergründen kann, ist die Frage, ob es immer noch eine vertikale Bewegung ist oder mittlerweile eine horizontale. Ansonsten findet er seine Situation so einleuchtend, als hätte er sich in einen Zug gesetzt und würde sich jetzt stundenlang in Bewegung befinden. Sein wacher Geist sucht sogar akribisch zu ermitteln, ob es Parallelen zu dem Flug des Astronauten aus dem berühmten Kubrickfilm gibt. Verglichen mit den psychedelischen Farbexplosionen, die dort dem Astronauten in rasender Geschwindigkeit entgegenströmen, geht es in Tanners Schwebekanal bedeutend ruhiger zu. Der Lichtpunkt, dem er entgegenfliegt, ist nun deutlich größer geworden. So groß, dass Tanner plötzlich begreift, dass das in der Ferne nicht einfach ein Licht, sondern ein Ausgang ist. Was dort auf ihn warten wird? Hatte er nicht eine Verabredung? Mit Chiyo? Ja! Mit dem Star des Wassergeschäfts!
Herr Tanner, was macht Sie so sicher? Sie konnten doch den Namen nicht lesen.
Aber doch, ich habe die kleine Botschaft auf dem Zettel selbstverständlich als Botschaft von Chiyo gelesen. Da stand ganz deutlich der Name Chiyo.
Herr Tanner, Sie irren sich. Der Name war unleserlich. Sie haben sich vielleicht gewünscht, dass es Chiyo ist.
Nein, da stand deutlich ihr Name. Ich zeige Ihnen den Zettel. Wo hab ich nur den Zettel?
Herr Tanner, bleiben Sie ruhig. Wie ist Ihr Name? Sagen Sie uns bitte Ihren Namen. Wo wohnen Sie? Wissen Sie, in welcher Stadt Sie sich befinden?
Eine angenehm kühle Hand streicht plötzlich über seine Stirn, dann über seine Wangen.
Wie angenehm deine Hand ist, Chiyo.
Herr Tanner, sind Sie wach? Können Sie mich hören? Wenn Sie mich hören, aber nicht sprechen können, drücken Sie meine Hand.
Tanner fühlt, wie eine kleine feste Hand sich in seine Rechte hineinschmiegt, und drückt sie. Die kleine Hand gibt Antwort.
Können Sie die Augen aufmachen, Herr Tanner?
Ich habe meine Augen doch schon offen, Chiyo.
Er lächelt. Die kleine, angenehme Hand lässt seine Hand los. Tanner hört leichtfüßige Schritte, etwas wird ins Wasser getaucht, dann aus-

gewrungen. Er hört die Wassertropfen, die plötzlich sehr laut sind. Einen Augenblick später fühlt er ein kühles Tuch auf der Stirn.
Ich bin nicht Chiiio, oder wie sie heißt. Ich bin Schwester Annette. Sie sind im städtischen Spital, Herr Tanner. Sie waren bewusstlos. Sie wurden am Kopf verletzt, Gott sei Dank nicht sehr schlimm. Aber Sie haben Blut verloren und waren bewusstlos. Können Sie mich verstehen?
Ja, ich kann Sie verstehen.
Tanner blinzelt. Der Schacht verschwindet eigenartig ruckend aus seinem Blickfeld. Das Schweben, seine Fahrt, hat auch aufgehört, ohne dass er den Moment des Anhaltens realisiert hätte. Was er jetzt spürt, ist das Bett. Er liegt in einem Bett. Ach, ja! Stimmt! Hat die Reise des Astronauten im Kubrickfilm nicht auch in einem Bett geendet? Wo er die Altersverwandlung vom Kleinkind zum Greis miterleben konnte. Oder war es umgekehrt? Auf jeden Fall hatte es etwas mit Einstein'scher Relativitätstheorie zu tun. Die Akustik um ihn herum ist genauso eigenartig wie damals im Film.
Herr Tanner, schauen Sie mich bitte an. Ich möchte Ihre Augen sehen.
Tanner öffnet nun gehorsam die Augen. Langsam wird ein neues Bild klar. Riesengroße gletscherblaue Augen, ein gebräuntes Gesicht, umrahmt von blonden Haaren, die vor Stunden wohl streng nach hinten geknotet worden sind, mittlerweile aber ein Stück ihrer Freiheit zurückgewonnen haben. Der Mund öffnet sich, schneeweiße Zähne, rosa Zunge. Die Lippen bewegen sich.
Aha, Schwester Annette.
Tanner denkt es bei sich und studiert das neue Gesicht.
Nein, das ist wirklich nicht Chiyo. Aber Schwester Annette hat auch ein sehr schönes Gesicht und ein charmantes Lächeln. Wäre ihre Nase nicht so groß, respektive etwas schlanker geformt, wäre sie sogar eine richtige Schönheit. Während Tanner das denkt, bleibt Schwester Annette über ihn gebeugt, dreht aber ihr Gesicht weg und spricht zu irgendwem im Zimmer. Durch die Drehung ihres Kopfes gerät ihr Schwesternkostüm etwas aus der Fasson und Tanner sieht nicht nur ihren langen schönen Hals, sondern auch einen Ansatz ihrer braun gebrannten Schulter. Winzige blonde Härchen verteilen sich nach geheimnisvollen Strömungsgesetzen auf ihrer samtigen Haut.
Schwester Annette, wo haben Sie gesagt, bin ich?

Im Universitätsspital, auf der Intensivstation. Können Sie mir Ihre Wohnadresse nennen?
Tanner sagt sie ihr. Er muss erst ein wenig nachdenken. Aber dann fällt sie ihm ein.
Herr Tanner, der Herr Kommissar Schmid möchte sich gerne mit Ihnen unterhalten. Ist das in Ordnung für Sie?
Im Hintergrund hüstelt jemand und korrigiert Schwester Annette mit unterdrückter Gehässigkeit.
Hm ... *Haupt*kommissar Schmid von der Mordkommission, bitte.
Allein am Hüsteln hätte Tanner erkannt, wer da so dringend mit ihm reden wollte. Den Namen hatte er schon längst wieder vergessen. Tanner tut so, als hole ihn gnädig die Bewusstlosigkeit zurück. Sofort wendet sich Schwester Annette ihm zu, tätschelt seine Wange und versucht, ihn wieder ins Bewusstsein zurückzuholen. Sie reibt seine Hände, die etwas kalt sind. Dann drückt sie seine Hände gegen ihre Brust, als wolle sie ihm von ihrer Körperwärme abgeben. Sie hat aber nur mit der freien Hand ihre Stoppuhr gesucht, um seinen Puls zu messen.
Tanner beschließt, die Augen in Gottes Namen wieder zu öffnen. Er blickt in die beiden Gletscherseen, während sie den Puls zählt und ihn mit ernster Miene mustert.
Okay, Herr Hauptkommissar, Sie können jetzt ganz kurz mit Herrn Tanner reden. Sollte er wieder bewusstlos werden, schicke ich Sie raus, verstanden.
Schmid hüstelt, was wahrscheinlich so eine Art Zustimmung bedeuten soll. Im nächsten Moment taucht Hauptkommissar Schmids beleidigte Miene in Tanners Gesichtsfeld auf. Der Mund spaltet sich plötzlich, als ob er mit einem Rasiermesser aufgeschnitten worden wäre, und gibt eine unregelmäßige Reihe von gelben Zähnen frei.
Habe ich Ihnen nicht prophezeit, dass wir uns sowieso bald wiedersehen, Herr Tanner?
Schmids Gesicht verzieht sich zur Grimasse. Wahrscheinlich soll das, was da sein Gesicht verzerrt, ein Lächeln darstellen. Da Schmid sich zu Tanner hinunterbeugt, fällt ihm ein Teil seiner sorgfältig an die Glatze geklebten Strähnen in die Augen und Schmid richtet sich hektisch auf und rückt sie wieder sorgfältig an ihren Platz.
Haben Sie die Mörder von Michiko? Oder tappen Sie immer noch im Dunkeln, Herr *Haupt*kommissar Schmid?

Schmid ignoriert die Frage, ebenso die anzügliche Überbetonung, angelt sich einen Stuhl und setzt sich keuchend.
Haben Sie gesehen, wer auf Sie geschossen hat? Kennen Sie den Täter? Waren Sie vielleicht sogar mit ihm verabredet?
Tanner tut so, als ob er überlegen würde. Dann antwortet Tanner unter Aufbietung des ehrlichsten Blicks, den er gerade zur Verfügung hat.
Nein. Tut mir Leid. Leider dreimal nein.
Schmid glaubt ihm kein Wort. Ein Lächeln bringt sein Gesicht zwar nicht zustande, den Ausdruck der Skepsis beherrscht er umso überzeugender.
Ja, das ist schade. Sehr schade. Ungeheuer schade.
Schmid macht eine lange Pause.
Schade ist es ja vor allem für Sie, denn ohne einen brauchbaren Anhaltspunkt können wir den Schützen natürlich nicht finden. Und ohne dass wir ihn finden, sind Sie ja weiter in Gefahr. Aber vielleicht hat er Sie ja auch nur verwechselt.
Wieder eine lange Pause. Tanner hält dem Blick stand.
Das Licht in der Parkgarage ist ja nicht besonders gut. Es kann also durchaus sein, dass Sie das Opfer einer Verwechslung geworden sind, oder? Ich meine, da Sie ja mit all dem nichts zu tun haben. Sozusagen nur als Tourist in Ihre Geburtsstadt gekommen sind, oder?
Würde ihm der Zynismus wie rotes Blut aus dem Mund rinnen, sähe Hauptkommissar Schmid jetzt wie Graf Dracula *nach* dem Mahl aus.
Was hatten Sie eigentlich in der Parkgarage zu suchen? Ich meine, da Sie ja keine Verabredung mit dem Schützen hatten, wie Sie überzeugend dargelegt haben, und auch Ihr Auto nicht in der Garage dieses Hotels stand, wird die Frage ja erlaubt sein, was Sie denn da zu suchen hatten. Und warum Sie das Hotel gewechselt haben, wäre natürlich interessant zu wissen. Ach ja, und warum Sie die Barfrau Nicki damit beauftragt hatten, das Hotel zu reservieren und, damit nicht genug, ihr auch noch den Auftrag gaben, Ihre Siebensachen von dem einen Zimmer ins andere zu tragen, ja, das würde uns auch noch interessieren. Denn das ist ja eher außergewöhnlich, oder?
Leider hat Hauptkommissar Schmid ziemlich Recht. Sogar so Recht, dass es Tanner vorzieht, eine neue Bewusstlosigkeit vorzutäuschen.
Sofort tritt Schwester Annette in Aktion, macht ihr Versprechen

kraft ihrer Autorität als Verantwortliche für das Überleben Tanners wahr und jagt wie der Erzengel Michael den an seinem Ärger fast erstickenden Hauptkommissar Schmid aus ihrem Reich.
Ich komme wieder. Ich komme wieder. Ich komme …
Noch außerhalb der Intensivstation hört man ihn toben.
Das haben Sie gut gemacht, liebe Schwester Annette.
Tanner sagt es unvermittelt, als Schwester Annette mit ihrer kleinen kühlen Hand nach seinem Puls fühlt. Hey, Sie haben mich zu Tode erschreckt. Machen Sie das nie wieder!
Sie wendet sich um und wühlt in einem Medizinschrank.
Es tut mir Leid, Schwester Annette, es soll nicht wieder vorkommen, aber ich wusste nicht, wie ich sonst diesen aufdringlichen Kommissar hätte loswerden können.
Schwester Annette hat nun den Inhalt des Schrankes genug durcheinander gebracht und wendet sich Tanner zu.
Wollen Sie etwa aufstehen? Sie sind verrückt? Legen Sie sich sofort wieder ins Bett, Herr Tanner.
Wie lange liege ich denn schon hier? Ich muss dringend weg. Verstehen Sie, Schwester Annette?
Sie sind seit elf Stunden hier. Sie sind total geschwächt und brauchen Bettruhe und Beobachtung. Wir wissen noch nicht, ob der Streifschuss auch ihr Hirn, äh …
Sie meinen, durcheinander gebracht hat? Ich glaube nicht. Mir geht es schon wieder sehr gut. Ich habe nur leichte Kopfschmerzen. Bitte, Schwester, es ist ganz wichtig, dass ich so schnell wie möglich aus diesem Spital herauskomme. Es geht um ein Menschenleben. Bitte helfen Sie mir!
Im Moment, wo er das ausspricht, weiß Tanner gar nicht, wen er meint. Sich selber? Natürlich. Er ist in Gefahr, das ist klar. Plötzlich wird ihm bewusst, dass er auch an seinen Freund Bruckner denken muss. Ist auch er in Gefahr? Vielleicht bloß, weil er mit ihm zusammen im Restaurant saß? Und Elsie. Wann hat er das letzte Mal an ihrem Bett gesessen und ihr vorgelesen? Sein Kopf dröhnt. Er kann sich nicht erinnern. Ohne das Vorlesen wird sie nie mehr erwachen, hämmert es in seinem Schädel.
Beruhigen Sie sich, Herr Tanner. Ich werde mit den Ärzten sprechen. Dann komme ich zurück und wir werden sehen, was zu tun ist. Vertrauen Sie mir.

Tanner legt sich erschöpft zurück. Schwester Annette deckt ihn zu, streicht ihm über den Kopf.
Als sich die Tür hinter Schwester Annette schließt, versucht Tanner aufzustehen. Mit Schwindelgefühl und Ohrensausen steht er neben seinem Bett, hält sich am Bettgestell und wartet, bis es in seinem Kopf klarer wird. Dann blickt er sich um und versucht sich vorzustellen, wo seine Kleider sind. Der Infusionsschlauch ermöglicht ihm wenig Spielraum.
Ich muss unbedingt den Zettel mit der Nachricht finden, bevor es der Polizei in den Sinn kommt, meine Klamotten zu durchsuchen.
Während er diesem Gedanken nachhängt, öffnet sich leise die Tür und Martha tritt ein.
Mensch, Tanner, was machst denn du für Sachen? Und wieso stehst du neben dem Bett? Du bist doch auf der Intensivstation. Sag mal, spinnst du? Geh sofort wieder ins Bett. Brauchst du etwas? Kann ich dir etwas besorgen?
Tanner schaut verständnislos.
Woher kommst du denn? Woher weißt du, dass ich …
Ich wusste, dass du dich gestern Abend mit Bruckner verabredet hast. Ich wollte dich unbedingt sehen. Da du nie abgenommen hast, habe ich im Hotel angerufen.
Dann begrüß mich doch erstmal, bevor du mich mit Fragen und Vorwürfen bombardierst.
Martha kommt auf ihn zu und mit einem entschuldigenden Lächeln umarmt sie ihn zart, als sei er eine zerbrechliche Glasfigur.
Hey, ich habe nur eine leichte Streifwunde am Kopf. Du kannst mich ruhig richtig umarmen. Das brauche ich nämlich gerade am meisten.
Martha seufzt ergeben und umarmt ihn etwas kräftiger. Tanner umschlingt mit beiden Armen ihren Körper und hebt sie hoch, bevor Martha sich wehren kann.
Also, du Spinner, lass mich sofort runter. Du warst doch einige Zeit bewusstlos, oder nicht?
Ja, das war der Schock oder so. Aber du siehst ja, mir geht es gut. Der Rest ist eine Lappalie.
Tanner lässt sie los und sinkt wieder aufs Bett. Martha setzt sich auf den Bettrand und hält seine Hand.
Jetzt erzähl mir mal der Reihe nach, was dir passiert ist. Übrigens,

der Kopfverband würde dir sehr gut stehen, hätte dein Gesicht nicht dasselbe Weiß wie der Verband. Also erzähl mir nichts von Lappalie und so. Ich habe Augen im Kopf.
Martha sieht umwerfend aus.
Martha, du siehst umwerfend aus.
Tanner, soll ich gehen?
Nein, nein. Bleib. Ich erzähle dir gleich alles der Reihe nach.
Tanner berichtet ihr rasch von seinem Essen mit Bruckner und lässt erwartungsgemäß die wichtigen Details aus. Zum Beispiel sagt er nichts von Chiyo und auch nichts vom Zettel mit der Nachricht. Er behauptet, dass er Bruckner in die Tiefgarage nachgegangen sei, weil er ihn nach der Verabschiedung noch etwas fragen wollte.
Aha.
Martha macht eine deutliche Pause, während sie Tanner kritisch anschaut.
Und während du die Garage nach Bruckners Auto abgesucht hast, fiel plötzlich ein Schuss. Und dann weißt du nichts mehr.
Wieder eine Pause, in der Martha sich abwendet, so dass Tanner ihr schönes Profil bewundern kann.
Plötzlich steht sie abrupt auf, bleibt aber neben dem Bett stehen.
Hör mal Tanner, willst du mich für blöd verkaufen? Das macht doch alles keinen Sinn! Na ja, wenigstens nicht für mich. Außer …? Bist du vielleicht verwechselt worden?
Tanner wiegt den Kopf, versucht nicht zu schnell zuzustimmen.
War es denn dunkel in der Garage?
Ja, ziemlich düster.
Und du hast nicht gesehen, woher der Schuss kam? Aus einem Auto vielleicht? Oder hast du jemanden gesehen? Eine Gestalt? Einen Schatten?
Nein, leider nicht, liebe Martha. Sonst würde ich es dir doch sagen. Kannst du mir helfen, aus diesem blöden Krankenhaus rauszukommen? Wenn ich nämlich nicht verwechselt worden bin, dann bin ich immer noch in Gefahr. Und ich habe nicht vor, hier im Spitalbett zu warten, bis mich der Mörder im Schlaf erstickt oder so. Du kennst doch das aus den Krimis. Der Mörder schlägt einen Arzt bewusstlos, zieht sich den Arztkittel …
In diesem Augenblick kommt Schwester Annette ins Zimmer.
So, Frau Tanner, Ihre Zeit ist abgelaufen. Ihr Mann muss sich noch

schonen. Sie wollen doch nicht, dass er wieder einen Schwächeanfall hat. Verabschieden Sie sich und kommen Sie gegen Mittag wieder. Am Mittag werden die Ärzte entscheiden, wie es mit ihrem Mann weitergeht. Vielleicht können Sie ihn dann gleich mitnehmen.
Tanner guckt verblüfft zu Martha. Ihre Wangen sind gerade dabei, sich aufs Schönste zu entflammen. Um dieses Naturspektakel zu verbergen, spielt sie die gehorsame Ehefrau, umarmt ihren Mann, verbirgt wie in einer dramatischen Gefühlsaufwallung ihr heißes Gesicht am Hals von Tanner. Keuchend flüstert sie in sein Ohr.
Sonst hätten die mich doch gar nicht zu dir gelassen. Verzeih die Notlüge.
Ich denke nicht daran. Nichts verzeih ich dir. Küss mich, du dreimal schlaues Luder. Alles hat Konsequenzen …
Nachdem Tanner zurückgeflüstert hat, küsst er sie auf den Mund. Zuerst presst sie, wie kleine Mädchen, die nicht geküsst werden wollen, ihre Lippen aufeinander, dann gibt sie den Widerstand auf und küsst ihn zurück. Tanner bekommt sofort eine Erektion. Und zwar eine, die sich gewaschen hat.
Martha richtet sich auf. Nun ist ihr Gesicht ein Flammenmeer und sie rennt geradezu aus dem Zimmer.
Na, Sie haben ja eine stürmische Frau. Gratuliere, Herr Tanner.
Ja, ja, stürmisch ist sie auch.
Tanner lächelt.
Wenn es Ihnen so gut geht, wie Sie behaupten, könnten Sie jetzt einmal kurz aufstehen, dann werde ich das Bett frisch beziehen.

ACHTZEHN

Michel ist müde. Erschöpft lehnt er sich auf seinem ächzenden Stuhl zurück. Der Stoß Akten auf seinem Schreibtisch will und will nicht kleiner werden. Die Hitze auch nicht. Wie oft hat er das Fenster geöffnet und gleich wieder geschlossen, denn die Hitze draußen ist noch größer als drinnen.

Ich hasse Kühe. Ich hasse Tiere sowieso. Aber ganz besonders hasse ich erschlagene Kühe, die in Seen auftauchen ...
Reden Sie mit sich selber, Kommissar Michel, oder haben Sie mich gerufen?
Die Besitzerin der Stimme lehnt mit verschränkten, nackten Armen in der Tür.
Seit drei Tagen ist im Kommissariat ein Lichtblick aufgetaucht. In Gestalt einer Praktikantin namens Claire. Direkt von der Polizeischule. Claire ist schlank, mit blondem, kurz geschnittenem Haar, das meist so verstrubbelt ist wie bei einem kleinen Jungen. Sie trägt eine verwaschene Jeans, die ihre knabenhafte Figur unterstreicht, blassblaue Turnschuhe und eines dieser weißen Jungenleibchen. Michel starrt die Praktikantin an, als wäre sie eine Erscheinung. Sie hat die dunkelsten Augen, die Michel je gesehen hat. Und das zu blondem Haar! Na ja, wahrscheinlich bleicht sie die Haare. Aber ist das ein Trost?
Aus unerklärlichen Gründen wurde in den schwindelerregenden Höhen des Polizeihimmels von den Chefgöttern bestimmt, dass Claire ihr Praktikum in den Niederungen des dicken Michels absolvieren soll. Alle, das ganze Kommissariat, einschließlich er selbst, glaubten sofort, dass es sich nur um einen kapitalen Irrtum handeln könne. Aber bis heute wurde die Entscheidung nicht widerrufen.
Haben Sie keine richtige Arbeit für mich? Seit Tagen kopiere ich Akten, ordne Akten, lasse Akten durch den Papierwolf. Noch ein paar Tage, und ich werde selber zu so einer Scheißakte.
Michel starrt sie an.
Hallo! Ich habe Sie etwas gefragt! Sind Ihnen vor lauter Scheißhitze die Stimmbänder durchgeschmolzen? Sie haben wirklich das heißeste Scheißbüro im ganzen Kommissariat. Warum haben Sie nicht schon längst eine Klimaanlage beantragt? Und warum beachten Sie mich drei volle Tage nicht? Bin ich Luft? Sie sind mein Chef! Geben Sie mir eine richtige Arbeit! Auf der Stelle!
Michel starrt sie immer noch unverwandt an. Dann hat er eine Eingebung.
Besorgen Sie mir eine äh ... eine Klimaanlage, Claire.
Michel wendet sich wieder seinen Akten zu und brummt vor sich hin.
Nicht beachten? Was meint sie denn damit?

Seit sie hier ist, starrt er sie an. Als wäre sie ein Weltwunder. Dabei hat sie nichts, aber gar nichts vom dem, was ihm sonst an Frauen gefällt.
Okay. Ich beantrage eine verfluchte Scheißklimaanlage. Geben Sie mir dann eine verdammte Arbeit? Richtige Polizeiarbeit?
Also gut, wenn Ihnen das gelingt: Ja!
Wenn man wie Michel aus leidvoller Erfahrung weiß, wie langsam die Mühlen der Verwaltung mahlen, wird es bis zum Einbau einer Klimaanlage schon wieder schneien. Wenn überhaupt!
Mit einem Satz ist Claire bei Michel, umarmt ihn von hinten, und zwar mit einer Kraft und einer Ungestümheit, die er ihrem zarten Körper nie zugetraut hätte.
Versprechen Sie es mir?
Ja! Ich hab ja *Ja* gesagt! Und jetzt lassen Sie mich los. Sie zerquetschen mich ja!
Och, Sie Armer, entschuldigen Sie, falls ich ihnen wehgetan habe.
Sie lacht frech und hüpft zur Tür hinaus.
Und hören Sie auf mit der verdammten Scheißflucherei!
Er ruft es ihr hinterher. Ob sie es noch gehört hat?
Die Wahrheit ist, dass sie ihm natürlich nicht wehgetan hat, sondern dass er sich seines Schweißes und seines Körpergeruchs schämt. Denn sie – sie riecht nach Frühling. Definitiv. Nach frischen Frühlingsblumen. Oder nach einer frisch gemähten Wiese.
Nach diesem verfluchten Duft eben, den einfach nur gewisse junge Mädchen haben. Und das hat nichts mit Parfum zu tun, verdammt noch mal.
Plötzlich schämt er sich seiner schwärmerischen Gedanken.
Michel versucht, sich wieder auf seine Akten zu konzentrieren. Aber der junge Mädchenkörper, gerade noch an seinen breiten Rücken gepresst, will ihm nicht aus dem Kopf.
Er gibt sich einen Ruck. Greift entschlossen nach einer neuen Akte. Immerhin hat ihn seine Lady doch noch verlassen, trotz der schönen Liebesnacht und ihrer neuerlichen Fürsorge. Und am gleichen Tag stand *sie* da. Claire. Dieser Name. Wie der über die Zunge rollt …
Mensch, Michel. Nimm dich zusammen. Frühling? Gemähte Wiese? Was sind das bloß für Kindereien? Ich glaub, ich spinne.
Nein, Boss! Sie spinnen nicht. Der Auftrag ist bereits erledigt. Bin

schon wieder da. Begierig auf die Arbeit, die Sie mir versprochen haben.
Sie huscht ins Büro und schwupps, sitzt sie neben dem Stoß Akten auf dem Schreibtisch.
Wie? Erledigt? Wie haben Sie das denn gemacht, Claire?
Das ist doch ganz einfach. Ich habe die städtische Materialverwaltung angerufen und gesagt, dass der Präsident der Polizeiverwaltung eine Scheißklimaanlage braucht. Und zwar subito. Morgen früh soll sie eingebaut werden, sonst setzt's was.
Das haben Sie gesagt?
Ja, klar. Und wissen Sie, was das Beste ist?
Nein. Aber Sie werden es mir sicher gleich sagen, Claire.
Geht in Ordnung!
Wie?
Das haben die gesagt. Geht in Ordnung. Ich musste dann nur noch die richtige Büronummer angeben, also die Nummer von Ihrem Büro, und das war's. Also, kriege ich jetzt eine richtige Arbeit?
Michel starrt sie an.
Also, äh … ja. Aber wenn Sie noch einmal Scheiße sagen, nehme ich Ihnen die Arbeit wieder weg. Alles klar?
Ay, ay, Boss!
Dasselbe gilt für das Wort Boss. Michel genügt.
Okay, einverstanden, Michel. Mich darfst du Claire nennen.
Er hat zwar nichts von duzen gesagt. Michel seufzt.
Also, dann hör mir in Gottes Namen zu.
Sofort beugt sich Claire nach vorne, ihre Hände umfassen ihre Knie. Ein Bild der Aufmerksamkeit und Konzentration. Für Michel wird's allerdings schwierig mit der Konzentration, denn ihr eh schon knappes Hemdchen gewährt ihm jetzt einen absolut freien Ausblick auf ihre zwei runden Hügelchen. Offenbar badet sie nicht oben ohne, sondern trägt einen Bikini. Wahrscheinlich um ihre hellrosa Spitzchen vor der Sonne zu schützen. Ja, ja, solche sichtbaren Details führen Michel halt zu bestimmten Rückschlüssen. Schließlich ist er ja Kommissar.
Michel steht auf.
Also entschuldige, ich muss mich mal bewegen.
Nach zwei Schritten bleibt er stehen und schaut ihr direkt in die Augen. Will sie ihn anmachen? Aber er kann nichts in ihren dunklen

Augen entdecken als gespannte Neugier. Sie weiß anscheinend nichts von der Offenbarung ihrer Schönheit, der er gerade teilhaftig geworden ist.
Ob ich das durchstehe? Wenn nicht, auch gut. Ihr Männer von Athen, steht mir bei!
Was redest du da, Michel?
Sie richtet sich auf und verschränkt die Arme.
Nichts, nichts. Ist nur so 'ne Redensart. Du willst Arbeit? Hier ist die Arbeit.
Er öffnet eine dicke Akte. Kniet sich ächzend auf den Boden, breitet stumm und mit Sorgfalt viele Fotos vor sich aus.
Claire, die Aufgabe heißt: Finde heraus, mit welchem Instrument oder Werkzeug diese Kühe erschlagen wurden.
Claire kniet sich sofort hin und studiert aufmerksam ein Foto nach dem anderen. Michel erhebt sich und lässt sich wieder in seinen Stuhl fallen. Dann doziert er.
Und warum müssen wir das dringend herausfinden? Es ist die einzige Chance, endlich eine greifbare Spur zu finden. Denn wir wissen nicht, *wem* die Kühe gehören. Wir wissen nicht, *wer* sie erschlagen hat. Wir wissen nicht, *warum*. Das heißt, wir wissen nichts. Gar nichts. Der Ort, wo wir sie gefunden haben, hat uns leider auch nichts erzählt. Keine Fingerabdrücke, keine vergessenen Kippen, kein einziger Hinweis. Wahrscheinlich Profis, die nichts und gar nichts zurückgelassen haben, was uns die Arbeit erleichtern würde. Aber die Form und die Tiefe der Wunden sind doch erstaunlich, oder? Und da setzt deine Arbeit ein, Claire. Alles klar?
Claire antwortet nicht mehr, sie ist schon zu vertieft in das Studium der Fotos.
Ich mache für heute Schluss. Habe jetzt einen wichtigen Termin. Ich meine, außerhalb des Büros. Wir sehen uns morgen früh.
Michel steht an der Tür. Claire rührt sich nicht.
Hallo, Claire! Ich gehe jetzt.
Ja, ist gut, Michel. Dann verschwinde endlich und lass mich in Ruhe nachdenken.
Sie guckt ihn nicht einmal an. Spricht man so mit seinem Vorgesetzten? Michel lächelt und verlässt das Büro.
Warum macht mich das nicht sauer? Na ja, auch egal!
Er geht eilig die Treppe hinunter und quetscht sich in sein Auto. Der

Termin ist übrigens nichts anderes als ein Treffen mit seiner drallen Lady, die ihn zwar verlassen, aber heute Morgen überraschend um ein dringliches Treffen gebeten hat. Also macht er sich brav auf den Weg. Sie wohnt etwas außerhalb der Stadt in einem ländlichen Vorort.
Was sie wohl von ihm will? Merkwürdig, noch vor zwei Tagen war er völlig verzweifelt und hat mit allen Mitteln versucht, sie umzustimmen. Heute ist sein Gefühlszustand ein völlig anderer. In seinem Innern macht sich eine Leichtigkeit bemerkbar, wie er sie schon lange nicht mehr gefühlt hat. Es fehlt nicht viel und er wird irgendein Liedchen zu trällern beginnen.
Ein selbstkritischerer Mensch als Michel würde sich in diesem Moment wahrscheinlich eingestehen, dass er nicht wirklich aus Liebe verzweifelt gewesen ist, sondern bloß in seinem Selbstwertgefühl gekränkt wurde. Dieses Selbstwertgefühl erfährt nun seit drei Tagen eine überraschend angenehme, blonde Tröstung. Eine, die der Himmel geschickt hat. Übrigens endlich mal eine Entscheidung von denen da oben, über die es nichts, aber gar nichts zu meckern gibt. Und das hat man immerhin seit Jahren nicht mehr erlebt.
Michel selbst ist natürlich meilenweit entfernt von solch kritischer Selbstanalyse. Er redet sich ein, dass er sich bloß freut, eine Mitstreiterin gefunden zu haben. Eine, die zu ihm aufschaut, und eine, die mit einem einzigen energischen Telefonat dafür sorgt, dass schon am Tag darauf eine Klimaanlage in seinem Büro installiert wird. Und wenn sie das schafft, wird sie auch einen Weg aus dem verworrenen Fall der erschlagenen Kühe finden, davon ist er überzeugt. Und dazu duftet sie nach frischem Heu oder so. Also alles in allem ein riesiger Fortschritt im Vergleich zu seinen beiden Volltrotteln.
Ja, ja, ihr Männer von Athen, ihr werdet sehen … Bitte schön, gehen Sie ruhig über die Straße, Sie alte Schachtel. Ich wünsche Ihnen einen schönen Tag.
Glücklich winkt die alte Frau dem freundlichen Autofahrer zu, der ihr mit galanter Armbewegung den Vortritt über den Zebrastreifen gewährt.
Vor dem kleinen Mehrfamilienhaus, wo seine Geliebte, äh … Exgeliebte wohnt, gibt es zum Glück einen freien Parkplatz. Das hätte ihm jetzt allerdings die gute Laune verdorben, auch noch ewig lange einen Parkplatz suchen zu müssen. Nachdem er den Motor ausgeschaltet hat, schaut er sich einen Moment im Spiegel an.

Du schläfst nicht mit ihr, Michel! Egal, was passiert. Du tust es nicht. Sonst rede ich nicht mehr mit dir. Ist das klar?
Michel nickt tapfer seinem Spiegelbild zu, obwohl er im gleichen Augenblick das Aufsteigen einer verdächtigen Wärme in seinen Lenden spürt. Die unterschlägt er aber großzügig.
Kaum geklingelt, öffnet sich sofort die Tür, als hätte seine Lady die Türklinke schon in der Hand gehalten, um mit dem Klingeln die Tür aufzureißen. Bevor er nur ein Wort sagen kann, zieht sie ihn in die Wohnung, und zwar mit einer gleichzeitigen pirouettenhaften Drehung, so dass sie im selben Moment, in dem sie ihn umarmt, mit ihrem Fuß die Wohnungstür hinter sich mit einem lauten Knall zuschlagen kann.
Ich habe dich vermisst, mein dicker Bär. Du Böser, du Schlimmer. Seit zwei Tagen meldest du dich nicht mehr. Was tust du mir an?
Sie keucht die einzigen Sätze in sein Ohr, die in der nächsten knappen halben Stunde in dieser schön abgedunkelten und relativ kühlen Wohnung gesprochen werden. Ab jetzt wird nur noch ein reichhaltiges Repertoire an Stöhnen, Keuchen und Schreien zu hören sein. Vielleicht noch ansatzweise oder fragmentarisch Wörtchen wie *jaja,* oder *neinnein,* oder *jetztjetzt.*
Sie drängt fordernd ihren nur mit einem Negligee umhüllten Körper an ihn und sucht mit den Lippen seinen Mund. Ihre beiden Hände haben, schneller als er denken kann, seinen bereits hart eregierten Schwanz gefunden, der offenbar von dem Versprechen, das sich Michel im Auto gegeben hat, nichts gehört haben will. Und sie hält ihn so, als ob sie ihn nicht mehr so schnell loslassen würde. Auch dann noch, als ein guter Teil seines Schwanzes bereits tief in ihrem Mund verschwindet.
Stöhnend wirft nun auch das Michel'sche Oberkommando, inklusive sämtliche Hüter des schlechten Gewissens, alle tapfer gefassten Vorsätze mit Schwung über Bord. Er zieht sie zu sich hoch und seine Hände greifen wild nach ihren Brüsten, die so prall sind, als müsste jeden Moment die mit blauen Äderchen durchsetzte Haut aufplatzen, und er wünscht sich einmal mehr viel größere Hände, um diese unbegreiflich schwellende Form als Ganzes zu spüren. Ihre tiefroten Spitzen sind ebenso hart wie sein Schwanz. Seine Hände wandern ihren Bauch hinab, zwischen ihre Schenkel.
Vier Hände sollte man haben oder sechs, stöhnt es in ihm, um die-

sem zitternden Vulkan mit all seinen Erhebungen, Vertiefungen und Spalten gerecht zu werden. Ihr geht es ebenso. Und so greifen vier Hände wild und süchtig in das Fleisch des anderen, nicht selten auch in das eigene, um dem anderen oder sich selbst die Lust noch heftiger zu steigern. Besinnungslos vor Gier, immer einen nächsten Ort aufspürend, der noch weit dringender nach Berührung schreit als der gerade bearbeitete. Auch die Münder finden sich tausendmal für verzweifelte Momente, nur um dann noch gieriger einen anderen Schatz zu heben.
Die beiden wild um sich schlagenden und in sich greifenden Körpermassen wälzen sich, halb kniend, halb stehend, selten liegend, durch die Wohnung. Einiges geht dabei zu Bruch oder wird zerrissen. Als sie endlich auf dem Bett angekommen sind, beide nunmehr nackt, setzt sie sich rittlings auf seinen Körper und nimmt ihn tief in sich auf. Dann erst wird es allmählich still. Sie schließt die Augen, seufzt und hebt das Gewicht ihres nach Explosion schreienden Körpers langsam auf und ab. Ihre Hände flach auf seine Brust gestemmt. Sie stößt sich quälend langsam hoch, bis sie ihn fast verliert, seinen Kelch gerade noch zwischen ihren geschwollenen Lippen, hält einen Moment zitternd inne, lässt sich gleitend fallen, bis sein harter Schaft sie wieder schmatzend füllt. In seinen Händen liegt das ganze Gewicht ihrer Brüste. Dann massiert er ihre Spitzen. Sein pochendes Glied ist jetzt ihr Zentrum. Das ihn umschließende Gefäß das seine. Beide spüren nur noch *eine* brennende Mitte, sonst nichts mehr.
Jetzt, Götter, haltet ein, denkt Michel flehend. Sie denkt in etwa das Gleiche, wenn auch mit anderen Worten. Heute will sie nicht als Erste kommen. Heute will sie stärker sein als er. Das ist es, was *sie* sich für das heutige Treffen vorgenommen hat. Heute soll *er* für einmal um Erlösung flehen. Und sie weiß noch nicht, ob sie sie ihm dann gewähren wird, diesem Schuft.
Und so verwandelt sich der unmittelbar vorher noch so wilde Körperkampf in ein stilles, zähes Ringen. Und wie an wolkenlosem Himmel durch einen unmerklichen Anstieg der Feuchtigkeit, scheinbar aus dem Nichts, Wolken entstehen, so destilliert sich aus ihren Gefühlen der liebenden Begierde ein Fluidum von tödlichem Hass. Ein Hass, der plötzlich da ist, wie zuvor die Begierde, der nicht weniger herrisch die Seelen ergreift, nichts anderes mehr duldet, kein anderes Gefühl neben sich. Auch wenn die Innenleben der Körper in

Bruchteilen von Sekunden wie ausgewechselt sind, an der äußeren Handlungsweise ändert sich nichts.
Immer kurz bevor sie den Punkt erreicht, bremst sie die Bewegung und wartet darauf, bis die Kontrolle über ihren Körper wieder ganz in ihrer Hand ist.
Michel hat natürlich längst ihr Spiel durchschaut und wartet geduldig auf seine Chance. Tut so, als ob sie heute leichtes Spiel mit ihm haben würde. Die Erlösung wird ja kommen, sie ist greifbar und er braucht sie auch, dringender denn je. Aber den Triumph des Sieges will er ihr nicht geben. Nein, um keinen Preis. Immerhin hat *sie* ihn ja verlassen.
Nach und nach fängt er an, sich genau dann zu bewegen, wenn sie eine kleine Pause machen muss. Er spürt, wie es ihr zu schaffen macht. Sie keucht, auch wenn sie es versucht zu verbergen. Seine Hände greifen nach ihren Brüsten. Er liebkost sie im Rhythmus seines Stoßens. Sie geht zum Gegenangriff über. Sie richtet sich ganz auf und ihre Hände wandern hinter ihrem Rücken zwischen seine Beine.
Oh, du gemeines Luder.
Er stöhnt. Er intensiviert die Arbeit an ihrer Brust. Ein Zittern geht durch ihren Körper. Er weiß, wie gern sie es hat. Heute hasst sie ihn dafür. Ihre Hände umgreifen nun ganz seine Eier.
Michel stöhnt, als ob es um ihn geschehen wäre. Sie glaubt es, lässt in ihrer eigenen Aufmerksamkeit nach – und dann geschieht es.
Du Schuuuuft …
Mit ihrem Schrei löst sich alles. Alle Barrieren stürzen und sämtliche Tore und Türen ihrer Lust öffnen sich weit, überfluten sie. Als Erstes löst sich ihr Wasser. Es spritzt förmlich aus ihr heraus, trotz der harten Füllung, und die warme Nässe überschwemmt Michels Bauch. Dann lässt auch er sich gehen. Schleudert brüllend seinen Saft gegen ihr stürzendes Wasser.
Michels Wahnsinn ist zu Ende, wenn er sich leer gespritzt hat. Aber sie? Sie bäumt sich noch lange. Sie hasst ihn dafür.
Als alles vorbei ist, dreht sie sich abrupt um. Weint sie? Michel ist nicht sicher. Aber umso deutlicher spürt er den Hass. Allmählich hängt er wie eine kalte Wolke im ganzen Zimmer.
Er versucht sie noch einmal zu umarmen. Aber vergebens. Sonst liebte sie dieses Nachspiel. Heute stößt sie ihn grob weg.

Okay, ich hab's versucht.
Er denkt es wohlweislich still bei sich.
Michel steht auf, duscht sich ausgiebig, jederzeit gefasst, dass sich seine Lady wie eine Furie auf ihn stürzt. Mit Vorwürfen steinigt. Mit Anschuldigungen zerkratzt. Aber nichts geschieht.
Er schleicht zurück zur Schlafzimmertür. Sie schläft. Den Göttern sei Dank! Ein Wunder ist geschehen. Normalerweise ist sie nach dem Sex voller Energie und will die Bäume eines ganzen Waldes ausreißen. Sie liegt unterdessen auf dem Rücken. Michel schaut noch einmal auf den Körper, der ihn zum Rasen gebracht hat. Jetzt wirkt er abstoßend, beinahe obszön.
Also, Michel, nichts wie raus aus der Wohnung. Ich habe gewonnen. Ich bin der Sieger.
Und jetzt geschieht noch ein Wunder. Nachdem er seinen Triumph heiser hinausgeflüstert hat, beginnt er ein Liedchen zu trällern! Im Treppenhaus noch leise und verhalten, auf der Straße schon ziemlich laut und mit Andeutungen von Tanzschritten. Im Auto angelangt, wird der Motor synchron zu einer neuen Arie gestartet, und jetzt steht Michel in seinem euphorischen Geiste vollends auf einer großen Opernbühne. Zuerst wird er zum Domingo, dann zur Bartoli und endlich zu einem neuen Farinelli.
Oben am Fenster bewegt sich leicht der Vorhang. Michel sieht es nicht. Er singt mittlerweile so hoch und schrill, dass es ein Wunder ist, dass die Scheiben des Autos nicht zersplittern.
Und sein Geist ist bereits weit vorausgeeilt. In seine ländliche Lieblingskneipe, wo sie noch anständige Portionen für Menschen mit anständigem Hunger servieren. Er wird alle seine Lieblingsspeisen bestellen. Eine nach der anderen. Der Reihe nach.
Zwei Stunden später befindet sich Michel, wohlgenährt, rundum zufrieden mit sich und der Welt und entgegen seiner ursprünglichen Absicht, wieder auf dem Weg in sein Büro und ist gespannt, ob Claire noch da ist.
Sie ist nicht mehr da. Aber sie hat etwas für ihn gebaut. Eine lebensgroße Kuh.

NEUNZEHN

Niemand würde behaupten, dass die Kuh eine besonders schöne Kuh sei. Aber es ist eindeutig eine Kuh. Sie füllt mit ihrer wuchtigen Körperfülle fast das ganze Büro. Für den Leib hat Claire den Aktenschrank als Grundkonstruktion verwendet. Sie hat ihn allein oder mit der Hilfe von wer weiß welchen Idioten von der Wand, wo er seit einundzwanzig Jahren unverrückbar stand, in die Mitte des schmalen Büros gewuchtet. Die Beine sind mit langen Papprollen dargestellt, die sie wahrscheinlich aus dem Archiv entwendet hat. Für die Rundung des Körpers hat Claire offensichtlich irgendwelches Papierzeug auf den Aktenschrank gehäuft. Auf jeden Fall ist Michels Bürotisch erstaunlich leer. Über das Ganze hat sie dann jene überdimensionierte Blumendecke gelegt, die ihm vor einem halben Jahr seine Lady geschenkt hatte, damit er im Büro niemals frieren muss, wenn er sich auf seinem ächzenden Bürostuhl mal ein Nickerchen genehmigen möchte. Er, Michel, und frieren? Er hat die Decke bis jetzt noch kein einziges Mal angerührt. Sie lag verstaubt unter einem Stoß Akten. Bis Claire sie für würdig befunden hat, das Fell der Kuh darzustellen. Na gut. Eine Kuh mit einem Blumenfell ...

Am meisten Mühe hat sich Claire offensichtlich mit dem Kopf der Kuh gemacht. Der ist ihr erstaunlich gut gelungen, wenn man bedenkt, dass sie dafür nur Pappschachteln, Schere und Klebeband zur Verfügung hatte. Das muss sogar ein so kritischer Kunst- und Kuhfachmann wie Michel zugeben. Er tut es, indem er mehrere Male beifällig grunzt. Normalerweise sind das Töne, die er mit vollem Munde abgibt, um anzuzeigen, dass es ihm schmeckt.

Ohne nachzumessen, ist Michel überzeugt, dass die Größenverhältnisse dieses paarhufigen und wiederkäuenden Bewohners seines Büros mit den Maßen der aktenkundigen Kühe präzise übereinstimmen. Es wäre für den vollgefressenen Michel auch viel zu heiß, um so komplizierte Verrichtungen wie Nachmessen durchzuführen. Also glaubt er es auch so.

Aha, jetzt schlägt's dreizehn.

Die Augen von Michel werden groß, als er die nachempfundene Wunde auf dem Schädel der Kuh entdeckt.

Und noch größer – sozusagen kuhaugengroß –, als er den aus Besen-

stil und Pappschachtel gebastelten Nachbau eines gewaltigen Hammers in der Ecke entdeckt.
Ja, ihr Männer von Athen, jetzt schaut euch dieses mordsmäßige Scheißding von einem Hammer an. Ich glaub, ich spinne.
Besenstil stimmt übrigens. Bei der Pappschachtel irrt er sich. Er merkt es, als er den Hammer mit einer Hand hochheben will.
Du verfluchter ..., was ist denn das?
Außen herum ist zwar Pappe, aber innen drin offensichtlich etwas viel Gewichtigeres als Pappe.
Ich war beim Munitionsverwalter und habe mir siebeneinhalb Kilo Gewehrmunition ausgeliehen. Um dem vermutlichen Gewicht des Hammers nahe zu kommen.
Die blonde Kuhschöpferin lehnt betont lässig in der Tür. Arme verschränkt. Offensichtlich ihre Lieblingsstellung. Offensichtlich ist auch, dass sie in der Zwischenzeit duschen war, denn ihr Haar ist nass. Hose und Leibchen hat sie gegen einen Hauch von Stoff eingetauscht, was man wohl euphemistisch ein Sommerkleidchen nennt, ganz der Hundehitze dieser Tage angepasst.
Na, was sagst du, großer Meister? Ist doch erstaunlich, oder? Ist doch eine richtig große Scheißkuh und ein genauso großer Schei..., oh pardon! Ich darf ja nicht mehr fluchen. Will sagen, ein ziemlich nettes Hämmerchen, oder? Hast du auch so einen in deinem Werkzeugkasten? Du hast doch einen Werkzeugkasten? Alle Männer haben einen Werkzeugkasten, oder? Die einen haben einen kleinen, die anderen einen nicht ganz so kleinen. Aber ich kenne keinen, der keinen ...
Ist ja gut, Claire. Du bist ja ganz aufgedreht. Ja, das sind eine normal große Kuh und ein nicht ganz so normal großer Hammer. Das hast du prima hingekriegt, Claire.
Ist das alles, was du zu sagen hast? Mehr fällt dir nicht auf, oh großer Chef?
Michel beginnt nun immer mehr zu schwitzen, denn er sieht wirklich nicht mehr. Wütend wird er auch.
Ja, ihr Männer von Athen, was soll ich denn sehen? Ich sehe eine geblümte Scheißkuh und einen Hammer von der Größe, wie ich ihn noch nie gesehen habe. Und sonst? Hat sie auf meinen Büroboden geschissen? Oder soll ich sie melken?
Michel schaut demonstrativ unter die geblümte Rheumadecke.

Serge, jetzt mal ganz ruhig. Du hast es ja gerade selbst gesagt: Du hast noch nie so einen großen Hammer gesehen. Das ist genau der Punkt. Aber der Totschläger *hatte* offensichtlich so ein Ungetüm von Hammer. Aber woher hat er ihn? Nicht aus dem Baumarkt, das habe ich bereits überprüft. Der größte Hammer, den man hierzulande kaufen kann, ist bedeutend kleiner als der da.
Sie schubst mit ihrem kleinen Füßchen den Besenstil plus Munitionskiste.
So ein Füßchen habe ich allerdings auch noch nie aus der Nähe gesehen.
Michel denkt es nur und stellt sich vor, wie es wäre, diese kleinen Zehen in den Mund zu nehmen.
Träumst du, Michel? Da haben wir doch schon einen veritablen Anhaltspunkt. Die Frage lautet also: Welcher Schmied hat so etwas in Einzelanfertigung hergestellt. Wenn wir den Schmied finden, finden wir auch den Täter. So einfach ist das. Es gibt noch dreihundertsiebenundfünfzig Schmiede in diesem schönen Land. Wir verteilen diese Aufgabe auf sämtliche Polizeibeamte, die in diesem Hause vor sich hin verfaulen und morgen Abend haben wir den Täter. So stelle ich mir Polizeiarbeit vor.
Ihr Männer von Athen …
Michel keucht nur noch und fuchtelt mit den Armen. Die Handzeichen übersieht Claire. Im Straßenverkehr wahrscheinlich auch. Sie ist nicht zu bremsen.
Der zweite Punkt ist mehr eine These und betrifft die genaue Form des Hammers. Diese scharfen Kanten der Wunden in den drei Schädeln – der vierte war ja schon zu sehr angelutscht von all dem Getier – können niemals von einem normal geformten Hammer erzeugt werden.
Wie, äh … meinst du das, Claire?
Michel meint etwas sagen zu müssen, denn Claire guckt ihn ganz herausfordernd an.
Ja, lieber Michel, jetzt wirst du gleich staunen. Schau mal.
Sie greift blitzschnell mit einem Arm in den Gang und wuchtet einen schweren Bauhammer auf den Boden des Büros.
Beschreib mir einmal, wie dieser Hammer aussieht.
Ja, äh …, das ist ein schwerer Bauhammer. Vorne Eisen, hinten Stil! Ein ziemlich langer Holzstil.

Ja, aber wie ist das Eisen geformt?
Claire zittert vor Aufregung.
Also, das ist ein rechteckiges Stück Eisen. Die Kanten sind etwas abgerundet.
Er hebt den Hammer an und betastet die Eisenflächen.
Aha, ja. Die Fläche, mit der man hämmert, ist so gar leicht gerundet, ich meine gewölbt.
Ja, genau. Und zwar nach außen gewölbt. Und jetzt kommt der Clou. Damit würdest du nie und nimmer so scharfe Wundkanten kriegen. In keinem Knochenbau, schon gar nicht im Fleisch. Verstehst du? Also? Was schließen wir daraus? He? He?
Na, sag es schon, Claire.
Der Hammer, mit dem unsere armen Kühe getötet wurden, hat auf seiner vorderen Fläche eine Wölbung nach *innen*, so dass die Kanten messerscharf sind. Das ist doch der Hammer, oder?
Ja, das ist der Hammer. Vielmehr … *du* bist der Hammer, Claire! Jetzt würde ich dich am liebsten küssen.
Ja, tu es doch, du Idiot. Fragst du immer zuerst?
Nein, Blödsinn. Ich bin ja dein Chef. Vergiss es. Tut mir Leid. Vergiss es bitte sofort.
Okay. Ich kann es vergessen. Die Frage ist, ob *du* es vergessen kannst.
Michel guckt sie etwas belämmert an.
Vergiss es Michel, ich habe nur Spaß gemacht.
Wieder lehnt sie sich an den Türrahmen und spitzt ihr Mündchen.
Und? Habe ich gute Arbeit geleistet, Chef?
Ja, Claire. Das hast du. Sehr brav. Und, äh …, wo setz ich mich nun hin? Hier in meinem Kuhbüro? Kannst du mir das auch noch sagen?
Was heißt hier setzen. Jetzt gehen wir einen heben. Du lädst mich ein. Das habe ich doch jetzt verdient, oder? Den Rest erledigen wir morgen früh.
Michel nickt ergeben und wischt sich den Schweiß ab.
Zuerst schleppt sie ihn noch in das berühmte Flussbad, das idyllisch unterhalb des Sitzes des Landesparlaments liegt. Er wehrt sich mit Händen und Füßen, sie duldet aber keinen Widerspruch. Man könnte auch sagen, wenn Claire sich etwas in ihren hübschen Kopf gesetzt hat, geschieht es auch.
Schicksalsergeben leiht er sich die größte Badehose, die sie an der Kasse zu vergeben haben. Trotzdem ist sie ihm viel zu klein. Flu-

chend zieht er sich in der hölzernen Badekabine aus und zwängt sich und die beweglichen Teile seiner unteren Region in das rote Nichts.
Wenn ich jetzt einen Scheißständer kriege, ihr Männer von Athen, kann ich mich gleich umbringen.
Seine Haut ist immer noch leicht gerötet, wie bei einem neugeborenen Baby.
Claire, an deren gebräuntem Körper die drei winzigen dunkelrosa Stofffetzen, zusammengehalten durch weiß Gott welche unsichtbaren Kräfte, offiziell Bikini genannt, wie angegossen kleben, lacht laut auf, als das Fleisch gewordene Unglück namens Serge Michel aus der Kabine an das pralle Sonnenlicht tritt, das bekanntlich alles schonungslos aufzeigt, was vielleicht besser im Dunkeln geblieben wäre.
Uhuu, hu, hu ... jetzt mach halt nicht so ein Gesicht. Du wirst sehen, im Wasser wird alles vergessen sein, was dich beschwert.
Und so trotten sie gemeinsam den Weg am Ufer entlang. Claire immer noch lachend, ihren bärenhaften Chef immer wieder in die Seite stoßend. Für Michel ist es ein Spießrutenlaufen sondergleichen. So jemand wie *er* und dann *so* ein Mädchen an der Seite. Wenn ihn jetzt jemand sehen würde, der ihn kennt ...
Endlich sind sie weit genug gegangen. Erlöst lässt er sich in die grünen Fluten des schnell fließenden Flusses gleiten. Claire folgt ihm mit einem anmutigen Kopfsprung.
Jetzt habe ich doch noch meine Seejungfrau gefunden.
Michel denkt es schmunzelnd. Seine Laune hat sich schlagartig ins Gegenteil verkehrt. Er taucht mit offenen Augen unter. Fühlt sich schwerelos. Und wieder erklingt unter der Wasseroberfläche diese himmlische Musik. In diesem Moment ergreift Claire seinen rechten Fuß. Michel dreht sich blitzschnell seehundgleich um seine eigene Achse. Weggepustet ist all seine Schwerfälligkeit. Und sie. Claire. Immer noch strahlend, schwimmt sie um ihn herum. Ausgelassen und ebenso schwerelos wie er.
Ach, warum können wir nicht einfach hier unten bleiben und alles vergessen.
Claire hört nichts. Aus Michels Mund kommen nur Luftblasen. Aber sie sieht, dass er glücklich ist.
Die wahre und einzig wirkliche Freiheit existiert nur im Wasser. Jawohl, ihr Männer von Athen.

Michel posaunt den Satz heraus, kaum sind beide Köpfe wieder über dem Wasser und kaum hat er fürs Sprechen wieder genug Luft geholt.
Sie waren so lange unter Wasser, dass sie kräftig schwimmen müssen, um rechtzeitig ans Ufer zu kommen.
Wortlos machen sie sich sofort wieder auf den Weg. Diesmal marschieren sie noch weiter flussaufwärts, um die Freiheit noch länger genießen zu können.
Diesmal geht Claire als Erste ins Wasser. Bevor sie springt, dreht sie sich zu Michel.
Es lässt sich noch steigern. Mach, was ich mache.
Kaum sind beide von neuem untergetaucht, schlängelt sie sich aus dem Bikini, hängt sich die Teile um den Hals und taucht noch tiefer. Ohne zu überlegen macht Michel es ihr nach. Er glaubt, ihr Lachen sogar unter Wasser zu hören. Hellgrüne Brechungen des Sonnenlichtes umstrahlen ihren schlanken Körper. Herrlich umströmt die kühle Flut sein Geschlecht. Sie hat Recht mit der Steigerung …
An den Haltegriffen zum Ausstieg aus dem Wasser klammert sie sich einen kurzen Augenblick an ihn und schmatzt ihm einen nassen Kuss auf die Wange.
Das darf man im Fluss.
Dass gleichzeitig ihre Hand einen Moment zwischen seine Beine gerät, seine Eier streift und dann sein nacktes Glied umfasst, ist wohl eher – nennen wir es – strömungstechnischer Zufall. Denn immerhin ist die Strömung an dieser Stelle nicht zu unterschätzen. Außerdem muss man sich ja irgendwo halten.
Behänd und ungeniert zieht sie sich an den Haltegriffen ans Ufer hoch und platziert seelenruhig ihre drei Stofffetzen wieder dahin, wo sie hingehören. Zuerst den einen, dann die beiden anderen.
Michel beschließt, sich die Badehose aus gutem Grund unter Wasser anzuziehen. Ein nicht ganz so einfaches Unterfangen. Ein Wunder, dass ihn niemand fragt, ob er mit dieser Nummer noch frei sei.
Als er sich endlich hochhievt und ihn die alte Erdanziehung wieder fest im Griff hat, ist sie verschwunden.
Er legt sich ins Gras, bis er trocken ist. Dann trottet er schwer zur Umkleidekabine. Stöhnend entledigt er sich des nassen Stücks Stoff. Unter Wasser ging es leichter. Einen Moment lang starrt er sein Glied an.

Hat sie dich wirklich angefasst?
Bevor die zu erwartende Antwort kommt, zieht er sich an. Bereits wieder schweißgebadet.
Weit und breit keine Claire. An der Kasse gibt er die nasse Badehose zurück.
Draußen auf einem Zaun hockend, die Beine baumelnd, wartet sie auf ihn.
Und? Alles klar?
Ja. Es war schön.
Was?
Das Baden mit dir und so ...
Was bedeutet und so?
Michel errötet doch tatsächlich.
Ja, also, äh ... dass du mich mitgenommen hast. So einen wie mich, meine ich.
Aha. Komm, jetzt gehen wir essen.
Sprach's und hüpft lachend vom Zaun. Er muss sich beeilen, ihr hinterherzukommen.
In einer kleinen Kneipe unterhalb der Altstadt setzen sie sich an einen Tisch und essen zusammen fünf Portionen *Eglifilet gebacken* aus dem Körbchen. Wer jetzt glaubt, dass es Michel ist, der den Hauptteil vertilgt, irrt. Claire isst und trinkt wie ein Holzfäller. Dabei schwatzt sie in einem fort. Sie erzählt von ihrer Jugend auf einem abgelegenen Hof in einer gottvergessenen hügeligen Gegend in Richtung französische Grenze. Ihr Vater habe mit Pferden gehandelt. Eines Tages habe er dann den Hof angezündet, bevor er in seinen Schulden erstickt sei. Er sei regelmäßig über die Grenze spielen gegangen. Mutter sei aufgrund einer schweren Nierenkrankheit praktisch innerlich verbrannt. Ihre Schreie hätten sie noch jahrelang verfolgt. Sie und ihr älterer Bruder, der übrigens heute in Australien lebte, seien in ein Heim gesteckt worden. Darüber wolle sie lieber nichts erzählen. Später habe sie unverschämtes Glück gehabt. Sie habe in gute Schulen gehen können, dann Studium der Rechte, Polizeischule und so weiter. Und jetzt sei sie Gott sei Dank bei Michel gelandet.
Zwischendurch stellt sie ganz unerwartet Fragen an Michel. Ob er Kinder habe? Ob er in festen Händen sei? Ob er schon einmal einen Menschen erschossen habe? Warum er bei der Polizei sei? Michel antwortet stets genau, aber umständlich und schwerfällig. Sie hört

dann eine Weile zu, stopft sich einen Fisch nach dem anderen in ihren unersättlichen Mund, bis sie ihn wieder unterbricht, um ihre eigenen Geschichten zu erzählen.
Michel sind diese abrupten Unterbrechungen mehr als recht. Er hört ihr gerne zu. Aber wenn er etwas hasst, ist es, von *sich* zu erzählen. Wenn er von sich erzählt, kommt ihm sein ganzes Leben derart ungereimt vor, dass er andauernd stockt und sich über die unlogischen Zusammenhänge in seinem Leben wundert. Warum können andere so fließend und zusammenhängend über ihr Leben erzählen? Und alles gerät so logisch und sinnfällig? Es wird ihm auf ewig ein Rätsel bleiben.
So, und jetzt möchte ich einen Kaffee.
Claire wischt sich den Mund mit der Serviette sauber, taucht die Hände in die Schüssel mit Zitronenwasser, die zu den Fischkörbchen mitgeliefert wurde.
Sauber! Nach dem Kaffee bezahlst du, denn du bist der Chef und ich habe mir mein Essen redlich verdient. Einverstanden?
Ja, sicher. Claire. Du hast dir dein Essen mehr als redlich verdient.
Michels Stimme ist heiser vor Aufregung.
Dann gehen wir schlafen, denn morgen wartet eine Menge Arbeit auf uns, Claire. Du erinnerst dich? Dreihundertsiebenundfünfzig Schmiede – und dann den Täter verhaften …
Mach dich nur lustig über eine arme Praktikantin, die sich für dich heute den Arsch … pardon, die sich heute alle Mühe gegeben hat, ihren Chef aus dem Untersuchungsstillstandsloch herauszuholen.
Sie legt theatralisch ihren Kopf auf den Tisch und beginnt schamlos übertreibend zu weinen und zu schluchzen.
Achtung, Claire, der Kaffee kommt.
An die mütterliche Kellnerin richtet er folgende, überlegte Worte.
Entschuldigen Sie die Umstände, meine Tochter übertreibt gern. Aber das Essen war ausgezeichnet. Ich möchte gerne die Rechnung.
Ha, ha! Meine Tochter? Die würde ich nun gar nicht gerne sein. Auf gar keinen Fall.
Warum nicht? Denkst du, ich wäre ein schlechter Vater?
Michel gibt sich so griesgrämig wie möglich.
Nein, nein. Du wärst bestimmt gar nicht mal so schlecht als Vater.
Oh, danke. Und warum verdiene ich so viel der Ehre?
Auf dir könnte man gut rumklettern als kleines Kind.

Sie lacht und streckt ihm die Zunge entgegen.
Die Kellnerin kommt. Michel bezahlt und gibt ihr ein großzügiges Trinkgeld.
Dann trink jetzt deinen Kaffee aus. Morgen früh will ich dich um acht Uhr im Büro sehen.
Sie rührt sich nicht, sondern blickt ihn offen an.
Weißt du, warum ich nicht deine Tochter sein möchte?
Nein, aber ich werde es in den nächsten Sekunden ja ein für alle Mal wissen.
Als deine Tochter dürfte ich ja deinen weichen Stängel nicht mehr in die Hand nehmen. Wir gehen jetzt nämlich zu mir. Bei dir ist ja sicher nicht aufgeräumt. Dann will ich ihn in die Hand nehmen und zuschauen, wie er groß und hart wird.
Dann streift sie ihren Schuh ab. Er spürt ihren Fuß zwischen seinen Beinen.
Ui, Chef, er *ist* bereits sehr groß und sehr hart.
Michel ist jetzt plötzlich sehr ruhig.
Claire, nimm deinen Fuß weg. Wie du richtig sagst, bin ich dein Chef. Es wird jetzt nicht nach deinem Kopf gehen. Morgen früh wirst du mir ein großes Danke sagen. Und jetzt stehst du auf und gehst brav nach Hause. Ein jeglicher nach seinem Ort, wie Luther zu sagen pflegte.
In Claires Augen glitzert es ein wenig. Vielleicht liegt es aber auch an der Beleuchtung.
Sie lacht, steht auf und glättet ihr Röckchen mit der flachen Hand.
Okay. Du hast gewonnen. Zuerst die Arbeit, dann das Vergnügen, wie meine Mutter zu sagen pflegte.
Zu Hause wird Michel ausgiebig duschen und das Gefühl genießen, heute zweimal gesiegt zu haben. Einmal über seine Lady. Und einmal über sich.
Dann wird er seufzen, wie Bären es tun, wenn sie sich zum Winterschlaf niederlegen.
Ist das Leben nicht schön?
Man muss am Morgen *doch* sein Bett verlassen.

ZWANZIG

Sie holte ihn am Morgen um sechs Uhr aus dem Spital. Wie Martha das mit den Ärzten und Schwester Annette geregelt hatte, die ihm zum Abschied einen sanften Kuss auf die Wange hauchte, wusste er nicht und es war ihm auch ziemlich egal. Hauptsache raus. Sie verfrachtete ihn in ihren kleinen Mini und brauste wortlos durch die leeren Straßen.

Ihre großzügige Wohnung auf dem Hügel, wo die Reichen wohnen, ist bis auf ein paar Gegenstände japanisch eingerichtet. Die wenigen nicht japanischen Stücke geben der Wohnung etwas Persönliches, etwas Originelles. Sie verhindern einerseits, dass man von der Wohnung den Eindruck gewinnt, sie sei einfach als Ganzes importiert und nachgemacht, und andererseits vermitteln sie dem Betrachter tatsächlich etwas Weibliches. Tanner spürte es sofort, obwohl er nicht genau festmachen konnte, woran das lag.

Vielleicht an dem verträumten Jugendstilbett mit seiner über und über mit Pflanzenornamenten bestickten Decke, in die Tanner auf unbedingten Befehl von Martha eingehüllt wurde, die in einer reizvollen Spannung zum strengen japanischen Schrank steht. Der zarte Leuchter aus Murano kontrapunktiert perfekt die dunklen Bambusrouleaus. Und so gibt es in der ganzen Wohnung ausgewogene Farb- und Kräfteverhältnisse zwischen Japanischem und ausgewählten Möbeln oder Gegenständen europäischer Herkunft. Tanner bemerkte mit Erstaunen, dass es in der Wohnung weder Bücher noch Zeitschriften oder Zeitungen gab. Merkwürdig für eine Journalistin von Marthas Rang.

Ja, sie ist ein Rätsel, die gute Martha.

Tanner seufzte und drehte sich auf die andere Seite.

Als er drei Stunden später erwachte, war sein Kopf wieder klar. Das heftige Klopfen im Kopf und der Nebel, der seinen Geist fest im Griff hatte, waren verschwunden. Trotzdem wusste er nicht auf Anhieb, wo er sich befand. Erst als er den Zettel von Martha entdeckte, den sie ihm auf den dunklen Fußboden gelegt hatte, wusste er es wieder. In handgestochener Schrift teilte sie ihm noch einmal mit strengen Worten mit, dass er gefälligst im Bett zu bleiben habe. Das habe sie den Ärzten schließlich versprechen müssen. Sie hafte also persön-

lich für sein Wohlergehen. Wenn er sich nicht daran hielte, würde sie ihn hochkant rausschmeißen.
Tanner muss bei der Drohung lächeln.
Welch eine Logik, liebstes Marthalein!
Am Ende schrieb sie, wann sie wieder nach Hause kommen würde.
Tanner war durcheinander, denn es gelang ihm auf Anhieb einfach nicht, Ordnung in die Zeitabläufe zu kriegen. Nach längerem Nachdenken und Sortieren begriff er, dass er vorgestern Abend mit Bruckner im japanischen Restaurant gegessen hatte, dann angeschossen wurde und anschließend laut Schwester Annette mehrere Stunden bewusstlos war. Einen Tag und eine Nacht blieb er also in der Obhut von Schwester Annettes blauen Augen und ihrer zärtlichen Pflege. Das hieß auch, dass er seit drei Tagen nicht mehr bei Elsie gewesen war. Dieser Gedanke deprimierte ihn und versetzte ihn in eine ziemlich düstere Stimmung. Ein übermächtig schlechtes Gewissen nahm von ihm Besitz. Er war ihr untreu geworden. Sie wartete doch sehnsüchtig auf die Fortsetzung der Geschichte von Tausendundeiner Nacht. Tanner war überzeugt, dass sie unmittelbar vor dem Erwachen stand. Dass sie sich kurz vor dem Ende ihrer Reise durch den dunklen Tunnel befand. Es brauchte sicher nur noch wenige Schritte und Tanner konnte seine Elsie aus dem Spital hinausführen, genauso wie Martha ihn heute Morgen befreit hatte. Aber dies würde nicht passieren, wenn er das Vorlesen unterbrach. Daran glaubte Tanner fest.
Dass es sich dabei um eine Einbildung handeln könnte, in die er sich geradezu verkrallt hatte, um nicht die Hoffnung auf Erlösung zu verlieren – diesen Gedanken ließ er nicht zu.
Noch einmal drehte er sich auf die Seite und flüchtete in einen traumlosen Schlaf.
Als er die Augen wieder öffnet, ist es draußen schon ziemlich dunkel und auf dem Boden liegt ein neuer Zettel mit Marthas schöner Handschrift.
Lieber, ich habe es nicht übers Herz gebracht, dich zu wecken. Mann, hast du einen Schlaf! Muss noch mal los. In der Küche findest du etwas zu essen. Bin erst nach Mitternacht zurück. Martha.
Vor dem Spiegel im Bad löst er sich den Turban und inspiziert die Wunde an seiner Schläfe, die mit sechs Stichen zugenäht worden ist. Er schneidet seinem Spiegelbild eine Grimasse, klebt ein Pflaster auf

die Wunde und duscht lange. Nackt schlendert er in die Küche und findet im Kühlschrank eine Bambusbox mit Sushi und Sashimi. In diesem Moment überfällt ihn ein primitiver Heißhunger und mit bloßen Händen stopft er sich wahllos Fisch und Reisbällchen in den Mund.
Oh je, wenn Martha mich jetzt sehen würde!
Nachdem der erste Hunger gestillt ist, streift er durch die Wohnung, findet seine Kleider, die Martha hat reinigen lassen. Er zieht sich an und isst anschließend den Rest der Mahlzeit, diesmal gesittet mit Stäbchen, wie es sich gehört. Dazu trinkt er ein kaltes japanisches Bier.
Neugierig, wie er ist, entschlüsselt er im Wohnzimmer das Rätsel der Wohnung ohne Bücher. Die dunklen Holzwände entpuppen sich nämlich als Schiebewände, die sich lautlos bewegen lassen. Dahinter verbergen sich, vom Boden bis zur Decke, eine schier endlose Anzahl von Büchern und Zeitschriften. Die ganze europäische Literatur und eine Vielzahl von japanischen und chinesischen Werken. Einige dieser Werke sind auch in deutscher Übersetzung vorhanden. Ein kostbar gestalteter Schuber beinhaltet zum Beispiel das, was die Japaner *Shisho Gokyò* nennen, das heißt die »Die vier Bücher und die fünf Kanone«. Es sind die konfuzianischen Klassiker. In seiner Jugend hatte Tanner mit Genuss die Werke von Konfutse gelesen. Die Japaner nennen ihn *Kòshi*. Er hatte damals zwar nicht viel verstanden, aber die Fremdheit und der geistige Nimbus, der diese Bücher für ihn damals umgab, waren von großer Faszination. Vor allem liebte er damals *Die Aussprüche des Menicus*. Dieser Philosoph verfügte über eine epigrammatische Ausdrucksweise und einen gewissen Sinn für Humor, den Tanner verstand und schätzte. Dieser Humor und ein ausgeprägtes demokratisches Verständnis verliehen seinen Aussagen einen überraschenden westlichen und modernen Klang. Jedenfalls in seiner Erinnerung.
Tanner klemmt sich einige dieser Werke unter den Arm und legt sich wieder aufs Bett. Nach dem gleichen Zufallsprinzip, dem seine Großmutter früher beim Studium der Bibel mittels einer Stricknadel zu folgen pflegte, öffnet er willkürlich eines der Bücher und beginnt einfach mittendrin zu lesen.
Nach gut einer Stunde konzentrierter Lektüre legt er das Buch erschöpft beiseite. Er ist enttäuscht über die Trockenheit der Sprache –

weit entfernt von metaphysischen Gedankenflügen oder frommer Ekstase – und der Begrenztheit des Inhalts, der bloß von praktischen Einzelheiten der Moral und der Volksregierung erzählt. Ecksteine des Systems bilden offenbar die Ergebenheit gegenüber den Eltern und den politischen Herrschern. Das Resultat ist eine Reihe von moralischen Wahrheiten, von ziemlich selbstverständlichen Wahrheiten nota bene.

Wahrscheinlich bin ich zu dumm. Oder eben kein Japaner und auch kein Chinese …

Er sammelt die Bücher ein und stellt sie wieder ordentlich zurück an ihren Platz.

Unschlüssig stöbert er in einer Reihe von anderen Büchern, bis er ein schmales Bändchen mit hundert Gedichten von hundert Dichtern findet. Er setzt sich mit dem Buch auf den Boden. Fasziniert vertieft er sich in die fünfzeiligen Gedichte, die ihm eine Welt eröffnen, reicher als alles, was er in der letzten Stunde bei Konfutse gelesen hat. Es scheint ihm, als ob er in geballter Form und kürzester Zeit einige Antworten auf dringende Fragen erhielte, die er sich zwar schon lange nicht mehr gestellt hat, die er aber die ganze Zeit schwer mit sich herumträgt. Einige Gedichte liest er immer wieder. Er kann es kaum fassen, dass mit so wenigen Worten Gefühle und Zustände beschrieben sind, die so authentisch und zeitlos sind, dass sie ihn mitten ins Herz treffen und er sich in ihnen – wie in einem Spiegel – erkennt. Die Gedichte sind auf den ersten Blick vollkommen undramatisch, schleichen und schmeicheln sich in das Bewusstsein ein wie ein lauer Wind und einen Augenblick später explodieren sie lautlos in der Seele, nämlich dann, wenn es zu spät ist, sich zu schützen. Es ist, wie wenn man auf die harmlos scheinende Wasseroberfläche eines anmutigen Weihers blickt, sich anfänglich an dem lieblichen Farbenspiel freut und plötzlich eines Ungeheuers gewahr wird, das tief unter der Wasseroberfläche lauert.

Noch lange sitzt er am Boden, hin- und hergerissen zwischen Trauer und Glück. Jedes Gedicht ein Schlüssel zu einem anderen verborgenen Schloss.

Und dann kommt ihm die Erkenntnis. Er weiß nicht, woher. Und er weiß nicht, warum. Sie steht in keinem Gedicht, das er gerade gelesen hat. Und doch ist es die Wirkung des Gelesenen, die ihm plötzlich die Erkenntnis bringt. Er weiß jetzt die Antwort auf das Rätsel,

das ihm der Mann im Busch gestellt hat. Und diesmal ist er sich ganz sicher. Wie Schuppen ist es ihm von den Augen gefallen.
Mein Gott, wie kann man so blöd sein? Tanner, wie kann man so blöd sein und das Naheliegende nicht erkennen?
Morgen wird er zum Busch gehen. Und dann? Wird er dann mehr erfahren über Michikos Tod?
Das Klingeln des Telefons unterbricht seine Gedanken.
Abheben oder nicht abheben? Das ist hier die Frage. Schließlich befindet er sich in einer fremden Wohnung. Aber vielleicht ist es ja Martha selbst, die sich nach seinem Befinden erkundigen will. In diesem Moment erinnert sich Tanner an sein Mobiltelefon und dass er überhaupt nicht weiß, wo es abgeblieben ist.
Kurz entschlossen nimmt er den Hörer ab.
Bei Vogel. Die Dame des Hauses ist nicht hier. Kann ich was ausrichten?
Hallo, Herr Tanner? Sind Sie es?
Pause.
Hier spricht Schwester Annette. Wissen Sie, aus dem Spital. Ihre Frau hat mir Ihre Nummer hinterlassen, als Sie hier waren.
Tanner ist es siedend heiß geworden, da er ihre Stimme nicht auf Anhieb erkennt. Martha hat ihm versichert, dass niemand weiß, dass er bei ihr ist.
Ach, so. Hallo, Schwester Annette. Wollen Sie sich nach meinem Befinden erkundigen? Das ist aber lieb.
Nein, nein. Also, äh … doch. Natürlich! Aber hauptsächlich wollte ich Sie warnen!
Warnen? Muss ich wieder zurück ins Krankenhaus?
Nein, also, ich meine … der Hauptkommissar Schmid ist wieder aufgetaucht. Und er ist fuchsteufelswild geworden, als ich ihm sagte, dass man Sie bereits entlassen habe.
Haben Sie ihm gesagt, wer mich geholt hat? Oder wo ich jetzt bin?
Nein, natürlich nicht. Ihre Frau hat es mir doch verboten!
Sie klang richtig entrüstet, als ob sie beleidigt sei, dass er es wagte, an ihrer Loyalität zu zweifeln.
Annette, Sie sind ein richtiger Engel. Und ein wunderschöner dazu …
Tanner lauscht vergebens, denn sie zieht es vor zu schweigen.
Hallo, sind Sie noch da?

Ja, schon, aber Sie dürfen, mh ... so etwas ... nicht sagen.
Was habe ich denn Schlimmes gesagt?
Nein, nicht schlimm, aber ... aber Sie sind ja verheiratet.
Stimmt, äh ...! Aber ich habe Sie ja auch nicht gefragt, ob Sie mich heiraten wollen, oder?
Sie lacht.
Nein! Um Himmels willen! Aber trotzdem ...
Gut! Ich verstehe, was Sie meinen. Es tut mir Leid, dass ich das gesagt habe. Ich werde es nie wieder tun. Heiliges Ehrenwort.
Ja, also ... so habe ich das auch nicht gemeint. Ich wollte Sie auch nicht verletzen oder so.
Ich auch nicht. Ich wollte Ihnen einfach nur sagen, dass Sie schön sind.
Sie lacht wieder. Diesmal etwas heiser.
Sie sind ja einer!
Was für einer denn?
Sie lacht. Er auch.
Und so nimmt er seinen Lauf. Der Telefonflirt. Aus dem Nichts geboren. Tändelnd. Spielerisch. Überraschend. Wie ein Zauberer schier endlos seine farbigen Tücher aus dem Zylinder zieht, reiht sich unerschöpflich ein Wort an das andere. Die Gedanken hüpfen leichtfüßig von einem Gegenstand zum nächsten. Längst haben sie beide das Gefühl, nur eine dünne Wand trennte ihre Körper und sie stünden flüsternd diesseits und jenseits dieser zwar unüberwindlichen, aber erregenden Grenze. So geht es eine ganze Weile. Dann erzählt Tanner von den eben entdeckten Gedichten und flüstert seine Lieblingsgedichte durch den Äther.
Die schönste Vertrautheit gibt es doch nur zwischen Fremden, denkt Tanner nebenbei.
Gerade als er zum dreizehnten Fünfzeiler ansetzt – Annette schluchzt bereits seit Gedicht Nummer sieben – kommt Martha nach Hause.
Tanner schaltet sofort um. Spielt die Rolle als Marthas Ehemann.
Also, Schwester Annette, jetzt kommt meine Frau nach Hause. Vielen Dank für Ihre Information. Ich wünsche Ihnen eine gute Nacht.
Wieso telefonierst du mit dieser Krankenschwester, wenn ich fragen darf? Und warum bist du nicht mehr im Bett?
Sie hat angerufen, mein geliebtes Eheweib. Ich bin ans Telefon gegangen, weil ich dachte, *du* könntest es sein. Ich dachte, du wolltest mir

mitteilen, dass du diese Nacht außer Haus verbringst. Immerhin ist Mitternacht ja längst vorbei. Wo warst du eigentlich? Und mit wem? Wenn schon Ehemann, dann gleich richtig!
Das geht dich überhaupt nichts an. Aber ich habe die Verantwortung für dich übernommen. Marsch ins Bett! Zuvor sagst du mir aber noch, warum diese Schwester Anke angerufen hat. Ist sie in dich verknallt?
Schwester *Annette* wollte mir lediglich mitteilen, dass Hauptkommissar Schmid nach mir sucht. Und ziemlich wütend ist. Zufrieden?
Okay. Und was ist das für ein Buch, das du da in der Hand hast?
Das sind die hundert Gedichte von hundert Dichtern. Ich habe ein bisschen in deinen Büchern gestöbert und dabei diesen Schatz gefunden. Hör dir mal diese Zeilen an. Die sind extra für uns geschrieben.
Bevor Martha widersprechen kann, liest er das Gedicht.
Ranken vom Treffberg/vereinen uns, so heißt es, in Liebe/Denn nichts ersehne ich mehr/als dass du dich heimlich mir schenkst.
Vergiss es, Tanner. Das Gedicht ist schön. Aber vergiss es. Nie werde ich mich dir schenken. Nie. Weder heimlich noch öffentlich. So, und jetzt gehst du brav ins Bett.
Tanner dreht sich seufzend um.
Moment mal, warum bist du eigentlich angezogen?
Ja, liebe Martha, es ist nämlich so: Ich wollte dich eben um die Schlüssel für deinen schnellen Mini bitten, denn ich muss dringend kurz in die Stadt. Es ist ganz wichtig. Sozusagen lebenswichtig.
Spinnst du? Das kommt überhaupt nicht in Frage. Ich bringe dich jetzt eigenhändig ins Bett. Und wenn du brav bist, erzähle ich dir noch eine Gutnachtgeschichte.
In dem kurzen Kampf, den sie zwar lachend austragen, in dem sie sich aber nichts schenken, bleibt Tanner Sieger. Triumphierend hält er den Autoschlüssel empor. Er atmet ziemlich schnell, denn Martha ist erstaunlich kräftig und flink.
Du kannst ihn dir wiederholen. Komm!
Nein, den Gefallen tu ich dir nicht. Ich weiß genau, was du willst. Geh halt, wenn es sein muss. Und mach keinen Lärm, wenn du zurückkommst. Du kommst doch zurück, oder?
Tanner nickt und beeilt sich aus der Wohnung zu kommen, bevor sie es sich anders überlegt.

Jetzt, da er die Lösung des Rätsels in Händen hält, muss er so schnell wie möglich zum Mann im Busch. Die Vernunft versucht ihm zwar zu vermitteln, dass das auch bis morgen Zeit hätte, aber er verspürt erstens einen unbändigen Drang zu erfahren, ob es wirklich die richtige Lösung ist, und zweitens muss er unbedingt wissen, was der Mann im Busch gesehen hat.
Es ist längst Mitternacht vorbei, trotzdem ist die Wärme immer noch unglaublich. Tanner fährt durch vollkommen menschenleere Straßen. Im Schein der Straßenlichter sieht er mit Schrecken, dass die Blätter der Bäume aufgrund der tagtäglichen Hitze und durch den Mangel an Wasser zunehmend verdorren. Seit Wochen hat es nicht geregnet.
Mein Gott, wenn das so weitergeht …
Als ihn nur noch eine kurze Strecke von seinem Ziel trennt, sieht er den rötlichen Widerschein eines Feuers.
Was zum Teufel …
Tanner tritt aufs Gas. Die Ampelanlagen sind bereits ausgeschaltet und blinken stoisch in gelbem Takt. Er überquert mit quietschenden Reifen den Platz mit den Großbanken. Und da sieht er die Flammen. Mit einer Vollbremsung stoppt er den Mini. Mitten auf der Straße.
Was zum Teufel …?
Der Busch brennt.
Mein Gott, der Busch brennt!
Der ganze Busch steht in Flammen. Nein, genau genommen sind es nicht wirklich Flammen. Der Busch steht in feuriger Heißglut und die Blätter sind bereits verglüht. Das vielfach verzweigte Astwerk leuchtet wie eine erhitzte Eisenskulptur kurz vor dem Schmelzpunkt. Die sieben Stämme, nahe am Boden noch dick wie Oberschenkel, genauso wie die sich schnell verjüngenden, hundertfachen Astgabeln und tausendfachen Verästelungen, die ihre Spitzen gegen den tief blauschwarzen Himmel strecken. Aus den Enden der ungezählten feinsten Ästchen sprühen kleine Funkenregen. Die brennenden Reste von Saft, die der Busch in sich trägt und die jetzt durch die brutale Hitze an die unzähligen, äußersten Ränder der Gäbelchen und Ästchen gepresst werden. Tanner bleibt gelähmt sitzen und starrt auf das überirdisch schöne Schauspiel.
Warum sieht man keinen Rauch? Wo Feuer ist, ist auch Rauch. Nein, umgekehrt! Verdammt, ist das schön! Der brennende Busch!

Wenn jetzt Gottes Stimme ertönt, lass ich mich taufen!
Was jetzt ertönt, ist nicht Gottes Stimme, sondern die urplötzlich aufheulende Sirene eines schnell näher kommenden Feuerwehrautos. Aufgeschreckt löst er fieberhaft den Sicherheitsgurt und schält sich aus dem Mini. Dem ersten folgen zwei weitere Fahrzeuge. Der Chor der Sirenen steigert sich zum Inferno. Von der anderen Seite her heult ein Polizeiauto auf Tanner zu. Bevor ihn das Fahrzeug überfährt, rennt er in Richtung Feuer. Zwanzig Meter vom Busch entfernt, stoppt ihn eine ungeheure Hitzewand. Tanner fällt zu Boden und hält schützend den Arm vor sein Gesicht.
Einen Augenblick später packt ihn eine brutale Hand an den Haaren und zerrt ihn hoch.
Sind Sie wahnsinnig, Mann? Verschwinden Sie sofort mit ihrem kleinen Scheißmini. Lässt sein Auto mitten auf der Straße stehen und behindert hier die Rettungsarbeit der Feuerwehr und der Polizei. Verschwinden Sie, bevor ich Sie verhafte.
Tanner gehorcht sofort, denn jetzt ist nicht der Augenblick zum Debattieren. Tanner reißt sich blitzschnell los, rennt zum Mini und parkt ihn auf der anderen Straßenseite auf dem Trottoir. Der Polizist kümmert sich nicht darum. Tanner greift sich aus dem Handschuhfach ein großes Staubtuch, rennt weit um den glühenden Busch herum und taucht den Lappen in das Wasser des flachen Brunnenbeckens. Er bindet sich das nasse Tuch vor Mund und Nase und nähert sich mit etwas mehr Vorsicht, diesmal von der anderen Seite, dem Feuerinferno.
Wo ist der Mann? Konnte er fliehen? War er gar nicht im Busch, als das Feuer gelegt wurde?
Diese Fragen hämmern in Tanners Gehirn ununterbrochen, während er versucht, trotz der ungeheueren Hitze, dem feuerspeienden, glühenden Inferno näher zu kommen. Seine Augen tränen und brennen, so dass es ihm unmöglich ist, den Innenraum der Feuerhölle zu sehen. Zudem beginnt jetzt aus dem Boden Rauch aufzusteigen. Die ausgetrocknete Erde, in die der Busch verwurzelt ist, verbrennt, vielmehr verdampft in der sengenden Hitze.
Wahrscheinlich haben die Brandstifter den Busch und den Boden mit einem ganz fiesen Brandbeschleuniger eingesprüht, bevor sie das Feuer entfacht haben. Nur so erklärt sich, dass der Busch an allen Enden gleichzeitig glühend brennt. Auch die infernalische Hitze

kann sich Tanner nicht allein vom verglühenden Holz stammend erklären, auch wenn es bis ins Mark ausgetrocknet gewesen wäre.
Da waren Profis am Werk, richtig professionelle Feuerteufel!
Tanner murmelt es in sein Tuch. Hätte er den Satz laut gerufen, hätte es auch niemand gehört, so laut schreit der in Gluthitze sterbende Busch.
Mittlerweile hat sich die Feuerwehr in Stellung gebracht. Und die Polizei ist dran, das Gelände weiträumig abzusperren. Ein vermummter Feuerwehrmann winkt heftig gestikulierend zu Tanner. Er solle verschwinden, soll es wohl heißen. Tanner reagiert nicht. Aber er wundert sich, wie lange es dauert, bis die Feuerwehr zu löschen beginnt. Plötzlich dämmert ihm, dass sie den Brand gar nicht löschen werden. Sie wollen offensichtlich nur sicherstellen, dass durch den Funkenflug keine der umliegenden Bäume oder keines der Gebäude in Brand gerät.
Verdammt noch mal …
Tanner rast auf die Feuerwehrleute zu, drängt sich rücksichtslos durch die Gruppe, bis zu einem der Feuerwehrmänner, der lässig ein Wasserrohr im Arm hält, und reißt ihm das Ding aus der Hand. Der pausbäckige Feuerwehrmann mit einem riesigen Schnauz quer durchs Gesicht flucht wie ein Kutscher, dem die Pferde durchgehen, und will wieder nach dem entwendeten Rohr greifen. Tanner macht jedoch einen schnellen Ausfallschritt und der Mann stürzt zu Boden. Zu hektisch war seine verspätete Gegenwehr. Wild entschlossen richtet Tanner das schwere Rohr auf den Busch und reißt energisch den Metallhahn auf. Da er den herausschießenden Wasserstrahl unterschätzt, stürzt Tanner beinahe selber zu Boden. Nur mit letzter Kraft gelingt es ihm, sich und das Rohr unter Kontrolle zu bekommen. Er richtet den Strahl auf das Zentrum des mittlerweile mit dichtem Rauch bedeckten Bodens des Busches. Tanner hört im Hintergrund einen scharfen Signalpfiff. Einen Moment später stürzt sich eine Gruppe behelmter Männer auf ihn. Sie versuchen, ihm das Rohr aus der Hand zu reißen. Da sie sich unkoordiniert selber ins Gehege kommen, gelingt es Tanner mit verzweifelter Kraft, das Rohr zu halten. Genau so lange, bis wieder die Signalpfeife ertönt. Diesmal durchschneidet ein scharfer Doppelpfiff das heulende Inferno. Die Anstrengung der Männer, Tanner zu überwältigen, lässt sofort nach.
Und jetzt sehen es alle.

Die Gruppe der Männer, mittendrin Tanner, der sich immer noch mit aller Kraft an das Rohr klammert, erstarrt zu einem Bild, das Rodin nicht hätte schöner gestalten können. Als attraktive Ergänzung zu den *Bürgern von Calais,* die unweit vom brennenden Busch im Innenhof des städtischen Kunstmuseums stehen.

Der Wasserstrahl hat kurzfristig den dichten Bodenrauch im kleinen Innenraum, den die sieben glühenden Stämme des Busches bilden, vertrieben, und alle können sehen, dass ein Körper bewegungslos am Boden liegt. Ganz genau gesagt, kann man mit an Sicherheit grenzender Wahrscheinlichkeit die verkohlten Beine eines menschlichen Wesens ausmachen. Der Oberkörper ist nicht erkennbar. Die beiden Beine liegen wie abgeschnitten da. Diese Einsicht erreicht die Gruppe im selben Augenblick. Wer bislang glaubte, man könne nur *einmal* erstarren – erstarrt ist erstarrt! –, der kann erleben, dass es eine zweite Stufe der Erstarrung gibt, die jetzt die Gruppe um Tanner kollektiv vollzieht. Waren sie bisher als Gruppe in weichem Ton geformt, so erscheinen sie nun vollends in Bronze gegossen.

Der junge Mann, der sich in Tanners rechten Arm verkrallt hat, reagiert nach einer kleinen Ewigkeit als Erster. Er lässt den Arm los und kotzt neben Tanner auf den Boden.

Im selben Moment kommt ein Offizier, drängt sich rücksichtslos durch die Gruppe seiner geschockten Männer, greift wortlos nach dem Rohr. Tanner überlässt es ihm. Plötzlich fühlt er sich kraftlos und schwindlig. Er stützt sich auf einen der Männer, die jetzt plötzlich die Hilfsbereitschaft selber sind. Zu zweit führen sie ihn in Richtung Brunnen. Erschöpft setzt er sich auf die breite Mauer, auf der sonst Liebespaare knutschen.

Sie haben sich ja verletzt. Ich hole sofort unseren Sanitäter. Du bleibst bei ihm.

Bevor Tanner etwas sagen kann, ist der Mann verschwunden. Der andere deutet stumm in Richtung Tanners Schläfe. Tatsächlich ist im Handgemenge das Pflaster, das Tanner über die frisch genähte Wunde geklebt hatte, abgefallen. Aus der Wunde sickert Blut.

Ja, das ist halb so schlimm. Ich habe hier eine Schussverletzung, die ist frisch genäht und noch nicht verheilt.

Jetzt guckt ihn der brave Feuerwehrmann mit großen Augen an. Bevor die todsicher nächste Frage seine Lippen verlässt, kommt ihm Tanner zuvor.

Ich arbeite für die Polizei, wissen Sie. Spezialauftrag. Behalten Sie es aber bitte für sich, ja?
Der Mann nickt und macht noch größere Augen.
Gehen Sie jetzt ruhig an Ihre Arbeit. Ich kann hier auch alleine sitzen. Und danke, Mann.
Der Mann steht zögernd auf, blickt zu seinen Kollegen, die jetzt alle mit dem Löschen beschäftigt sind. Dann geht er mit einer Andeutung eines hilflosen Lächelns.
Vielleicht komme ich damit durch, denkt Tanner. Denn der Mann wird es sicher brühwarm seinem Offizier weitererzählen, das ist so sicher wie das Amen in der Kirche.
Wieder einmal bin ich zu spät gekommen.
Tanners Herz krampft sich zusammen, wenn er sich die Qualen des Mannes im brennenden Busch vorstellt. Brutal eingeschlossen in seinem selbst gewählten Exil. Mitten in der Stadt, gegen deren Unmoral er gewettert hatte. Wahrscheinlich gefangen in einer Art religiösen Wahnsinns, hat er sich den Busch zu seinem einsiedlerhaften Refugium erkoren und sicher nie daran gedacht, dass sich die Metapher noch steigern ließe und sich vollends erfüllen könnte. Der Mann im brennenden Busch. Was für ein Ende. Da haben auch die Hunde auf dem Tonband nichts genutzt. Eingeholt von seinen eigenen apokalyptischen Prophezeiungen. Aber nicht die Stadt hat gebrannt wie Sodom und Gomorra, wie er es geweissagt hatte, sondern er selbst.
Verdammtes Schicksal. Verdammte Hybris. Verdammte Welt.
Tanner haut mit seiner flachen Hand auf die von der Tageshitze immer noch fühlbar warme Steinplatte, auf der er sitzt. Dann vergräbt er sein Gesicht in beiden Händen.
Und das Rätsel? Jetzt, wo er sicher ist, die richtige Antwort in der Hand zu halten? Wem nützt sie jetzt noch?
Ich kann sie den Vögeln erzählen, die am Tag den Busch bewohnen, verdammt!
Und die Informationen, die er sich über Michikos Täter erhofft hatte? Alles zunichte. Praktisch vor seinen Augen hat sich alles in Rauch aufgelöst. Damit ein Stück weit auch die Chance, die Mörder von Michiko zu finden. Und seine eigene Situation? Immerhin haben die ihn schon beinahe erwischt. Und er ist ihnen noch keinen Schritt näher gekommen. Offensichtlich lieben die Metaphern. Es ist

sicher kein Zufall, dass sie Michiko, im Wassergeschäft tätig, in einen öffentlichen Brunnen gelegt haben. Und jetzt der brennende Busch. Haben sie zynisch den Mann beim Wort genommen? Es geht ihnen also nicht nur um Vernichtung. Es geht in einem zynischen Sinne auch um Botschaften oder um eine besondere Art von Ästhetik. Jedenfalls fühlen die sich außerordentlich sicher. Die haben das Gefühl, sie stehen über allem. Wie Götter. Aber was oder wer verleiht ihnen diese Macht? Ihnen? Es ist ohne Zweifel eine Gruppe, die so handelt. Einer allein kann es nicht sein. Entweder sind die aus sich selbst heraus so stark, etwa wie eine verschworene Terroristengruppe, oder es steht eine ganz besonders starke Macht hinter diesen Tätern. Tanner muss in diesem Moment wieder an die Tätowierungen denken, von denen Claudia aus dem Schlaraffenländli gesprochen hatte. Mafia? Aber wer steht dahinter? Wer beauftragt sie? Und worum geht es eigentlich. Was ist das Motiv?
Jäh blickt er auf. Wenn er ganz ehrlich ist, trägt er selber auch Schuld an dieser Entwicklung. War es nicht sein Stolz, der es ihm verboten hatte, sich dem griesgrämigen Hauptkommissar anzuvertrauen? Wer weiß, wenn er ausgepackt hätte, wäre vielleicht alles anders verlaufen.
Hallo, sind Sie der Verletzte? Darf ich mal Ihre Wunde ansehen? Tut mir Leid, dass ich mich erst jetzt um Sie kümmern kann, aber erst musste ich mir die verbrannte Frau ansehen. Kein schöner Anblick, wie Sie sich denken …
Was? Was haben Sie gesagt? Eine Frau?
Ja! Wahrscheinlich eine ältere Frau.
Warum können Sie das jetzt schon genau sagen. Der Körper ist doch ganz verkohlt.
Die Beine ja. Aber der Oberkörper ist fast unversehrt, denn er steckte in einem kleinen Schacht, der zu einem unterirdischen Raum führt. Sie hat versucht, dem Feuer zu entkommen. Ist aber trotzdem erstickt.
Was für ein unterirdischer Raum?
Ja, da sind die Apparaturen und Wasserleitungen für den Brunnen und seine Figuren.
Ja, du heiliger Mist. Warum bin ich darauf nicht gekommen. Das war das Geheimnis! Der geheime Zugang zum Busch. Unterirdisch! Verdammt. Wie kann man nur so blöd sein. Also, äh … danke, dass Sie

sich um mich kümmern wollten. Aber ich habe jetzt keine Zeit mehr. Ich muss gehen. Adieu.
Halt, der Kommandant möchte sich noch mit Ihnen unterhalten. Und die Wunde? Sie bluten ja! Und, wer sind Sie eigentlich? Stimmt es, dass Sie für die Poli…
Tanner hört es schon nicht mehr. Im Laufschritt überquert er den Platz. Macht einen großen Bogen um die Feuerwehrautos und reißt die Tür des Minis auf. Nur weg. Nur keine Fragen beantworten.
Verdammt! Wo ist der Schlüssel? Abgeschlossen habe ich ja offensichtlich nicht.
Tanner durchwühlt seine Taschen. Vergebens. Der Schlüssel muss im Handgemenge verloren gegangen sein.
Na ja, gelernt ist gelernt.
Tanner greift unter das Armaturenbrett, findet die Kabel. Schließt kurz.
Zum Glück bist du ein ganz, ganz alter Mini. Ein braver Mini.
Der Motor heult auf. Tanner wendet den Wagen auf der Straße und gleich darauf sieht er den Busch und die Feuerwehrautos nur noch klein im Rückspiegel. Dann konzentriert er sich auf die leere Straße. Auch wenn er weiter in den Rückspiegel geschaut hätte, hätte er trotzdem nicht wissen können, dass das dunkle Auto, das gerade im Begriffe ist, neben den Feuerwehrautos zu parkieren, dem griesgrämigen Hauptkommissar gehört, den man mitten aus dem wohlverdienten Schlaf neben seiner Gattin geweckt hatte, wo er selig von einer neuen Salatkreation geträumt hatte, der Schnecken nichts anhaben können. Jedoch, wie hätte es anders sein können: Sein altmodisches Telefon schrillte unmittelbar, bevor der Gottgärtner in seinem Salattraum ihm hätte sagen können, *wie* dieser Salat zu züchten wäre.

EINUNDZWANZIG

Sie steht bereits an der offenen Wohnungstür, eingehüllt in einen kostbaren Kimono. Ganz japanisch. Ihr Gesichtsausdruck will allerdings nicht so recht ins Bild passen. Der ist eher griechisch. Kassandra. Unheil.
Und? Ist mein Auto noch ganz?
Ja. Und nein. Ich sage es lieber gleich. Ich habe den Schlüssel verloren und musste kurzschließen. Aber das bringe ich morgen wieder in Ordnung. Du hast ja sicher noch einen Schlüssel.
Sie verdreht ihre Augen. Dann blickt sie ihn wieder an.
Hey, du blutest ja. Mensch, Simon! Hätte ich dich nur nicht gehen lassen! Was ist denn passiert? Komm ins Bad. Ich schaue nach der Wunde.
Er setzt sich auf einen schmalen Hocker aus Bambus. Sie desinfiziert die Wunde. Und platziert ein neues Pflaster.
Glück gehabt, du Idiot. Es ist Gott sei Dank nicht so schlimm. Die Nähte halten.
Dann lässt sie ihn hocken und geht in die Küche.
Willst du ein Bier?
Und kein Wort wegen des Autos?
Tanner schlendert ins Wohnzimmer. Sie sitzt bereits auf einem niedrigen Sofa. Er nimmt sein Bier entgegen und setzt sich neben sie.
Sie trinken und schweigen. Soll er ihr alles erzählen? Weiß sie nicht eh schon zu viel? Und in welchem Verhältnis steht sie zu Bruckner?
Willst du mir nicht endlich alles erzählen, du Dickschädel?
Ja, ich erzähle dir am besten alles der Reihe nach.
Tanner seufzt. Er ist sogar direkt froh, dass sie ihm den Vorschlag macht. Wer weiß, wie lange er noch hin und her überlegt hätte.
Es wird ein langer Bericht, denn er lässt diesmal wirklich kein Detail aus. Als versierte Journalistin fällt es ihr nicht schwer ihm zuzuhören, ohne ihn zu unterbrechen, obwohl er immer wieder spürt, an welcher Stelle sie gern nachfragen würde. Er erzählt auch von seiner Recherche über das rätselhafte Verschwinden seines Großvaters.
Als er geendet hat, holt sie zwei neue Bierflaschen.
Martha, weißt du zufällig, wo sich Bruckner aufhält?
Er musste noch in derselben Nacht, in der du angeschossen wurdest,

kurzfristig ins Ausland. Anweisung seiner Bank. Er ist aber in wenigen Tagen zurück. Dann meldet er sich als Erstes bei dir und erklärt dir alles.
Tanner starrt düster auf seine Bierflasche, schweigt aber.
Es tut mir sehr Leid wegen deinem Großvater. Deinen Entschluss, seine Geschichte zu recherchieren, finde ich ausgezeichnet. Und dabei kann ich dir sogar helfen. Ich werde morgen früh einen alten Freund anrufen, der Professor an der psychiatrischen Klinik ist. Er verwaltet außerdem das Archiv der Klinik. Bei ihm bist du genau an der richtigen Stelle. Er wird dich sicher so bald als möglich empfangen.
Martha nimmt einen langen Schluck aus der Flasche.
Dann will ich dir noch etwas anderes sagen. Du solltest morgen früh als Erstes in die Hauptstadt fahren und Elsie besuchen, damit du deine Schuldgefühle loswirst. Du kannst wieder meinen Mini haben. Du hast ihn dir ja eh schon auf deine Weise gefügig gemacht. Oder? Ha, ha, ha …
Mit diesen Worten stößt sie ihn sanft in die Seite, lacht und blickt ihn mit einem verflucht verführerischen Lächeln an. Dabei wird sie zur Abwechslung nicht einmal rot.
Lieber Simon, jetzt mach kein Gesicht wie drei Tage Regenwetter. Du kannst mir vertrauen.
Ja, Martha, ist ja gut. Ich vertraue dir. Entschuldige, ich muss mal pinkeln.
Als er im Bad angekommen ist, muss er sich eine Weile am Beckenrand festhalten, so schwindlig ist ihm.
In welches Spinnennetz von Lügen bin ich denn da geraten? Du heiliger Mist. Mit dem süßesten Lächeln versucht sie mich zu umgarnen. Dieses Luder.
Dann betätigt er die Spülung und spült sich am Wasserhahn den Mund. Er glaubt ihr natürlich kein Wort. Was für eine Rolle spielt Martha in diesem Spiel? Gehört sie zu denen? Tanner verwirft diesen Gedanken sofort als absurd. Immerhin sind drei kaltblütige Morde geschehen. Aber irgendeine Rolle spielt sie. Und Bruckner? Er sei in derselben Nacht noch ins Ausland verreist? Das geht ja wohl nur mit einem Privatjet. Bruckner, mein alter Freund, in was bist du da verwickelt?
Simon, bist du auf der Toilette eingeschlafen?
Ihre Stimme hat diesen säuselnden Ton, mit dem Ehefrauen ihren

Mann, wenn er nach einer langen Geschäftsreise endlich wieder einmal zu Hause ist, ins Bett locken. Oder ins Verderben.
Bin schon wieder da. Noch eine Frage, liebe Martha. Wo hast denn du den Bruckner wiedergetroffen? Ihr wart während unserer gemeinsamen Schulzeit doch keine Freunde, oder habe ich da was verpasst?
Nein. Sicher nicht. Da war ich unsterblich in dich verliebt.
Vorsicht Tanner: säusel … säusel …
Und jetzt nicht mehr?
Nein, du Hornochse. Fang nicht wieder damit an. Mit dem Bruckner habe ich erst wieder im fernen Japan zu tun bekommen.
Ach ja?
Ach ja! Und zwar rein beruflich. Du musst dir gar nichts dabei vorstellen. Und jetzt husch ins Bett. Ich wecke dich um acht Uhr. Das ist in drei Stunden. Du weißt ja, wo dein Bett ist. Gute Nacht, Simon.
Sie huscht aus dem Raum, in dem sie einen großen Bogen um ihn herum macht. Weitläufig genug ist ihr Wohnzimmer ja.
Tanner steht da und versteht gar nichts mehr.
Auf meine Intuition, was Frauen angeht, kann ich mich auch nicht mehr verlassen.
Er leert seine Flasche Bier. Lauscht noch einen Moment in die Tiefe der Wohnung. Als er sicher ist, keinen Ton zu hören, geht er auch ins Bett. In einem hat sie Recht. Morgen früh wird er als Erstes zu Elsie fahren.
In demselben Moment, als er das Licht löscht, läutet es schrill an der Wohnungstür, als wäre der Lichtschalter mit der Klingel verbunden. Vor Schreck macht er das Licht gleich wieder an und lauscht.
Kommen jetzt die Mörder? Na ja, die würden wohl kaum klingeln.
Tanner hört, wie Martha durch den Gang huscht. Dann hört er schwere Schritte, die eilig die Treppe hochkommen. Dann hört er eine ganze Weile nichts mehr. Offensichtlich verhandelt Martha durch den Türspalt. Einen Moment später knallt sie die Tür zu. Schnell legt er sich wieder ins Bett.
Es dauert eine ganze Weile, bis Martha in sein Zimmer kommt. Gerade wollte er aufstehen, um sich zu erkundigen, wer denn mitten in der Nacht geklingelt hat.
Da sind die Schlüssel vom Mini. Gefunden am Tatort. Höchstpersönlich von der Polizei vorbeigebracht. Mitten in der Nacht. Mit einem schönen Gruß von Herrn Hauptkommissar Schmid.

War er selber da?
Nein, natürlich nicht. Den hätte ich wahrscheinlich nicht abwimmeln können. Du hast ganz schön Mist gebaut, Tanner.
Woher wusste er, dass das dein Auto ist?
Sie deutet auf den Schlüsselanhänger.
Da steht die Autonummer, du Idiot!
Martha ist ziemlich aufgebracht. Sie steht unschlüssig in der offenen Tür. Unruhig schlenkert sie den Schlüssel in ihrer Hand. Das Gegenlicht aus dem Gang lässt ihre Gestalt irgendwie bedrohlich erscheinen.
Der Herr Kommissar möchte den Herrn Tanner morgen früh auf dem Kommissariat sehen. Ich habe behauptet, dass du heute noch mit deinem eigenen Auto in die Hauptstadt gefahren seist. Ich weiß nicht, ob die Polizisten mir wirklich geglaubt haben. Sie hatten wohl den Befehl, dich auf der Stelle mitzunehmen, hatten aber weder einen Haft- noch einen Hausdurchsuchungsbefehl. Und da bin ich dann ziemlich stur geblieben. Wahrscheinlich habe ich jetzt eine Anklage wegen Behinderung einer laufenden Untersuchung am Hals. Oder Begünstigung von Flucht oder so.
Martha, es tut mir Leid, dass ich dich in Schwierigkeiten bringe. Und danke für deine umsichtige Handlungsweise. Du kannst echt kaltblütig sein, das muss ich dir lassen.
Okay, Tanner. Das bin ich dir, glaube ich, schuldig. Unter der Bedingung, dass du dich an das hältst, was ich dir angeraten habe. Ich kenne auch ein paar Leute im Polizeidepartement. Vielleicht kann ich morgen ein gutes Wort für dich einlegen. Aber nur, wenn du mir versprichst, von nun an die Finger von all dem zu lassen.
Ja. Martha.
Er sagt es bewusst kleinlaut. Er hofft, dass sie ihn nicht noch zum Schwur auffordert, oder zu sonst was Kindischem.
Schwörst du es mir?
Tanner stöhnt auf.
Ach, Martha, jetzt sei nicht kindisch. Ich werde mich an alles halten, was vernünftig ist. Und deine Vorschläge sind mehr als vernünftig.
Schwörst du es?
Also gut, Martha. Ich schwöre es. Mensch, du kannst ja ganz schön nervig sein. Bist du nun zufrieden?

Martha dreht sich zur Seite, so dass das Licht auf ihr Gesicht fällt, und er kann ihr zufriedenes Lächeln sehen.
Dann lehnt sie sich an den Türpfosten. Ihre Arme verschränkt sie hinter ihrem Rücken. Er kann jetzt ihre andere Gesichtshälfte sehen. Und noch etwas kann er im Gegenlicht sehen. Durch ihre Haltungsveränderung hat sich ihr Kimono leicht geöffnet und er sieht die Linie ihres schlanken Körpers. Macht sie das mit Absicht? An ihrem Gesichtsausdruck lässt sich nichts in dieser Richtung ablesen. Sie ist jetzt sehr ernst.
Du, Simon. Ich wollte dir noch etwas anderes sagen. Ich weiß aber nicht, wie ich es ausdrücken soll.
Sag's doch einfach, Martha. Sag es einfach, so wie du es denkst.
Tanner lässt seinen Oberkörper zurück ins Bett fallen und lauscht auf das, was kommt, ohne sie anzusehen. Es ist besser so.
Also, Simon. Es geht um Elsie. Ich mache mir Sorgen um dich. Ich bewundere dich einerseits dafür, mit welchem Glauben und mit welcher Zuversicht du an einem baldigen Erwachen von Elsie aus ihrem Koma festhältst. Aber … was, wenn sie nicht mehr erwacht? Hast du das schon einmal überlegt?
Tanner dreht sich auf die Seite, um Martha zu sehen. Sie schaut ihn nicht an.
Weißt du, ich habe früher mal für eine Zeitschrift eine große Serie über Menschen gemacht, die im Koma lagen. Habe viele Interviews mit Angehörigen und Ärzten geführt. Ja, und äh … die meisten sind nie mehr erwacht und die wenigen, die wieder erwacht sind, wären es besser nicht. Ich muss es so brutal sagen. Denn sie waren vom Koma so geschädigt, dass sie danach Krüppel waren. Geistig und körperlich. Ich habe damals nur von einem einzigen Fall gehört, wo es so gelaufen ist, wie du es dir vorstellst. Für alle anderen war es die Hölle. Nach dem Aufwachen noch mehr als vorher. Verstehst du?
Ja, ich verstehe dich, Martha.
Und?
Sie dreht ihr Gesicht zu ihm.
Ich kenne all die Berichte. Ich habe alle Bücher zu diesem Thema gelesen. Du musst mir also nichts erzählen. Vielleicht hast du Recht. Wer kann es wissen. Aber … du solltest sie einmal sehen, Martha. Sie sieht taufrisch aus. Als ob sie sich in einem seligen Schlaf befände. In einem Glücksschlaf. Ich kann es dir nicht anders beschreiben.

Tanner richtet sich auf.
Und – das Wichtigste: Ich spüre es. Ich spüre, wie nahe sie an der Oberfläche ist. Glaub mir, Martha. Sie ist kurz davor, aufzutauchen.
Und warum weinst du dann, Simon? Weil du in deinem Innersten vielleicht spürst, dass es auch anders sein könnte? Dass du einem Wunschbild, vielleicht einer Obsession nachjagst? Weil du vielleicht nicht fähig bist, die Wirklichkeit zu sehen, wie sie ist? Vielleicht ist sie nur in deinen Augen *taufrisch*, wie du sagst. Vielleicht möchtest du einfach der Prinz sein, der sein Dornröschen aufweckt. Vielleicht ist *das* deine Besessenheit. Genau so, wie du besessen mit jeder Frau schlafen möchtest. Vielleicht ist das die nämliche Besessenheit? Oder du möchtest erlöst werden von deinen Schuldgefühlen.
Martha stampft energisch mit einem Fuß auf den dunklen Holzboden.
Wie du mir das erste Mal von Elsie erzählt hast, da habe ich ganz deutlich gespürt, dass du dir die Schuld an ihrem Zustand gibst. Aber das ist doch purer Unsinn. Vielleicht solltest du dich zuerst einmal von dieser Schuld befreien. Und wenn dir das gelingt, kannst du auch besser die Wirklichkeit ertragen. Wenn es dir alleine nicht gelingt, dann brauchst du halt professionelle Hilfe. Na und? Das ist doch nicht schlimm. Du musst wieder klar werden, Tanner. Lass dir doch helfen. Sei kein Idiot. Und falls es zum Schlimmsten kommt und du dich vorher nicht befreien kannst, dann weiß ich, wie du enden wirst. Du wirst im Labyrinth deiner Schuldgefühle und deines Selbstmitleides elendig verrecken. Tanner! Wach auf! Du hast immer noch ein Leben vor dir.
Martha lacht plötzlich und wischt sich ihrerseits ein paar Tränen aus dem Gesicht.
Jetzt habe ich mich aber ganz schön hineingesteigert, was? Aber ich nehme kein Wort zurück. Ich finde, dass ich Recht habe. So. Ende der Durchsage. Jetzt gehe ich ins Bett. Gute Nacht, Simon.
Gute Nacht, Martha.
Sie schließt die Tür. Tanner liegt im Dunkeln. Bald darauf schläft er ein. So war es immer. Wenn sich in seinem Innern zu viele Widersprüche auftun, wie die Spalten eines riesigen Gletscherfeldes, dann schützt ihn der gnädige Gott des Schlafes.
Dass Martha noch lange vor seiner Zimmertür steht und einen einsamen Kampf mit sich selber ausficht, davon weiß Tanner nichts. Wie

gerne hätte sie sich zu ihm ins Bett gelegt, alle ihre Vorsätze über Bord geworfen und sich ihm mit Haut und Haar hingegeben. Sich endlich hingeben können. Zerfließen können. Sich auflösen.
Warum hat sie das noch nie gekonnt? Und warum ruft er sie nicht? Dann wäre es ihr leichter gefallen, Nein zu sagen. So aber ist sie allein mit ihrer nagenden Sehnsucht. Und mit ihrem schamvollen Geheimnis, das sie innerlich zu verbrennen droht. Noch nie hat sie sich einem Mann hingeben können.
Ich bin eine Jungfrau. Ich werde als Jungfrau sterben. Ich bin verdammt.
Das heulende Elend packt sie und sie schleppt sich in ihr Zimmer. Dass er sie vor seiner Tür weinen hört, das wäre das Allerletzte, was sie ihm gönnen würde. Jetzt wäre sie ein leichtes Opfer für ihn gewesen. Aber sie ist stark geblieben.
Dann tut sie das, was sie seit ihrer Kindheit tut. Sie singt das immer gleiche Schlaflied. Immer wieder. Bis sie endlich durch den immer gleich schwarzen Schacht fällt und weich an einem Ort landet, wo es keine verzehrenden Sehnsüchte und keinen Hass gibt. Sie wird ihr Leben lang gefangen bleiben, auch wenn sie Tag für Tag als eine erwachsene und emanzipierte Frau auftritt, die außerdem in ihrem Beruf äußerst erfolgreich ist. Die Männer werden ihr nach wie vor geile Blicke hinterherschicken. Sie wird weiterhin den Männern herausfordernde Blicke schenken, aber keinen heranlassen. Sie wird weiterhin die große Geheimnisvolle spielen und keiner wird je wissen, welche Schmerzen im Zentrum dieses beschissenen Geheimnisses wüten.
Vor Jahren hätte sie sich beinahe einmal verloren. Es war während ihrer Zeit in Japan. Sie war Auslandskorrespondentin für verschiedene europäische Zeitungen. Sie teilte ihr Büro mit mehreren Journalisten. Ein sehr kultivierter japanischer Kollege, der für französische Zeitungen schrieb, verliebte sich in sie. Sie ließ es sich anfänglich gern gefallen. Er übte mit ihr die japanische Sprache, zeigte ihr allerhand, was sie alleine in dieser faszinierenden fremden Kultur nie hätte kennen lernen können. Er führte sie aus, überhäufte sie mit Geschenken, machte ihr ziemlich altmodisch den Hof. Zu später Abendstunde, wenn sie manchmal allein im Büro waren, hatten sie sich geküsst und geknutscht, was das Zeug hielt. Sie mochte seinen glatten, muskulösen Körper. Dann war es so weit. Sie war bereit, sich ihm

hinzugeben. Sie schrieben sich also in einem schönen Hotel auf dem Land ein. Kaum waren sie allein im Zimmer, verwandelte er sich in ein wildes Tier. Er schlug sie ohne Vorwarnung ins Gesicht, riss ihr die Kleider vom Leib. Versuchte gewaltsam, in sie einzudringen. Sie war geschockt und schrie so laut um Hilfe, dass das Personal aufmerksam wurde. Die Polizei holte ihn und sie war immer noch Jungfrau. Seither hat sie nie mehr einen Mann so nahe an sich herangelassen.
Alles, was sich die Leute auf der Zeitung über sie erzählen, ist erlogen. Alle denken zum Beispiel, sie schlafe mit ihrem Chef, hätte überhaupt ein reiches Sexleben. Manchmal, wenn sie zu sich ganz ehrlich ist, gefallen ihr diese Gerüchte. Irgendwie bilden sie eine Art Schutzschild um sie herum. Man hat sich ein Bild von ihr gemacht, beneidet sie ein bisschen und lässt sie in Ruhe. Ja, doch. Eigentlich gefällt ihr das. Ganz selten hat sie solche Krisen wie heute. Daran ist allein Tanner schuld. Wenn er nur richtig wollte, hätte er leichtes Spiel mit ihr. Das ist das Letzte, was sie denkt, bevor sie durch den Schacht fällt. Sie ist gerettet.

ZWEIUNDZWANZIG

Ich habe mein Wort gehalten. Jetzt bist du dran, Tanner.
Es war siebzehn Minuten nach acht Uhr morgens, als Martha diese apodiktischen Worte sprach. Sie brauchte exakt siebzehn Minuten, um für Tanner einen Termin bei Professor Ludwig Deichmann zu erwirken. Der Termin wird am nächsten Tag um zehn Uhr morgens sein.
Der Professor hat seiner lieben Freundin Martha Vogel versprochen, er werde dann auch schon sämtliche Akten bereithalten. Unter der Voraussetzung, es finde sich im Archiv der Klinik überhaupt etwas. Es sei kein kleiner Dienst, den sie da von ihm verlange, denn normalerweise müsse man an das entsprechende Departement ein Gesuch stellen und es würde dann zirka ein halbes Jahr dauern, bis der übri-

gens meist abschlägige Bescheid käme. Patientenakten wären halt auch über den Tod hinaus Verschlusssache, auch für nächste Angehörige. So schreibe es nun mal das Gesetz gemäß Art. 321 StGB vor. Und dass sei im Prinzip auch gut so. Da Martha aber für die Integrität von Herrn Tanner bürge und Herr Tanner außerdem ein höherer Kriminalbeamter gewesen sei, würde er stillschweigend und unbürokratisch eine Ausnahme machen. Außerdem freue er sich ausnehmend, wieder einmal von seiner lieben Freundin zu hören.
Dann räusperte sich der Herr Professor ausgiebig und begann dann ziemlich direkt über den Preis seines Entgegenkommens zu verhandeln.
Ob sie denn in den nächsten Tagen einmal mit ihm abends essen gehen würde? Man habe sich doch so lange nicht mehr gesehen. Alte Zeiten aufwärmen und so. Martha verdrehte am Telefon die Augen und konnte nur mit allergrößter Mühe und einer Riesenportion akustischen Charmes das Essen wenigstens auf einen Mittag legen.
Sie musste dann sofort in die Redaktion. Bevor sie ging, zwang sie Tanner noch einmal das Versprechen ab, so zu handeln, wie er es ihr gestern Abend mit einem Schwur bekräftigt hatte. Er könne heute Nacht wieder hier schlafen, da er morgen früh um zehn den Termin in der Klinik habe. Sie habe ja bereits am Tag, als er im Spital lag, alle Sachen aus dem Hotel geholt. Sie seien in jenem Koffer, der am Ende des Korridors stehe.
Dann drehte sie sich noch einmal um.
Ah, und vergiss nicht die Einladung von Herrn Hauptkommissar Schmid.
Ja, ja. Wie könnte ich die vergessen.
Als sie die Tür hinter sich geschlossen hatte, saß er noch eine ganze Weile beim Frühstück, das Gott sei Dank landesüblich war, trotz Marthas Vorliebe fürs Japanische. Tanner liebte zwar Misosuppe, aber nicht morgens um acht.
So, so. Ich soll heute wieder hier übernachten? Da hast du mich ganz schön unter Kontrolle. Und was mach ich jetzt?
Schon als er aufgestanden war, wusste Tanner in seinem Innersten, dass er das Versprechen, das er Martha sozusagen unter moralischem – oder besser – taktischem Zwang gegeben hatte, auf keinen Fall einhalten würde. Er konnte diesen Fall einfach nicht ad acta legen und zur Tagesordnung übergehen. Das wäre ein Maß an Selbst-

verleugnung, zu dem ein Mensch wie Tanner einfach nicht fähig war. Abgesehen davon fühlte er sich einerseits Michiko verbunden, der es vielleicht egal ist, ob man ihren Mörder fand oder nicht. Aber Tanner war es nicht egal. Da konnte er ganz schön eigensinnig sein. Außerdem fühlte er sich für den Mann im Busch tatsächlich real verantwortlich, denn wer weiß, vielleicht waren die Mörder erst durch ihn auf den Bewohner im Busch aufmerksam geworden. Es war sogar sehr wahrscheinlich. Also musste Tanner ihn ausfindig machen, bevor es die Mörder taten. Allein deswegen konnte er den Fall nicht einfach aufgeben. Wie er das anstellen sollte, wusste er noch nicht. Das Nachdenken über dieses Problem vertagte er erstmal.
Zuerst war eine wichtigere Entscheidung von ihm gefragt. Sollte er zu Elsie fahren oder nicht? Marthas intensive, nächtliche Intervention hat einiges bewirkt. Wahrscheinlich nicht in dem Sinne, wie es ihr gefallen würde. Immerhin war ihm bewusst geworden, dass er möglicherweise ihr Aufwachen nicht in dem Ausmaß würde beeinflussen können, wie er das bis jetzt geglaubt hatte. Da gab es vielleicht tatsächlich ein obsessives, ein ungutes Element in ihm. Dass Elsie zu einem Zeitpunkt, den aber sie bestimmte, wieder aufwachen würde, davon war Tanner nach wie vor überzeugt. In diesem Punkt würde ihn höchstens die Wirklichkeit selber belehren können.
Er rief in der Klinik an und verlangte die Dienst habende Ärztin. Nach kurzem Gespräch wusste er, dass es Elsie genauso ging wie an allen anderen Tagen zuvor. Ruth sei jeden Tag bei ihr gewesen, manchmal auch mit den Kindern. Er könne beruhigt sein, es gehe ihr gut.
Machen Sie sich keine Sorgen, es liegt alles in Gottes Hand.
In Gottes Hand? Das hatte sie doch tatsächlich gesagt. Tanner war verblüfft. Diesen Satz hätte er dieser jungen und dynamischen Ärztin nicht zugetraut. Sie war eine dieser jungen Medizinerinnen, die so cool aussahen wie ihre Kolleginnen in den Arztserien am Fernsehen. Aber vielleicht hatte es sich auch unter den Ärzten langsam wieder rumgesprochen, dass nicht alles machbar war und dass die Medizin auch nur Teil eines Ganzen sein konnte. Ob man das dann Gott nannte oder anders, war am Ende wurscht. Auf jeden Fall hatte ihn das Gespräch doppelt beruhigt. Elsie war in guten Händen. Und Ruth war auch dort. Die gute Ruth. Tanner fühlte warme Zuneigung und Dankbarkeit.

Ich werde heute also nicht zu Elsie fahren. Sie würde es ganz sicher verstehen.
Er sprach es laut in die Richtung, wo eben noch Martha gesessen hatte. Sie hatte am Morgen erfrischt und blühend ausgesehen, obwohl sie ja nicht länger geschlafen hatte als Tanner.
Diese Martha. Soll einer mal schlau werden …
Dann hatte er den Koffer mit seinen Sachen untersucht. Der Zettel, der ihn in die Tiefgarage gelockt hatte, fehlte. Und auch sein Handy war verschwunden. Impulsiv wollte er sofort Martha anrufen und sie danach fragen. Aber sein Instinkt sagte ihm, es besser zu lassen. Das würde er sie auch am Abend noch fragen können. Vielleicht wäre es sowieso besser, sich ein neues Handy mit einer neuen Nummer zu beschaffen.
Bevor er die Wohnung verließ, telefonierte er mit Serge Michel.
Zuerst fragte er den offensichtlich gut gelaunten Michel, wie es in der Sache mit den erschlagenen Kühen weitergegangen sei. Ja, ja, antwortete er, sie hätten eine heiße Spur gefunden. Deswegen könne er auch nicht lange telefonieren. Was er denn von ihm wolle. Er würde ja sicher nicht nur anrufen, um sich nach dem Stand in Sachen Kühe zu erkundigen. Tanner unterrichtete ihn dann in dürren Worten von seinen Schwierigkeiten mit der hiesigen Polizei, insbesondere mit dem griesgrämigen Hauptkommissar Schmid.
Was? Der ist Hauptkommissar geworden? Ich fress einen Besen. Ich kenne ihn von einem Weiterbildungskurs. Mach dir keine Sorgen. Dem werde ich den Marsch blasen. In was hast du dich denn wieder eingemischt?
Tanner antwortete sehr zurückhaltend und außerdem habe Michel ja keine Zeit. Wen er übrigens mit *wir haben eine heiße Spur* meine? Ob er nicht mehr allein arbeite? Seine Blödmänner könne er ja wohl nicht gemeint haben, oder? Nein, nein, es sei ein Wunder geschehen, aber das erzähle er ihm ein anderes Mal. Er könne jetzt nicht reden. Die andere Sache würde er prompt erledigen. Er solle sich keine Sorgen machen.
Dann verließ auch Tanner die Wohnung. Er hatte sich ein Taxi bestellt. Er hatte keine Lust, sich mit Parkplatzproblemen herumzuschlagen. Und auf ein Wiedersehen mit der Hotelgarage drängte es ihn schon gar nicht.
Fünfzehn Minuten später ist er an seinem Ziel. Ohne nach links und

rechts zu schauen, steuert er auf den Empfangsschalter des Hotels zu. Zum Glück hat heute eine ganz andere Mannschaft Dienst. Wahrscheinlich ist es die Morgenschicht.
Er wendet sich an eine junge Frau, gekleidet in ein dunkles Deux-Pièces mit weißer Bluse, die seiner Beobachtung nach heute Morgen die Leitung des Empfangs innehat.
Er gibt sich bewusst etwas zerstreut und vergesslich. Eine Methode, die ihm bei ähnlichen Anlässen schon oft gute Dienste geleistet hat.
Guten Tag, ich hätte da eine Bitte an Sie. Wissen Sie, äh … ja, was wollte ich sagen? Ach, ja. Ich bin zu spät zu der Verabredung gekommen. Es ist mir sehr peinlich. Ich habe heute Morgen meine Gesprächsunterlagen nicht finden können, wissen Sie, man wird ja auch nicht jünger – und jetzt ist die Dame nicht mehr in der Lobby. Auf jeden Fall kann ich Sie nirgends entdecken.
Tanner blickt sich demonstrativ um und hebt hilflos die Hände. Die junge Dame am Empfangsschalter lächelt freundlich.
Ja, ich verstehe. Wie heißt denn die Dame?
Ja, wissen Sie, das ist eben äh … das Problem. Mein Gedächtnis lässt mich ab und zu im Stich. Die Dame ist für eine Japanerin ungewöhnlich groß und trägt ihr Haar sehr kurz. Ihr Name ist hm …, ja, ich glaube, sie heißt Chiyo. Das ist natürlich ihr Vorname. Ach, es ist mir sehr peinlich, verstehen Sie? Falls Sie jetzt durch die Tür käme, wüsste ich noch nicht einmal ihren Namen. Das ist einfach furchtbar …
Beruhigen Sie sich. Da kann ich Ihnen sicher helfen. Ich schau mal auf unsere Gästeliste. Einen Moment, bitte.
Danke, vielen Dank!
Tanner blickt erleichtert in die Runde. Die Hotelhalle gleicht einem Bienenhaus. Offenbar ist eine neue japanische Reisegruppe angekommen. Auf Anhieb kann er niemanden erkennen, der an dem denkwürdigen Abend im Restaurant saß.
Die Dame heißt Inoué. Chiyo Inoué. Ist sie das?
Ach, Gott sei Dank. Natürlich. Inoué! Ach, wie konnte ich das nur vergessen?
Soll ich es Ihnen auf einen Zettel schreiben?
Oh, nein danke. So schlimm steht es noch nicht mit mir.
Die Dame ist allerdings schon gestern Nacht abgereist. Hätte Ihr Termin vielleicht gestern Morgen stattfinden sollen?

Oh je. Das ist mir jetzt aber peinlich. Gestern? Heute ist doch Mittwoch, oder?
Nein, mein Herr. Heute ist Donnerstag.
Auch das noch. Da bin ich ja ganz durcheinander. Wohin ist sie denn abgereist?
Das darf ich Ihnen leider nicht sagen. Und jetzt entschuldigen Sie mich bitte.
Haben Sie vielen Dank für Ihre Bemühungen, junge Dame. Auf Wiedersehen.
Tanner dreht sich ab und humpelt etwas übertrieben in Richtung Ausgang. Aus den Augenwinkeln sieht er noch, wie sich die junge Empfangschefin kopfschüttelnd und lachend zu einem Kollegen wendet.
Chiyo Inoué. Immerhin hat er jetzt ihren kompletten Namen. Viel ist es nicht. Wenn Chiyo die Schwester von Michiko ist, dann heißt sie also Michiko Inoué, denn Edelmann war ja bestimmt nicht ihr Mädchenname. Das immerhin könnte er überprüfen.
Tanner will sich ja sowieso ein neues Mobiltelefon mit einer neuen Nummer besorgen. Also macht er sich auf die Suche nach einem entsprechenden Geschäft. Was wirklich nicht schwer ist.
Er wählt sich unter all den hässlichen Produkten das am wenigsten hässliche aus und, da er sich für ein Kartentelefon entscheidet und mittels eines guten Trinkgeldes einen geladenen Akku erhält, verfügt er in kurzer Zeit über ein funktionierendes Telefon.
Er setzt sich in ein stilles, klimatisiertes Café. Es ist leer und er muss die beleibte Kellnerin, die über dem Studium einer Illustrierten eingenickt ist, aufwecken.
Mit einem unverwechselbaren elsässischen Akzent entschuldigt sie sich gähnend, bringt ihm einen Kaffee und nickt wieder ein.
Er wählt die Nummer der Auskunft, lässt sich mit der Internationalen Auskunft für Deutschland verbinden und erkundigt sich nach der Nummer von Michiko Edelmann-Inoué, wohnhaft in Frankfurt.
Nein. Tut mir Leid. Ich finde niemanden mit diesem Namen in Frankfurt.
Und nur allein der Name Edelmann? Gibt es niemanden mit diesem Namen?
Doch. Es sind aber viele. Wissen Sie die Adresse?
Er nennt die Adresse, die Claudia ihm gegeben hat.

Nach wenigen Augenblicken hat er die richtige Telefonnummer von Michiko. Er lässt sich aber nicht sofort durchstellen.
Was sag ich zu Chiyo, wenn sie wirklich dort ist? Und falls Michikos Mann an den Apparat kommt? Weiß der schon, dass seine Frau tot ist?
Tanner bestellt sich erst mal noch einen weiteren Kaffee. Eine schwierige Aufgabe für die Kellnerin, denn sie ist mittlerweile damit beschäftigt, ihre Fingernägel mit einem scheußlichen Violett anzumalen. Aber sie schafft es, wenn auch mit einigen Verrenkungen. Mit einem nicht ganz gekonnten Augenaufschlag entschuldigt sie sich bei Tanner.
Etwas wird mir schon einfallen, denkt Tanner und wählt die Nummer. Er erkennt ihre Stimme sofort, obwohl er sie nur ein einziges Mal gehört hat. Damals im Restaurant, wo sie ihren Ausbruch hatte. Also ist sie doch die Schwester von Michiko. Warum sollte sie sonst in dieser Wohnung sein und ans Telefon gehen? Tanners Instinkt hat sich also bestätigt.
Vor lauter Befriedigung, dass er Recht hatte, vergisst Tanner beinahe zu antworten. Erst als sie noch mal nachfragt, ob denn jemand am anderen Ende der Leitung sei, fragt er vorsichtigerweise zuerst, ob er Herrn Edelmann sprechen könne.
Chiyo lacht böse auf. Der sei schon lange abgehauen. Offenbar hat sie von Herrn Edelmann keine besonders gute Meinung. Tanner spürt, dass sie im Begriffe ist, aufzulegen. Schnell sagt Tanner, dass er ein guter Freund von Michiko sei.
Tanner spürt sofort das Misstrauen in ihrer Stimme.
Wie denn? Er sei ein guter Freund von Michiko und frage trotzdem nach diesem Edelmann?
Tanner korrigiert jetzt sofort.
Nein, nein. Er sei nur vorsichtig gewesen. Er kenne ihre Schwester zugegebenermaßen erst seit kurzem, trotzdem würde er sich als guter Freund verstehen.
Die Skepsis in Chiyos Stimme bleibt.
Jetzt geht Tanner aufs Ganze.
Er sei wahrscheinlich einer der Letzten, der mit Michiko gesprochen habe.
Es bleibt so lange still, dass Tanner schon fürchtet, sie habe die Verbindung unterbrochen.

Und was wollen Sie?
Ich will die Mörder von Michiko finden.
Warum?
Ja, Tanner? Warum? Weil sie einen wunderschönen Moment auf seinen Knien saß? Weil sie seine Hand auf ihre perfekte Brust gelegt hat? Für Chiyo hat er nur eine Antwort und er hofft, dass er sie damit überzeugen kann.
Weil es die Mörder von Michiko auch auf mich abgesehen haben.
Und warum das?
Weil ich genau dasselbe gesehen habe wie Michiko.
Und was haben sie beide gesehen?
Das erzähle ich Ihnen nicht am Telefon.
Wann erzählen Sie es mir dann?
Kommen Sie denn zurück?
Ja, natürlich. Aber frühestens in zwei Tagen.
Rufen Sie mich an? Ich gebe Ihnen meine Nummer. Übrigens, mein Name ist Tanner. Simon Tanner.
Sie gibt keine Antwort mehr. Im nächsten Moment ist die Verbindung tot.
Tanner zahlt und verlässt das Café.
Viel weiter ist er nicht gekommen, aber immerhin hat er vielleicht eine Verbündete gefunden. Das kurze Gespräch wirft neue Fragen auf. Wie hat sie vom Tod ihrer Schwester erfahren? Warum ist sie so schnell wieder abgefahren?
Die ganze Sache wird immer verwirrender. Vielleicht wird sich einiges klären, wenn er sie sprechen kann. Und wenn er Bruckner endlich sprechen kann.
Wenn … wenn!
Seine nächste Station wäre jetzt eigentlich noch einmal das Hotel, denn er würde gar zu gerne ein Wörtchen mit der Chefin des Restaurants wechseln. Aber vielleicht ist es besser, wenn er sich später ganz frech dort zum Mittagessen einfindet.
Der nächste Punkt auf seiner Liste wird der unangenehmste sein. Hauptkommissar Schmid erwartet ja seine Aufwartung. Tanner ruft seufzend das Kommissariat an. Er hat sich unterdessen auf ein schattiges Mauerplätzchen gesetzt.
Im Kommissariat erfährt er zu seinem Erstaunen, dass Herr Hauptkommissar Schmid heute einen freien Tag genommen hat.

Die auffällig freundliche Polizistin vertröstet ihn auf morgen.
Moment, bitte. Herr Schmid wollte mich dringend heute sehen. Ich bin ein Kollege, also ein Berufskollege und nur heute in der Stadt.
Ach, das tut mir Leid. Er hat es wohl vergessen. Aber Sie finden ihn sicher im Garten.
Im Garten?
Ja, der Hauptkommissar ist doch in seiner Freizeit ein leidenschaftlicher Gärtner. Da erzähle ich Ihnen ja sicher kein Geheimnis.
Freundlich beschreibt sie ihm, in welcher Freizeitgartenanlage er Mitglied ist.
Vielen Dank für Ihre Hilfe.
Freizeitgartenanlage? Das ist ja furchtbar. Tanner schüttelt sich vor Grauen. Aber immerhin, er muss den griesgrämigen Kommissar nicht in seinem muffigen Büro treffen.
Trotzdem. Die Tatsache, dass Schmid seine Freizeit im organisierten Kleingärtnerverein verbringt, macht ihn auch nicht sympathischer. Etwas Spießigeres kann sich Tanner kaum vorstellen. Die millimetergenauen Rabatten und Beete, bepflanzt unter hundert misstrauischen Augen. Begossen mit der Missgunst des Nachbarn. Geerntet unter der Häme aller, falls die Tomaten grün geblieben sind. Vor Eifersucht platzend, wenn die Kartoffeln größer sind.
Tanner fährt mit der Straßenbahn. Nach ein paar Stationen steigt er wieder aus und entschließt sich, den Rest des Weges zu Fuß zurückzulegen. Die Hitze in der Bahn ist noch unerträglicher als draußen.
Schon kurz nachdem er das Tor zu der größten Kleingartenanlage der Stadt passiert hat, wird er bereits angeschnauzt.
Was er hier wolle? Hier könne nicht einfach jeder reinspazieren. Er solle gefälligst Leine ziehen.
Tanner antwortet ganz ruhig und mit ernster Miene.
Er sei Inspektor vom Bundesamt für Kleingärten. Er habe gehört, dass man sich hier nicht an die Wasserrationierung halte. Das sei natürlich ein schweres Vergehen.
Der selbst ernannte Wächter des Gartenparadieses entschuldigt sich unterwürfig und kleinlaut.
Wir halten uns hier alle sehr streng an die Vorschriften. Ich weiß also von niemandem, der sich eines Vergehens schuldig gemacht hätte.

So, so. Sind Sie da sicher?
Tanner blickt ihn sehr streng an.
Können Sie mir vielleicht verraten, wo der Schmid seine Parzelle hat?
Ach so, der Schmid. Ja, mit dem hatten wir schon oft Ärger. Der hat ja letztes Frühjahr als Einziger …
Tanner unterbricht den frischfröhlichen Denunziantenschwall mit einer energischen Handbewegung.
Also? Wo ist die Parzelle?
Der schwergewichtige Mann zeigt sofort eifrig in die hinterste Ecke der Anlage.
Sie werden es ganz einfach finden. Auf seiner Parzelle steht ein dunkelrot gestrichenes Häuschen mit Anbau. Dieser Anbau, zum Beispiel! Ja, ja! Dafür hat der Schmid auch keine Bewilligung. Aber sagen Sie ihm nicht, dass ich das gesagt habe. Das weiß ja sowieso jeder.
Danke. Ich finde den Weg.
Abrupt dreht sich der Inspektor für Kleingärten namens Tanner um und schreitet energisch in die gewiesene Richtung.
Gut, dass sich die Behörde endlich …
Der Rest geht in dem gequälten Geschrei einer Motorsense unter.
Tanner entdeckt Schmid am Boden kauernd. Offensichtlich untersucht er eine Reihe von Salaten nach Ungeziefer. Seine sonst sorgfältig an die Glatze geklebten Haarsträhnen fallen alle auf eine Seite. Sein Schädel glänzt hell in der Sonne. Seine Finger streifen zärtlich durch die Salatköpfe.
Herr Hauptkommissar, entschuldigen Sie, wenn ich Sie hier draußen an Ihrem freien Tag störe.
Schmid bleibt ungerührt kauern. Nur seine Hand ordnet automatisch mit jahrelang eingeübter Geste seine Haare. Er dreht sich nicht einmal um. Tanner macht ein paar Schritte auf Schmid zu.
Aber Sie wollten mich ja dringend sehen. Und der Polizei muss man gehorchen. Oder habe ich da etwas falsch verstanden?
Schmid steht nun betont langsam auf und dreht sich zu Tanner. Mit zusammengekniffenen Augen schaut er ihn unfreundlich an.
Nein, Herr, äh … Kollege. Sie haben nichts falsch verstanden. Der Einzige, der wieder mal nichts kapiert hat, ist meine Wenigkeit. Ist wohl mein Schicksal. Soll Ihnen einen schönen Gruß vom Michel ausrichten. Falls ich Sie überhaupt noch einmal sehen sollte. Womit

ich selbstverständlich nicht mehr gerechnet hatte. So wie die Sachlage ist …
Selbstmitleidig und gleichzeitig anklagend tönt Schmids Rede. Eine Mischung, die Tanner nun so gar nicht mag.
Aha, und deswegen haben Sie gleich freigemacht. Da sie dem Tanner eh nicht mehr an den Kragen können.
Ja, so ungefähr. Und? Was wollen Sie jetzt von mir? Sie sehen ja, dass ich beschäftigt bin. Verdammtes Ungeziefer. Und wässern darf man auch nicht. Alle Arbeit für die Katz.
Apropos. Hätten Sie freundlicherweise ein Glas Wasser für mich?
Tanner sieht deutlich an Schmids Gesichtsausdruck, dass er ihm diesen Wunsch am liebsten abschlagen würde. Dazu muss man kein Hellseher sein.
Schwerfällig bewegt sich Schmid in die rote Hütte und kehrt mit einem staubigen Glas zurück.
Dort ist der Wasserschlauch. Bedienen Sie sich.
Tanner stellt das Glas auf den Boden, ergreift den Schlauch und öffnet die Messingdüse. Zuerst wäscht er das Glas aus, dann füllt er es randvoll. Statt das Wasser abzustellen, beginnt Tanner seelenruhig, die Salatbeete von Schmid zu wässern. Dieser will zu Tanner springen, plötzlich ganz beweglich. Tanner wehrt ihn mit einer Geste ab. Schmid schaut misstrauisch in die Runde, ob jemand von der Gartenstasi zu sehen ist. Als er niemanden sieht, entspannt sich seine Gestalt.
He, Schmid. Keine Angst. Ich habe mich bei dem Oberaufpasser dort vorne am Tor als Inspektor des Bundesamtes für Kleingärten geoutet.
Lächelt Schmid jetzt sogar? Da ein Schatten über sein Gesicht fällt, weiß man es nicht mit letzter Sicherheit.
Also, Schmid! Wissen Sie jetzt endlich, wer die nackte Tote im Brunnen war?
Nein, leider nicht. Wir haben keine Ahnung.
Schmid setzt sich seinem unwissenden Schicksal ergeben auf einen alten Stuhl, der vor der Hütte steht. Als ob das Wasser, das Tanner den Salaten gönnt, auch Schmids griesgrämige, ausgetrocknete Seele netzen würde, gibt er es offen zu.
Ich werde es Ihnen sagen, Schmid. Aber zuerst müssen wir die Spielregeln klären.

Tanners Spielregeln lauten in etwa so, dass Schmid Informationen von ihm bekommt, Schmid aber nichts unternehmen darf, ohne sich vorher abzusprechen.
Erstaunlicherweise ist Schmid sofort einverstanden.
Michiko Inoué lebte wahrscheinlich in Frankfurt ein ganz bürgerliches Leben. Sie war dort mit einem Deutschen verheiratet, von dem sie aber offenbar schon länger getrennt war. Michiko reiste regelmäßig in diese schöne Stadt und arbeitete in der Entspannungsbranche.
Und nun folgt eine Lüge.
Warum sie umgebracht wurde, weiß ich auch nicht. Wahrscheinlich ein Milieumord.
Tanner wechselt mit dem Wasserstrahl zu einem anderen Gemüsebeet.
Jetzt aber zu etwas ganz anderem. Wie heißt die arme Frau, die im Busch verbrannt ist? Wissen sie wenigstens das?
Ja, *das* weiß ich. Sie heißt Elfriede Weiß. Sie war schon über fünfzig Jahre alt und lebte allein in einem schäbigen Loch. Weiß der Teufel, was sie in diesem Busch zu suchen hatte.
Kann ich dieses schäbige Loch mal besuchen?
Warum?
Ich habe so ein Gefühl. Genau kann ich es Ihnen vielleicht sagen, wenn ich etwas gefunden habe.
Sehen Sie einen Zusammenhang zwischen dem Mord an dieser Michiko und der verbrannten Frau?
Tanner zögert.
Ja, das ist es ja, was ich nicht so genau weiß.
Tanner dreht nun das Wasser ab.
Kann ich die Wohnung sehen oder nicht?
Gut. Ich rufe einen meiner Männer an. Wir haben die Wohnungsschlüssel bei der Frau gefunden, waren aber noch nicht in der Wohnung. Wollen Sie sie gleich jetzt sehen?
Wenn es möglich ist, ja.
Mein Natel ist im Haus.
Mit Haus meint er seine Hütte.
Ich rufe ihn gleich an.
Schmid schlurft in die Hütte. Tanner hört, wie er mit jemandem telefoniert. Kurz darauf kommt Schmid wieder zurück.
Ich habe Ihnen die Adresse aufgeschrieben. Es ist direkt beim Fluss,

auf der anderen Seite. Gehen Sie über die Brücke in der Mitte der Stadt und dann rechts. Einer meiner Männer erwartet Sie dort in einer halben Stunde. Und Sie berichten mir dann?
Einverstanden.
Was ich noch sagen will, äh … danke für das Wässern.

Vor dem abbruchreifen, schmalen Haus, das sich leicht gegen die Straße hin neigt, als ob es sich vor den Passanten verbeugen möchte, steht wie versprochen einer von Schmids Männern. Der schwergewichtige Beamte tritt von einem Fuß auf den andern, als ob er dringend Wasser lassen müsste. Seine Stirn ist mit Schweiß bedeckt und unter seinen Achseln ist das Hemd dunkel.
Hallo, mein Name ist Waibel …
Geben Sie mir einfach die Schlüssel. Sie gehen in die Kneipe dort. Trinken Sie etwas auf meine Rechnung.
Tanner sagt es befehlsgewohnt, von Anfang an keinen Widerspruch aufkommen lassend, und schnappt sich die Schlüssel, die Waibel in der Hand hält.
Der reagiert ziemlich verdattert. Eigentlich ist er davon ausgegangen, die Wohnung mit Tanner zusammen zu betreten.
Schmid hat gesagt, ich solle sie begleiten …
Hören Sie, Waibel, ich muss da allein hinein. Ich muss mir in Ruhe ein Bild von dieser Elfriede Weiß machen. Das kann ich nur, wenn ich mich allein und ohne Ablenkung auf diese Wohnung einstellen kann. Kapiert? Ich muss hören, wie die Wohnung klingt.
Tanner wartet nicht mehr auf eine Antwort, sondern schließt die Haustür auf. Trotz der Hitze schlägt ihm ein kalter, muffiger Geruch entgegen. In dem schmalen Haus ist es absolut still. An der rechten Wand hängen drei verschiedene Briefkästen aus Blech. Zwei davon quellen über von vergilbter Reklame. Namen stehen keine mehr dran. An dem dritten, der leer ist, steht kaum mehr lesbar der Name Weiß.
Tanner schließt die Tür der Parterrewohnung auf. Der stechend säuerliche Geruch eines einsamen Menschen schlägt ihm entgegen. Tanner kennt ihn nur allzu gut. Er steht nun in einem schmalen Korridor, von dem vier Türen abgehen.
In dem eh schon schmalen Korridor befinden sich tausend Sachen. Eines ist auf den ersten Blick klar, nämlich, dass Elfriede Weiß nichts

wegwerfen konnte. An der Wand sind eine übervolle Garderobe voll zerschlissener, zerlumpter Kleider, schmale Bücherregale, auf denen jedoch keine Bücher stehen, sondern, fein säuberlich aufgestapelt, Büchsen mit rostigen Schrauben, Haushaltspapiere, Alufolien, Schachteln mit Korken, Heftklammern, gefaltete Papiersäcke, rote Gummibändel, leere Pillenröhrchen.
Tanner öffnet eine Tür nach der anderen, wirft in jeden Raum erstmal nur einen Blick, um sich einen grundsätzlichen Eindruck von der Wohnung zu verschaffen. Er macht kein Licht, obwohl es ziemlich düster ist.
Alles, was ihm da an Gerüchen und Bildern entgegenströmt, kann man leicht in einem einzigen Wort zusammenfassen: Armut.
Bittere und unromantische Armut. Der einzige Reichtum besteht in der Masse der Dinge, die andere wegwerfen würden und die hier sortiert und aufgestapelt aufbewahrt wurden. Zu welchem Zweck? Vielleicht um trotz Armut etwas zu besitzen? Tanner räumt einen der wenigen Stühle im Wohnzimmer frei und setzt sich. Sein Blick schweift über all die Stapel, die sich über weiß Gott welchen Zeitraum angehäuft haben. Wie hat diese Frau hier gelebt? Er beschließt, die Erforschung der Wohnung in der Küche anzufangen. In dem vorsintflutlichen Eisschrank finden sich einige verschimmelte Reste eines undefinierbaren Essens. Angewidert will er den Eisschrank sofort wieder schließen, öffnet aber trotzdem noch instinktiv das kleine Eisfach. Ein vom Eis verkrusteter praller Plastikbeutel weckt seine Neugier. Er löst ihn vorsichtig aus dem Eis und wäscht unter laufendem Wasser die Reste der Verkrustung weg, so dass er den Beutel öffnen kann.
In dem Beutel ist Geld.
Was für ein seltsamer Sparstrumpf. Eisgekühlte Banknoten.
Tanner schüttelt den Kopf und geht mit dem Beutel ins Wohnzimmer, macht einen Teil des Tisches frei und leert den Beutel aus.
Leise pfeift er durch die Zähne.
Das ist aber nicht wenig!
Er ordnet die Noten und beginnt zu zählen. Es dauert eine ganze Weile, bis er all die vielen kleinen Noten gezählt hat.
Es sind ganze siebenundzwanzigtausend Franken.
Tanner geht zurück in die Küche und wäscht sich die Hände. So viel Geld und dann diese mehr als ärmliche Wohnung. Er beginnt nun

systematisch die Schränke zu untersuchen. Auch hier nur gesammelter Mist. In einem Schrank findet er lauter aufgestapelte Dosen von derselben Marke und Größe. Es ist Hundefutter.
Hundefutter? Der Mann im Busch hatte ja zur Abschreckung bloß Knurren und Bellen auf Tonband. Weit und breit kein Hund.
War die Alte so geizig, dass sie sich von Hundefutter ernährt hat?
Tanner wendet sich dem Badezimmer zu. Badezimmer ist etwas übertrieben. Der Raum ist ein langer Schlauch mit einer alten Toilettenschüssel und einer nachträglich eingebauten Dusche mit verschimmeltem Vorhang.
Was ihn interessiert, ist das Medikamentenschränkchen, das etwas schief neben dem kleinen Fenster hängt. Neben vielen angebrauchten Pflasterschachteln und Verbandszeug findet Tanner in einer Blechbüchse lauter halb leere Medikamentenröhrchen. Wenn ihn nicht alles täuscht, sind das Medikamente, die in der Psychiatrie verwendet werden. Zur Sicherheit notiert er sich einige Namen und Begriffe.
Dann geht er ins Schlafzimmer. Dort stehen zwei durchgelegene Betten. Offensichtlich ist aber in letzter Zeit nur das eine benutzt worden. Wieso hat der Mann es vorgezogen, im Busch zu leben? Auch wenn die Wohnung wenig Komfort bietet, ist sie immer noch wohnlicher als dieser Busch. War es ein religiöser Auftrag? Oder hat er vielleicht im Winter hier gewohnt und nur im Sommer im Busch?
Tanner fasst im Schlafzimmer nichts an und geht zurück ins Wohnzimmer.
Da er nicht genau weiß, was er sucht, fängt er systematisch an, all die aufgestapelten Dinge zu durchwühlen. Nachdem er dort nichts Interessantes finden kann, wendet er sich dem einzigen Schrank zu. Kleider und nochmals Kleider und alles stinkt bestialisch nach Mottenkugeln. Er ärgert sich, dass er seine liebe Gewohnheit, immer ein paar dünne Gummihandschuhe bei sich zu tragen, aufgegeben hat. Er durchwühlt Taschen und Innenfutter, aber er findet nichts.
Der Schrank besitzt ganz unten eine einzige Schublade, die aber verschlossen ist. Tanner besorgt sich aus der Küche ein großes Messer und einen verrosteten Schraubenzieher und bricht die Schublade kurzerhand mit Gewalt auf. Knirschend löst sich das Schloss aus der Halterung.
Die Schublade ist voll vergilbter Fotos und Schriften. Tanner macht nun den ganzen Tisch frei und kippt den Inhalt der Schublade aus.

Nach einer halben Stunde hat er sich alle Fotografien angeschaut. Er versucht sie in eine zeitliche Abfolge zu bringen. Kindheitsfotos von Elfriede. Hochzeitsfotos von Elfriede. Der Bräutigam muss der Mann aus dem Busch sein, auf dessen Vornamen er immer noch nicht gestoßen ist. Elfriede ist offenbar auf einem Bauernhof aufgewachsen und hat später in einer Bäckerei gearbeitet. Wahrscheinlich in einer Stadt. Bemerkenswert ist, dass es keine Urlaubsbilder gibt. Das einzige so genannte Freizeitbild, das wahrscheinlich auf einem Tagesausflug gemacht wurde, zeigt Elfriede und ihren Mann als frisch verliebtes Paar auf einem Raddampfer. Man kann sogar den Namen des Schiffes entziffern. Stadt Luzern. Sie trägt ein helles Sommerkleid mit frechem Ausschnitt und er steckt in einem dunklen Nadelstreifenanzug mit Krawatte. Beide lachen glücklich in die Kamera. Dieses Bild beschäftigt Tanner am längsten. Es zeigt zwei doch recht schöne und junge Menschen im Aufbruch, in einem Moment, da alles möglich scheint. Vor den beiden, wie sie sich da gegen die Reling lehnen, liegt ein reiches Leben des Glücks. Und was ist daraus geworden? Von Glück ist jedenfalls weder in dieser Wohnung noch auf den anderen Fotos etwas zu spüren.
Tanner fällt es schwer, sich dieser düsteren Stimmung zu entziehen. Dann wendet er sich den Schriftstücken zu, die er sich bis zum Schluss aufgespart hat.
Das erste Dokument, das er in die Hände nimmt, ist eine vergilbte und an den Rändern ausgefranste Hochzeitsurkunde. Vieles kann man nicht mehr lesen. Aber endlich findet er den Vornamen von dem Mann im Busch. Er heißt Alois Maria. Was er leider nicht entziffern kann, ist der Ort, wo die standesamtliche Trauung stattfand. Weder der handschriftliche Eintrag noch der amtliche Stempel sind lesbar. Dafür kann er die Geburtsdaten lesen. Alois ist deutlich jünger als Elfriede. Er hat ihn ja bisher noch nie zu Gesicht bekommen, nur seine schrille Stimme hat er gehört. Aufgrund der Stimme hätte er ihn älter geschätzt. Vielleicht war aber einfach nur Art und Inhalt seiner Reden schuld an Tanners Fehleinschätzung.
Er greift nach den anderen Papieren. Er findet jede Menge Schriften und Dokumente vom Arbeitsamt. Offenbar hat Alois niemals gearbeitet, oder nur sehr selten. Dann eine Bestätigung, dass Alois invalid ist. Welcher Art seine Invalidität ist, kann man aus dem zerknitterten Dokument nicht ersehen. Tanner wühlt sich durch einen ganzen

Stoß Abrechnungen vom Sozialamt. Sie lauten alle auf Elfriedes Namen. Schon will Tanner entnervt aufgeben. Außerdem wartet ja der Polizeibeamte in der Kneipe auf ihn.
Dann entdeckt er es.
Ein gelbes Kuvert. Darin ist der hauchdünne Durchschlag eines Entlassungsscheins aus der hiesigen psychiatrischen Universitätsklinik. So weit, so gut. So richtig überrascht ist Tanner nicht. Aber die Unterschrift …
Tanner schickt einen Fluch an die grau gewordene, fleckige Zimmerdecke.
Gibt es wirklich solche Zufälle? Das kann doch nicht sein. Habe ich mich verlesen?
Tanner schaut wieder auf die Unterschrift.
Da steht, für eine Arztunterschrift überraschend deutlich lesbar, der Name von Marthas altem Freund.

DREIUNDZWANZIG

Hey, Boss! Kannst du mal die verdammte Scheißanlage ausschalten. Ich friere mir den Arsch ab. Und wenn ich friere, kann ich nicht denken.
Claire, hör auf zu fluchen, verdammt noch mal. Und wenn du noch einmal Boss sagst …
Michel kniet sich stöhnend vor die neue Klimaanlage und sucht den Schalter zum Ausschalten.
Ja, ja. Ich hör schon auf, Herr Kommissar. Ihre Assistentin wird ganz brav sein, keine Angst.
Michel war heute Morgen doch ziemlich erstaunt, als er kurz nach sieben Uhr in sein Büro kam und zwei leibhaftige Techniker tatsächlich dabei waren, ein funkelnagelneues Klimagerät einzubauen. Das kreisrunde Loch hatten sie bereits aus der Fensterscheibe geschnitten, durch das der Schlauch mit der warmen Abluft geführt wird.

Ich glaub, mich knutscht ein …
Herr Kommissar, gehen Sie doch einen Kaffee trinken. Wenn Sie wiederkommen, sind wir fertig.
Michel knurrte irgendwas, das wohl so was Ähnliches wie danke heißen sollte, und machte rechtsum kehrt.
In der Polizeikantine wurde Michel halb eifersüchtig, halb ehrfürchtig angestarrt. Es hatte sich natürlich schon herumgesprochen, dass man in seinem Büro eine Klimaanlage einbaute.
Wie er das wohl geschafft hat?, fragten sich alle. Aber keiner mochte ihn direkt fragen. Zuerst bekam er dieses süße Blondchen zugeordnet und jetzt eine Klimaanlage. Was geht hier eigentlich vor? Offensichtlich ist Michel plötzlich der Liebling des Polizeipräsidenten. Also ist Vorsicht geboten.
Michel setzte sich demonstrativ mit dem Rücken zu der ganzen Bande, trank seinen Kaffee und freute sich klammheimlich auf die Ankunft von Claire, die er leider erst für acht Uhr bestellt hatte. Nach kurzer Zeit wandten sich dann alle wieder ihren eigenen Problemen zu. Das heißt, sie sprachen über Fußball oder was sie mit dem todsicher kommenden Lottogewinn anstellen würden. Michel beachteten sie nicht mehr. Ein Sonderling war er ja schon immer gewesen.
Als Michel wieder in sein Büro kam, räumten die beiden Techniker bereits ihre Werkzeuge zusammen. Sie erklärten ihm den Gebrauch der neumodischen Maschine, ließen das leise summende Ding gleich mal auf Höchststufe laufen. Michel wuchtete die Kuh, also den Schrank, zurück an die Wand, setzte sich mit dem Stuhl vor das Gerät und ließ sich die herrlich kalte Luft um die Ohren blasen. Und schloss die Augen.
Wenn Claire kommt, lassen wir all die faulen Typen hier ein bisschen rumtelefonieren und dann … dann schreiten wir zur Verhaftung. Und dann? Wie hat sie es formuliert? Zuerst die Arbeit, dann das Vergnügen …
Hallo, Michel! Aufwachen! Jetzt ran an den Speck. Man muss das Eisen schmieden, solange es heiß ist.
Sie fuhr plötzlich mit einer heftigen Armbewegung durch die Luft, als würde sie mit einem glänzenden Samuraischwert einer ganzen Reihe von imaginären Feinden mit einem Streich den Kopf abtrennen.

Hast du deinen verschlafenen Kollegen schon verklickert, dass sie heute Morgen alle die große Ehre haben, in unsere Untersuchung einverleibt zu werden, sprich, dass sie sich alle am Telefon den Mund fusslig werden reden müssen? Hey, Michel, wach auf! Wir haben viel zu tun, packen wir es an! Ich habe zu Hause bereits auf einem Blatt alles formuliert, was die Beamten wissen müssen, inklusive einer ungefähren Zeichnung dieses Mordshammers. Ich muss es nur noch vervielfältigen. Und du, du musst jetzt nur noch die Anweisung weitergeben.
Dies gestaltete sich allerdings etwas schwieriger, als Claire sich das in ihrem Köpfchen vorgestellt hatte. Michel gestand ihr unter merkwürdigen Verrenkungen, dass er nur über die Blödmänner Lerch und Thommen Befehlsgewalt habe. Alle anderen müsse er *bitten.* Und das habe er noch nie getan.
Dann gehe ich eben zum Polizeipräsidenten und bitte ihn höchstpersönlich, dir für heute sämtliche Beamte zu unterstellen.
Nein, das tust du nicht, Claire. Ich will nicht, dass du mich lächerlich machst. Das ist was anderes, als mit einem faulen Trick eine Klimaanlage zu bestellen.
Michel war jetzt ganz ruhig. Sogar Claire merkte, dass es ihm ernst war.
Okay, reg dich ab. Dann werde *ich* eben die Männer bitten.
Sprach's und draußen war sie. Michel ließ sich erschöpft auf den Stuhl fallen und wusste nicht so recht, was er mit sich anfangen sollte.
Um es kurz zu machen: Claire konnte ganze drei Beamte mit ihrem Charme für eine einstündige Mitarbeit gewinnen. Alle anderen suchten das Weite, wenn sie auftauchte, oder schützten ein weit dringenderes Geschäft vor. Einer schlug ihr im Falle seiner Mithilfe ziemlich unverhohlen ein Gegengeschäft vor. Sie zeigte ihm nicht einmal den Finger, sondern behandelte ihn wie Luft. Also wie verpestete Luft. Sie wandte sich einfach angewidert von ihm ab. Eine ungeheure Leistung in Sachen Selbstbeherrschung.
Das Fähnlein der sieben Aufrechten, bestehend aus den drei Freiwilligen, die vor dem Claire'schen Charme kapituliert hatten, aus Lerch und Thommen, die es unter Zwang taten, und Michel und Claire, die es voller Enthusiasmus taten – zumindest am Anfang – telefonierte also exakt eine Stunde.

Resultat? Null Komma nichts.
Zu allem Elend musste Claire auch noch erfahren, dass es mehr als dreihundertsiebenundfünfzig ausübende Schmiede gab. Sie hatte zu ihrer Schande eine Aufstellung aus dem Internet falsch interpretiert. Es gab doppelt bis dreimal so viele. Es war zum Verzweifeln. Die gute Idee und die damit verbundene Hoffnung von Claire schmolzen schneller als Eiswürfel im Ausguss. Schließlich entbanden sie alle Mithelfer von ihrer Pflicht und kümmerten sich nicht um das Gelächter, das sich wie ein Virus im ganzen Gebäude ausbreitete. Sie schlossen die Tür von Michels Büro. Claire pflanzte sich auf den Boden. Michel schien wieder einmal mit seinem Stuhl verwachsen. Keiner sprach ein Wort. Nur das Geräusch der Klimaanlage, um die ihn alle beneideten, war zu hören.
Sie schwiegen so lange, bis Claire aufsprang und von Michel verlangte, sofort die Kühlmaschine abzustellen.
Mensch, ist das kalt. Frierst du nicht?
Michel schüttelt den Kopf. Endlich schwitzt er nicht mehr.
Darf ich die Blumendecke nehmen? Morgen bin ich sicher krank.
Michel nickt.
Die Klimaanlage hat in dem kleinen Büro in kurzer Zeit ganze Arbeit geleistet. Und Claire ist natürlich sehr sommerlich gekleidet. Heute hat sie um ihre schmale Hüfte einen knappen Stofffetzen, geschneidert von einem geizigen Schneider, und einen noch sparsameren, elastischen Textilrest um die Brust. Außer in Michels tiefgekühltem Büro ist die Hitze ja auch nach wie vor unerträglich.
Weißt du was, Michel? Irgendwo machen wir einen Denkfehler. Meinst du nicht auch?
Ja, ja. Wahrscheinlich hast du … äh, wenn man alles bedenkt, äh … in einem gewissen Sinne Recht, meine ich, oder so …
Michels Antwort wäre in der Welt der Unbestimmtheit eine Goldmedaille wert. Claire straft ihn für einmal nicht, denn sie weiß selber nicht, wohin sie ihre Gedanken lenken soll.
Ein Königreich für eine Idee.
Nach einer weiteren Schweigerunde unterbricht Michel plötzlich die Stille.
Habe ich dir eigentlich schon einmal von Tanner erzählt?
Claire schüttelt apathisch den Kopf. Wenn sie etwas hasst, geradezu lähmt, dann ist es diese Art von Situation. So ein scheißtoter

Punkt. Wenn man keine Idee hat. Es ist, als ob man tot ist. Zumindest scheintot.
Kennst du die Geschichte vom Mönch, der jahrelang sein Koan, das Rätsel, das ihm sein Meister aufgegeben hatte, nicht lösen konnte?
Nein, Claire, diese Geschichte kenne ich nicht.
Tanner würde diese Geschichte sicher kennen. Außer natürlich, Claire würde sie im Moment erfinden.
Ein holländischer Schriftsteller hat die Geschichte erzählt. Er lebte eine Weile in demselben Kloster wie der Mönch. Hörst du mir überhaupt zu, Michel?
Ja. Sicher höre ich dir zu, Claire.
Wenn ihn in diesem Augenblick etwas *nicht* interessiert, sind es Geschichten von Klöstern und Mönchen und sonst so religiöse Sachen. Claire lässt sich nicht beirren.
Und weißt du, warum er das Rätsel nicht lösen konnte?
Nein, Claire, da fehlt mir jetzt jede Vorstellung.
Weil er andauernd an Frauen denken musste. Tag und Nacht. Er konnte sich auf nichts anderes konzentrieren. Er sah nichts anderes als Brüste, Schenkel, Lippen. Er dachte nur ans Vögeln. Beim Beten. Beim Essen. Und so weiter. Kannst du mir folgen, Michel. Oder bist du am Meditieren oder so?
Michel schaut auf. Aha, jetzt wird die Geschichte doch noch interessant. Und jetzt ist er sich ganz sicher, dass Tanner sie kennt.
Nein, nein, ich kann dir folgen. Und dann?
Der Meister erkannte die Nöte seines Zöglings. Eines Tages ließ er ihn holen und befahl ihm, das Kloster auf der Stelle zu verlassen. Er sei ab sofort kein Mönch mehr.
Aha, jetzt wird's spannend. Und? Was machte der Mönch? Also, ich meine der, der jetzt ab sofort kein Mönch mehr sein darf, äh … sein muss?
Er verließ das Kloster und ging in den nächsten Puff. Er schnappte sich das erstbeste Mädchen dort. Und jetzt kommt's!
Claire lehnt sich genüsslich zurück an die Wand und blinzelt Michel frech an.
Als der Mönch nach jahrelanger Enthaltsamkeit in die Frau eindrang, wusste er plötzlich die Lösung seines Rätsels. Mehr noch. Er hatte eine Erleuchtung nach der anderen. Explosionen von Erleuch-

tungen. Erlangte in einem Schwung die höchste Stufe der Erkenntnis und verließ den Puff als Meister. Ist das nicht geil?
Ja, das ist wahrlich eine äh … schöne Geschichte. Danke, Claire, danke für die Geschichte.
Was alles in so einem jungen Kopf zu Hause ist? Was das wohl für ein Rätsel war, das der Mönch nicht lösen konnte? Vielleicht sollte er Claire fragen. Er guckt sie an.
Sie sitzt wieder wie vorher, in die Decke eingehüllt, antriebslos.
Er fragt sie nicht, schweigt lieber. Er hat sie wegen Tanner eigentlich nur gefragt, weil ihn gerade eine immense Lust überkam, seinen Freund anzurufen. Vielleicht hätte der eine Idee, wie man aus diesem Schlamassel herauskommen könnte. Aber er getraut sich nicht so richtig. Man hat ja auch seinen Stolz. Vielleicht könnte er ihn fragen, ob er die Geschichte, die Claire gerade zum Besten gegeben hat, wirklich kennt. So als Einstieg. Dann würde Tanner ihn vielleicht fragen, wie er, Michel, im Kuhfall weiterkäme und so. Dann könnte er sachte …
Quatsch! Quatsch! Und noch mal Quatsch!
He, Michel, du kannst einen vielleicht erschrecken, Mensch! – Was? Wie was?
Ja, was ist denn Quatsch?
Wieso? Habe ich Quatsch gesagt?
Ja. Willst du mich wahnsinnig machen? Du hast dreimal Quatsch gesagt.
Ach so. Ja, da habe ich nur laut gedacht. Das habe ich nicht wirklich gesagt.
Okay. Dann frage ich halt andersrum. Mensch, du bringst mich noch auf die Palme. Das hat ja schon lange keiner mehr geschafft.
In Claire bäumt sich alles auf und entleert sich mit einem wilden Schnauben.
Also: Was hast du denn *gedacht*, als du – wohlverstanden nur denkend – gesagt hast: Quatsch. Quatsch. Und noch mal Quatsch.
Michel schaut vor sich hin und seine Finger ordnen gewissenhaft seine Bügelfalten.
Ich dachte, wir könnten dasselbe tun, was der Mann aus der Geschichte getan hat. Aber dann habe ich wiederum gedacht …
Warum sagst du das nicht gleich, du Trottel? Komm, wir gehen zu mir.

Jetzt ist Claire nicht mehr zu bremsen. Ein Königreich für eine Idee. Und die Königin singt.
Quatsch … Quetsch … Quietsch …, ha, ha, ha … quatschen … quetschen … quietschen …
Die Beamten im Korridor haben keine Ahnung, warum Michel und Claire das Haus plötzlich so übermütig verlassen.

VIERUNDZWANZIG

Tanner schlürft genussvoll seine Misosuppe.
Das Restaurant hat sich schon fast ganz geleert. Die neue Reisegruppe hatte sich schnatternd auf eine Besichtigungstour durch die von der Hitze in die Knie gezwungene Stadt gemacht. Den fröhlichen und aufgeregten Japanerinnen und Japanern, lauter ältere Semester, scheint die Hitze nichts anhaben zu können. Wie in japanischen Firmen üblich, haben sie wahrscheinlich die Reise, nach langen demütigen Dienstjahren, als Treuebonus geschenkt bekommen. Oder als Abschiedsgeschenk. Nach wie vor fällt es Tanner schwer, das Alter von asiatischen Menschen einzuschätzen. Auffallend ist, dass praktisch niemand übergewichtig ist.
Ja, das japanische Essen …
Schmeckt es Ihnen, Herr Tanner?
Ausgezeichnet. Danke für die Nachfrage, Frau Tsumura.
Die kleingewachsene Chefin des Restaurants trägt heute Mittag ein schlichtes, tabakfarbenes Kleid. Sie serviert ihm Hühnchen auf kleinen Bambusspießen.
Das ist bei der Hitze draußen genau die richtige Mittagsmahlzeit. Ich wünsche Ihnen einen guten Appetit.
Als Tanner das Restaurant betrat, eilte sie trippelnd auf ihn zu, begrüßte ihn mit seinem Namen und wies ihm höchstpersönlich einen schönen Fensterplatz zu. Als er sich gesetzt hatte, stellte sie sich mit ihrem vollen Namen vor, als ob sie gespürt hätte, dass Tanner sie nach ihrem Namen fragen wollte.

Ich heiße Kiharu Tsumura und es freut mich, dass Sie ein zweites Mal den Weg in unser Restaurant gefunden haben.
Kein Wort darüber, dass er nach dem letzten Besuch fast getötet wurde. Weiß sie es nicht oder verbietet es ihr die Höflichkeit, darüber zu reden? Oder gibt es einen anderen Grund?
Darf ich Ihnen ein Menü vorschlagen?
Sie durfte. Tanner war heute richtig froh, dass er sich nicht durch die umfangreiche Karte arbeiten musste. Er überließ sich ganz ihrer Fürsorge.
Tanner beobachtet, wie sie davonschwebt.
Wie alt ist diese Frau?
Zwischen vierzig und siebzig scheint jedes Alter möglich zu sein. Ihre Gesichtshaut ist glatt, außer ein paar Fältchen um die Augen. Ihre Lippen sind voll. Ihr Blick ist jugendlich und erfahren zugleich. Ihr Gang ist die Anmut selbst. Bei europäischen Menschen verraten oft unbedachte Bewegungen das wahre Alter, trotz einer noch so perfekten Maske oder gar einer Schönheitsoperation. Bei Kiharu scheint alles beherrscht, perfekt einstudiert.
Tanner weiß noch nicht, wie direkt er sie nach dem Zettel im Kästchen fragen soll. Immerhin kann es ja auch sein, dass sie nichts damit zu tun hatte. Oder sie ahnte weder die Bedeutung noch die Folge dieser Botschaft.
Ja, wie soll er es anstellen, ohne sie zu beleidigen? Kommt Zeit, kommt Rat.
Tanner widmet sich dem Hühnchen, das so saftig und so weich ist, dass es fast schon zerfällt, wenn man es bloß anschaut.
In diesem Moment bemerkt er, dass an dem letzten Tisch, an dem außer Tanner auch noch Gäste sitzen, die Rechnung verlangt wird. Tanner unterbricht sein Essen.
Jetzt will ich doch mal den Weg der Rechnung verfolgen.
Kiharu trippelt zur Kasse. Tanner sieht jetzt nur ihren Rücken. Offenbar betätigt sie einige Tasten, packt dann mit der rechten Hand die Rechnung, die von der Maschine ausgespuckt wird, greift sich mit der Linken eines der schwarzen Lackkästchen, die neben der Kassenmaschine gestapelt sind, legt die Rechnung hinein und klappt den Deckel zu.
Viel schlauer ist er jetzt auch nicht.
Tanner isst weiter. Obwohl er natürlich weiß, dass man sich bei

einem so herrlichen Mahl auf nichts anderes als auf das Essen konzentrieren sollte, versucht er über den ganzen Fall nachzudenken.
Den Anfang des Falles bildet der tote Japaner im Schlaraffenländli. Dass es sich um Mord handelt, ist für Tanner unumstößliche Tatsache. Dafür gibt es zwar keinen Beweis, denn die Leiche ist ja wie vom Erdboden verschwunden und kann deswegen nicht untersucht werden. Dass das Ganze raffiniert geplant wurde, beweist der professionell organisierte, heimliche Abtransport. Anschließend wurde Michiko umgebracht, weil sie eine gefährliche Zeugin war.
Warum eigentlich?
Hätte es nicht genügt, Michiko einzuschüchtern oder zu erpressen, so wie sie es mit Claudia machen? Es hätte sich sicher auch im Leben von Michiko eine Schwachstelle finden lassen. Andererseits ist Claudia Besitzerin eines Puffs *und* drogenabhängig und dadurch leichter zu kontrollieren. Und wer weiß, welche guten Dienste Claudia schon vorher geleistet hat oder in Zukunft noch leisten könnte. Ein Haus wie das Schlaraffenländli ist für bestimmte Kreise und deren dunkle Machenschaften wie geschaffen.
Trotzdem tut sich hier eine Frage auf, die Tanner bis jetzt übersehen hat. Gab es ein Zusatzmotiv für die Mörder, das es notwendig machte, sie umzubringen? Wussten die Mörder vor dem Mord oder erst danach, dass Michiko sich mit ihm verabreden wollte? Er fragt es sich noch deutlicher. Wurde Michiko umgebracht, weil sie sich mit ihm in Verbindung gesetzt hatte?
Nimmst du dich da vielleicht nicht doch zu wichtig?
Herr Tanner, schmeckt es Ihnen nicht? Ihr Essen wird ja kalt.
Doch, doch. Das Hühnchen ist ausgezeichnet. Ich war gerade abwesend.
Ich bringe Ihnen noch ein Bier.
Ja, vielen Dank.
Wie soll er sie bloß fragen, ohne alles zu verderben? Tatsächlich verdirbt ihm diese ungelöste Frage ein bisschen den Appetit.
Und wieder ist sie es, die ihn aus dem Dilemma erlöst. Während sie das Bier einschenkt, spricht sie leise, ohne ihn dabei anzusehen.
Wenn Sie etwa eine Frage an mich haben, können wir gerne reden. Sie finden mich nachher in dem kleinen Lokal vorne an der Ecke. Prost. Soll ich Ihnen dann die Rechnung bringen?
Tanner kann bloß nicken, da er sich gerade ein bisschen am Huhn

verschluckt hat und – mit der Serviette vor dem Mund – nach Atem ringt.
Sie lächelt. Dann ist sie schon auf dem Weg zur Kasse.
Tanner ruft ihr hinterher.
Ich verzichte auf das Dessert und trinke jetzt auch keinen Kaffee.
Das *jetzt* betont er überflüssigerweise. Er sieht es ihrem Rücken an, dass sie ihn längst verstanden hat.

Tanner sitzt kaum zehn Minuten in dem verabredeten Lokal, einem muffigen Sechzigerjahre-Tea-Room, da steht sie schon neben ihm, quasi auf Augenhöhe. Er hat gerade nur einen ganz kurzen Blick in die hiesige Zeitung geworfen, deswegen hat er sie gar nicht kommen sehen. Im ersten Moment erkennt er sie kaum. Sie hat sich umgezogen und die Lippen mit einem dezenten Rot betont. Die komplizierte Frisur, die sie vorhin trug, war offensichtlich eine Perücke gewesen. Ihr eigenes Haar trägt sie wie Chiyo ganz kurz. Ohne ihre kunstvolle Perücke wirkt ihr Gesicht sinnlicher, die Nase etwas breiter und ihre dunklen Augen deutlich größer. Dazu sieht er sie das erste Mal in westlicher Kleidung. Sie trägt jetzt eine abgewetzte Jeans, eine luftige, weiße Bluse ohne Ärmel und hellblaue Turnschuhe. Der Gegensatz zu ihrer traditionell japanischen Erscheinung könnte nicht größer sein. Tanner hat das Gefühl, er trifft privat eine Schauspielerin, die er gerade noch auf der Bühne in Kostüm und Maske gesehen hat. Erstaunlicherweise sieht sie jetzt nicht jünger aus, was man anhand der burschikosen Kleidung und Frisur vermuten könnte. Wenn er im Restaurant noch dachte, zwischen vierzig und siebzig sei alles möglich, so stellt er jetzt fest, dass es doch eher gegen die obere Zahl geht. Es sind vor allem die nackten Arme, die ein klein wenig von ihrem wahren Alter verraten. Ihre Hände sind erstaunlich kräftig. Auf dem Handrücken sieht man etliche braune Flecken.
Sie setzt sich ihm gegenüber und blickt ihn offen an.
Ich sehe, Sie fragen sich gerade, wie alt ich wohl sein mag. Ich verrate es Ihnen. Ich bin einundsechzig Jahre alt.
Tanner blickt sie bewundernd an, behält aber seinen Kommentar für sich.
Liegt das wirklich an der Ernährung, wie manche behaupten? Vielleicht haben die Japaner längst ein Mittel gefunden, um die Alterung der Zellen zu beeinflussen?

Die Kellnerin bringt ihr unaufgefordert ein Glas Champagner. Offenbar kennt man hier ihre Gewohnheiten.
Seit ich hier verkehre, haben die sich einen tüchtigen Vorrat an anständigem Champagner zugelegt.
Zum Wohl, Frau Tsumura. Sie sind sehr schön, wenn ich mir erlauben darf, das zu sagen. Und danke, dass Sie sich Zeit für mich nehmen.
Sie kneift für einen Moment ihre Augen zusammen und schaut ihn prüfend an, als ob sie zuerst sicher sein möchte, dass er das wirklich so meint und sich dahinter keine billige Anmache verbirgt. Dann lächelt sie entspannt.
Bevor ich Ihre Frage beantworte, werde ich Ihnen von mir erzählen. Keine Bange, ich werde mich kurz fassen.
Mit einem zweiten Schluck trinkt sie das Glas leer.
Ich bin in einer armen Familie in der Nähe von Kyoto aufgewachsen. Ich war das fünfte Mädchen von sieben Kindern. Ich war ein außerordentlich schönes und aufgewecktes Kind. Schon früh hatte meine Familie beschlossen, dass ich meine Ausbildung in einer Geishaschule erhalten sollte. Das ist natürlich teuer, aber man fand einen alten, steinreichen Mann, der meine Ausbildung zu bezahlen bereit war, mit der vertraglich abgeschlossenen Aussicht, mich zu entjungfern, wenn es dann eines Tages so weit sein sollte. Damals wusste man noch nicht, dass ich so klein bleiben würde. Oder man wollte es nicht wahrhaben. Wegen dieser Entjungferungsaussicht hat sich meine Seele geweigert, meinen Körper weiter wachsen zu lassen. Dies ist meine etwas sentimentale Theorie zum Thema meiner Größe.
Die Kellnerin bringt ein zweites Glas Champagner. Bevor Kiharu trinkt, hält sie das von der Kälte beschlagene Glas an ihre Wange und schließt die Augen.
Ihn friert ein wenig, trotz der Hitze im Tea Room.
Als der Tag kam – man betrachtete damals die *mizuage* einer *Maiko* als Reifeprüfung auf dem Weg zur Geisha –, habe ich mich mit Händen und Füßen gewehrt. Ich habe geweint und zu ihm gesagt, dass ich ihn mein Leben lang hassen würde, wenn er mir das antäte.
Sie nimmt einen tiefen Schluck aus dem Champagnerglas.
Dann geschah etwas, was für mein Leben prägend war. Der alte Mann, der jahrelang auf diesen Moment gewartet und viel Geld be-

zahlt hatte, bekam Mitleid mit mir und ließ mich gehen. Stellen Sie sich das Wunder vor! Er hatte *Mitleid* und ließ mich gehen!
Jetzt leert sie das Glas.
Übrigens, ohne etwas vom Geld zurückzufordern. Im Gegenteil, er nahm mich aus der Geishaschule heraus – auch etwas, das eigentlich nicht geht – und brachte mich in einer Privatschule unter, die er auch noch bezahlte. Als dann klar wurde, dass ich nicht weiter wachsen würde, haben mich meine Eltern vollends verstoßen. Als mein Gönner verstarb, hat er mir sogar noch etwas Geld vermacht. Damit bin ich nach Europa gegangen, habe in Paris eine Hotelfachschule besucht und bin nach vielen Umwegen hier in dieser Stadt gelandet. Vorher habe ich in Hotels auf der ganzen Welt gearbeitet. Eine Weile sogar auf einem Schiff.
Und wie kommt man dann ausgerechnet in diese Stadt?
Tanner verkneift sich die Frage.
Die Kellnerin bringt das dritte Glas. Tanner rührt noch immer im selben Kaffee und fragt sich, warum sie ihm das alles erzählt.
Sie lächelt.
Fragen Sie sich jetzt, warum ich Ihnen, einem Fremden, das alles erzähle?
Sie antwortet, bevor Tanner reagieren kann.
Ich habe im Lauf der Zeit einige Mädchen betreut, die ein ähnliches Schicksal hatten wie ich. Wenn Sie so wollen, habe ich eine Art Verein gegründet, der Mädchen hilft, mit ihrer Vergangenheit in einer Geishaschule fertig zu werden. In der Geishaschule passiert nämlich so etwas wie eine Gehirn-, man könnte auch sagen, Gefühlswäsche und … aber entschuldigen Sie, ich schweife ab.
Beim Nächsten, was sie sagt, fällt Tanner fast der Löffel aus der Hand. Denn damit hat er nun gar nicht gerechnet.
Bei Michiko habe ich versagt. Ich konnte sie zwar aus der Schule loseisen, habe sie auch nach Europa bringen lassen, aber …
Das dritte Glas leert sie in einem Zuge.
… ich konnte nicht verhindern, dass sie eine Nutte wurde. Und jetzt ist sie tot. Ich mache mir schwere Vorwürfe.
Frau Tsumura, woher wissen Sie, dass Michiko tot ist?
Sie richtet sich auf und fährt mit beiden Händen durch ihr kurzes Haar.
Kurz bevor man sie getötet hat, habe ich mit ihr telefoniert. Sie hat

mir von Ihnen erzählt. Sie hatte vor irgendetwas Angst. Ich habe ihr empfohlen, zur Polizei zu gehen. Aber Sie wollte davon nichts wissen. Sie wollte dringend mit Ihnen sprechen.
Sie legt beide Handflächen um das Glas.
Dadurch war ich natürlich irgendwie alarmiert. Und ich habe anschließend anderthalb Tage nichts mehr von ihr gehört und sie auch nicht erreichen können. Dann habe ich in der Zeitung von der Leiche im Brunnen gelesen. Ich wusste sofort, dass das sie war. Ich bin trotzdem zur Polizei gegangen, um ganz sicher zu sein. Ich habe aber der Polizei verheimlicht, dass ich sie kenne, und gesagt, ich habe mich geirrt.
Kiharu greift nach einem Taschentuch.
Michiko war ein entzückendes Wesen. Sie haben sie ja kurz kennen gelernt. Unabhängig davon, dass sie sich in Deutschland leider in den falschen Mann verliebt hatte, war sie von einer merkwürdigen Melancholie befallen. Und ob Sie es glauben oder nicht, das Einzige, was ihr dagegen geholfen hat, war dieses Doppelleben, das sie eines Tages zu führen begann. Es ging nicht um das Geld, das sie verdiente. Sie hatte eine gute Ausbildung und hätte in irgendeinem Beruf Karriere machen können. Nein, sie musste sich partout demütigen lassen, die Beine spreizen und dann konnte sie – von ihrer Melancholie wie reingewaschen – zurück nach Frankfurt. Und dort hat sie dann eigentlich nichts gemacht. Sie hat bloß darauf gewartet, bis sie die Melancholie wieder einholte. Ein ewiger Kreislauf. Vielleicht hat sie mal ein Buch gelesen, aber meist hat sie nutzlose Dinge eingekauft. Und jetzt ist sie tot. Mein Gott, ist das alles sinnlos!
Sie macht eine heftige Bewegung mit dem leeren Glas, so dass Tanner schon befürchtet, sie würde das Glas in russischer Manier auf den Boden werfen. Dabei gibt sie anscheinend nur der Kellnerin ein verabredetes Zeichen.
So. Jetzt brauche ich etwas Stärkeres. Wollen Sie auch?
Tanner lehnt höflich ab und trinkt endlich seinen Kaffee, der mittlerweile kalt geworden ist.
Geben Sie mir mal Ihre Hand. Keine Angst, ich fresse Sie nicht.
Sie lacht und nimmt seine rechte Hand in ihre beiden Hände. Sie hält sie einen Augenblick, befühlt sie, betrachtet sie.
Ja, ich verstehe.
Was, bitte, verstehen Sie?

Ja, ich kann Michiko verstehen. Sie hat Ihnen vertraut.
Wissen Sie, um was es bei dem Ganzen eigentlich geht, Frau Tsumura?
Bevor sie antwortet, nimmt sie den doppelten Whisky entgegen, den ihr die Kellnerin bringt.
Nicht genau. Aber so viel kann ich Ihnen sagen: Da sind Mächte im Spiel, gegen die niemand so leicht eine Chance hat.
Tanner nickt. Er spürt, dass es jetzt im Moment keinen Sinn hat, Fragen zu stellen, die sie nicht beantworten will oder kann.
Beide trinken jetzt in langsamen Zügen. Sie den Whisky, er den Rest des Kaffees. Dann setzt er seine Tasse ab.
Ich wüsste nur zu gerne, ob Michiko etwas mit diesen Mächten zu tun hatte.
Ja und nein, Herr Tanner. Mehr kann ich Ihnen nicht sagen.
Und ihre Schwester?
Sie kennen Chiyo, Herr Tanner?
Kennen ist zu viel gesagt, aber ich habe mit ihr telefoniert. Haben *Sie* ihr mitgeteilt, dass ihre Schwester tot ist?
Ja, natürlich. Sie ist sofort hergeflogen.
Aus Japan?
Nein, nein, aus Paris. Chiyo hielt sich bereits in Europa auf. Sie war in zwei Stunden hier.
Sie leert den Rest des Glases und erhebt sich. Dann spricht sie leise zu ihm, ohne ihn anzusehen.
Wissen Sie was, Herr Tanner? Wir müssen uns woanders treffen. Das, was ich Ihnen noch sagen könnte, kann ich hier nicht sagen. Man weiß ja nie. Wenn Sie mir Ihre Telefonnummer geben, rufe ich Sie heute Abend nach meinem Dienst an.
Tanner meint in ihren Augen Angst zu sehen, aber vielleicht bildet er es sich auch nur ein. Er gibt ihr seine neue Telefonnummer.
So. Jetzt gehe ich. Ihr bescheidener Kaffee geht auf meine Hausrechnung. Warten Sie noch eine Weile, bis Sie das Lokal verlassen. Auf Wiedersehen. Ich rufe Sie an.
Die drei Gläser Champagner und der doppelte Whisky sind ihr nicht anzumerken. Trotzdem ist ihr Gang anders als im Restaurant. Das liegt wohl am fehlenden Kimono und an dem dazugehörenden Schuhwerk.
Oh, ich Idiot!

Nach dem Zettel im Lackkästchen hat er ganz vergessen zu fragen. Tanner bestellt noch einen Kaffee und verlässt dann zwanzig Minuten später die nachmittägliche, diskrete Champagnerquelle von Kiharu Tsumura.
Nachdenklich schlendert er in Richtung Polizeikommissariat. Vielleicht ist Schmid ja doch noch arbeiten gegangen. So wie plötzlich die Beziehung zur hiesigen Polizei geregelt ist, kann er vielleicht einmal einen Blick in den Autopsiebericht von Michiko werfen.
Unterdessen ist es bereits später Nachmittag geworden und allmählich bevölkern sich die Gassen wieder mit den Menschen, die sich angewöhnt haben, die heißeste Nachmittagszeit in ihren abgedunkelten Wohnungen zu verbringen. An Arbeit ist nicht zu denken, außer man sitzt in einem klimatisierten Büro. So nach und nach verändern sich die Gewohnheiten dieser Stadt. Die Lebensmittelgeschäfte und auch die Boutiquen haben bereits ihre Ladenöffnungszeiten den klimatischen Bedingungen angepasst. Nur die Ämter und Schulen der Stadt halten stur an den gewohnten Zeiten fest. Hitzefrei wurde abgeschafft, denn man könne erstens den arbeitenden Eltern nicht zumuten, dass die Kinder den ganzen Tag beschäftigungslos zu Hause rumhängen, und zweitens würden sie ja sonst nichts mehr lernen.
Als er kurz vor seinem Treffen mit Frau Tsumura einen Blick in die Zeitung werfen konnte, hatte er eine Meldung über die noch nie da gewesene hohe Zahl der alten und kranken Menschen, die aufgrund der Hitze bereits gestorben waren, gelesen.
Ja, und eine davon ist sogar verbrannt. In der Hitze des brennenden Busches.
Als Tanner mittags den Waibel endlich aus der Kneipe erlöste, in der er geduldig auf Tanner gewartet hatte, wankte der bereits bedenklich – nach den vielen Bieren, die er auf Tanners Rechnung getrunken hatte – und war über die siebenundzwanzigtausend Franken, die ihm Tanner überreichte, äußerst glücklich. So musste er denn nicht mit leeren Händen zurück ins Kommissariat. Damit konnte er wahrscheinlich sogar der Frage ausweichen, ob er denn Tanner in die Wohnung begleitet habe oder nicht.
Im Kommissariat stellt Tanner erstaunt fest, dass Schmid nicht gekommen ist. Waibel allein hält die Stellung. Sagen wir mal, er ist physisch anwesend.

Er schläft laut schnarchend, über den Bürotisch gebeugt, seinen kleinen nachmittäglichen Rausch aus. Sonst herrscht Grabesstille im Kommissariat. Wahrscheinlich ist es auch den normalen Verbrechern zu heiß für irgendwelche Untaten.
Als Tanner sich ziemlich laut räuspert, fährt er zusammen, ist aber ganz glücklich, Tanner zu sehen und nicht etwa seinen Chef.
Ah, Sie sind es. Ich zähle immer noch äh ..., also, ich meine hier ... das Geld. Das ist ja ganz schön viel. So um die zwanzigtausend, oder?
Auf solche Spielchen hat Tanner nun gar keine Lust. Will er den Rest mit ihm teilen?
Herr Waibel, ich habe Ihnen heute Mittag genau siebenundzwanzigtausend Franken übergeben. Keinen Rappen mehr, aber auch nicht weniger.
Ah, ja, da ist ja noch ein Bündel. Ist hier unter das Kuvert geraten. Ja, dann ist es tatsächlich genauso viel, wie Sie sagten. Wollen Sie auch unterschreiben?
Ich glaube, es reicht, wenn Sie das tun. Schließlich sind Sie ja hier der Kommissar.
Ja, das stimmt. Da haben Sie natürlich Recht.
Waibel guckt sich ein bisschen unruhig um. Er weiß nicht so recht, was er mit Tanner anfangen soll.
Kann ich Ihnen sonst noch behilflich sein, Herr Tanner, äh, ich meine, Herr Kollege?
Ja, gerne. Ich möchte jetzt mal einen Blick in den Autopsiebericht von Michiko Inoué werfen, wenn's recht ist, Herr Kollege.
Von wem? Haben wir nicht. Den Namen führen wir hier nicht. Tut mir Leid.
Waibel wendet sich erleichtert wieder dem Bündel Geld zu.
Ja, dann halt die Akte von der namenlosen nackten Japanerin, die ihr im Brunnen beim Theater gefunden habt.
Ja so, *die* ...! Wie heißt die?
Sie hieß Michiko Inoué. Kann ich jetzt den Bericht sehen? Oder muss ich erst den Schmid in seinem Salatbeet stören?
Jetzt geht es plötzlich ziemlich schnell. Ein Griff von Waibel und das dünne Dossier liegt auf dem Tisch. Ein Wunder, dass Waibel nicht aufgestanden ist und salutiert hat.
Tanner staunt in solchen Fällen immer wieder. Sprache und Haltung ist doch alles.

Er setzt sich an den Tisch und überfliegt die Akte. Ihn interessiert nur eines. Und da steht es schwarz auf weiß.
Todesursache: Gebrochene Wirbel. Druckstellen am Hals, rechter Kinnunterseite und linker Schläfe. Keinerlei Spuren von harten Gegenständen. Ein Sturz ist auszuschließen.
Ein zweites Mal fröstelt es Tanner an diesem Tag. Er atmet tief durch, um der aufkeimenden Übelkeit Herr zu werden.
Wo ist sie?
Wer? Sie meinen den Leichnam? In der Gerichtsmedizin natürlich.
Ach ja? Mensch, Waibel, dann sag mir bitte, wo die Gerichtsmedizin ist. Und du meldest mich dort ganz offiziell an, hast du verstanden? Und zwar jetzt.
Der Wechsel von *Sie* auf *du* beeindruckt Waibel sogar noch mehr als der offizielle Tonfall von vorhin. Tanner kümmert es nicht. Er ist schon unterwegs. Wohin?
Zu Michiko. Wie hat Frau Tsumura heute Nachmittag gesagt?
Sie hat Ihnen vertraut …
Er muss sie noch einmal sehen. Vielleicht kann ihr toter Körper ihm noch etwas erzählen.

FÜNFUNDZWANZIG

Michel stöhnt und schimpft.
Ich hasse Ideen. Ich hasse Bücher. Und ganz besonders hasse ich alte, staubige Wälzer. Ich brauche Taten, ihr Männer von Athen.
Seit geschlagenen vier Stunden sitzt Michel frustriert und allein im wenig charmanten Lesesaal der Universitätsbibliothek. Auf dem Stapel links von ihm die Bücher, die er bereits von A bis Z durchgeblättert hat. Der Stapel rechts von ihm sind die Bücher, die er noch zu durchforsten hat.
Dieser verdammte Scheißhammer …
Alle anderen Leute sitzen jetzt am späten Nachmittag in einem kühlen, schattigen Wirtshausgarten, trinken ein kaltes Bier und essen

ein saftiges Steak vom Holzkohlengrill. Nur er allein muss schuften. Und mit welchem Resultat?
Beide Gedanken sind natürlich falsch. Und das weiß Michel auch. Den Wirtshausgarten, den er sich vorstellt, gibt es in diesem Sommer nicht. Schattig schon, aber kühl nicht. Dann ist er längst nicht der Einzige, der arbeitet. Claire zum Beispiel sitzt im Raum nebenan und sucht dasselbe wie er. Nur, dass sie nicht in Büchern blättert, sondern auf einen großen Bildschirm starrt. Die Bücher, die er zu bearbeiten hat, hat sie ausgewählt.
Ja, eben die Idee …
Sie suchen jetzt nicht mehr nach einem lebenden Schmied. Sie suchen einen Hammer. Einen existierenden Hammer. Den Vater aller Hämmer sozusagen. Heimisch oder ausländisch, egal. Wahrscheinlich eher ausländisch. Orientalisch oder asiatisch. Wahrscheinlich eher asiatisch.
Claire hatte natürlich die Idee. Die Geburt der Idee war wunderschön. Also vielmehr die Begleitumstände zur Geburt. Die Tatsache, dass er immer wieder daran denken muss, ist eigentlich schuld daran, dass er mit diesen Büchern nicht vorwärts kommt.
Kaum waren sie heute kurz vor Mittag in ihrem kleinen aufgeräumten Appartement angekommen, besoffen von dem, was da kommen sollte, hat er sie, kaum war die Wohnungstür hinter ihr geschlossen, umarmt und geküsst. Das heißt, er wollte sie küssen. Endlich.
Da hatte er aber die Rechnung ohne den Wirt, vielmehr ohne die Wirtin, gemacht.
Nein, nein, das machen wir jetzt nicht so. Wir sind schließlich kein Liebespaar, oder?
Er nickte verdattert.
Ja, und was machen wir dann?
Sie lachte fröhlich und begann die grünen Jalousien ihrer kleinen Wohnung so dicht zu machen, dass das Licht nur noch in ungezählten Streifchen auf die beiden fiel.
Wir machen ein Spiel.
Wie? Ein Spiel? Was für ein Spiel?
Sie erklärte es ihm geduldig. Er zitterte vor Aufregung. Oder war es die Erregung?
Ja, was für ein Spiel, ihr Männer von Athen?
Sie schlug ihm allen Ernstes dieses uralte Kinderspiel vor, bei dem

beide Spieler ihre Hände hinter dem Rücken verstecken mussten. Sie machte es ihm vor und lachte in einem fort ihr spitzbübisches Lachen. Dann sagte sie die Formel.
Schere. Stein. Papier.
Sofort mussten beide Partner eine Hand vorstrecken und mit ihr entweder die Schere, das Papier oder den Stein darstellen.
Wenn beide zufällig dasselbe haben, ist unentschieden.
Schere gewinnt über Papier. Stein gewinnt über Schere. Papier gewinnt über Stein.
Ein Spiel besteht aus sieben Versuchen, bei denen immer einer gewinnen muss. Wer elf Spiele verloren hat, ist der Verlierer.
Verstehst du jetzt die Regeln, mein Bär?
Michel schwitzte, nickte aber schicksalsergeben.
Und was kriegt der Gewinner?
Er fragte ziemlich verzagt, denn so etwas hatte er sein Leben lang noch nie erlebt.
Der Verlierer muss sich nackt ausziehen und der Gewinner darf dann mit dem Verlierer machen, was er will.
Oh, das ist ja toll, Claire.
Michels Erregung wuchs. Sein Leben lang war er immer ein guter Spieler gewesen. Er würde der Gewinner sein. Da war er sich ganz sicher. Michel wusste in dem Moment noch nicht, dass bei diesem Spiel verlieren viel schöner ist als gewinnen. Er wollte gewinnen.
Natürlich verlor er. Und zwar haushoch. Das Spiel dauerte ziemlich lange, weil es sehr oft ein Unentschieden gab. Wenn es aber entschieden war, gewann immer Claire. Es war wie verhext. Michel war nicht ein einziges Mal erfolgreich.
Dann war es so weit.
So, Herr Michel, Sie können sich jetzt frei machen.
Sie lachte fröhlich, drehte ihm den Rücken zu und lauschte kichernd, wie er sich stöhnend auszog.
Als es eine Weil still war, drehte sie sich um.
Aber, aber, Chef! Der ist ja schon groß und hart. Das geht natürlich nicht. Michel, bitte, bitte, ich möchte ihn in die Hand nehmen, wenn er klein und weich ist. Und dann möchte ich sehen und fühlen, wie er groß wird.
Ja, ihr Männer von Athen, steht mir bei! Wie soll ich denn das machen?

Michel keucht und heisert. Noch nie hatte er unter so besonderen Umständen nackt vor einem angezogenen Mädchen gestanden. Noch nie fühlte er sich so bloß. Aber es schien ihm auch, als ob er noch nie so erregt gewesen sei.
Claire blieb unerbittlich. Sie werde ihn erst anfassen, wenn er wieder klein sei.
Okay, dann gehe ich halt unter die kalte Dusche. Ich sehe keine andere Möglichkeit. Und lach nicht so frech. Wart nur, bis ich das Spiel gewinne.
Michel stand ziemlich lange unter der kalten Dusche, bis sich alles dem Willen von Claire untergeordnet hatte.
Als es so weit war, wurde Claire ganz andächtig. Die eine Hand wiegte seine Eier, die andere nahm Besitz von seinem beruhigten Fleisch. Erstaunlich lange Zeit geschah gar nichts, so unterkühlt war sein Stängel, wie Claire ihn beharrlich nannte.
Herrlich, herrlich!
Claire war begeistert. Dann, als er endlich wuchs und wuchs, bekam sie große Augen.
Oh, Wahnsinn, Mann. Das ist ja schöner, als ich es mir vorgestellt habe.
Bereits hier an dieser Stelle dämmerte es Michel langsam, dass ihr Spiel und sein Verlieren gar nicht so blöd waren, wie es auf den ersten Blick schien.
Als er ganz und gar angeschwollen war und geradezu den Anschein erweckte, als ob er platzen wollte, kniete sie sich vor ihm nieder. Michel schloss die Augen und es war ihm, als ob eine göttliche Gnade ihn wieder in seine Jugendzeit zurückversetzt hätte.
Das Spiel wiederholte sich noch zweimal und – es war wirklich wie verhext – der gute Michel verlor jedes Mal. Nach dem zweiten Spiel zog er sich schon gar nicht mehr an.
Als Claire unermüdlich das vierte Spiel anfangen wollte, musste er endlich passen. Er hatte sie noch kein einziges Mal berührt. Aber einen glücklicheren Verlierer kann man sich kaum vorstellen. Er fragte sie zaghaft, ob das denn für sie jetzt kein Problem sei?
Sie lachte.
Nein. Wieso ein Problem? Ich gehe jetzt unter die Dusche, allerdings mit warmem Wasser, und löse das Problem, wie du es nennst, auf

meine Weise. Du kannst zuschauen, du darfst mich aber nicht berühren. Erst musst du beim Spiel gewinnen. Du kannst es jeden Tag von neuem versuchen.
Und so hat Michel in Zukunft auch ein Problem zu lösen, wie der Mönch in Claires Geschichte. Eigentlich sogar ein doppeltes, denn Claire selbst ist ihm ein Rätsel. Sind heutzutage alle jungen Frauen so? Oder ist Claire ein eigenartiges und eigenwilliges Einzelwesen? Fragen über Fragen und die Antworten weiter weg als der fernste Horizont.
Als sie nach der Dusche, in ein großes Badetuch eingehüllt, auf einem Stuhl in der Küche saß und zuschaute, wie Michel ihre sämtlichen essbaren Vorräte vertilgte, kam ihr plötzlich die Erleuchtung. Sie sprang auf, das Tuch glitt zu Boden, und sie schrie.
Hey, Michel! Dieser Hammer wurde nicht jetzt angefertigt. Den gibt es schon lange. Ich sehe ihn vor mir. Es ist irgendwie ein historischer Hammer. Er lag lange Zeit eingehüllt in einem goldenen Tuch, bis seine Zeit wieder kam.
Sie tanzte wie eine Verrückte nackt in der Küche herum.
Michel, glaub mir, diesen Hammer gibt es schon eine Ewigkeit. Wir müssen sofort in eine Bibliothek und alle Bücher anschauen, die sich mit Waffen und seltsamen Kriegsgeräten aller Art beschäftigen. Oder in ein Waffenmuseum. Oder einen Experten befragen. Komm, Michel, auf in den Kampf.
Ja, wäre es denn ein Kampf! Aber still auf einem unbequemen Stuhl sitzen und Bücher anschauen. Michel stellt sich unter einem Kampf etwas ganz anderes vor.
Die Bilder im Buch verschwimmen vor seinen Augen. Er kann sie schon nicht mehr sehen, all die Kriegsäxte, Wurfhämmer, Kriegshämmer, Opferhämmer. Lieber stellt er sich vor, wie Claire ihn glücklich gemacht hat. Wie er über ihr stand, fett und schwitzend, wie er ist, und es war ihm egal. Sie – sie machte, dass es ihm egal war. Und sie – sie kniete zart und schlank zwischen seinen Beinen und hielt seinen mächtigen Stängel fest zwischen ihren kleinen Händen. Dann streichelte sie wieder sanft seine Eier und guckte ihn mit großen Augen an. Als er das erste Mal kam …
Hey, Michel, ich habe ihn gefunden.
Claire stürmt durch den leeren Lesesaal. Sie ist ganz aufgeregt.
Wen hast du gefunden?

Den Hammer, du Depp. Stell dir vor, ich habe den verdammten Hammer gefunden. Ich zeig ihn dir auf dem Bildschirm.
Ungestüm rast sie quer durch den Raum. Die mausgraue Lesesaalbeamtin – auf einem Schild steht ihr Name: Fräulein Dr. Ehrsam, dipl. Bibliothekarin – schaut irritiert hinter ihrem Bücherstapel auf und schaut zum wiederholten Mal auf die Uhr.
Gott sei Dank kann sie in fünf Minuten schließen. Dann ist sie die zwei Verrückten los. Vor allem den Dicken, der den ganzen Nachmittag stöhnte, als ob er zwischen seinen Büchern über asiatische und historische Waffen ein unanständiges Heft versteckt hätte.
Michel blickt Claire über die Schulter auf den Bildschirm. Tatsächlich ist da ein ziemlich großer Hammer zu sehen, der in etwa eine Form hat, die Claires These entspricht. Seine Schlagfläche ist nach innen gewölbt, die Kanten geschärft. Die Seiten des Hammerkopfes weisen eine verschlungene Ornamentik auf. Sein langer Holzstil ist kräftig und wunderbar geschwungen. Offenbar ist der Hammer chinesischer Herkunft und liegt in einem Museum in Kanton. Er wird als *der goldene Hammer* bezeichnet. Vom goldenen Überzug, falls er denn jemals wirklich golden gewesen ist, ist allerdings nichts mehr zu sehen. Sein Zweck wird vage mit rituell angegeben.
Claire notiert sich eifrig sämtliche Angaben. Dann taucht auch schon Fräulein Ehrsam auf und meldet mit dünner Stimme, dass die Bibliothek jetzt schließe.
Ab wann ist die Bibliothek morgen wieder offen?
Claire fragt, während sie ungerührt weiterschreibt.
Ab neun Uhr. So wie es für jeden lesbar angeschrieben steht.
Sie sagt es mit säuerlicher Miene, Michel einen schiefen Blick zuwerfend. Am liebsten hätte sie wahrscheinlich gesagt, dass für den Dicken erst wieder am Sankt-Nimmerleins-Tag geöffnet sei.
Claire merkt von all dem nichts. Sie schwebt auf Flügeln im siebten Forscherhimmel.
Danke, Madame, Sie haben uns sehr geholfen. Auf Wiedersehen.
Claire räumt so geräuschvoll ihre Siebensachen zusammen, dass das zwischen dünnen Lippen herausgepresste *Fräulein, wenn ich bitten darf* untergeht.
Komm, Michel, jetzt brauche ich ein Bier und ein mächtiges Stück Fleisch.
Draußen schlägt ihnen die abendliche Hitze entgegen, als ob der

Stadt mit einem überdimensionierten Haarföhn endgültig der Garaus gemacht werden soll.
Ui, das ist ja brutal. Komm, wir gehen in dieses Kellerrestaurant da vorne. Da, wo die reichen Säcke hingehen. Da ist es sicher kühl. Heute haben wir uns doch etwas Gutes verdient, oder, Michel?
Michel nickt, obwohl ihm heute unerwartet schon jede Menge Gutes widerfahren ist.
In dem riesigen Kellergewölbe ist es wirklich angenehm kühl. Seltsamerweise ist es praktisch leer, und so stürzen sich drei Kellner auf das ungleiche Paar.
Claire fuchtelt mit beiden Händen, als wolle sie eine durchgebrannte Rinderherde stoppen.
Jungs, es ist ganz einfach. Wir wollen das kälteste Bier, das ihr am Lager habt, und das größte Steak. Das Steak bitte schön blutig. Alles klar? Und ja keine Pommes Frites. Das ist was für Kinder. Und Gemüse esse ich erst wieder übermorgen. Und bitte: Ich möchte keine Salatblättchendeko auf meinem Teller sehen. Sonst gehe ich persönlich in die Küche. Noch Fragen?
Nein, es gibt keine Fragen mehr.
Und Claire quasselt los. Die Wortkaskaden prasseln auf Michel nieder wie der subtropische Regenfall, auf den alle Menschen in diesem Land sehnsüchtig warten. Das Thema, um das sich ihre sintflutartigen Ausführungen drehen, ist wohl jedem klar.
Der Hammer.
Sein Aussehen. Spekulationen über spezifische Gewichte von verschiedenen Eisenlegierungen. Sein ursprünglicher Verwendungszweck. Die eventuelle Bedeutung der Ornamente. Das Holz des Stils. Wo liegt Kanton? Ist der Hammer wirklich in diesem Museum? Wurde er versteigert, weil das Museum dringend Geld für eine Dachreparatur brauchte? Wurde er vielleicht entwendet?
Ein kurzfristiger Unterbruch ihrer Überlegungen ereignet sich erst bei der Ankunft der Steaks.
Ja, mit den Steaks bin ich zufrieden. Aber unsere Gläser sind leer, wie Sie sehen.
Claire säbelt sich einen großen Fetzen Fleisch ab, steckt ihn in den Mund und weiter geht der Redefluss.
Michels Repertoire an Nicken, Kopfschütteln, Augenbrauenhochziehen, Augenverdrehen, Hms, Ahas, Ahjas, Jajas und Neins ist alsbald

erschöpft, also isst er schweigend weiter. Wenn man ihn nach dem Essen über das, was Claire alles geredet hatte, interviewt hätte, er wäre kaum imstande gewesen, einen Bruchteil ihres komplexen Monologs wiederzugeben.

Alles, was er mit Gewissheit weiß, ist, dass Claire morgen alle Fragen, den Hammer betreffend, im Alleingang klären wird.

So, wie ihre Gemütslage im Moment ist, traut man ihr alles zu.

Nach den Steaks verlangt es die kühne Kriminalistin noch nach einer ungeheuren Portion Eis. Michel winkt ab und wartet, bis Claire den mit jungfräulich weißer Sahne bedeckten Sechstausender erfolgreich bezwungen hat.

Am Schluss rülpst sie ungeniert in die Gegend und fixiert Michel.

Hey, willst du noch ein Spielchen wagen? Wer weiß, morgen haben wir keine Zeit? Und vielleicht hast du jetzt ja mehr Glück. Ich habe mit dem Fund des Hammers meine heutige Glücksportion bereits aufgebraucht, wer weiß? Aber danach werfe ich dich aus meiner Wohnung. Ist das klar? Ich kann dich nicht in meinem Bett gebrauchen.

Michel ist mit allem einverstanden.

Also, bezahl jetzt bitte, Michel. Und dann marsch nach Hause. Bevor ich es mir anders überlege.

Um vier Uhr morgens muss Michel kapitulieren. Er hat schon wieder dreimal verloren. Die Spiele dauerten eine Ewigkeit, weil es zu unzähligen unentschiedenen Situationen kam. Aber gewonnen hat er kein einziges Mal. Es grenzt an Zauberei.

Und Claire hat ihn als Gewinnerin ausgesaugt bis aufs Mark. Als er sich auf den Heimweg macht, weiß er, wie sich eine ausgepresste Zitrone fühlt.

Oder vielleicht doch nicht? Denn eine ausgepresste Zitrone ist möglicherweise ebenso frei von Begierde, aber ist sie auch so glücklich?

SECHSUNDZWANZIG

Simon! Gott sei Dank! Da bist du ja endlich. Ich habe mir Sorgen gemacht. Wo warst du denn die ganze Zeit? Und warum bist du nicht an dein Handy gegangen? Ich habe den ganzen Tag versucht dich anzurufen.
Ja, liebe Martha, wie kann ich denn an mein Handy gehen, wenn ich es gar nicht mehr habe. Ich wollte dich schon heute Morgen fragen, wo es eigentlich geblieben ist.
Martha hat ihn, wie gestern Nacht, wieder an der Tür empfangen. Offenbar erkennt sie schon seine Schritte im Treppenhaus. Heute trägt sie aber keinen Kimono, sondern ein leichtes Seidenkleid in Hellgrün. Sie sieht sehr schlank und zerbrechlich aus. Auch scheint ihre Laune nicht so düster zu sein wie gestern Abend. Aber das kann sich schnell ändern. Bereits kräuselt sich ihre Stirn.
Woher soll ich denn wissen, wo dein Telefon ist?
Weil es zuletzt in meiner Jacke war und du sie liebenswürdigerweise in die Reinigung gebracht hast, deswegen frage ich dich.
Tut mir Leid, als ich die Sachen übernahm, war kein Handy dabei.
Hast du auch sonst nichts gefunden? Kein Geld? Kein Fetzchen Papier?
Was für ein Fetzchen Papier denn?
Das war nur so eine blöde Redensart. Vergiss es.
Okay denn. Komm rein.
Sie setzen sich ins Wohnzimmer.
Hast du einen guten Tag gehabt?
Diese scheinbar harmlose Frage lässt in ihrem Tonfall eine ganze Menge Subtext mitschwingen. Vordringlich die Frage, ob er sich an seine Versprechungen gehalten habe.
Jetzt Tanner, ist Vorsicht geboten.
Ja und nein, Martha. Elsie geht es gut. Und das ist die Hauptsache. Deine Ermahnungen von gestern Nacht haben mich entlastet, und das sollten sie ja auch, denke ich.
Sie blickt ihn forschend an.
Martha, hier stock ich schon … also, ich wollte dich eigentlich anlügen, aber du hast verdient, dass ich zu dir ehrlich bin.
Tanner holt ziemlich dramatisch Atem.

Ich habe mich an keine der Abmachungen gehalten. So, und jetzt kannst du mir den Kopf abreißen.
Martha schaut ihn schweigend an. Dann nimmt sie seinen Kopf in beide Hände und küsst ihn auf den Mund.
Ja, glaubst du wirklich, dass ich etwas anderes erwartet habe, du Trottel? Ich glaube, ich kenne dich besser, als du denkst.
Ehrlich gesagt, begreift Martha selber nicht, was in sie gefahren ist. Sie hatte sich vorgenommen, streng und unnahbar zu sein. Und jetzt sitzt er da und schaut sie mit seinen traurigen Augen an.
Eins sag ich dir: Wehe, wenn du gelogen hättest. Ich hätte dich in der Luft zerrissen und in Einzelteilen aus der Wohnung geworfen. Weißt du, ich bin ja genauso wie du. Wenn ich als Journalistin Blut geleckt habe, kann mich nichts davon abhalten, die Sache zu Ende zu bringen. Schon gar nicht, wenn ich bedrängt werde, die Sache ruhen zu lassen.
Jetzt lacht sie unvermittelt und boxt ihn in die Schulter.
Du weißt, du hast gerade eben ziemlich Schwein gehabt. Jetzt erzähl mal, du Herr-ehrlich-währt-am-längsten.
Tanner seufzt und fährt sich durch die Haare. Dann entledigt er sich seiner Schuhe.
Ja, wo fang ich denn an?
Am Anfang ist immer am besten. Nicht nur für Anfänger. Komm, lass dich nicht so lange bitten.
Also erzählt Tanner schön brav der Reihe nach seine gesammelten Erlebnisse dieses heißen Tages. Während er berichtet, staunt er selber, dass dies alles an einem einzigen Tag geschehen ist. Unterbrochen wird sein Erzählen nur, wenn Martha herzlich lacht. Zum Beispiel über den Oberinspektor für Kleingärten. Und natürlich darüber, dass Tanner die Salate vom Schmid gewässert hat. Oder über den plumpen Versuch von Waibel, ein bisschen Geld zu unterschlagen. Beim zweiten Teil seines Berichtes wird sie allerdings immer nachdenklicher. Vom Gespräch mit Kiharu Tsumura lässt er instinktiv einige Details aus.
Schwer fällt es ihm allerdings, von seinem Besuch im gerichtsmedizinischen Institut zu erzählen.
Tanner hatte im Lauf der Zeit viele Tote gesehen, aber Michiko noch einmal zu sehen – also ihren Leichnam – war beileibe keine Routine. Das wusste er im Augenblick, da er sich zu diesem Gang entschlossen hatte.

Er hatte auch nicht erwartet, dass ihr Anblick nach diesen vielen Tagen im Kühlraum besonders schön sein würde, aber dass sie so verkümmert, dass ihr Leib bereits so eingefallen und glanzlos war, das hat ihn schockiert. Es war, als ob diese bittere Melancholie, von der Kiharu erzählt hatte, endlich im Zustand des Todes ganz von diesem schönen Körper Besitz genommen hätte. Ein schrecklicher Liebhaber, der sie im Endkampf endlich zu Boden gerungen hatte. Der Anblick dieses Körpers ließ ihn erst begreifen, in welchem unentrinnbaren Schicksal Michiko gefangen gewesen war.
Meistens wirken tote Körper entspannt, als ob sich im Tode endlich Verkrampfung und Verspannung gelöst hätten.
Der Tod als Meister der Entspannung.
Nicht so bei Michiko. Bei ihr hat er die unerbittliche Wahrheit ihres Lebens bildhauerisch herausgearbeitet. Eine brutale Wahrheit.
Der Künstler Tod kennt keine Kompromisse.
Das hat mich wirklich erschüttert, Martha, wie schon lange nichts mehr. Und jetzt brauche ich etwas zu trinken.
Martha steht wortlos auf, berührt mit der Hand seine Schulter und geht in die Küche.
Auch jetzt hat Tanner ein Detail unterschlagen. Auf der Innenseite von Michikos Oberschenkel hatte er einen dunklen Fleck bemerkt, der ihn irritierte, und er fragte den Gerichtsmediziner nach der Ursache.
Das sei kein Fleck, wurde er belehrt, sondern eine Tätowierung. Sie hätten ein Foto gemacht, als sie noch besser zu erkennen gewesen sei. Ob er eine Kopie des Fotos wolle?
Tanner wollte.
Die Tätowierung stellt einen kompliziert verschlungenen Knoten dar, in der Art, wie Tanner noch nie einen Knoten gesehen hat. Er fragt sich, ob das ein Symbol für Michikos Leben gewesen sein könnte.
Martha kommt mit zwei Flaschen Bier zurück.
Simon, vielleicht sollte man ein bisschen Bewegung in die Sache bringen.
Bewegung? Wie meinst du das?
Erzähl doch Schmid von dem Toten im Schlaraffenländli. Er könnte doch den Laden ausheben und so Druck machen, bis eine dieser anderen Damen redet.
Nein, das werde ich ganz sicher nicht. Aber –

Was aber?
Nichts, nichts. Unsinn.
Tanner weiß plötzlich, wen er nach dem toten Japaner fragen könnte. Er will aber auch diesen Gedanken für sich behalten, denn ihm ist immer noch nicht klar, ob Martha in dem Ganzen irgendeine Rolle spielt. Und wenn sie gar keine spielt, ist es gut, wenn sie so wenig wie möglich weiß.
Was wirst du denn als Nächstes unternehmen, Tanner?
Ja, wenn ich das wüsste? Morgen früh habe ich diesen Termin in der psychiatrischen Klinik. Und danach? Ich weiß es noch nicht.
Martha gähnt ausgiebig und räkelt sich auf dem Sofa.
Ich bin müde. Diese Hitze macht mich fertig.
Sie streckt ihr Bein und berührt Tanners rechten Fuß.
Du?
Ja, Martha?
Möchtest du eigentlich immer noch gerne mit mir schlafen? Oder war das nur so eine kurzfristige Anwandlung, sagen wir mal … hormonell bedingt, damals bei dir in deinem schönen Haus am See.
Tanner ist ziemlich perplex.
Das nennt man, glaube ich, einen überraschenden Themenwechsel.
Komm, weich mir nicht aus! Ich habe dir eine klare Frage gestellt. Und überhaupt, was heißt hier: überraschender Themenwechsel? Du, du guckst mich doch die ganze Zeit an, als ob du mich auf der Stelle ausziehen möchtest.
Dann hast du ja die Antwort bereits.
Im Moment stimmt das zwar überhaupt nicht. Entweder ist es eine Einbildung von Martha oder sie möchte ihn provozieren.
Nein, das ist keine Antwort. Ich möchte es von dir hören. Oh je. Wirst du jetzt rot?
Nein, ich glaube nicht, dass ich rot werde. Also, was genau möchtest du von mir hören?
Ob du mit mir schlafen möchtest.
Nein, das möchte ich nicht! Das heißt, doch! Ich meine, das möchte ich eigentlich schon, oder – ich wollte es auf jeden Fall. Aber jetzt gerade wäre es mir nicht in den Sinn gekommen.
Weil du gerade bei deiner Japanerin gewesen bist?
Martha schreit auf und schlägt sich theatralisch mit dem Handrücken auf den Mund.

Das war jetzt gemein von mir. Bitte, entschuldige, Simon. Ich habe das nicht so gemeint.
Tanner schweigt.
Was ist denn plötzlich in Martha gefahren? Hat er sie früher, indem er sie gar nicht beachtete, wirklich so verletzt? Wahrscheinlich. Aber nach so langer Zeit? So viel Aggression? Eifersüchtig auf eine Tote? Wenn sie auf Elsie eifersüchtig wäre, würde er das noch eher verstehen, aber auf eine Tote im Leichenschauhaus? Abgesehen davon, dass er mit Michiko gar nichts hatte.
He, Tanner. Verzeihst du mir? Komm, deine Schweigeminute ist jetzt um. Hast du mich wenigstens ein bisschen gern?
Ja, Martha, ich habe dich gern.
Sie äfft ihn stumm nach.
Ich meine es wirklich, Martha. Zudem finde ich dich sehr begehrenswert. Aber ich finde auch, dass wir es uns gerade sehr schwer machen.
Tanner blickt zur Decke und versteht sich selbst gerade auch nicht.
Marthalein, ich würde sagen, entweder schlafen wir jetzt miteinander oder wir lassen es und bleiben gute Freunde.
Okay, dann machen wir es jetzt. Ich gehe in mein Zimmer, ziehe mich aus und warte, bis sich der Herr entschieden hat.
Martha springt auf. Tanner möchte sie am Handgelenk packen, aber sie weicht geschickt aus und huscht auf ihren nackten Füßen über den dunklen Holzboden.
Tanner seufzt und lehnt seinen Kopf an das Sofakissen.
Was soll denn das jetzt? Wenn schon, hat er sich das anders vorgestellt. Aus irgendeinem Grund ist sie darauf bedacht, eine merkwürdig aggressive Stimmung zwischen ihnen aufzubauen.
Das kann ja heiter werden.
Er steht auf und geht in den Gang. Vor ihrem geschlossenen Zimmer liegt das hellgrüne Kleid. Er hebt es auf. Unschlüssig steht er vor ihrer Tür. Dann klopft er. Sie reagiert nicht.
Ihr Kleid duftet zart nach einem Parfum, das er nicht kennt.
Er versucht die Tür zu öffnen. Sie hat von innen abgeschlossen.
Jetzt versteht er gar nichts mehr. Er räuspert sich. Keine Reaktion.
Martha, darf ich zu dir kommen?
Er kommt sich ziemlich blöd vor. Lieber hätte er sich eigentlich die Zunge abgebissen, als diesen abgedroschenen Satz auszusprechen.

Na ja, wenn schon wie im schlechten Roman, dann ganz.
Er legt das Ohr an die Tür.
Zuerst hört er gar nichts, dann ein Rascheln. Wahrscheinlich hat sie sich im Bett umgedreht. Jetzt hört er, dass sie weint. Nein, sie schluchzt. Ein herzzerreißendes Schluchzen. Es klingt wie ein Kind, das von den Eltern ungerechterweise ohne Abendessen ins Bett verbannt wurde.
Unschlüssig steht Tanner im Gang, immer noch das Kleid in der Hand.
Okay, ich versuche es noch einmal.
Martha, komm raus oder lass mich rein.
Das Schluchzen hört er nur noch schwach. Wahrscheinlich hat sie sich die Decke über den Kopf gezogen.
Martha, ich setz mich jetzt ins Wohnzimmer. Ruf mich oder komm zu mir.
Er wartet noch ein Weilchen, dann hängt er das Kleid über die Türklinke.
Er trinkt sein Bier aus, legt sich der Länge nach aufs Sofa und versucht, nicht über Martha nachzudenken.
Eigentlich weiß er sehr wenig über sie. Sie hat ihm noch gar nichts über sich erzählt.
Tanner, du Idiot, du hast sie auch noch nie gefragt.
Offensichtlich lebt sie alleine. Beruflich erfolgreich und abends allein in der Wohnung. Vielleicht hat sie einen Liebhaber? Wenn ja, dann findet das Liebesleben nicht in dieser Wohnung statt, da ist er sich sicher. Es ließe sich andernfalls nicht vermeiden, dass es Spuren eines männlichen Gastes gäbe. Die hat er aber bisher nicht entdeckt. Aber warum um alle Welt ist sie allein? Sie ist eine attraktive Frau. Ob es mit ihrer geheimnisvollen Zeit in Japan zusammenhängt? Vielleicht hat sie sich dort unglücklich verliebt? Wahrscheinlich in einen verheirateten Mann und lebt deswegen in einer japanisch eingerichteten Wohnung? Um einsam in einem entsprechenden Ambiente diese Gefühle zu konservieren.
Ihn schaudert bei dem Gedanken. Aber eigentlich mehr über die Plattheit seiner Phantasie.
Diese merkwürdigen Frauenleben, denen er in den letzten Tagen auf die eine oder andere Art begegnet ist. Keines ist, gelinde gesagt, wie man sich ein Leben erträumen würde.

Elfriede Weiß mit ihrem Alois, der freiwillig draußen in der Stadt in einem Busch seinen religiösen Wahn lebt, in dem dann *sie* verbrennt – eine ganz gemeine Variante der Ironie des Schicksals.
Claudia, die allein ihren kleinen Sohn aufzieht, drogenabhängig ist und ein Puff leitet.
Michiko, physisch glücklich gerettet aus einer Geishaschule, führte ein Doppelleben, um ihrer Melancholie zu entrinnen. Unglücklich verheiratet mit einem Herrn Edelmann. Offenbar stellte dieser Herr eine absolute Umkehrung von dem Sprichwort *nomen est omen* dar. Und jetzt liegt Michiko schon seit Tagen im Kühlfach der Gerichtsmedizin.
Was für beschissene Leben.
Wie sanft ihre Augen waren, wie zart ihre Haut, wie süß ihre Gestalt …
Diesmal ist er allein im Kühlraum. Er zieht leise die schwere Kühlschublade auf. Sie scheint kein Gewicht zu haben und macht auch gar kein Geräusch. Michiko ist genauso schön wie damals, als sie die Tür im Schlaraffenländli aufmachte. Sie räkelt sich, öffnet die Augen und streckt ihm die Hände entgegen. Er zieht sie zu sich hoch. Ihre Haut ist warm und weich. Sie schlingt die Arme um seinen Hals und flüstert ihm etwas ins Ohr. Er versteht es nicht, denn es ist japanisch. Er trägt sie jetzt in seinen Armen und sucht den Ausgang, der aber unterdessen nicht mehr da ist. Denn plötzlich sind die Wände von einem gleißenden Weiß, ohne eine einzige Unterbrechung, geschweige denn eine Tür. Panisch rennt er die Wand entlang, aber der Raum dehnt sich, schneller als seine Schritte sind, zu einem ewig langen Korridor, der sich fortwährend krümmt, so dass weder ein Ende noch eine Tiefe abzusehen ist. Er rennt immer schneller. Plötzlich spürt er das Gewicht von Michiko nicht mehr. Kein Wunder, denn er hat sie gar nicht mehr im Arm. Er hat sie verloren.
Michiko, wo bist du? Michiko?
Er schreit es mit aller Kraft und hört keinen einzigen Ton … oder ist etwa dieser infernalische Lärm seine Stimme … er versucht, sich die Ohren zuzuhalten, aber der Lärm wird dadurch nur kreischender … es scheint ihm, der Gang krümme sich immer mehr, auch geht es plötzlich abwärts … es wird so steil und der Boden so glatt, dass er versucht, sich an den Wänden irgendwie zu halten … mit seinen

Fingernägeln … aber auch die Wand ist glatt … also stürzt er und rutscht nun in ungeheurer Geschwindigkeit einer unbekannten Tiefe entgegen … die Kurven werden enger … der Gang verjüngt sich mehr und mehr zu einer Röhre … eine in sich verschlungene Röhre … andauernd wechselt jetzt die Richtung … er schießt wie ein lebendiges Geschoss ins Weltinnere … so weit kommt ihm die zurückgelegte Distanz schon vor … jetzt wird die Fahrt langsamer … ah, es ist nicht mehr so steil … wie schön … die Fahrt ist sogar ganz angenehm … dann ist es unvermittelt still … alle Bewegung hat aufgehört … er ist im Zentrum angekommen … einem winzigen Raum, in dem er nie und nimmer aufstehen könnte, so klein ist er … aber Kiharu kann aufrecht stehen … sonderbarerweise überrascht es ihn nicht, sie hier zu sehen … sie hat auf ihn gewartet … und sie hat Raum genug, denn sie ist klein … sie lächelt … sie ist nackt …

Als sein neues Mobiltelefon klingelt, schießt Tanner hoch und weiß im ersten Augenblick überhaupt nicht, wo er ist.

Verdammt, ich bin eingeschlafen!

Er greift nach dem Telefon.

Ja, hallo?

Kiharu …

Wer bitte?

Kiharu Tsumura. Ich hatte Ihnen versprochen anzurufen, wenn ich mit meiner Arbeit fertig bin. Und jetzt bin ich fertig.

Entschuldigen Sie, ich bin sozusagen außerplanmäßig eingeschlafen.

Wollen Sie weiterschlafen, Herr Tanner?

Nein, nein. Ich möchte Sie gerne sprechen.

Können Sie zu mir kommen?

Ja, sicher. Wo wohnen Sie denn?

Sie nennt die Straße.

Wo ist das genau, bitte?

Sie lacht und erklärt ihm die Adresse.

Dass ich als Fremde Ihnen das erklären muss. Sie sind doch in dieser Stadt aufgewachsen, oder nicht?

Ja, das stimmt. Ich schäme mich auch, Frau Tsumura.

Schämen Sie sich nicht, kommen Sie schnell, aber schauen Sie, dass Ihnen niemand folgt.

Dann unterbricht sie die Verbindung.
Tanner lauscht in die Wohnung. Ob Martha auch eingeschlafen ist? Es ist bereits Mitternacht.
Leise tritt er an ihre Zimmertür. Sie ist offen. Hat sie ihn auf dem Sofa schlafen sehen?
Oh je, Tanner, das war jetzt aber schwach von dir. Schläft einfach ein …
Er betritt leise das Zimmer. Sie liegt auf ihrem Bett. Die helle Nacht glänzt auf ihrem schlanken Körper. Ihr Gesicht wirkt im Schlaf wie das Gesicht eines Kindes, das noch nichts weiß von der Welt.
Gute Nacht, mein großes Kind. Und verzeih mir. Falls ich überhaupt etwas falsch gemacht habe.
Dann zieht er sich im Wohnzimmer die Schuhe an.
Ich werde mir also trotzdem noch einmal deinen Mini ausleihen müssen.

Kurz darauf steht Tanner ungefähr hundert Meter entfernt von Kiharus Haus, an dem kein einziges Fenster erleuchtet ist. Ist das eine Vorsichtsmaßnahme?
Er steht unbeweglich im Schatten eines schmalen Hauses, beobachtet systematisch die Häuser, die Hauseingänge, die Fenster und die gesamte sichtbare Straße. Nach einer Viertelstunde ist er sicher, dass alles in Ordnung ist.
Er klingelt.
Sie wohnt in der Dachwohnung. Als er oben ankommt, öffnet sich die Tür und ihre Hand zieht ihn hinein in die Wohnung.
Ich hoffe, Sie halten meine Vorsicht nicht für übertrieben.
Nein, natürlich nicht. Ich habe deswegen auch im Treppenhaus kein Licht gemacht.
Kiharu führt ihn an der Hand durch die kleine Wohnung auf eine überraschend große Dachterrasse.
Sehen Sie, Herr Tanner, das ist mein Luxus. Eine große Terrasse, die von keinem Ort eingesehen werden kann.
Tanner ist begeistert. Kiharu hat sich hier eine kleine Oase mit vielen Pflanzen und kleinen Bäumen geschaffen. Einige geschickt verteilte Laternchen mit Kerzen setzen schwache Lichtakzente. Unter einer zeltartigen Markise träumt ein Sofa von orientalischen Nächten, umgeben von bestickten Sitzkissen. Am äußersten Rand der Terrasse

steht auf einem dreibeinigen Stativ ein großes Fernrohr aus glänzendem Messing. Es ist in den Sternenhimmel gerichtet.
Hier schlafe ich in solchen Nächten, Herr Tanner. Ist das nicht wunderbar? Mitten in der Stadt? Und manchmal schaue ich die halbe Nacht lang in die Sterne.
Sie steht inmitten ihres kleinen Paradieses, strahlt wie eine Prinzessin und zeigt auf das Fernrohr. In diesem Moment sieht sie nun wirklich unglaublich jung aus. Einundsechzig Jahre alt? Es ist schier unmöglich!
Sie hat offenbar nach der Arbeit geduscht, ihre Haare sind tropfnass. In der hellen Mondnacht kann Tanner jetzt auch erkennen, dass das, was er in der Dunkelheit der Wohnung als Kimono interpretiert hat, nur ein großes Badetuch ist, das sie um ihren kleinen Körper geschlungen hat.
Nehmen Sie Platz, Herr Tanner. Ich bin gleich bei Ihnen.
Sie huscht in die dunkle Wohnung. Tanner lehnt sich zurück und schaut in die klare Sternennacht. Jetzt erst, nach Mitternacht, hat die Wärme so nachgelassen, dass es angenehm ist.
Mensch, was habe ich denn da vorhin für einen Mist zusammengeträumt?
Eigentlich haben sich bereits fast alle Details aufgelöst. Genauso schnell, genauso unwiederbringlich, wie Wellen am Strand alles auslöschen und hätte man auch ein Jahrhundertwerk in den Sand gezeichnet. Gleichgültig wird alles wieder geglättet. Nichts hat Bestand.
Er erinnert sich noch, dass er eine Art Achterbahn gefahren ist, Michiko unterwegs verloren hat und dann plötzlich Kiharu gegenübersaß.
War es wirklich sie? Tanner ist sich nicht mehr sicher.
Kiharu erscheint lautlos mit einem großen Tablett.
So. Ich habe eine Kleinigkeit hergerichtet. Eigentlich nur, damit wir den Sake besser vertragen. Sie trinken doch auch Sake, oder?
Ja, sehr gerne.
Dann auf Ihr Wohl.
Sie trinken.
Das gewärmte Getränk fließt so angenehm weich durch die Kehle und verbreitet so schnell eine wohlige Entspanntheit wie kaum ein anderes.
Ich liebe Sake.

Das erstaunt mich, Herr Tanner. Sie sind ja kein Japaner.
Ist das ein Problem?
Nein, mein Gott. Ich freue mich. Vielleicht entdecken wir noch mehr Gemeinsamkeiten. Greifen Sie zu, diese kleinen Spießchen habe ich selber zubereitet. Die anderen Sachen habe ich aus dem Restaurant mitgenommen.
Sie sitzt ihm gegenüber. Sehr aufrecht, mit gekreuzten Beinen. Das Badetuch hat sie etwas gelockert, damit sie ihm die Tellerchen und Schälchen mit den Speisen und Saucen und den Sake besser reichen kann. Ihre vollen, runden Schultern leuchten matt im Licht der Nacht. Ihre kurzen, nassen Haare glänzen, als wären sie mit einem kostbaren Öl getränkt. Unter der Markise wirkt sie jetzt mehr wie eine Königin aus der Südsee, die es in die Welt von Tausendundeiner Nacht verschlagen hat.
Die kleine Königin hält unter klarem Sternenhimmel Hof. Oder deutet aus den Sternen das Schicksal eines mächtigen Volkes. Ihr gegenüber sitzt ihr neu erworbener Sklave Tanner. Er hat allerdings etwas Mühe mit dem Schneidersitz. Aber er lässt sich nichts anmerken.
Lange sitzen sie still und trinken Sake.
Warum lächeln Sie, Herr Tanner?
Darf ich ganz ehrlich sein, Frau Tsumura?
Ich erwarte nichts anderes, Herr Tanner.
Weil ich plötzlich so glücklich und zufrieden bin, dass es mir beinahe schwindlig wird. Und ich könnte gar nicht sagen, was der Grund ist. Außer, dass es wahrscheinlich der Einfluss Ihrer Gegenwart und Ihres schönen Dachgartens ist.
Sie betrachtet ihn und schweigt eine Weile.
Wollten Sie nicht noch etwas anderes sagen?
Wie Recht sie hat. Er fühlt sich, als ob in ihm ein wohliges Fieber aufsteigt. Ist das bereits die Wirkung des Sakes? Oder ist es die Nachwirkung seines wirren Traumes. Es ist ihm egal.
Ich finde Sie so schön, dass ich Sie die ganze Nacht einfach nur anschauen möchte.
Das dürfen Sie auch, wenn Sie wollen. Darf ich nochmals einschenken?
Er reicht ihr sein Schälchen.
Es darf kein Tropfen verloren gehen. Das ist wichtig. Nicht nur beim

Sake. Auch vom Glück, wenn es da ist, darf kein Tröpfchen verloren gehen.
Sie trinken beide langsam und bedächtig. Schauen sich dabei in die Augen. Wortlos reicht er ihr das Schälchen von neuem. Wieder füllt sie beide Schalen auf. Bevor sie trinken, spricht sie leise zu ihm.
Herr Tanner, Sie könnten in dieser Nacht alles mit mir machen. Es war mir klar, als ich Sie das erste Mal sah. Wenn Sie auch so fühlen, können Sie mit mir machen, was Ihnen einfällt. Vielleicht aber wollen Sie mich heute bloß anschauen. Denn im bloßen Anschauen liegt ein großes Glück. Die heutige Zeit will zwar immer die schnelle Befriedigung und vergisst das höchste Glück des langsam Wachsenden. Gibt es etwas Schöneres, als sich auf eine Sache zu freuen? Ich sehe, Sie sind mit mir einverstanden, auch wenn Ihnen dies meistens schwer fällt, wie ich vermute. Denn schließlich sind Sie ein Mann.
Sie nippt an ihrer Schale.
Nur eines werde ich Ihnen immer verweigern: Sie dürfen nicht in mich eindringen. Noch nie ist ein Mann in mich eingedrungen und nie wird ein Mann in mich eindringen. Verzeihen Sie meine Direktheit, aber ich möchte es Ihnen lieber jetzt sagen, um Sie eines Tages nicht zu enttäuschen. Das ist die einzige Regel, die Sie einhalten müssen. Und jetzt trinken wir.
Unter normalen Umständen würde Tanner diese Sätze als wirr und überspannt abtun. Wahrscheinlich würde er sogar lauthals lachen, sich erheben und eine gute Nacht wünschen.
Hat denn jemals eine Frau schon so mit ihm gesprochen?
Jetzt unter diesem Sternenhimmel, erfüllt von einem Glücksgefühl, das lautlos gekommen ist, ohne Voranmeldung, ohne wirklichen Grund, dafür aber ganz von ihm Besitz ergriffen hat, empfindet er sowohl ihren ernsthaft und beinahe zeremoniell vorgetragenen Vorschlag wie auch die sonderbare Einschränkung als völlig normal. Kein Widerspruch regt sich in ihm, nur selige Zustimmung.
In sie eindringen? Nie hat er diesen Gedanken gehabt. Mit ihr alles machen? Keinen Moment hat er an so etwas gedacht. Aber sie anschauen, das will er. Und wenn es sein muss, die ganze Nacht. Denn sie ist schön und von ihren Augen geht eine sonderbare Macht aus, der er sich nicht entziehen kann, nicht entziehen will.
Nachdem sie beide wieder ausgetrunken haben, antwortet Tanner.

So soll es sein, Frau Tsumura.
Und damit ist auch wirklich alles gesagt, was zwischen zwei Menschen gesagt werden muss, die ein eigenartiges Schicksal zusammengeführt hat. Der groß gewachsene, traurige Tanner und die kleine, ernste Königin Kiharu Tsumura.
Jetzt lächelt sie.
Ich werde nun mein Badetuch weglegen, damit Sie mich anschauen können.
Mit einem anmutigen Handgriff entledigt sie sich des Tuches und zeigt ihm ihren nackten Körper im matten Licht der Nacht.
Sie streichelt ihre Brust.
Sie staunen vielleicht über meine großen Brüste, die Sie bis jetzt nicht bemerkt haben. Normalerweise binde ich sie mit einem elastischen Tuch zurück, so dass man sie unter meinem Kimono nicht bemerkt. Große Brüste passen nicht zu einer kleinen Frau im Kimono. Aber nackt passen sie, oder? Was meinen Sie, Herr Tanner? Sie sind mein ganzer Stolz.
Sie haben die schönsten Brüste, die ich in meinem nun auch schon langen Leben gesehen habe, Frau Tsumura. Ich verstehe, dass Sie stolz sind. Und ich weiß die Ehre zu schätzen, dass Sie sie mir zeigen. Ich werde sie die ganze Nacht anschauen müssen, so schön sind sie.
Tanner hört sich sprechen und begreift nicht, woher diese Sprache kommt. Sie ist Teil eines Mysteriums, das er nicht versteht.
Dass ihre Brüste, die heller sind als andere Teile ihres Körpers, ungewöhnlich schön sind, stimmt allerdings. Kiharu strahlt weibliche Anmut und sinnliche Kraft aus, trotz ihrer Kleinheit.
Sie werden sich auch fragen, Herr Tanner, was es mit meiner Jungfräulichkeit auf sich hat, oder?
Tanner nickt wie in Trance.
Es ist leider ganz einfach. Nach der Erziehung in einer Geishaschule bleibt man entweder jungfräulich oder – verzeihen Sie meine Direktheit – man entwickelt sich zur Nutte. Ich habe mich für diesen Weg entschieden. Michiko für den anderen. Beide sind bitter, glauben Sie mir, Herr Tanner.
Das glaube ich Ihnen, Frau Tsumura.
Und verstehen Sie auch?
Tanner zögert.

Nein, ich verstehe es nicht. Was würden Sie denn verlieren, wenn Sie Ihre Jungfräulichkeit aufgeben würden?
Den letzten Rest meiner Selbstachtung. Das mag für Sie immer noch keine befriedigende Erklärung sein. Aber bedenken Sie, Sie sind keine Frau und vor allem sind Sie keine japanische Frau und – Sie können sich vielleicht immer noch nicht vorstellen, wie viel von meiner Würde in der Geishaschule für immer ausgelöscht wurde. Es mag nicht bei jeder Frau gleich sein, bei mir war es so. Die frühe Trennung von meinen Eltern und Geschwistern brachte mich fast um. Darüber hinaus stahl man mir meine Kindheit. Keiner fragte mich jemals, ob ich diesen Weg gehen möchte. Ich war zarter und sensibler als die meisten meiner Leidensgenossinnen. Irgendwann war ich nicht mehr bereit, etwas von mir wegzugeben.
Jetzt fange ich an zu begreifen, Frau Tsumura.
Das ist gut. Ich freue mich, wenn Sie mich zu verstehen beginnen. Denn verstehen ist ja alles, oder? Darf ich Ihnen noch Sake nachschenken?
Tanner streckt ihr sein Schälchen entgegen. Sie beugt sich zu ihm. Ihr glatter Rücken glänzt matt in der Dunkelheit. Tanner fährt mit der freien Hand durch ihr immer noch feuchtes Haar.
Das ist schön, Herr Tanner. Ich danke Ihnen.
Tanner hat aufgehört, die Schälchen Sake zu zählen, die er schon getrunken hat. Kiharu hat es sich auf der Ottomane bequem gemacht.
Ich sehe, Sie betrachten meinen Schoß. Viele Japanerinnen rasieren sich heute. Ich ziehe meine dichten schwarzen Haare vor. Ich finde den Kontrast zu meinen hellrosa Lippen dadurch sehr viel schöner.
Sie winkelt ungeniert die Beine an, teilt mit den Händen die struppigen Haare und zeigt ihm ihre Scham.
Schauen Sie. Verstehen Sie, was ich meine?
Ja, Sie haben Recht. Es ist wirklich sehr schön.
Erregt es Sie auch, Herr Tanner? Ich würde mich freuen, wenn es das täte.
Tanner ist wirklich schweißnass vor Erregung. Ist es diese zeremonielle Klarheit, die ihn so erregt? Durch die Gleichzeitigkeit von höflicher Konversation und körperlicher Intimität erreicht seine Erregung tatsächlich eine Intensität, wie er sie lange nicht verspürt hat.
Ja, Frau Tsumura, es ist unglaublich erregend.

Quält es Sie?
Tanner lächelt.
Nein, es ist überhaupt keine Qual, im Gegenteil.
Wir wissen jetzt beide, dass wir erregt sind. Aber wir werden uns nicht anfassen, sondern diesen Zustand genießen. Trinken Sie noch, Herr Tanner?
Tanners Blut ist in höchster Aufruhr. Sie jetzt nicht anzufassen, kostet all seine Energie, aber er ist entschlossen, sich in allem an ihre Regeln zu halten.
Ja, Frau Tsumura, genießen wir diesen Zustand.
Ich sehe, dass Sie schwitzen, Herr Tanner. Sie können sich ausziehen und ich wasche Ihren Körper mit warmem Wasser.
Diesmal wartet sie seine Zustimmung nicht ab, sondern huscht in die dunkle Wohnung. Er zieht sich aus.
Sie kommt mit einer Schale Wasser und einem Tuch zurück.
Legen Sie sich zuerst auf den Bauch. Ja, hier auf der Ottomane. Während ich sie wasche, werden wir nicht reden. Einverstanden?
Tanner legt sich hin. Sie kniet sich neben ihn und beginnt, ihn zu waschen. Das Wasser ist zwar ziemlich heiß, aber die Wirkung ist äußerst angenehm. Sie wäscht in langsam und gründlich.
Jetzt drehen Sie sich bitte um, Herr Tanner.
Tanner blickt in die Sterne, kurz darauf in ihre Augen, denn sie beugt sich zuerst über sein Gesicht. Dann wäscht sie seinen Hals, die Brust, den Bauch. Sein Glied berührt sie nicht. Aber er spürt, wie sie seine Erektion betrachtet. Als sie ihn fertig gewaschen hat, setzt er sich ohne ihre Aufforderung abzuwarten wieder auf sein Kissen. Sie setzt sich gegenüber auf das Sofa.
Es ist schön, Herr Tanner, Ihre Erregung zu sehen. Sie ist stark und ich finde, Sie selbst haben sich als stark erwiesen. Sie hätten mich ja jetzt ohne weiteres berühren können. Aber Sie haben es nicht getan. Ich danke Ihnen dafür.
Sie lächelt.
Wenn Sie wollen, können Sie mir jetzt Ihre Fragen stellen. Denn eigentlich sind Sie ja deswegen zu mir gekommen. Alles andere ist ein zusätzliches Geschenk für uns. Während wir reden, werden wir trotzdem unsere Erregung aufrechterhalten und sie weiterhin auskosten. Sie haben sicher bemerkt, dass während ich Sie gewaschen habe, die Knospen meiner Brüste hart geworden sind. Schauen Sie.

Sie hebt ihre Brust leicht an, setzt sich so, dass das Licht gut fällt, damit er es genau sehen kann.
Jetzt sind sie noch schöner. Ich finde Sie sehr begehrenswert, Frau Tsumura.
Das freut mich zu hören. Aber stellen Sie mir jetzt Ihre Fragen, bitte.
Als Erstes beschreibt Tanner den toten Japaner im Schlaraffenländli, so gut er kann. Es ist nicht ganz einfach, einen Menschen zu beschreiben, den man nur tot gesehen hat.
Wissen Sie, Frau Tsumura, es ist sicher jemand, der eine sehr gute gesellschaftliche Stellung innehat. Für seine Familie, wenn er denn eine hat, müsste er als vermisst gelten, da der Leichnam ja verschwunden ist. Auch an seiner Arbeitsstelle müssen sie ihn vermissen. Bei der Polizei ist bis jetzt keine Vermisstenmeldung eingegangen, was sehr merkwürdig ist und sehr verschiedene Schlüsse zulässt. Das wäre aber alles nur Spekulation.
Da muss ich mich umhören. Wissen Sie, ich kenne natürlich nicht alle Japaner, die in dieser Stadt leben, aber viele. Es tut mir Leid, dass ich Ihre erste Frage nicht auf Anhieb beantworten kann.
Tanners zweite Frage betrifft den kleinen Zettel im Lackkistchen unter der Rechnung.
Glauben Sie mir, Herr Tanner, ich habe diesen Zettel nicht in das Kistchen gelegt. Oh, Gott, das ist ja schrecklich! Deswegen sind Sie in die Tiefgarage gegangen?
Ich glaube Ihnen, Frau Tsumura. Es bleibt die Frage, wer den Zettel in das Kästchen gelegt hat.
Wurden Sie denn, Herr Tanner, auf dieser Mitteilung persönlich mit Ihrem Namen angesprochen?
Nein, das nicht. Ich verstehe Ihre Überlegung. Vielleicht galt der Zettel gar nicht mir. Jemand hat unter Umständen das *Timing* mit den Kästchen falsch berechnet. Darüber habe ich noch gar nicht nachgedacht.
Trotzdem muss ja jemand von meinem Personal den Zettel in dem Kästchen platziert haben. Sonst hat niemand Gelegenheit dazu. Lieber Herr Tanner, schon wieder muss ich Sie vertrösten. Ich werde mir aber eine Methode überlegen, wie ich dem Täter auf die Schliche kommen könnte.
Da bin ich Ihnen sehr dankbar, Frau Tsumura.
Fragen Sie jetzt weiter, Herr Tanner.

Sie wollten mir etwas über jene Mächte sagen, gegen die man keine Chancen hat.
Ja, lieber Herr Tanner, damit hat es Folgendes auf sich. Das Erste, was ich sage, gilt ganz allgemein für die heutige Welt, was rede ich da, es hat immer schon für die ganze Welt gegolten. Wenn es um große wirtschaftliche Interessen geht, ich rede jetzt von Milliardengeschäften, dann handeln entsprechende Interessengruppen, wenn sie keine andere Wahl haben, auch mit mörderischen Mitteln. Und zwar ohne Skrupel. Aber jetzt konkreter. Welche Industrie ist denn hier in dieser Stadt, Ihrer Geburtsstadt, am wichtigsten, Herr Tanner?
Die Chemie, natürlich.
Ich weiß nur, dass im Moment ein Krieg herrscht – ja, ich nenne es bewusst so – zwischen asiatischen und europäischen Interessen. Es geht um Patente und um Lizenzen, die in den nächsten Jahren und Jahrzehnten, Milliarden, vielleicht Billionen abwerfen. Es sollte mich nicht wundern, wenn der verschwundene Japaner vom Schlaraffenländli etwas damit zu tun hätte. Das werde ich herausfinden, das verspreche ich Ihnen. Ein Mensch verschwindet in so einer Stadt nicht einfach sang- und klanglos.
Um was geht es denn in diesem Krieg?
Es geht um die Gewinnung neuer Energien im großen Stil. Wie Sie ja wissen, befinden sich bestimmte Teile Asiens in einem rasanten wirtschaftlichen Aufschwung. Um den nachhaltig vorwärts zu treiben, braucht es neben Knowhow vor allem Energie. Weite Teile der Öl- und Gasressourcen dieser Welt werden aber vom Westen kontrolliert. Das heißt, dass gewisse asiatische Kreise sich neuerdings ganz auf neu zu entwickelnde Energiequellen konzentrieren. In die Entwicklung dieser Innovationen ist auch die hiesige Chemie involviert. Den Rest können Sie sich vorstellen.
Tanner lauscht ihren Worten, betrachtet ihre Gestalt, die ihm von Minute zu Minute begehrenswerter wird, und kämpft gegen das Rauschen seines Blutes an.
Woher wissen Sie das alles, Frau Tsumura?
In meinem Restaurant verkehren sie alle, wissen Sie. Und ich habe Ohren, Augen und ein gutes Gedächtnis.
Sie lächelt.
Ich sehe, Ihre Erregung hält an. Gefalle ich Ihnen wirklich? Trotz

meines Alters? Männer mögen doch im Allgemeinen jüngere Frauen, oder?
Frau Tsumura, ich kann nicht allgemein sprechen, schon gar nicht für die anderen Männer, aber Sie sind einfach zauberhaft. Ihr Alter? Ich sehe kein Alter! Ich sehe vor mir eine im höchsten Maße kluge und ungewöhnlich erotische Frau.
Es freut mich, dass Sie mich in diesem Licht sehen. Die Wahrheit kann man ja nur selten erkennen. Ob Sie in mir die Wahrheit sehen? Ich weiß es auch nicht. Aber das Bild, das Sie von mir entwerfen, ist höchst schmeichelhaft. Stört es Sie, wenn ich mich hinlege?
Kiharu legt sich auf den Bauch. Den Kopf auf die verschränkten Arme. Sie blickt ihn liebevoll an.
Ihr Freund Bruckner wird Ihnen sehr viel erklären können, wenn er wieder hier ist. Es kann sein, dass er im Moment ein sehr großes, persönliches Opfer bringen muss. Wie Sie ja wissen, ist er noch am gleichen Abend, als Sie mit ihm in meinem Restaurant gegessen haben, nach Japan beordert worden.
Ein Opfer? Wie meinen Sie das?
Jemand, der sich wie Bruckner auf diese große Welt der Geschäfte eingelassen hat, muss irgendwann dafür bezahlen. Das ist der Lauf der Dinge. Dem Schicksal kann keiner entkommen.
Woher wissen Sie denn, dass ausgerechnet jetzt der Moment für ihn gekommen ist?
Ich habe seine Augen gesehen, als er fluchtartig mein Restaurant verlassen hat. Und …
Tanner unterbricht sie.
Verzeihen Sie, aber wissen Sie, warum Bruckner mich so überraschend verlassen hat, Frau Tsumura?
Nein. Erzählen Sie es mir?
Tanner erzählt ihr von seiner spontanen Frage an Bruckner betreffend Chiyo.
Kiharu dreht sich auf den Rücken, aber ohne ihn aus den Augen zu lassen.
Sehen sie, wie Recht ich habe. Bruckner hat sich verstrickt und wird jetzt dafür bezahlen müssen. Sie werden ihn sicher nicht töten, dafür ist er ihnen zu wichtig, aber sie werden etwas von ihm verlangen. Ein Opfer eben.

Alle weiteren Fragen, die er Kiharu stellt, führen in diesem Punkt nicht weiter. Tanner ist sich nicht sicher, ob sie nicht mehr weiß oder ob sie ihm doch nicht alles sagen will. Für den Augenblick gibt er auf. Lieber schaut er sie schweigend an.
Kiharu räkelt sich und streckt sich wie eine Katze, wenn sie aufwacht. Ihre Hände streicheln zärtlich über ihre Brüste, über ihren leicht gewölbten Bauch und von da zu ihrer Scham. Sie schließt die Augen und genießt für einen kurzen Moment die Wirkung der Hände zwischen ihren Beinen.
Sie sehen es, Herr Tanner, ich geniere mich in keiner Weise vor Ihnen und es geht mir sehr gut. Und das verdanke ich Ihnen. Und, seien Sie bitte auch nicht traurig, es wird sich alles klären. Legen Sie sich doch neben mich. Ich werde uns mit dieser leichten Decke zudecken und wir werden noch ein bisschen schlafen.
Schlafen? Mit dieser Erektion? Und mit dem Blut, das in seinem ganzen Körper rauscht? Trotzdem willigt er ein.
Ja, gut. Ich lege mich neben Sie.
Sie rückt etwas zur Seite, er streckt sich neben ihr aus und sie legt behutsam eine Decke über die nackten Körper. Beide blicken in die Sterne. Obwohl die Nacht bereits weit fortgeschritten ist, kündet sich der Morgen noch nicht an. Auch die Vögel schlafen noch.
Erzählen Sie mir jetzt noch als Letztes für heute, was Sie so bedrückt. Ich sehe es nämlich Ihren Augen an, dass Sie Sorgen haben, Herr Tanner.
Mit einem Seufzer beginnt er von Elsie zu erzählen. Von ihrem Schlafzustand und von seiner verzweifelten Hoffnung, dass sie wieder aufwacht. Er hofft es nicht nur für sich, er wünscht es sich auch so sehr für ihre Kinder.
Kiharu lauscht schweigend. Als er die ganze Geschichte erzählt hat, spürt er, wie sich ihre kleine Hand in die seine schmiegt.
Lieber Herr Tanner, ich hoffe und wünsche Ihnen so sehr, dass Elsie wieder aufwacht. Ich bin mir sicher, wenn die Zeit gekommen ist, wird dies auch geschehen. Sie wissen aber, dass man es nicht erzwingen kann.
Sie presst seine Hand. Seine Hand antwortet dankbar. Sie dreht sich zu ihm um und flüstert.
Wissen Sie, in alten Zeiten gab es ein einziges Mittel gegen solche Zustände. Es musste sich eine Jungfrau freiwillig für das Leben einer

von einem bösen Geist besessenen Person opfern. Aber das ist natürlich aus heutiger Sicht der pure Aberglaube.
Sie lächelt und rückt ein bisschen näher zu ihm, ohne ihn aber zu berühren.
Ich wünsche Ihnen, dass Sie die Kraft haben, an ihr Aufwachen weiterhin zu glauben. Ich hoffe, Sie sind mir nicht böse, aber ich werde jetzt einschlafen. Die ersten Sonnenstrahlen werden uns wecken. Und die Stimmen der Vögel ...
Tanner lauscht ihrem Atem in der nächtlichen Stille. Er dreht sich nach einer Weile zu ihr und stellt fest, dass sie tatsächlich eingeschlafen ist.
Beneidenswert, Frau Kiharu Tsumura. So leicht wird es für mich nicht sein.
Tanner betrachtet wieder die Sterne. Was für eine absurde Situation! Wenn ihm das jemand heute Nachmittag prophezeit hätte, wäre Tanner lachend davongelaufen. Ist das nicht unglaublich? Sitzen sich mitten in der Nacht stundenlang nackt gegenüber, sind beide erregt, trinken eine Schale Sake nach der anderen, sprechen gepflegt, ja in einem geradezu höfischen Konversationsstil über Verbrecher, über seinen Freund Bruckner, über Milliardengeschäfte und über Gott und die Welt, zuvor lässt sie ihn noch Einblick nehmen in ihr Geschlecht? Und jetzt liegt dieses herrliche Geschöpf nackt neben ihm, schläft seelenruhig.
Und ich soll jetzt auch schlafen? Wie soll ich das anstellen? Kann mir da jemand helfen?
Ja, überraschenderweise wird ihm geholfen.
Möglicherweise ist es der gleichmäßige Atem seiner neuen Bekanntschaft und die Ruhe und Zufriedenheit, die ihr wunderbarer, kleiner Körper ausstrahlt. Wahrscheinlicher ist aber, dass der in Unmengen genossene Sake schuld ist, dass der Schlaf ihn schneller übermannt, als er je gedacht hätte.

SIEBENUNDZWANZIG

Guten Tag, mein Name ist Tanner. Ich habe um zehn Uhr einen Termin bei Herrn Professor Deichmann.
Ach ja, Sie sind das. Herzlich willkommen in der psychiatrischen Universitätsklinik. Wo haben Sie denn den Koffer mit Ihren persönlichen Sachen? Den müssen Sie hier abgeben. Ihr Zimmer ist schon gerichtet.
Tanner schaut ziemlich entgeistert.
Ich glaube, da liegt eine Verwechslung …
Der drahtige Schwarze mit mächtiger Rastafrisur am Anmeldeschalter lacht übers ganze Gesicht.
Hey Mann, entschuldigen Sie, das war nur ein Scherz. Sie müssen sich leider noch einen Moment gedulden, der Herr Professor ist noch mit einem Notfall beschäftigt. Sie können dort Platz nehmen. Möchten Sie einen Kaffee?
Danke, gerne. Empfangen Sie alle Besucher mit diesem Scherz?
Nein, nicht alle. Aber Sie schienen gerade so verschlafen, da dachte ich, weck ihn mal mit einem kleinen Schreck auf.
Jetzt lachen beide.
Das ist Ihnen gelungen und da Sie selber so ein aufgeweckter Junge sind, können Sie mir sicher auch sagen, in welchem Zimmer Alois Weiß zu Hause ist.
Tanner denkt, versuchen kann man es ja mal.
Zu Hause ist gut, Mann …
Der Schwarze grinst.
Keiner fühlt sich hier zu Hause. Außer die, die sich als Könige der Welt fühlen und diese Hütte mit ihrem Palast verwechseln. Aber Spaß beiseite. Ein Blick in mein Register sagt mir, dass Alois Weiß nicht besucht werden kann, denn er ist Mitglied des harten Kerns.
Können Sie mir das so übersetzen, dass es auch ein einfaches Gemüt vom Land versteht?
Er ist in der geschlossenen Abteilung, Sie Mann vom Land! Und kann folglich nicht besucht werden. Kapiert?
Ja, jetzt habe ich es verstanden.
Tanner setzt sich befriedigt in der Eingangshalle des alten Hauptgebäudes auf einen schwarzen Lederfauteuil.

Wie gut, dass ich manchmal meiner Intuition vertraue.
Tanner schaut sich in der Halle um und lässt den Ort auf sich wirken. Da das menschliche Bewusstsein bekanntlich die Realität so zurechtbiegen kann, wie es sie will und braucht, misstraut Tanner seinen eigenen Eindrücken grundsätzlich. Er weiß, dass er in einer psychiatrischen Klinik sitzt, also scheint es ihm, als ob diese alte Eingangshalle von unruhigen Geistern bevölkert ist und er erwartet im Grunde jeden Moment das Auftauchen eines schreienden, verwirrten Verrückten. Aber alle Personen, die die Halle mit eiligen Schritten durchqueren, erscheinen ihm so durchschnittlich irre oder normal wie er selber.
Immerhin weiß er jetzt bereits, dass Alois Weiß hier im Hause ist, wenn auch in der geschlossenen Abteilung. Tanner lehnt sich zurück und schließt die Augen.
Es ist ihm, als höre er immer noch das vielstimmige Vogelkonzert, das ihn heute Morgen auf Kiharus Terrasse geweckt hat. Ihr Kopf lag in seiner Achselhöhle, ihr kleiner Körper schmiegte sich weich und warm an den seinen und ihre kleine Hand lag auf seinem Bauch. Friedvoller kann Erwachen nicht sein. Die Nacht erscheint jetzt zwar im Morgenlicht wie ein völlig absurdes Theater, mit wacher Vernunft nicht mehr nachvollziehbar, aber …
Auf jeden Fall fühlte er sich so wohl wie schon lange nicht mehr.
Es scheint ihm, als hätte diese Nacht vieles ins Gleichgewicht gebracht, was vorher aus dem Lot geraten war. Es gibt nichts, was ihn in seinem Gefühl belastet oder stört. Aber wie ist das geschehen? Hat sie das bewirkt?
In diesem Moment regte sie sich in seinem Arm. Ihre Hand strich über seine Brust und ihr Körper presste sich für einen Augenblick noch enger an ihn. Dann öffneten sich ihre dunklen Augen.
Guten Morgen, Frau Tsumura. Haben Sie gut geschlafen?
Ja, Herr Tanner. So gut wie schon lange nicht mehr. Es ist sehr schön, mit Ihnen zu liegen. Ich hoffe, Sie sind mir nicht böse, dass ich im Schlafen Ihre Nähe gesucht habe. Bleiben Sie liegen, ich mache uns einen Fruchtsaft.
Er blickte ihr nach, bis sie in der Wohnung verschwunden war. Dann drehte er sich auf die Seite, wo es noch warm von ihrem Körper war, lauschte den harmonischen Vogelarien und schlief noch einmal selig ein.

Guten Morgen, Herr Tanner. Entschuldigen Sie, dass ich Sie habe warten lassen.
Tanner schreckt aus seinen Träumereien hoch. Vor ihm steht ein sportlich schlanker Mann mit zerzaustem weißem Haar.
Ich bin Ludwig Deichmann. Ich freue mich, dass ich Ihnen behilflich sein kann. Kommen Sie, wir gehen in mein Büro. Ich habe bereits einen Kaffee für Sie.
Mit schnellen Schritten eilt der Professor Tanner voraus.
Bitte einzutreten, Herr Tanner. Nehmen Sie Platz.
Tanner setzt sich in einen bequemen englischen Ledersessel, gegenüber einem Schreibtisch von gewaltigem Ausmaß. Das Museumsstück ist brechend voll mit Akten und Büchern. Sämtliche Wände sind vom Boden bis zur Decke mit Büchern und Akten bestückt. Tanner hat das Gefühl, im Studierzimmer eines Universalgelehrten zu sitzen.
Professor Deichmann nimmt hinter seinem Schreibtisch Platz. Er ist wahrscheinlich gegen sechzig Jahre alt, sehr gut aussehend. Er wirkt sowohl sportlich wie auch intellektuell durchtrainiert. Er erinnert ihn verblüffend an einen Freund, übrigens auch Arzt, der jedes Jahr einmal mit einer Segelyacht den Atlantik Einhand überquert.
Ich freue mich offen gesagt auch deswegen, weil es mir Gelegenheit gibt, mit Martha wieder einmal essen zu gehen. Sie macht sich sehr rar, die liebe Martha.
Ja, da haben Sie sicher Recht. Man muss sie ganz schön bitten.
Kennen Sie Martha schon lange, Herr Tanner?
Ja, kennen? Kennen ist übertrieben, wissen Sie. Wir sind vor langen Jahren zusammen in die Schule gegangen. Danach haben wir uns nie mehr gesehen. Erst vor ein paar Tagen hat uns der Zufall wieder zusammengeführt.
Und wie finden Sie sie?
Umwerfend, ehrlich gesagt. Umwerfend und rätselhaft.
Ja, da haben Sie Recht. Besser kann man es nicht auf den Punkt bringen.
Beide lachen gelöst. Für Tanner ist auf Anhieb klar, dass sie sich sehr gut verstehen werden. Deswegen doppelt er nach.
Umwerfend und rätselhaft sind sie eigentlich fast alle, die Frauen. Aber Martha ist in beiden Bereichen eine Sensation, oder?
Ja, da haben Sie wieder Recht. Es ist für uns Männer sowieso nicht ganz einfach, mit dem starken Geschlecht zurechtzukommen. In der

Tat! Wir arbeiten uns ein Leben lang an diesem Thema ab und kommen doch nie auf einen grünen Zweig. Haben Sie mal die Werke von Giacomo Casanova gelesen?
Ja. Früher. Einiges davon.
Deichmann weist hinter sich auf die Bücherwand.
Sehen Sie dort oben links die schwarzen Bände? Vieles ist wissenschaftlicher und philosophischer Natur, aber er hat sich natürlich ebenso intensiv mit den Frauen beschäftigt. Auch in seinem Leben – und nicht zu knapp, wie wir wissen.
Deichmann lacht wieder.
Ich habe manchmal das Gefühl, wir begreifen heute auch noch nicht viel mehr. Ich halte es für einen fatalen Irrtum, wenn man behauptet, Frauen und Männer seien füreinander geschaffen. Außer in der Fortpflanzung natürlich. Die Interessen und vor allem das Gefühl für Zeit sind doch zu verschieden. Frauen denken im Allgemeinen sehr viel langfristiger und vernunftbegabter als Männer. Schon allein in dem Punkt sind Missverständnisse doch vorprogrammiert. Darüber hinaus halte ich es für eine der fiesesten gesellschaftlichen Lügen, dass man den Frauen die Vernunft abspricht und sie vor allem auf den Bereich der Emotion festlegt. In Wahrheit ist es doch umgekehrt.
Deichmann lacht wieder sein herzliches Lachen.
Ganz schön clever, diese Verdrehung, oder? Aber entschuldigen Sie, Herr Tanner, ich schweife ab. Sie kommen aus einem anderen Grund zu mir, nicht wahr?
Deichmann greift hinter sich und legt ein dünnes Dossier auf seinen Schreibtisch.
Wissen Sie, was der eigentliche Grund ist für das Verbot, Patientenakten einzusehen? Auch über deren Tod hinaus? Ich verrate es Ihnen. Die Ärzte schreiben ein so fürchterliches Deutsch und deswegen haben sie jegliche Einsicht verbieten lassen.
Sie lachen beide.
Ich habe es gestern Abend beim Studium der Akte Ihres Großvaters wieder einmal denken müssen. Alles in einem fürchterlich unbeholfenen Stil geschrieben. Jede Menge Orthographie- und Grammatikfehler und stilistisch auf dem Niveau der Grundschule. Früher mag der Grund darin bestanden haben, dass es einfach an genügender Allgemeinbildung fehlte, Fachidioten eben, die nie ein literarisches Buch in die Hand nahmen. Heute ist die Sache etwas anders gelagert,

aber am Ende kommt leider immer noch dasselbe heraus. Für die Hälfte der Ärztinnen und Ärzte bei uns ist Deutsch nicht die Muttersprache. Die Akten müssen aber auf Deutsch geführt werden. Das ist Vorschrift. Und so haben wir den Schlamassel. Also, Spaß beiseite. Ihr Herr Großvater war tatsächlich vor langer Zeit hier in diesem Hause. Er ist in den Dreißigerjahren eingetreten und ziemlich genau drei Jahre später wieder ausgetreten.
Er blickt zu Tanner.
Also eingetreten heißt natürlich, er ist eingewiesen worden. Ich werde Ihnen die Sache jetzt allgemein erläutern, danach können Sie die Akte Detail für Detail durchgehen. Sind Sie damit einverstanden?
Ja, doch, natürlich. Vielen Dank, dass Sie sich so viel Zeit für mich nehmen.
Keine Ursache. Und Sie wissen ja, je länger ich mich mit Ihnen beschäftige, desto tiefer ist Martha in meiner Schuld. Also, ich flehe Sie an, bleiben Sie ein paar Tage!
Er lacht wieder.
Das hat mir der Rastamann am Empfang auch schon angeboten.
Ja, er hat es mir erzählt. Sie seien ganz schön erschrocken. Er ist ein ziemlicher Spaßvogel.
Deichmann blättert in der Akte.
Unter dem Stichwort Diagnose steht hier: Dementia praecox, paranoide Form. Das heißt nun nicht sehr viel. Es gibt so viele Spielformen dieser Krankheit. Früher waren diese Menschen allerdings diesen Krankheitsformen brutal ausgeliefert, weil man zum Beispiel über all die Varianten von Stoffwechselerkrankungen noch gar nichts wusste. Denn um eine solche handelte es sich wahrscheinlich. Sie wissen ja vielleicht, Herr Tanner, dass schon minimalste Abweichungen im Stoffwechsel schwerwiegende Folgen auf unser Gehirn und damit auf unsere Handlungen haben. Heute werden solche Krankheiten oft schon im jugendlichen Alter erkannt und man kann sie medikamentös so behandeln, dass die meisten Menschen ein einigermaßen normales Leben führen können. Normal ist in diesem Falle ein Synonym für unauffällig. Bei Ihrem Großvater hat man es erstens sicher zu spät erkannt, nämlich erst, als seine Handlungen auffällig wurden, und zweitens konnte gar keine substanzielle Behandlung durchgeführt werden, da man keine kannte. Also endeten

diese Leben in dem Stadium, das hier ziemlich unpoetisch als Verblödung bezeichnet wird. Heute kennen wir solche fortgeschrittenen Fälle eigentlich nur noch unter Emigranten, die einen großen Teil ihres Lebens in einem Land verbracht haben, wo die Medizin eben immer noch auf einem dürftigen Stand ist. Können Sie mir folgen, Herr Tanner?
Ja, danke. Sie referieren glasklar, Herr Professor.
Er lacht und winkt ab.
Die Details seiner Handlungsweise, die zu seiner Zwangsinternierung geführt haben, können Sie gleich selber hier nachlesen. Sie sind in einem polizeilichen Protokoll aufs Schönste beschrieben. Fragen zu allen Details werde ich dann anschließend beantworten. Jetzt aber noch zu etwas Wichtigem. Warum ist er nach drei Jahren entlassen worden? Denn sein Zustand hat sich ja in dieser Zeit, mangels Behandlung, nicht verbessert, sondern massiv verschlechtert. Und die Antwort darauf klingt leider äußerst zynisch.
Er lehnt sich in seinem Stuhl zurück.
Wie Sie ja wissen, war Ihr Großvater von seiner Herkunft Deutscher. Nach dreijährigem Aufenthalt war die öffentliche Krankenkasse nicht mehr bereit, für ihn zu bezahlen. Ihre Familie hatte aber kein Geld. Sie versuchten offensichtlich noch, bei begüterten Verwandten in Amerika Geld zu bekommen, aber leider ohne Erfolg. Damit blieb nur noch eine Möglichkeit. Der Patient, also Ihr Großvater, wurde nach Deutschland abgeschoben. Seinem Geburtsland. Dies war damals üblich.
Deichmann blättert wieder in der Akte.
Hier ist die letzte Eintragung. Ich zitiere: Seit Jahr und Tag unverändert. Noch ganz im Bann der alten Wahnvorstellungen und Trugwahrnehmungen. Untätig, unsozial, affektiv stets geladen, nicht selten explodierend. Wird heute polizeilich transferiert, behufs Unterbringung in einer badischen Anstalt.
Deichmann blickt einen Moment auf.
Ja, so ist das. Es gibt in der Akte keinerlei Hinweise, in welcher Anstalt er untergebracht wurde und wann oder wie er gestorben ist.
Wieder lehnt er sich zurück. Er überlegt einen Moment.
Hat Ihre Familie denn nicht gewusst, dass er nach Deutschland abgeschoben wurde? Das kann ich mir eigentlich nicht vorstellen.
Doch, die Familie wusste es. Meine Mutter hatte ja lange Zeit be-

hauptet, ihr Vater sei verschollen. Kürzlich hat sie immerhin angedeutet, als sie endlich auf mein Drängen hin mit einigen Bruchstücken rausrückte, dass man ihn im Badischen manchmal besucht habe. Später habe man ihn verlegt, den Ort der Familie aber verheimlicht.
Hat Ihre Familie denn nie einen Totenschein erhalten?
Nach Aussage meiner Mutter, nein.
Das ist allerdings merkwürdig, denn die deutschen Behörden sind doch für ihre penible Verwaltung weltberühmt.
Vielleicht hat meine Mutter das alles verdrängt. Es ist ihr ja noch heute unangenehm, darüber zu sprechen. Und ich würde gerne ein bisschen besser verstehen, warum ihr das alles so unangenehm ist.
Ich verstehe, Herr Tanner. Einiges wird die Akte vielleicht klären. Abgesehen davon, seien wir doch ehrlich, schämen sich auch heute noch die Leute, wenn jemand psychisch krank wird.
Ja, da haben Sie natürlich Recht. Übrigens steht im Kirchenbuch von seinem Heimatort im Badischen, dass er in H. verstorben ist. Wir wissen also auf jeden Fall, dass er verstorben ist und …
Deichmann übernimmt Tanners Gedankenfaden.
… dass es ganz sicher eine offizielle Mitteilung über seinen Tod gab, sonst wäre es nicht im Kirchenbuch vermerkt. Dass allerdings der Ort seines Todes nicht ausgeschrieben ist, wundert mich. Das ist meines Wissens nicht üblich und macht eigentlich auch keinen Sinn. Zwar ist dort, wie Sie sagen, eine Eintragung, aber der Ort wird nur mit H. bezeichnet? Nein, das macht keinen Sinn. Im Moment verstehe ich das nicht. Wie viele Jahre nach seiner Verlegung ist er denn verstorben? Oder steht das Sterbedatum auch nicht dort?
Doch. Erst ist ungefähr vier Jahre danach gestorben.
Deichmann pfeift leise durch die Zähne.
Vier Jahre dahinvegetieren in einer badischen Anstalt! Wahrscheinlich war er nicht mal in einer psychiatrischen Anstalt untergebracht, sondern in so einem Sammelheim, wo alte Menschen, arme Leute, so genannte Asoziale und eben auch kranke Menschen aufbewahrt wurden. Keine angenehme Vorstellung. Das tut mir im Nachhinein sehr Leid für Ihren Großvater. Und für Sie auch, Herr Tanner. Das sind keine angenehmen Bilder.
Er lehnt sich wieder entspannt zurück, meint es aber offenbar ernst mit seiner Anteilnahme.

Ich schlage Ihnen vor, dass Sie in Ruhe die Akte durchlesen. Ich werde Sie alleine im Büro lassen. Danach kann ich Ihre Fragen beantworten, die sich vielleicht noch stellen.
Herr Deichmann, gestatten Sie mir eine Bitte. Kann ich nicht eine Kopie von der Akte haben? Ich würde sie lieber zu Hause in Ruhe studieren. Falls ich dann noch Fragen habe, würde ich mir erlauben, Sie anzurufen. Was meinen Sie, ist das möglich?
Deichmann fährt mit der Hand durch sein weißes Haar.
Das ist eigentlich nun ganz und gar verboten, aber ...
Er betrachtet ihn forschend.
Warum eigentlich nicht. Ich vertraue Ihnen. Ich werde meine Sekretärin um eine Kopie bitten. Ich bin gleich wieder da.
Tanner lehnt sich das erste Mal auch zurück.
Jetzt schauen wir mal, wie er auf meine nächste Frage reagieren wird.
Deichmann kommt zurück.
Die Kopie wird gleich bereit sein, Herr Tanner.
Herr Professor, hat eigentlich Alois Weiß schon erfahren, dass vorletzte Nacht seine Frau in seinem Busch verbrannt ist? Und mit ihr der ganze Busch?
Deichmann fährt regelrecht zusammen.
Was sagen Sie da? Seine Frau ist verbrannt?
Deichmann ist deutlich bleich geworden und setzt sich schwer auf seinen Stuhl. Plötzlich sieht man ihm sein eigentliches Alter an.
Woher kennen Sie denn den Alois, Herr Tanner? Sie versetzen mich jetzt aber ganz schön in Erstaunen.
Tanner erklärt Deichmann in kurzen Zügen die notwendigen Zusammenhänge. Deichmann hört angespannt zu. Dann blickt er kurz zum Fenster hinaus, als hole er sich draußen in der Natur Unterstützung für eine schwere Entscheidung.
Also, wir können ihm das jetzt nicht sagen, das ist klar. Er ist gerade in einer ziemlich schwierigen Phase. Mein Gott, das ist ja furchtbar. Haben Sie denn seine Frau auch gekannt?
Nein, ich habe sie einmal aus der Ferne gesehen und dann durfte ich mit Erlaubnis von Hauptkommissar Schmid ihre Wohnung untersuchen. Ich kenne sie also eigentlich nur von alten Fotos, wo sie natürlich deutlich jünger und wahrscheinlich auch deutlich glücklicher war. Alois habe ich auch noch nie leibhaftig gesehen. Ich habe ja nur mit dem Busch gesprochen, dabei konnte ich ihn gar nicht sehen.

Was genau haben Sie denn mit ihm gesprochen?
Er hat mir ein Rätsel gestellt und ich war mehrere Tage hintereinander beim Busch und habe Antworten ausprobiert. Bis jetzt waren aber alle falsch und er hat mich jeweils höhnisch weggeschickt.
Ja, das klingt exakt nach Alois Weiß. Ach so, ich fange an zu verstehen! Wenn Sie die richtige Lösung haben, dann hoffen Sie, dass er bereit ist, mit Ihnen zu reden. Sie erhoffen sich einen Hinweis auf den Mörder von dieser japanischen Frau, ich verstehe.
Sie verstehen schnell, Herr Professor.
Danke, Herr Tanner. Es klingt ja auch sehr spannend. Wissen Sie was, ich kann Sie nicht in die geschlossene Abteilung mitnehmen, da ist im Moment zu viel Aufruhr und ein fremdes Gesicht verstärkt die Nervosität. Aber ich werde mit Alois sprechen. Vielleicht empfängt er Sie und dann gehen wir in einen Besuchsraum. Sind Sie einverstanden?
Ja, natürlich. Ich bin Ihnen sehr dankbar. Ich werde hier warten.
Es dauert höchstens zehn Minuten. Entweder will er oder er will nicht.
Deichmann verlässt das Büro und Tanner nutzt die Gelegenheit, zum wiederholten Male Martha anzurufen. Bevor er in die Klinik ging, hat er sie nicht erreicht. Er sieht auf dem Display, dass sie es nicht bei ihm versucht hat.
Diesmal meldet sie sich mit einem ziemlich mürrischen und knappen *Vogel.*
Hallo, Martha, ich bin es, Tanner. Ich habe dich schon einige Male ver…
Ich hasse dich, Simon Tanner.
Wütend zischt sie den Satz ins Telefon.
Okay, wenn du meinst! Wer hat denn die Zimmertür abgeschlossen und keine Antwort mehr gegeben?
Ach, du verstehst gar nichts, Tanner.
Dann legt sie auf.
Da hat sie allerdings Recht. Er versteht gar nichts.
Er schaut sich aus gewohnheitsmäßiger Neugier im Büro von Deichmann um, in der Hoffnung etwas Persönliches zu entdecken. Er setzt sich in Deichmanns bequemen Sessel und betrachtet das Büro aus dieser Perspektive. Wenn es etwas Persönliches gibt, dann muss es erfahrungsgemäß in Reichweite sein. Die Schublade des mächtigen

Tisches möchte er nicht öffnen. So weit will er nicht gehen. Da der Sessel drehbar ist, dreht sich Tanner zur Bücherwand hinter dem Sessel. Und tatsächlich entdeckt er auf einem Regalbrett ein Fotoalbum.
Aha, Professor Deichmann hat zwei Söhne und eine ziemlich attraktive blonde Frau. Viele der Fotos wurden offenbar auf einer großen Yacht aufgenommen. Tanner überlegt, ob der Professor einen Ehering trägt.
Nein, ich glaube nicht.
Tanner zieht den Schluss, dass Deichmann geschieden ist. Warum sonst hätte er in seinem Büro gleich hinter dem Schreibtisch ein Fotoalbum seiner Familie?
Tanner hört ein Geräusch und blitzschnell legt er das Album wieder hin und steht auf.
Es ist die Sekretärin Deichmanns, die auch sehr blond und irgendwie derselbe Typ wie die Frau Gemahlin oder Exgemahlin von Deichmann ist, die in das Büro tritt, ihm die versprochene Kopie der Akte übergibt und ihn auffordert, ihr zu folgen. Im Treppenhaus erklärt sie ihm, dass Herr Weiß bereit sei, ihn zu empfangen.
Wie soll ich mich denn verhalten?
Sie dreht sich um und lacht.
Ganz normal natürlich, was stellen Sie sich denn vor?
Nichts. Ich dachte nur, vielleicht gibt es eine … ach, vergessen Sie's. Die Frage war einfach dumm.
Im zweiten Stock klopft sie an eine schmale Tür. Dann öffnet sie und lässt Tanner eintreten.
Der Raum ist relativ klein, fensterlos und spartanisch eingerichtet. Direkt neben der Tür befindet sich ein Waschbecken. Mitten im kleinen Raum steht ein einfacher Holztisch, an dem mit dem Rücken zur Tür eine schmale Gestalt mit schwarzen Haaren sitzt. Deichmann lehnt sich an die Wand und winkt Tanner lächelnd in den Raum.
Herr Weiß, darf ich Ihnen Herrn Tanner vorstellen?
Ich kenne ihn. Er hat bis jetzt nur dumme Antworten auf das Rätsel gefunden. Und wenn man ihn fragt, ob er an Gott glaubt, zitiert er Faust, ha, ha, ha.
Alois Weiß dreht sich jetzt blitzschnell zu Tanner um und fixiert ihn mit seinen nahezu schwarzen Augen. Seine Wangen sind eingefallen

und mit spärlichem Bartwuchs bedeckt. Seine ganze Gestalt ist hager, wirkt aber ungemein zäh.
Herr Weiß, es freut mich, Sie kennen zu lernen. Darf ich mich zu Ihnen an den Tisch setzen?
Nein, das darfst du nicht, denn du glaubst nicht an Gott. Und solange du nicht an Gott glaubst, ich meine, die wahre Bedeutung Gottes nicht anerkennst, darfst du dich nicht mit mir an einen Tisch setzen.
Alois knurrt und fletscht die Zähne wie ein Hund und ballt die Fäuste, als ob er im nächsten Moment den gottesungläubigen Tanner anspringen und zerfleischen wollte.
Deichmann macht Tanner ein Zeichen, er solle einfach ruhig stehen bleiben.
Darf ich Ihnen denn wenigstens meine Antwort auf das Rätsel vortragen, Herr Weiß.
Alois nickt, verharrt aber in seiner Angriffsstellung.
Die Antwort lautet, dass Gott keinen Unterschied macht und für ihn alles den gleichen Wert hat. Der Apfelkern genauso wie die Hure und der Grashalm. Vor Gottes Augen ist alles gleich. Denn alles ist ausnahmslos seine Schöpfung.
Deichmann und Tanner warten gespannt auf Alois' Reaktion.
Der rührt sich lange nicht, als ob er die Antwort nicht gehört hätte. Tanner blickt fragend zu Deichmann. Der bedeutet ihm, ruhig abzuwarten.
Endlich regt sich Alois. Streckt seinen Kopf gegen die Decke und beginnt ein fürchterliches Wolfsgeheul, dann lässt er sich auf den Boden fallen. Sein Geheul verändert sich zu einem grässlichen Lachen. Er wälzt sich am Boden.
Nein, du Idiot, ha, ha, ha. Falsch. Falsch und nochmals falsch. Du verstehst überhaupt nichts. Der meint, er habe die Weisheit mit Löffeln gefressen und versteht doch nichts, ha, ha, ha.
Langsam erstickt das Lachen. Dann rappelt er sich auf, setzt sich wieder an den Tisch, mit dem Rücken zu Tanner, und verharrt in derselben ruhigen Haltung wie zuvor. Dann spricht er noch einmal ganz ruhig.
Wenn du den Mut hast, kannst du morgen wiederkommen und eine neue Antwort versuchen. Und jetzt verschwinde, ich will allein sein. Das gilt auch für dich, Herr Professor Ludwig Deichmann.
Deichmann gibt Tanner ein Zeichen zum Rausgehen.

Draußen tröstet er ihn.
Es tut mir Leid für Sie, Herr Tanner. Grämen Sie sich nicht. Und nehmen Sie es ja nicht persönlich. Das wäre ein großer Fehler. Er glaubt, dass er jetzt eine Art Macht über Sie hat. Vielleicht gibt es gar keine richtige Antwort. Alois ist unberechenbar. Alles ist möglich.
Sie haben sicher Recht. Sie sehen, ich habe die Akte bekommen. Haben Sie etwas dagegen, wenn ich morgen wiederkomme?
Nein, im Gegenteil. Rufen Sie aber vorher an, dann kann ich klären, ob Alois Sie wirklich sprechen möchte. Bei der Gelegenheit kann ich Ihnen auch eventuell auftauchende Fragen zur Akte Ihres Großvaters beantworten. Ist Ihnen schon aufgefallen, dass das Krankheitsbild von Alois demjenigen Ihres Großvaters nicht unähnlich ist? Aber ich greife vor. Lesen Sie die Akte. Ich bin gespannt, wie Sie es beurteilen.
Ja, da bin ich auch gespannt darauf.
Wir müssen auf jeden Fall einen ruhigeren Moment abwarten, bis wir ihm vom Tod seiner Frau berichten können. Ich werde mich noch mit den anderen Kollegen absprechen. Jetzt müssen Sie mich leider entschuldigen. Auf mich warten jede Menge unerledigter Gutachten. Grüßen Sie Martha, bald werde ich Sie ja selber wiedersehen.
Sie geben sich die Hand und der Professor, der gerne lacht und Martha ebenso umwerfend findet wie Tanner, eilt davon.
Ich werde mich jetzt vor allem um die komplizierte Seite dieser Dame zu kümmern haben.
Tanner durchquert die Eingangshalle. Der Spaßvogel von der Anmeldung winkt ihm fröhlich zu.
Wir sehen uns bestimmt wieder, Mann vom Land. Vergessen Sie dann Ihre persönlichen Sachen nicht.
Ich werde mir Mühe geben! Ich komme morgen wieder.
Draußen vor der Klinik setzt er sich einen Moment auf eine Bank. Er war sich so sicher gewesen, dass er die Lösung des Rätsels hatte. Von der Logik her hat er doch bereits alle möglichen Antworten ausprobiert. Und alle waren falsch. Ob es wirklich eine Antwort gibt, die Alois als die richtige Lösung anerkennen würde? Oder macht er sich nur lustig über ihn? Im Moment kann er nicht darüber nachdenken. Stattdessen versucht er noch einmal Martha anzurufen.
Sie antwortet nicht.

Tanner beschließt in ihre Wohnung zu fahren und in Ruhe die Akte seines Großvaters zu studieren. Erstens ist es dort klimatisch einigermaßen auszuhalten, denn die Hitze ist auch an diesem Tage wieder unerträglich, und zweitens trifft er sie dort am ehesten. Irgendwann. Spätestens gegen Abend. Denn mit ihr ist wahrhaftig ein ernsthaftes Gespräch fällig.
So ein Trotzkopf! Umwerfend und kompliziert. Ja, in der Tat!

ACHTUNDZWANZIG

Michel sitzt allein in seinem eisgekühlten Büro und lauscht andächtig dem gleichmäßigen Summen der Klimaanlage. Soeben sind zwei Fliegen auf seinem neuerdings leeren Schreibtisch gelandet. Die zwei haben offensichtlich Gefallen aneinander gefunden, führen vor seinen Augen einen komplizierten choreographischen Tanz aus. Schließlich kopulieren sie ungeniert miteinander. Dann fliegen sie wieder weg.
Heja, so geht es auch. Ja, ihr Männer von Athen, in der Natur ist alles unkompliziert. Nur wir Menschen haben uns da was Schönes eingebrockt, mit Seele und Gefühl und so.
Er muss die ganze Zeit an Claire denken. Dauernd sieht er ihr Gesicht vor sich. Schön ist es ja eigentlich nicht, dieses Gesicht. Dazu ist es viel zu asymmetrisch. Aber diese dunklen Augen und die blonden Haare, in denen man am liebsten den ganzen Tag wühlen möchte.
Wir sind ja kein Liebespaar, hat sie gesagt.
Nein, natürlich nicht, aber – verdammt, was sind wir denn? – wir sind auch keine kopulierenden Fliegen oder so.
Kopulieren ist gut! Noch nicht einmal geküsst hat er sie. Von Berühren schon ganz zu schweigen. Aber *sie* hat ihn berührt. Und wie! Mittlerweile hat sie ihn jetzt schon …
Er zählt an den Fingern ab, wie oft. Er braucht dazu immerhin schon beide Hände.
Das ist ja Wahnsinn, ihr Männer von Athen. Habt ihr mitgezählt?

Das ist doch der spiegelglatte Wahnsinn. Und ich habe sie noch nicht einmal geküsst.
Und dann diese freche Sprache. Dieses ungehobelte Fluchen! Und wie sie essen und trinken kann. Dabei ist sie so schlank wie ein neugeborenes Fohlen.
Vielleicht sollte ich ihr ein Geschenk machen? Aber was? Kleider kann ich ihr nicht kaufen. Ich weiß ja gar nicht, wie und was. Schon gar nicht, wo man diese Fetzen für so ein junges Mädchen einkauft. Ein BH wäre unter Umständen was? Da könnte er einfach sagen: Geben Sie mir den kleinsten und teuersten BH, den Sie am Lager haben.
Vielleicht sollte er Claire einfach fragen. Nein, kommt nicht in Frage. Da muss ihm schon selber etwas einfallen.
Wo sie nur bleibt? Jetzt hockt sie schon den ganzen Morgen in der Bibliothek, forscht nach diesem Hammer ... Scheißhammer, würde sie sagen ...
Er lächelt und spürt eine eigenartige Wärme in seiner Brust.
... und bald ist Mittag. Er hat bereits Hunger.
Sie hat gesagt, er solle auf sie warten.
Wehe, wenn du alleine essen gehst, Michel.
Also bleibt ihm nichts anderes übrig, als zu warten.
Gut, dass seine beiden Blödmänner nicht hier sind.
Der Herr Oberstaatsanwalt hat Lerch und Thommen einem anderen Fall zugeteilt, solange Michel eine Assistentin hat.
Diese absurde Kuhgeschichte werden Sie ja wohl auch alleine lösen können, Michel. Zudem haben Sie ja tatkräftige Unterstützung in dieser Claire, wie ich höre. Ich zähle auf Sie!
Bei der *tatkräftigen Unterstützung* hat er ihn genüsslich angelächelt. Michel ist sogar rot geworden. Das ärgert ihn am meisten.
Verfluchter Mist.
Ab und zu ertappt er seine rechte Hand, wie sie unbewusst das Schere-Stein-Papier-Spiel übt. Leider hat dieses blöde Spiel mit Übung gar nichts zu tun. Es ist schlicht das pure Glück, das man braucht. Dass sie bis jetzt immer gewonnen hat, ist ihm ein Rätsel. Ein weiteres Rätsel ist sie selber. Er sich natürlich auch. Wieso macht er das alles mit? Als ob sich sein eigener Wille verabschiedet hätte. Mal kurz ein bisschen Ferien macht. Und sie? Warum um Gottes willen interessiert sie sich für ihn?

Da aber sein innerstes Gremium zu dieser wiederholt gestellten Frage nach wie vor beängstigend stumm bleibt, legt er seufzend auch noch dieses Rätsel zu dem Häufchen ungelöster Aufgaben. Der Stapel ist schon ziemlich hoch.
Michel stützt den vom vielen Denken müde gewordenen Kopf in seine Hände.
Ausgerechnet an der metamorphischen Schwelle zwischen Dösen und seinem reiferen Brüderchen, dem Nickerchen, platzt sie ins Büro.
Komm, wir gehen essen. Ich erzähle dir, wenn die Pizza vor mir auf dem Teller liegt, was ich mit der Hilfe von Fräulein Ehrsam über den Hammer herausgefunden habe.
Zielstrebig, vom Hunger getrieben, führt sie ihn in ein kleines Restaurant, wo es, laut ihrem fachfraulichen Urteil, die besten Pizzas außerhalb Italiens gibt. Bald darauf sitzen sie an den kleinsten Tischen und auf den winzigsten Stühlen, die Michel je gesehen hat.
Claire frotzelt gleich darauf los.
Nimm zwei!
Wie? Zwei?
Nimm zwei! So heißt doch die Werbung.
Ich verstehe nicht.
Herrje! Ich meine: Nimm zwei Stühle.
Sie lacht so laut, dass sich die Leute an den anderen Tischen umdrehen. Michel verkriecht sich hinter seiner Speisekarte.
Du brauchst gar nicht erst in die Speisekarte zu gucken. Ich bestelle uns die beste Pizza, die sie hier haben, basta.
Sie wendet sich zum nächstbesten Kellner, der in ihrer Schusslinie steht, und bestellt lauthals quer durch das Restaurant rufend zwei bestimmte Pizzas.
Bis die Pizza da ist, erzähle ich dir die Lebensgeschichte von Fräulein Ehrsam.
Wer ist denn das?
Oh Mann. Das ist die Bibliothekarin, die gestern so säuerlich reagiert hat.
Aha, ich verstehe.
Ich glaube, du hast sie gestern etwas erschreckt. Du hättest die ganze Zeit hinter deinen Büchern gegrunzt und gestöhnt. Sie wollte wissen, ob du irgendeine Krankheit hast.

Und? Was hast du ihr geantwortet?
Claire lacht.
Ich habe ihr gesagt, du hättest eine ganz seltene Krankheit, die dich zwingen würde, alle zehn Minuten zu onanieren, sonst würdest du gewalttätig.
Das hast du ihr gesagt?
Nein, natürlich nicht. Ich habe ihr gesagt, dass du halt wahnsinnig in mich verliebt seiest und das, was sie gehört habe, die sehnsüchtigen Liebeslaute eines Dickhäuters gewesen seien.
Und was hat sie darauf gesagt?
Sie war überraschenderweise sehr gerührt. Das hätte ich ihr gar nicht zugetraut. Ein Wort gab das andere und dann hat sie mir eben ihre Lebensgeschichte erzählt. Willst du sie hören?
Ja, sicher, Claire, ich lechze danach.
Claire schneidet eine Grimasse, fängt dann aber unverdrossen an zu erzählen.
Also, Fräulein Ehrsam stammt aus einer sehr reichen und alteingesessenen Familie. Ihr Vater besaß wohl einige Fabriken und so. Ihre Mutter ist früh gestorben. Sie wuchs als einziges Kind in einer großen Villa mit Köchin, Gärtner, diversen Mägden, Chauffeur, Hauslehrer und so weiter auf.
In welchem Jahrhundert ist sie denn geboren?
Jetzt unterbrich mich nicht, Michel.
Claire verdreht die Augen.
Als sie siebzehn Jahre alt war, wollte ihr Vater sie mit einem wichtigen Geschäftsfreund verheiraten. Sie hatte sich aber längst in ihren Hauslehrer verliebt. Und stell dir vor, Michel, noch heute, wenn sie von diesem Jakob erzählt – und es ist ja irgendwie hundert Jahre her –, bekommt sie feuchte Augen. Der Vater bekam einen Herzanfall, als sie sich weigerte, diesen Geschäftsfreund zu heiraten, und im Gegenzug gestand, dass sie in Jakob verliebt sei. Der Vater jagte darauf den armen Jakob zum Teufel. Sie packte nachts heimlich ihren Koffer, stahl dem Vater Geld aus der Kasse und floh aus der Villa. Sie suchte ihren Jakob auf, der sich zu seiner Mutter geflüchtet hatte. Sie war bereit, ihn auf der Stelle zu heiraten. Jakob, der ihr versicherte, dass er sie auch liebe, wollte aber erst etwas werden, bevor er sie heiraten könne. Also werde sie auf ihn warten. Was er denn vorhabe? Er erklärte, dass er zu einem Onkel nach Amerika

könne, um dort vielleicht eines Tages dessen Geschäft zu übernehmen. Er werde in drei Jahren wiederkommen und sie nach Amerika holen. Sie war unter Tränen einverstanden. Sie gab ihm also das ganze Geld, das sie ihrem Vater entwendet hatte, und er reiste nach Amerika.
... und ward nicht mehr gesehen. Die Geschichte kennt man ja.
Ach, du bist ein Blödmann, Michel.
Entschuldige, Claire, aber wenn ich Hunger habe, senkt sich mein IQ automatisch auf ein ganz primitives Niveau.
Okay, kannst du wenigstens einfach zuhören?
Ja, das schaffe ich.
Also, wo war ich? Genau, er reiste also mit ihrem Geld nach Amerika und sie suchte sich eine Stelle, um Geld zu verdienen. Sie konnte ja auch nicht mehr zurück. Später hat ihr Vater sie wohl noch enterbt. Auf jeden Fall fand sie eine Stelle in einem Bandladen, wo sie ...
Was ist ein Bandladen?
Michel, ich warne dich!
Nein, entschuldige, Claire, ich weiß wirklich nicht, was ein Bandladen ist.
In einem Bandladen werden Bänder verkauft! Genügt das als Erklärung?
Claire schaut sich in der Runde nach Beistand um, aber alle anderen Gäste säbeln bereits an ihren Monsterpizzas.
Sie arbeitete also drei Jahre lang in diesem Laden, für wenig Geld natürlich, und freute sich darauf und lebte ganz auf den Zeitpunkt hin, da Jakob sie nach Amerika holen würde. Briefe von ihm kamen spärlich, aber in regelmäßigen Abständen. Dann kam einer, in dem er ihr gestand, dass er nochmals drei Jahre brauchen werde, bis er so weit sei. Sie weinte eine Nacht durch, fasste sich aber wieder und dachte tapfer: gut, nochmals drei Jahre. Danach werde ich endlich seine Frau. Nach weiteren drei Jahren, ziemlich genau bevor die Zeit gekommen war – sie hatte ihre Stelle im Bandladen bereits gekündigt –, bekam sie einen Brief von einem Verwandten dort, mit der Mitteilung, ihr Jakob sei auf der Straße von einem Auto überfahren worden. Er sei noch auf der Unfallstelle verstorben.
Claire lehnt sich kurz zurück.
Ist das nicht voll die Härte, Michel? Das ist doch eine solche Gemeinheit vom Schicksal, findest du nicht?

Ja, das Leben kann manchmal fürchterlich sein, Claire. Ich gebe dir Recht.
Claire schaut ihn prüfend an, ob er das wirklich ernst meint. Da sie in seinen Augen nichts Verdächtiges entdeckt, fährt sie fort.
Immerhin überwiesen die Verwandten von Jakob ihr ein kleines Vermögen, denn er war in diesen sechs Jahren fleißig und auch sehr erfolgreich gewesen. Jetzt besaß sie plötzlich Geld, aber keinen Jakob mehr. Das Ende ist schnell erzählt. Mit dem Geld studierte sie und nun sitzt sie seit vierzig Jahren als Fräulein Dr. Ehrsam in der Unibibliothek. Sie hat sich nie mehr verliebt und ist ledig geblieben.
In diesem Moment kommen die Pizzas angeschwebt. Claire nimmt die Arme vom Tisch, damit der Kellner servieren kann.
Ist das nicht ein Wahnsinn, Michel? Kannst du dir so ein Leben vorstellen? Am Schluss hat sie bescheiden gemeint, sie habe Jakob eben geliebt und würde ihm bis zum Lebensende treu bleiben. Das ist doch der Hammer, oder?
Claires Timing ist umwerfend. Exakt mit ihrem letzten Kommentar schneidet sie die Pizza mit Rohschinken und einem Berg Rucolablätter an, schiebt sich ein gewaltiges Stück in den Mund und wechselt praktisch übergangslos das Thema.
Apropos Hammer, Michel. Ich meine den goldenen Hammer. Du, das war so spannend, seinen Weg zu verfolgen. Ohne die Hilfe von Fräulein Ehrsam hätte ich das nie geschafft. Die ist voll fit mit Internet und so. Die wusste genau, wie man den Weg von so einem Museumsstück verfolgt.
Wieso, ist er nicht mehr in dem Museum in Kanton?
Michel fragt es zwischen zwei Bissen der ausgezeichneten Pizza. Nie im Leben isst er sonst Pizza, aber diese hier schmeckt wirklich.
Ne, schon ewig nicht mehr. Schon in den Dreißigerjahren wurde er verkauft und wieder verkauft und so weiter. Und übrigens, Kanton heißt auch nicht mehr Kanton, sondern *Guangzhou*. Es ist die Hauptstadt der südchinesischen Provinz *Kwangtung*, am Perlfluss. Das wusste dieses sonderbare Fräulein Ehrsam alles.
Während des Erzählens verschwindet die Pizza in abenteuerlicher Geschwindigkeit in Claires gefräßigem Mäulchen.
Der Hammer ging in den Jahren durch viele Hände. Lag in verschiedenen Sammlungen und wurde wieder verkauft und wieder verkauft. Sogar ein Prinz schenkte mal seiner Prinzessin diesen Ham-

mer. Ich finde das zwar kein passendes Brautgeschenk, aber was soll's. Die Geschmäcker sind bekanntlich verschieden. Sie hat ihn dann auch bald einem englischen Sammler verkauft. Vielleicht hat sie vorher ihren Prinzen damit erschlagen, ha, he, he …
Sie kann sich kaum von dieser Vorstellung erholen, lacht Tränen und verschluckt sich prompt. Michel erhebt sich ächzend und klopft ihr auf die Schulter. Immerhin isst sie dann für zwei Minuten schweigend.
Schon verschwindet das letzte Stück. Sie wischt sich blitzschnell mit der Serviette den Mund sauber. Dann jubelt sie, bevor sie runtergeschluckt hat.
Bin fertig! Mann, du isst ja langsam. Wie eine Schnecke. Schmeckt es dir etwa nicht?
Doch, doch, es schmeckt ausgezeichnet, aber wir machen ja keinen Wettbewerb im Schnellessen, oder?
Doch. Habe ich dir das nicht gesagt? Wer zuletzt fertig ist, bezahlt.
Und wieder lacht sie ihr unverschämtes Lachen. Michel lässt sich nichts anmerken.
Und wer ist dieser englische Sammler?
Michel fragt eigentlich nur noch pro forma, denn er glaubt längst nicht mehr an den goldenen Hammer als Tötungswaffe der erschlagenen Kühe. Ein ritueller Hammer, den internationale Sammler besitzen und wieder verkaufen, Prinzessinnen geschenkt bekommen und so weiter, wie soll der plötzlich das Instrument sein, mit dem ganz gewöhnliche Kühe erschlagen wurden? Es ist einfach lächerlich.
Spielt keine Rolle, denn der hat den Hammer längst auch nicht mehr. Um es kurz zu machen …
Claire wird dabei ganz feierlich.
Der goldene Hammer ist jetzt im Besitz einer Firma, von der ich noch nie etwas gehört habe, und Fräulein Ehrsam konnte darüber leider nichts in Erfahrung bringen.
Sie stützt den Kopf in die Hände und lächelt ihm verführerisch zu.
Und jetzt kommt die Stunde von Kommissar Serge Michel. Taa… ta…ta…taaaa…
Claire deutet mit beiden Händen eine Fanfare an.
Hey, Mann, für dich mit deinen Beziehungen und deiner Stellung wird es doch ein Kinderspiel sein, herauszufinden, wer hinter dieser

ominösen Firma steht, oder bin ich da völlig falsch gewickelt? Bitte, hier ist der Name der Firma.
Michel runzelt die Stirn und betrachtet den Zettel, den sie plötzlich wie durch Zauberei in ihrer Hand hält.
Das klingt nach einer internationalen Holdinggesellschaft, würde ich sagen. Oder vielleicht nach einer überseeischen Bank.
Überseeische Bank? Was heißt denn das?
Eine Bank von jenseits des Ozeans oder des Atlantiks. Genügt das als Erklärung?
Er konnte es sich nicht verkneifen, ihr den frechen Bandladenkommentar zurückzuzahlen.
Ha! Ha! Ha!
Sie macht ein beleidigtes Gesicht.
Also gut, Claire. Ich versuche das abzuklären. Aber das ist das Letzte, was ich in Sachen goldener Hammer tue, denn ich glaube, wir sind schon wieder auf einem Weg, der ziemlich hölzern klingt, verstehst du. Das ist mir alles zu weit hergeholt und zu abenteuerlich. Ich mache es dir zuliebe, Claire.
Michel kommt sich in dem Moment sehr großzügig vor.
Dann mach es besser nicht. Ich will nicht, dass du es mir zuliebe tust, du Idiot! Du wirst sehen, dass ich Recht habe. Ich spüre es, Michel.
Sie regt sich wirklich auf.
Abenteuerlich! Na und? Ja, natürlich ist es abenteuerlich. Aber das Leben ist ein Abenteuer. Wenn du das noch nicht kapiert hast, tust du mir Leid, echt.
Sie setzt sich jetzt mit verschränkten Armen hin und starrt ihn an, bis er fertig gegessen hat.
Hast du eigentlich schon bemerkt, dass du nicht mehr so schwitzt wie früher?
Wie bitte?
Er starrt zurück.
Verdammt, sie hat Recht. Er schwitzt wirklich nicht mehr so stark.
Claire lächelt und freut sich wie eine Schneekönigin.

DIE AKTE GUSTAV ADOLF LAND

Brief an die wohllöbliche Polizeiverwaltung

In meiner Wohnung verkehren verschiedene Personen weiblichen und männlichen Geschlechtes, und liegen Tag und Nacht daselbst in den Betten. Bin deshalb sehr beunruhigt worden; so dass ich meine Zimmertüren bei Tag und Nacht abschließen, auch meine Frau bewachen muss.
Eben daselbst sind sogar meine Eltern noch beteiligt.
Deshalb sehe ich mich veranlasst, solches der wohllöblichen Polizei zur Anzeige zu bringen, damit dieselbe bei Tag und Nacht polizeilich Wachen halten soll.

Gustav Adolf Land

Polizeiakten

Im Auftrage des Herrn Lieut. Bloch habe ich in Bezug auf anliegenden Brief Erhebungen gemacht. Schreiber desselben ist Herr Land, Badischer Staatsangehöriger, geb. den 16. August 1880, Magaziner, wohnhaft am Bahndamm 12, Eigentümer des Hauses ist Herr Haußmann, Schreinermeister. Haußmann sowohl als dessen Frau versicherten mir, dass in ihrem Hause in jeder Beziehung alles in Ordnung sei. Auch die Frau des Briefeschreibers – die er polizeilich bewacht haben will – sei mehr als recht; dagegen leide der Mann seit einiger Zeit unter Gemütsdepressionen, die seine Versorgung über kurz oder lang wahrscheinlich machen werden. Die Frau habe deshalb viel zu leiden, weil ihr der Mann auf Schritt und Tritt nachgehe und sie mit Misstrauen traktiere.
Der Mann sei sehr solid, trinke nicht, rauche nicht und sei überaus christlich, vielleicht zu brav. In der Firma wird er wegen seiner guten Eigenschaften besonders gerühmt. Mit Land habe ich gesprochen. Seine psychische Entgleisung ist offenkundig. Bis jetzt war er nicht bösartig. Das kann eventuell noch kommen.

Sig. J. Meury

Polizeiposten B II telefoniert, Land befinde sich dort und könne nicht mehr auf die Straße gelassen werden, da er sich ganz verrückt gebärde. Herr Prof. Schönberg wird hiervon verständigt und wird den Mann untersuchen.

Sig. F. Mundwiler

Land wurde heute durch Polizeimeister Ehrsam E. in die Anstalt gebracht.

Sig. Kirchhofer

Aufnahmegesuch in die kantonale Heil- und Pflegeanstalt

Entsprechend dem Organisationsgesetze der Anstalt (Paragraph 12) erklären die Unterzeichneten, dass sie die in diesem Formulare bezeichnete Person für geisteskrank halten und ihre Aufnahme in die kantonale Heil- und Pflegeanstalt in der ~~I. II.~~ III. Verpflegungsklasse wünschen.
Unterschrift von der Gattin des Patienten

Ärztliches Zeugnis der kantonalen Heil- und Pflegeanstalt

Gustav Adolf Land, von B. in Baden, geb. 16. August 1880,
befindet sich 22. Juni 1933
in Behandlung wegen einer Geisteskrankheit, die folgende Symptome zeigt:
Massenhaft verworrene Wahnideen, häufige Sinnestäuschung, vorgeschrittene Verblödung, unsoziales Verhalten und Arbeitsunfähigkeit.
Diagnose: Dementia paranoides
Es besteht Versorgungsbedürftigkeit und Transportfähigkeit

Psychiatrieärztliche Berichte

Eintritt von August Adolf Land: 22. Juni 1933
Einweisender Arzt: Prof. Schönberg
Anamnese
(Mit Schreibmaschine geschrieben)

22. Juni 1933
Eltern leben gesund. Geschwister 10 (inklusive Patient) davon eines 2jährig an Lungenentzündung gestorben.
1918 Grippe. Patient war während 5 Wochen zu Hause. Kann sich an keine andere Krankheit erinnern.
Nach Aussage der Frau habe Patient immer, auch zu Beginn und im Verlaufe seines Leidens immer gute Beziehungen zu seinen Nachbarn gehabt erst kurz vor seinem Eintritt in die Friedmatt habe er die Nachbarn etwas schroffer behandelt und habe ihnen Vorwürfe gemacht. Anfangs April habe er sich über dumpfes, unangenehmes Gefühl im linken Ohr beklagt, von Tag zu Tag habe das Gehör abgenommen und nun habe er eines Nachts »Stimme des Geistes« gehört, sie habe ihm angeraten nicht zum Arzt zu gehen er habe nur etwas im Gehörgang er solle den Fremdkörper entfernen. Sie (die Frau) habe ihm eine Pinzette gekauft und er habe nach vielem Grübeln und Schmerzen einen Pfropf herausgezogen und nun habe er sich erinnert, dass ihm sein Bruder im Jahre 1909 etwas Papier ins Ohr gestoßen habe. Das Gehör wurde wieder gut aber die Stimmen blieben. In den letzten Tagen März habe er sich zur Frau geäußert sein Ohr sei nun für die irdischen Stimmen verschlossen es sei nur noch für die himmlischen Stimmen offen. Nach und nach sei er immer ängstlicher geworden. Der Heiland habe ihm gesagt diese und jene seien in der Nacht dagewesen. Auch habe er fremde Leute im Haus herumlaufen hören und habe deshalb den Nachbarn vorgeworfen, dass sie fremde Leute hereinließen. Die Angst dehnte sich immer mehr auf Frau und Kinder aus. Abends verschloss er Alles sehr vorsichtig, glaubte immer dass die Geister der Frau Etwas antun wollten.
Behauptete auch dass ihm die Geister Blut aussaugten.
Hat bis vor 8 Tagen sehr schlecht geschlafen, seitdem er aber besser schlafe sei er auch aufgeregter gewesen.
Sie (die Frau) komme sehr gut aus mit dem Manne, sie hätten gleiche

religiöse Ideale (Methodisten). Geschlechtlich sei der Mann oft aufgeregt sie aber hänge nicht daran.
Seit ihn die Frau kennt habe er immer denselben Charakter gehabt, ein freundlicher ruhiger Mann der nur eine oder 2 Freunde habe und sich sehr um die Familie kümmere.
Verheiratet *seit 12 Jahren*
Kinder *2 j Mädchen/ 9 j Mädchen*
Nachtrag: *gegen Bekannte war er leutselig gegen Fremde sehr verschlossen. Nie Pavor nocturnus. In den ersten Tagen seiner Krankheit habe er 2 Anfälle gehabt:*
Eine Stunde nachdem er zu Bett gegangen sei habe er plötzlich gerufen »ich glaub ich muss sterben«, er sei bleich geworden, habe normal geatmet, am anderen Tage habe er über Druck in der Herzgegend beklagt und derselbe Anfall habe sich wiederholt.
Vaskularisationsstörungen: *Oft habe er einen Fuß oder eine Hand warm die andere kalt, besonders auffällig sei dies diesen Winter geworden, auch werde er oft bleich, fröstle oft.*
Vor 5–6 Wochen habe er an starkem Speichelfluss gelitten.
Status: *Großer Mann von schwächlicher astheinischer Konstitution, bleich, matte Augen. Gutem E, Z, Kopfnerven Sinnesorgane O.B.*
Zunge feucht mit leichtem weißgelblichen Belag, kein Foetor. Thorax wenig gewölbt, symmetrisch.
Lungen: *Grenzen O. B.*
Herz: *Töne regelmäßig, rein etwas schwach.*
Abdomen O. B. *Genitalien O. B.*
Reflexe: *Pupillen beiderseits gleich mittelweit. Reagieren prompt direct und consensuell auf Licht und Accomodation. Abdominal. Patellar- und Plantarreflex O. B. Kein Romberg. Keine Sensibilitätsstörung.*
Psychischer Status: *Patient ist zeitlich, örtlich und in Bezug auf seine Person vollständig orientiert. Erzählt ungefähr dasselbe wie seine Frau. Behauptet böse Geister hätten Besitz von ihm ergriffen und flüsterten ihm unangenehme Sachen ein, er solle dies oder jenes tun (imperative Stimmen) die Stimme des Geistes (sagt auch zeitweise die Stimme des Heilandes) sage ihm, dass seine Frau missbraucht werde von unbekannten Kerlen und dass sie darunter viel zu leiden habe. Die Frau gehe mit Andern, darum habe sie in dieser Beziehung eine gewisse Abneigung gegen ihn. Die letzte Nacht sei sie auch wie-*

der missbraucht worden. Er habe seine Frau lange Zeit beobachtet und nun habe ihm die Stimme dies bestätigt. Die Stimme habe er zum ersten Mal Anfangs April gehört, zuerst in einem dann an beiden Ohren.
Größenideen (Die Stimme sagte ihm er habe in den langen Erlen eine schöne Villa.)

25. Juni
Seit hier ist hat er immer gut geschlafen. »Ich will meine Kleider ich will fort, zu meinen Eltern ich gehöre nicht hierher« Patient lässt sich sofort und sehr leicht beruhigen. Frägt nach seiner Frau und seinen Kindern – Wo jetzt die wohl seien, er ängstige sich.

27. Juni
Patient steht zum ersten Mal auf und geht im vorderen Garten spazieren.

(Handschriftliche Eintragungen)
15. Juli
Glaubt immer seine Frau u. die Peiniger die dieselbe verführen u. vergewaltigen zu hören.

22. Juli
Will den Kaffee nicht mehr trinken, derselbe enthalte Gift er spüre dies am brennenden Gefühl im Magen und im Halse – wenn er Brot in den Kaffee brocke so gebe es immer einen eigentümlichen Ring.

25. September
Sagt sein Schwager sei im Neubau im ersten Stock

26. September
Hatte seine Frau auf heute erwartet und da sie nicht gekommen ist behauptet er, man spiele ihm etwas »er wisse es schon«; hatte darauf einen kurz dauernden Erregungszustand.

27. September
Austritt
In der letzten Zeit war Patient ruhig, hatte keine Wahnideen, das

Essen betreffend, geäußert. Gehörhalluc: Klopfen Gehen von Personen kommen noch vor desgleichen innere Stimmen in Form von Zwiegesprächen. Nie imperative Stimmen.

Die Frau will den Patienten mitnehmen – er wird plötzlich erregt sagt er gehe nicht fort bevor sein Schwager u. Schwägerin der Polizeihauptmann auch mit ihm käme. Wo denn seine Kinder seien? »In der Schule« ja in welcher Schule? Warum sind sie nicht hier? Ich gehe einfach nicht fort. Der Arzt soll doch auch mit mir in die Ferien gehen. Patient wird hier belassen.

10. Oktober
Wird in der Nacht nach E II transferiert da er stark halluziniert, Drohungen gegen die Wärterin ausstößt u. aussagt, dass die Wärterin in sein Bett habe steigen wollen um zu coitieren.

30. November
Patient ist wieder auf E I ist etwas apathischer geworden u. man hat Mühe ihn zur Arbeit zu bewegen.

17. Dezember
Er brauche nicht zu arbeiten, man werde doch nicht bezahlt. Warum man denn ehrliche Leute wie sie nicht zu ihren Frauen ließe? Er habe doch seine Frau u. Kinder sowie Verwandte im Mittelbau! Er wisse es. Da er nicht zur Arbeit zu bewegen ist kommt er nach E II; hier droht er mit Gott, der die Ungerechtigkeit (einige Wörter unleserlich) bestrafen werde.

1934
(Eintragungen mit Schreibmaschine geschrieben)
25. Februar
Der Zustand des Patienten ist seit 2 Monaten derselbe. Er schimpft nicht mehr gegen seine Internierung und Transferierung nach E II. Zum Arbeiten bringt man ihn nicht »Gott sorge schon dafür« hier sei es ihm wohl und Alle hier seien auch gegen außen geschützt und noch mehr seien sie dies durch Gott. Draußen sei man seines Lebens ja nicht sicher überall sei Revolution.

Zwischen Hemd und Gilet trägt er immer ein Papier wozu dies gut sein soll gibt er heute an: es schütze ihn gegen die Angriffe. Von wem? Er sei ja von Gott beschützt. Seiner Frau aber hat er angegeben er sehe immer, speziell mit einem Auge, kleine Männchen die auf ihn zukommen, es seien vielleicht kleine Teufelchen. Er spricht nicht mehr von seiner Frau und seinen Bekannten die alle im ersten Stock sein sollten da er doch immer deren Stimmen höre.

19. Juni
Der Pat. verblödet langsam, er ist apathisch, kümmert sich um nichts, macht tagsüber Düten, vor der Brust hat er immer Zeitungspapier, um die kleinen Teufelchen, die in ihn dringen wollen, zurückzuhalten. Die Teufelchen sehe er, ganz klein, von dunkler Hautfarbe, haben kleine Hörnchen, Schwanz, auch Pferdefuß.

1935
(Handschriftliche Eintragungen)

22. Juni
Nun ist Patient bereits 2 Jahre interniert, ohne dass sich die geringste Spur einer Besserung zeigen würde. Er ist nach wie vor von seinen Wahnideen völlig beherrscht, steht ganz unter dem Einfluss von Sinnestäuschungen. Die kleinen Gespenster oder Teufelchen erscheinen ihm immer noch, bald sichtbar, bald unsichtbar, doch stets so, dass er ihre Stimmen deutlich hört. Sie treiben ihr Gespött mit ihm … (einige Wörter unleserlich) … oder ihn durch Hexerei o. Magnetismus schädigend. Als Schutz vor den Dämonen trägt Patient ständig Zeitungspapier zwischen Hemd und Weste, bedeckt er während des Essens seinen Teller mit ebensolchem Zeitungspapier u. sagt fortwährend Bibelsprüche vor sich her.
Von Zeit zu Zeit erhält er Mitteilungen, Befehle, Warnungen oder Wahrsagungen von himmlischer Seite: er hört die Stimme Gottes, die des Heilandes oder die göttlich inspirierte »Gewissensstimme«.
Zu irgendeiner Beschäftigung ist Patient nicht zu bewegen. Wird er zu einer Arbeit aufgefordert, so erklärt er bald in hochmütigem Tone von oben herab, bald auf gereizte Art u. Weise, er wolle nichts arbeiten oder er dürfe es nicht, weil es ihm von Gott verboten sei, oder

schließlich, er habe es gottlob nicht nötig, denn er wisse von seinen Stimmen, dass nunmehr er Millionär sei. Patient steht oder sitzt den ganzen Tag untätig, Bibelsprüche vor sich her flüsternd, auf dem gleichen Fleck; er hat mit niemand Umgang, beteiligt sich an keinerlei Unterhaltung auf der Abteilung, liest nichts, außer seine Bibelsprüche, schreibt keine Briefe und interessiert sich für nichts in seiner Umgebung. Von … (einige Zeilen unleserlich)
… gelegentlich macht er den besuchenden Angehörigen heftige Scenen. An seinen alten Eifersuchtsideen hält er unentwegt fest. Obgleich für gewöhnlich still und ruhig, kann er doch außerordentlich leicht sehr heftig werden, wenn etwas nicht nach seinem Kopfe geht.

1936

25. Juni
Seit Jahr und Tag unverändert. Noch ganz im Banne der alten Wahnvorstellungen u. Trugwahrnehmungen. Untätig, unsozial, affektiv stets geladen u. nicht selten explodierend. Wird heute polizeilich nach L. transferiert behufs Unterbringung in einer badischen Anstalt.

Brief der Anstaltsdirektion an die Familie in Amerika

Unser Patient Gustav Adolf Land leidet an einer geistigen Erkrankung, die sich vor allem in Gehörs- und Gesichtstäuschungen und allerlei Wahnvorstellungen äußert. Wir hoffen zwar auf die Weiterschreitung der Besserung, doch kann sich die Sache noch lange hinausziehen. Bis zum 22. Juni zahlt die Krankenkasse, von da an müsste er in eine deutsche Anstalt transferiert werden; wir können ihn aber behalten, wenn Sie, wie Sie schreiben, die Kosten übernehmen wollen. Wir senden ihnen daher die Rechnung für das erste in Betracht kommende Vierteljahr und bitten sie um möglichst beschleunigte Zusendung des Betrages, da wir nur in diesem Falle die Vorbereitung zur Transferierung des Patienten unterlassen können.
Beilage: Rechnung

Brief der Familie in Amerika an die Direktion der Anstalt

Sehr geehrter Herr Direktor,
Wir gelangten in den Besitz ihres Schreibens, sowie beiliegender Rechnung. Wir sind über den Rechnungsbetrag überrascht, denn uns teilte Frau Land mit, dass Fr. 450.– pro Vierteljahr für unseren Bruder Gustav Adolf zu bezahlen wären, aber ihre Rechnung jetzt plötzlich deutlicher höher ausfällt.
Wir ließen auch unsere Eltern hierher kommen um für dieselben zu sorgen da sie schon im vorgeschrittenen Alter sind. Die eine Schwester die mit ihnen kam und auch Typhus hatte ist noch nicht imstande ständig zu arbeiten weil immer noch nicht ganz wohl. Die Verhältnisse in Amerika sind z. Zt. auch sehr schlimm und die Arbeitslosigkeit ähnlich wie draußen, somit hat die andere Schwester nur teilweise Arbeit …
Unsere Mutter leidet schrecklich wegen der Lage Gustavs und wir befürchten, dass wenn wir denselben nach Deutschland transferieren, sie aus lauter Sorge so weit wie Gustav käme indem sie ihn nicht in Deutschland haben möchte. Mein Bruder und ich haben nun die ganze Last zu tragen und uns ist es unmöglich trotz allen Entbehrungen mehr als Fr. 450.– pro Vierteljahr zusammenzubringen.

Brief von der Anstaltsverwaltung an das Polizeidepartement

Wir gelangen hiemit an sie mit dem höflichen Ersuchen, das Transferierungsverfahren in die Wege leiten zu wollen. Herr Land ist Selbstzahler bezw. er wird bei uns auf Kosten seiner Familie verpflegt. Wir werden mit der Frau des Patienten über die Notwendigkeit der Überführung in eine badische Anstalt sprechen, glauben jedoch auf Widerstand zu stoßen, da die Frau geltend machen wird, solange für den Patienten bezahlt werde, habe er Anspruch auf Verpflegung in hiesiger Anstalt. Wir müssen jedoch auch in diesem Falle darauf hinweisen, dass die Kostendeckung für unser Transferierungsbegehren irrelevant ist und dass wir zur Überführung ausländischer Anstaltsinsassen wegen zunehmenden Platzmangels genötigt sind.

Brief der Anstaltsdirektion an die Ehefrau von Gustav Adolf Land

Sehr geehrte Frau!
Wir gestatten uns höflich mitzuteilen, dass wir uns, um einer Überfüllung unserer Anstalt zu wehren, mit dem Wunsch tragen, ihren Mann Gustav Adolf Land in eine andere Anstalt versetzen zu dürfen. In Frage würde natürlich eine badische Anstalt kommen und unter diesen entweder diejenige auf der Reichenau oder die Universitätsklinik in Freiburg im Breisgau. Beide sind ausgezeichnet geführt, und wir wären sicher, dass ihr Mann dort nichts entbehren müsste …
Sie denken wohl daran, dass Sie ihn dort nicht mehr besuchen könnten oder doch wenigstens nicht mehr so gut wie hier, dem wäre aber entgegenzuhalten, dass das kein Nachteil wäre, wohl aber könnte es sein, dass ihm die Versetzung als solche den Anlass zu einer Besserung gäbe, wie es übrigens in manchen Fällen seiner Art schon der Fall gewesen ist. Man weiß aus Erfahrung, dass Leute wie er, die apathisch und verschlossen dahinleben und nur noch mit ihren Gedanken und Sinnestäuschungen beschäftigt sind, in einer gänzlich neuen Umgebung, wo sie sich aufs neue anpassen müssen, mehr aus sich herauskommen als in der alten und dann überhaupt auftauen und dann wieder gesunden.
Wir können natürlich einen ähnlichen Erfolg für ihren Mann nicht im Voraus sicher versprechen, halten ihn aber für möglich …
Im Besitze Ihrer Zustimmung würden wir die Anmeldung in einer badischen Anstalt besorgen und den Mann durch einen unserer Wärter hinführen lassen.

An das Badische Bezirksamt L.

Das badische Bezirksamt M. anerkennt die Pflicht zur Übernahme des geisteskranken Gustav Adolf Land von B., geb. 1880, der zur Zeit in der Heil- und Pflegeanstalt Friedmatt interniert ist, und bestimmt das Bezirksamt L. als Übernahmestelle. Wir werden uns erlauben, Ihnen den Kranken am nächsten Freitag, den 25. Juni 1937, zuzuführen.

Unterschrift: Der Vorsteher der Administrativ-Abteilung

NEUNUNDZWANZIG

Tanner sieht Martha erst am nächsten Morgen wieder, da er spontan am frühen Abend in die Hauptstadt gefahren ist.
Nachdem er sich den ganzen Nachmittag dem Studium von Lands Akten gewidmet hat, ist er kurz nach fünf Uhr in einen traumlosen Schlaf gefallen. Kein Wunder, hatte er doch schon zwei Nächte lang nur wenig geschlafen. Aufgeweckt hat ihn einmal mehr sein Telefon. Es war bereits sieben Uhr abends und Martha war noch nicht nach Hause gekommen. Die junge Ärztin hat ihm am Telefon mitgeteilt, dass Elsies Zustand sich plötzlich verschlechtert habe und dass es vielleicht besser wäre, wenn er vorbeikäme. Tanner war froh, dass er am Morgen daran gedacht hatte, ihr seine neue Nummer mitzuteilen.
Er schrieb Martha einen Zettel und fuhr mit ihrem Mini los. Die Fahrt auf der Autobahn ging schleppend, der Verkehr war dicht wie selten. Es kostete Tanner einige Nerven, bis er endlich die Klinik erreichte.
Elsie war allein in ihrem Zimmer. Er war erleichtert, dass sie so aussah wie immer. Als ob sie eben bloß schlafen würde. Dann bemerkte er aber, dass eine ihm unbekannte Flasche am Tropfständer hing, und er suchte als Erstes die Ärztin. Er fand sie in der Kantine der Klinik und setzte sich zu ihr.
Sie berichtete ihm, dass sich am späten Nachmittag plötzlich Elsies Blutdruck massiv verschlechtert habe, begleitet von einer Art Flimmern des Herzrhythmus. Das sei zwar an sich nichts Dramatisches, aber auffällig sei, dass ihre Werte in den letzten Monaten doch durchgehend stabil gewesen seien. Sie hätten ihr dann sofort ein entsprechendes Mittel gegeben, der Kreislauf habe sich auch wieder stabilisiert, aber es sei erhöhte Wachsamkeit geboten. Sie habe sich einfach verpflichtet gefühlt, ihm dies umgehend mitzuteilen. Mehr könne sie im Augenblick leider nicht machen. Er bedankte sich bei ihr und ging wieder zu Elsie.
Diesmal las er ihr nicht aus Tausendundeiner Nacht vor, sondern erzählte ihr lückenlos, was er in den Tagen erlebt hatte, seit er nicht mehr bei ihr gewesen war. Er hielt die ganze Zeit ihre Hand.
Am ausführlichsten natürlich von den neuen Erkenntnissen über Land, seinen Großvater. Wie gerne hätte er erfahren, was sie zu all

diesen Dingen denken würde. Sie besitzt eine unglaubliche Intuition und eine hohe natürliche Intelligenz, auch wenn sie sich nie in der gewünschten Weise hat ausbilden lassen können.
Ganz bestimmt hätte sie ihm zum Beispiel mit dem Rätsel weiterhelfen können. Ihr konnte so leicht niemand etwas vormachen, sie hätte sicher gemerkt, wo der Haken an der Sache war.
Wahrscheinlich hätte sie einfach gesagt, Gott sei nichts Einzelnes wichtig. Ausgespiener Apfelkern, Grashalm im Wind, Menschen, Tiere? Nichts ist im wichtig, wahrscheinlich nur das Fortbestehen seiner Schöpfung als Ganzes. Gott interessiert sich für gar nichts! Schon die Fragestellung zeigt eine grundfalsche Einstellung zu der ganzen Gottesfrage. Ja, so würde *sie* wahrscheinlich argumentieren.
Ob das eine Antwort ist, die Alois anerkennen könnte?
Alois hin, Alois her … Gott interessiert sich sicher für nichts, worauf die Menschen IHN so gerne verpflichten wollen.
Je länger Tanner neben Elsies Bett saß, desto mehr überzeugte ihn diese Antwort auf das Rätsel. Er bezweifelte zwar, dass ihm Alois jemals Recht geben würde, denn er hatte, wie Deichmann auch, je länger desto mehr das Gefühl, dass Alois ein Spiel mit ihm spielte. Warum, begriff er zwar nicht. Vielleicht aus bloßer Bösartigkeit?
Bis Mitternacht saß Tanner an ihrem Bett, hielt ihre warme Hand. Abwechslungsweise sprach er mit ihr, dachte laut über alles nach, dann lauschte er ihrem Atem. Zwischendurch kam die Ärztin und vergewisserte sich, dass ihr Zustand wieder stabil war. Punkt zwölf Uhr nachts küsste er sie und machte sich auf den Weg zu Martha.
In ihrer Wohnung herrschte tiefe Stille. Im Wohnzimmer waren immer noch die Akten, die ihm Deichmann freundlicherweise überlassen hatte. Sie lagen in einer etwas anderen Ordnung, wahrscheinlich hatte Martha sie gelesen. Auch gut. Er war gespannt auf ihren Kommentar.
Er legte sich bald darauf unter Marthas Jugendstilblumendecke und schlief sofort ein.
Am Morgen weckten ihn Geräusche aus der Küche. Martha machte das Frühstück. Er hat sich ausgiebig geduscht. Als er ins Wohnzimmer kommt, sitzt Martha bereits beim Frühstück und liest erneut in den Akten von Gustav Adolf Land.
Guten Morgen, mein Lieber. Wie geht es denn Elsie? Ich bin ganz schön erschrocken, als ich gestern Abend deine Nachricht las.

Wieder besser, das heißt, ihr Kreislauf hat sich wieder stabilisiert. Die Ärztin wusste im Grunde auch nicht, was gestern passiert ist. Hoffen wir, dass es ein einmaliger Vorfall war.
Gott sei Dank. Komm bedien dich, ich war schon beim Bäcker, wie du siehst. Frische Pfirsiche gibt es auch.
Martha sieht sehr ausgeschlafen aus. Sie strotzt vor Energie. Angezogen ist sie, als ob sie gleich zum Tennisspielen verabredet wäre. Mit Röckchen und T-Shirt. Beides in blütenfrischem Weiß.
Gehst du Tennis spielen?
Ja. Sieht man das?
Weißt du nicht, dass ich Hellseher bin?
Ha, ha!
Du gehst also bei der Hitze Tennis spielen? Und mit wem?
Mit Deichmann, du neugieriger Mensch. Ich habe mir gedacht, es sei vielleicht doch angenehmer, als mit ihm essen zu gehen. Er hat den Vorschlag sofort begeistert aufgenommen. Er ist natürlich Mitglied im vornehmsten Club der Stadt. Und die Tennisplätze liegen in einem schattigen Park. Früher habe ich viel gespielt, jetzt schon länger nicht mehr.
Sie beißt mit Appetit in ein frisches Brötchen, das sie mit Marmelade und Käse gleichzeitig gefüllt hat. Eine seltsame Angewohnheit von ihr, aber offenbar schmeckt ihr diese Mischung.
Es tut mir übrigens wirklich Leid wegen deinem Anruf gestern Morgen. Ich war so wütend. Dabei war ich ganz alleine schuld. Wo warst du denn am frühen Morgen?
Ich konnte nicht mehr schlafen. Ich war am Fluss spazieren und hab mich ein bisschen mit einem Fischer unterhalten. Er meinte, wenn es so weiterginge mit der Trockenheit, könne man bald im Flussbett spazieren gehen.
Die Lüge kommt glatt über seine Lippen. Er möchte ihr nicht von seiner seltsamen Nacht mit Kiharu erzählen.
Ach, und übrigens lässt Deichmann dir ausrichten, du könntest ruhig im Laufe des Morgens Alois besuchen, er habe gestern noch einmal mit ihm gesprochen. Du sollst dich einfach beim Empfang melden.
Das heißt, Martha ist natürlich wieder einmal über alles informiert. Na ja, schließlich ist sie Journalistin.
Ein Wunder, dass sie noch nicht gefragt hat, ob sie dies alles für ihre Arbeit verwenden darf. Eines Tages wird die Frage sicher kommen.

Simon, du bist mir nicht böse, dass ich die Akten von Land gelesen habe, ohne dich zu fragen, oder?
Heute scheint für Martha der Morgen der Entschuldigungen zu sein.
Er schüttelt den Kopf.
Nein, Martha, ich bin dir nicht böse. Im Gegenteil, ich bin sehr gespannt auf deinen Kommentar.
Sie steht sofort auf und legt los.
Weißt du was, Simon. Ich finde, das ist alles ein riesengroßer Skandal sondergleichen. Vor allem, wie die mit deiner Großmutter umgesprungen sind! Also ehrlich. Und mit was für Argumenten! Das schreit zum Himmel! Wenn man noch könnte, müsste man die alle vor Gericht bringen.
Martha springt herum, als stünde sie bereits auf dem Tennisplatz. Ihr Gesicht leuchtet in flammendem Rot. Dann setzt sie sich für einen kurzen Moment.
Gut. Ich will nicht ungerecht sein, die Psychiatrie hatte damals von dieser Art Geisteskrankheit noch keine Ahnung. Aber, du weißt ja, die Sprache ist verräterisch. In keiner Zeile habe ich so etwas wie Mitgefühl ... nein, Mitgefühl ist vielleicht das falsche Wort, ich meine so etwas wie einen Willen, sich in den Patienten hineinzuversetzen, gespürt. Keinerlei Verständnis für die furchtbare Lage von Gustav, seiner Frau oder gar seinen Kindern! Und dann diese sprachliche Dürftigkeit!
Sie steht wieder auf.
Ich meine, wenn sie damals schon keine Ahnung hatten, warum haben sie dann den Gustav nicht wenigstens genau studiert? Ihm zugehört? Die wollten ja nicht einmal wirklich wissen, was er geredet hat. Ich meine, man kann auch über Bibelverse kommunizieren, oder?
Zwischendurch nimmt sie einen Schluck Kaffee.
Niemand hat irgendetwas hinterfragt. Es hätte so viele Anknüpfungspunkte gegeben. Und dann die Sache mit dem Arbeiten! Er hatte ja Recht mit seiner Argumentation. Warum sollte er arbeiten, wenn die gar keinen Lohn zahlten?
Plötzlich hält sie inne.
Wie spät ist es eigentlich? Ich darf meinen Tennispartner nicht versetzen. Ah, ja, ich habe noch ein klein wenig Galgenfrist. Wart nur, dem werde ich etwas über seine früheren Standeskollegen erzählen, du. Der bereut noch, dass er darauf bestanden hat, mich zu treffen.

Sie setzt sich wieder.
Aber das Schlimmste ist die Sache mit dem Transfer nach Deutschland. Wie konnten die so den Kopf in den Sand stecken? Wegen Überfüllung! Wenn ich das nur schon höre! Klingt ein bisschen nach *Das Boot ist voll.* Es würde mich nicht wundern, wenn es in der ehrwürdigen Friedmatt damals gleich gehandhabt worden ist.
Sie denkt einen Augenblick nach.
Weißt du denn schon, in welche Klinik er abgeschoben wurde?
Nein, wir kennen bis jetzt nur das Datum seiner Übergabe an die deutschen Behörden. Danach ...
Gibt es denn in seinem Geburtsort keine Angaben über seinen Tod, denn er lebt ja ganz sicher nicht mehr, oder?
Nein, sicher nicht. Es gibt sogar eine Eintragung, dass er am 1. Juli 1941 gestorben ist.
Sie putzt sich mittlerweile die Zähne.
Dann hat er ja noch ganze vier Jahre gelebt. Mein Gott, der arme Kerl – und wer weiß, unter welchen Umständen.
Es steht auch noch, dass er in H. gestorben sei.
In Ha?
Ja, in H.
Und wo liegt Ha?
Das weiß ich eben nicht. Es ist ja nur der erste Buchstabe einer Stadt.
Aha. Weißt du was? Es gibt sicher ein staatliches Protokoll der Übergabe. Vielleicht ist dort vermerkt, wo sie ihn hingebracht haben.
Ja, das ist eine gute Idee. Ich werde mit Deichmann darüber reden.
So, jetzt muss ich mich auf den Weg machen. Brauchst du den Mini?
Nein, nein. Ich werde zu Fuß in die Klinik gehen. Viel Spaß beim Tennis. Ich hoffe, du gewinnst. Nein! Ich erwarte es!
Bist du heute Abend da?
Ja, ich vermute es.
Das will ich aber schwer hoffen. Viel Glück beim Rätselraten. Gibst du mir einen Kuss?
Wenn du einen möchtest, gerne.
Sie küsst ihn innig auf den Mund. Dann rast sie aus der Wohnung.
Das eine Rätsel werde ich vielleicht lösen. Das andere sicher nie!

Zwei Stunden später klopft er an die Tür des kleinen Besucherzimmers.
Der Schwarze am Empfang der Klinik ist tatsächlich auf sein Kommen vorbereitet gewesen.
Gehen Sie gleich in den zweiten Stock. Sie kennen ja den Weg. Alois wartet schon seit einer halben Stunde auf Ihren Besuch.
Tanner tritt ein. Alois sitzt wieder mit dem Rücken zur Tür. Er ist offenbar genau gleich gekleidet wie gestern. Schwarze Hose, anthrazitfarbenes Hemd, eine schwarze Weste.
Du bist unpünktlich. Als Schüler musst du pünktlich sein. Ich könnte dich jetzt wieder heimschicken. Aber wenn du schon mal hier bist …
Bin ich denn Ihr Schüler?
Alois lacht leise vor sich hin. Dann dreht er sich zu Tanner und blickt ihn das erste Mal offen an. Alois ist heute erstaunlich ruhig. Sein Blick klar. Keinerlei Anzeichen von Aggressivität. Er hat sich rasiert und die Haare gewaschen. Die Veränderung ist verblüffend. Tanner muss unweigerlich an Dostojewskij denken.
Eigentlich warte ich auf meine Frau. Sie hätte mich längst besuchen sollen. Deichmann gibt sich ganz zugeknöpft, wenn ich ihn nach meiner Frau frage.
Tanner weiß nicht, wie er sich verhalten soll.
Warum sind Sie eigentlich in der Klinik? Sind Sie freiwillig hier?
Glaubst du, dass irgendein Mensch irgendetwas freiwillig auf dieser Welt tut? Bist du jetzt freiwillig hier, Tanner?
Sie haben Recht. Nicht wirklich freiwillig. Eins folgt zwangsläufig aus dem anderen. Am Anfang ist vielleicht so etwas wie ein freier Wille da, am Ende ist alles Zwang.
Alois lächelt wieder.
Nicht übel für einen Ungläubigen. Und weiter? Weißt du die Antwort?
Gott macht keinen Unterschied.
Ja, das hast du gestern schon gesagt. Es war gestern falsch und es ist heute immer noch genauso falsch.
Alois will sich schon wieder abwenden.
Gestern habe ich gesagt, Gott macht keinen Unterschied, weil er in seiner Schöpfung für alles die gleiche Wertschätzung und Liebe hat. Und heute?

Gott interessiert sich für keines der Dinge, für keines der Wesen als individuelle Einzelheit. Ihn kümmert nur die Schöpfung als Ganzes. Und zudem in ganz anderen Zeitdimensionen. All die Unterschiede der Werte sind unsere Unterschiede. Der Gott, der sich den Menschen zu seinem Ebenbild erschuf, das ist bloß eine Erfindung der Menschen selbst.
Sehr schlau, Tanner. Doch, sehr schlau.
Alois dreht sich um und blickt eine kleine Ewigkeit auf den Tisch. Dann trommelt er mit seinen Fingern auf die Tischplatte.
Sehr schlau. Trotzdem falsch. Da steckt sicher ein Weib dahinter. Stimmt's? Das ist zu schlau für dich. Aber trotzdem falsch. Ja, ja. Leider schon wieder falsch.
Tanner ist enttäuscht, obwohl er sicher ist, dass Alois mit ihm spielt. Er würde sich am liebsten auf diese selbstgefällige Gestalt werfen, sie packen und die Information aus ihr herausschütteln. Aber er befindet sich in einer Klinik und Alois ist der Patient. Was für ein merkwürdiges Wort. Patient. In Lands Akte kam es unzählige Male vor. Als Tanner schon denkt, die Audienz ist zu Ende, dreht sich Alois plötzlich noch einmal um. In seinen Augen ist jetzt deutlich Angst zu sehen.
Weißt *du* etwas über meine Frau?
Tanner antwortet ohne zu zögern.
Ja. Deine Frau ist tot. Verbrannt in deinem Busch.
Tanner hält den Atem an. Was wird jetzt geschehen? Zurücknehmen kann er nichts mehr.
Alois blickt ihn unvermittelt an. Dann dreht er sich wieder um und starrt auf den Tisch. Tanner steht unbeweglich. Hat er ihn überhaupt verstanden?
Plötzlich holt Alois mit seinem Oberkörper weit nach hinten aus und bevor Tanner eingreifen kann, schmettert Alois seinen eigenen Kopf mit solch elementarer Wucht auf die Tischplatte, dass der kleine Raum bebt. Mit einem knirschenden Geräusch bricht das Nasenbein und mit einem grässlichen, letzten Aufstöhnen versinkt Alois in eine gnädige Bewusstlosigkeit. Unter seinem Kopf bildet sich eine Blutlache.
Tanner kann sich einen Moment lang gar nicht rühren, so sehr sitzt ihm der Schock in den Knochen. Als sich seine Starre löst, rennt er hinaus in den Gang und sucht einen Pfleger.

Als Alois versorgt wird, steht Tanner noch eine Weile unschlüssig herum und verlässt schließlich die Klinik. Er kann hier nichts mehr tun. Deichmann, der im Augenblick mit Martha Tennis spielt, wird ihm sicher heftige Vorwürfe machen.
Alois tut ihm zwar Leid, aber er bereut seine Handlungsweise trotzdem nicht. Zu keinem anderen Zeitpunkt wäre die Botschaft für Alois passender gewesen, so viel ist klar. Er hätte in diesem Moment Alois nicht anlügen können, auch wenn er zugeben muss, dass er außerdem eine ganz schöne Wut auf ihn hatte.
Na gut. Jetzt ist es passiert. Ein Nasenbein ist gebrochen. Es gibt Schlimmeres. Deichmann war wahrscheinlich einfach zu feige, Alois den Tod seiner Frau mitzuteilen.
Einigermaßen beruhigt, vielleicht doch richtig gehandelt zu haben, entschließt sich Tanner, den Kollegen im Kommissariat einen kurzen Besuch abzustatten.
Er trifft auf dieselbe Situation wie damals in der Nacht, als er das erste Mal das Kommissariat aufsuchte.
Schmid, Natter und Waibel sitzen jeder an seinem Schreibtisch. Schmid blättert in einem Bericht. Die beiden andern starren auf ihre Bildschirme, als erwarteten sie von dort eine Erleuchtung. Als Tanner eintritt, blicken ihn zwei Augenpaare neugierig an und ein Paar griesgrämig wie immer.
Guten Tag, die Herrschaften. Ich komme gerade von Alois Weiß.
Schmid hüstelt. Waibel und Natter erwidern den Gruß. Dann warten beide ab, wie ihr Chef sich verhalten wird. Endlich bequemt sich dieser nachzufragen.
So, so. Und wo befindet sich dieser Alois Weiß? Ich nehme an, Sie sprechen von dem Ehemann der Elfriede Weiß. Oder, Herr Kollege?
Tanner nickt.
In der psychiatrischen Klinik, wo er sich schon öfters aufgehalten hat. Ich habe ihm mitgeteilt, dass seine Frau im Busch verbrannt ist.
Und wie hat Herr Weiß reagiert?
Ziemlich ungewöhnlich. Er hat den Kopf auf den Tisch gehauen und sich dabei das Nasenbein gebrochen.
Durch Waibel und Natter geht ein angewidertes Stöhnen. Waibel greift sich unwillkürlich an die Nase. Schmid kommentiert trocken. Das hat sicher wehgetan.

Ja, das hat es. Daraufhin ist er bewusstlos geworden.
Und haben Sie, bevor er sich die Nase gebrochen hat, irgendetwas Brauchbares von ihm erfahren?
Leider nein. Ich werde ihn aber morgen wieder besuchen und hoffe, dass er dann reden wird. Ich werde Sie auf jeden Fall auf dem Laufenden halten.
Das ist sehr nett von Ihnen, Herr Kollege.
Was ich noch sagen wollte: Das Geld, dass wir in der Wohnung von Elfriede Weiß gefunden haben, gehört ja jetzt Alois, oder?
Ja, ja, das werden wir abklären, keine Angst.
Schmid wendet sich wieder seinem Bericht zu, aber Tanner ist noch nicht fertig.
Könnte ich mal in Ihre Vermisstenanzeigen Einblick haben?
Waibel springt sofort auf, aber Schmid hüstelt vernehmlich.
Vermissen Sie denn jemanden?
Tanner lächelt.
Ich persönlich nicht, aber vielleicht wird jemand vermisst, der uns interessieren könnte. Allzu viele Anhaltspunkte haben wir ja nicht in diesem verworrenen Fall. Ich habe es mir früher in meiner Berufspraxis zu einer lieben Angewohnheit gemacht, regelmäßig die Vermisstenanzeigen zu lesen, und habe dabei so manche Überraschung erlebt.
Waibel!
Der Angesprochene eilt zu einem Regal, entnimmt einem Fach ein dünnes Dossier und übergibt es feierlich Tanner. Alle warten gespannt auf Tanners Reaktion. Er setzt sich an einen freien Tisch und vertieft sich in die Liste.
Ganz schön viele Namen.
Er murmelt es vor sich hin.
Die Namen bestehen mehrheitlich aus Männernamen. Die meisten Anzeigedaten sind schon ziemlich alt. Aber …? Also doch! Vor zwei Tagen kam offensichtlich ein neuer Name dazu.
Kyiochi Fukomoto.
Bist du der Japaner aus dem Schlaraffenländli?
Die Anzeige hatte anscheinend dessen Frau gemacht.
Tanner blickt zu Schmid.
Nein, da ist nichts dabei, was mir etwas sagt. Na ja, ich dachte, schaden kann es ja nicht.

Tanner will sich noch nicht in die Karten blicken lassen. Der Nachteil dieser Entscheidung ist, dass er nicht nach näheren Umständen fragen kann. Aber immerhin hat er jetzt einen Namen. Kiharu wird ihm sicher weiterhelfen können.

Ich bedanke mich herzlich und wünsche noch einen guten Tag.

Tanner hört noch beim Hinausgehen, wie Schmid den Waibel anherrscht, er solle ihm gefälligst die Liste geben.

Was Tanner nicht mehr hört, wäre für ihn weitaus interessanter gewesen.

Wir werden ab sofort unseren lieben Kollegen bescha…, also, ich meine, äh … wir werden ihn unter Polizeischutz stellen. Und zwar rund um die Uhr. Natter, du organisierst das.

Tanner geht in die Innenstadt, sucht sich ein Restaurant und bestellt ein *Beefsteak Tartar*. Danach wird er sich in das Nachmittagscafé von Kiharu begeben, zu ihrer verschwiegenen Champagnerquelle. Er ist gespannt, ob sie den vermissten Herrn Fukumoto kennt.

Ob Martha gegen Deichmann gewonnen hat? So, wie er sie einschätzt, ist Martha nicht die Frau, die gerne verliert.

Wie engagiert sie sich heute Morgen über Lands Akte geäußert hat. Natürlich hat sie in den meisten Punkten Recht. Er würde vielleicht mit den Ärzten nicht ganz so scharf ins Gericht gehen wie sie. Schließlich war es damals die Gesellschaft selbst, die sich gegenüber Geisteskrankheiten noch nicht anders zu verhalten wusste. Aber dürftig war es schon, was die damalige Psychiatrie mit den Kranken anstellte. Im Grunde gar nichts. Mit einem Etikett versehen und zugucken, wie sie langsam, aber sicher in ihrem Zustand versinken. Dann Eintragungen machen, wie *er verblödet langsam*. Unter der Spalte *Behandlung* aber gähnt auf allen Blättern eine anklagende Leere.

In einem Punkt hat Martha natürlich uneingeschränkt Recht.

Die Transfergeschichte ist blanker Zynismus. Zum ersten Mal fühlt er großes Mitleid mit seiner Großmutter. Hilflos war sie diesem übermächtigen Beamtenapparat ausgeliefert. Niemand hat ihr beigestanden. Zuerst die Not, dass ihr Mann sich auf ganz unbegreifliche Weise verändert hat, und dann wird er von einem Tag auf den anderen als Geisteskranker abgestempelt. Wie kann man mit so einer Situation fertig werden? Allein mit zwei kleinen Kindern? Geld war auch keines vorhanden. Den absoluten Gipfelpunkt des Zy-

nismus stellt die Suggestion dar, dass für ihren Mann in dem Orts- und Anstaltswechsel eine Chance für eine Gesundung bestünde. Ja, das ist bitter.
Wo Land wohl hingekommen ist? Tanners Mutter, die damals noch klein war, erinnert sich, dass man ab und zu mit dem Zug irgendwohin gefahren ist, um ihren Vater zu besuchen, aber sie weiß nicht, an welchen Ort. Sie hat auch keine Vorstellung mehr, wie lange jeweils die Reise dauerte. Land habe damals praktisch nur noch geschwiegen, ab und zu seine Hand auf ihre blonden Haare gelegt. Ein einziges Mal habe er ihren Namen geflüstert. Und zwar einen Kosenamen, den nur er ihr gegeben hatte. Sie habe dann zu Hause die ganze Nacht geweint.
In diesem Moment erfasst Tanner eine Ahnung, wieso seine Mutter so ein unzugänglicher Mensch geworden ist. Das Trauma ihrer Kindheit hat sie nie überwunden. Sie hat ihr Leben lang geschwiegen und gegessen. Vor allem nachdem Tanners Vater gestorben war, verwandelte sich ihre Ess- in eine ausgewachsene Fresslust. Anders kann man es leider nicht bezeichnen. Sie ist mittlerweile so dick, dass sie sich nicht mehr alleine aus ihrer Wohnung bewegen kann. Das massenhafte Essen und alles andere, was sie so braucht, wird ihr von verschiedenen Geschäften in die Wohnung geliefert. Ob er ihr jemals von all den Details erzählen wird, die er über die Geschichte ihres Vaters erfahren hat und vielleicht noch erfahren wird? Tanner verdrängt diese Frage vorerst.
Auf die Minute zur selben Zeit wie vor zwei Tagen erscheint Kiharu in ihrem Stammcafé. Heute trägt sie in ihrer Nachmittagspause ein dunkelgrünes Kleid mit Spaghettiträgern, das ihre schönen runden Schultern voll zur Geltung bringt. Auch hat sie heute offensichtlich auf das Zurückbinden ihrer Brüste verzichtet. Dazu trägt sie ein paar hellgrüne Sommerschuhe mit hohen Absätzen. Sie strahlt ihn schon an, als sie durch die Eingangstür kommt, denn sie hat ihn sofort entdeckt.
Herr Tanner, wie schön. Ich habe gehofft, Sie hier zu treffen. Nein, ich war mir eigentlich sicher, Sie zu treffen. Und siehe da! Sie sind hier. Und heute trinken Sie auch Champagner, tun Sie mir den Gefallen. Und bitte, auf meine Rechnung.
Er nickt, denn er kann es ihr unmöglich abschlagen.
Geht es Ihnen gut, Frau Tsumura?

Gut? Ich fühle mich so wohl wie schon lange nicht mehr, Herr Tanner. Und ich glaube, es hat auch etwas mit Ihnen zu tun.
Die zwei Champagnergläser werden gebracht.
Lassen Sie uns auf das Glück anstoßen, auf diese flüchtige Magie von Augenblicken, es ist das Einzige, auf das wir Menschen hoffen können. Mehr können wir nicht verlangen.
Sobald sie vor ihm sitzt, kann er sich ihre seltsame Nacht wieder besser vorstellen. Ohne ihre Anwesenheit kommt es ihm wie ein phantastischer, surrealer Traum vor. Auch diesmal schlägt sie ihn sofort in ihren Bann. Mit ihren Blicken, mit ihren Worten, mit ihrer ganzen Gestalt. In ihrer Gegenwart passiert Tanner eine Art Realitätsverschiebung. Ihre ganze Eigenart kommt ihm vor, als sei sie das Normalste auf der Welt. Ist er nicht bei ihr, hat er das Gefühl, er hätte gerade eine Rolle in einem Film gespielt.
Beim dritten Glas schneidet Tanner das Thema an.
Liebe Frau Tsumura, stellen Sie sich vor, ich habe bei der Polizei von einem vermissten Japaner erfahren. Er heißt Kyiochi Fukumoto. Die Anzeige erfolgte durch seine Frau, vor zwei Tagen. Kennen Sie diesen Herrn? Er steht leider nicht im Telefonbuch, das habe ich schon kontrolliert.
Nein, diesen Herrn kenne ich nicht. Aber jetzt, wo wir einen Namen haben, ist die Sache natürlich viel einfacher geworden. Ich bin mir sicher, dass ich Ihnen schon morgen etwas sagen kann.
Sie bestellt das vierte Glas. Tanner möchte einen Kaffee.
Ich habe heute Morgen einem meiner Angestellten gekündigt. Er hat mir gestanden, dass er damals den Zettel in das Kästchen hineingeschmuggelt hat.
Ach, und wer hat ihn beauftragt?
Ich selbst habe es getan, behauptete er. Er habe an seinem Arbeitsplatz hinter der Essensausgabe einen handschriftlichen Zettel gefunden mit genauen Anweisungen, nämlich die Botschaft dann ins Lackkästchen zu legen, wenn ich Ihnen die Rechnung bringe. Es sei meine Schrift gewesen, behauptete er. Woher er denn meine Schrift so genau kenne, habe ich ihn gefragt. Er habe es einfach angenommen, wer sonst würde ihm denn Anweisungen geben? So ein Idiot!
Und warum haben Sie ihm dann gekündigt, er ist ja bloß auf einen plumpen Trick hereingefallen. Eigentlich nicht mehr und nicht weniger als ich selbst auch.

Ich kann doch nicht jemanden beschäftigen, der blind jeden Mist ausführt, den man ihm befiehlt. Und dumme Leute ertrage ich schon gar nicht.
Kiharu lächelt ihr entzückendes Lächeln und wieder hat sie etwas von einer Königin.
Herr Tanner, wenn Sie heute nach Mitternacht wieder zu mir auf meine Terrasse kommen, werde ich nicht allein sein. Stellen Sie sich vor, Chiyo wird bei mir sein.
Tanner wusste bis eben nichts davon, dass er heute Nacht wieder bei Kiharu Gast sein würde. Aber die noch größere Überraschung ist, dass Chiyo auch dort sein wird. Kiharu greift nach seiner Hand.
Heute Nacht wird der Mond heller für uns scheinen denn je, glauben Sie mir, Herr Tanner.
Ja dann.

DREISSIG

Am späten Nachmittag erreicht ihn Michel endlich.
Ja, Mensch, Tanner, endlich ist mal deine Leitung frei. Zuerst habe ich zwei Stunden gebraucht, um deine neue Telefonnummer rauszukriegen. Die hättest du mir ruhig auch mitteilen können, oder?
Von wem hast du sie denn bekommen?
Na, Elsies charmante Ärztin hat sie mir verraten.
Aha. Und wie bist du überhaupt darauf gekommen, dass ich eine neue Nummer habe?
Ja, ihr Männer von Athen, weil ich dich seit gestern Abend versuche zu erreichen. Ich habe dir sicher zehnmal auf die Combox gesprochen. Und da das nicht deine Art ist – ich meine, nicht zu antworten –, habe ich gedacht, ich hätte irgendwie die falsche Nummer. Und prompt war es ja auch so. Ich dachte, die in der Klinik haben auf jeden Fall die richtige.
Ja, da hast du zur Abwechslung mal richtig gut kombiniert, Michel. Ich gratuliere.

Michel räuspert sich vernehmlich ins Telefon.
War nur ein Scherz, mein Lieber. Also, mein altes Telefon ist irgendwie verschwunden, da habe ich gedacht, besser besorge ich mir eine neue Nummer. Und vorhin war so lange besetzt, weil ich mit Ruth telefoniert habe.
Wie geht es denn Elsie?
Tanner erzählt ihm von der gestrigen Krise. Heute ginge es ihr aber wieder besser.
Na, Gott sei Dank. Und was macht Ruth?
Sie kümmert sich rührend um Elsie. Ich bin sehr froh, dass Ruth da ist, weißt du. Alleine würde ich das nicht schaffen. Und wie sie mit den Kindern umgeht! Und natürlich auch Karl, ihr Mann. Die beiden sind für Kinder wie gemacht. Denen geht es halt den Umständen entsprechend. Aber Kinder leben ja zum Glück vor allem in der Gegenwart.
Und wie geht es dir, Tanner?
Das ist eine lange Geschichte. Mit meiner Recherche bin ich endlich ein Stück weitergekommen. Aber die andere Geschichte, in die ich da aus Versehen hineingeraten bin, ist ziemlich kompliziert.
Ich habe nicht nach dem Fall gefragt, ich habe gefragt, wie es *dir* geht. Persönlich, meine ich.
Eigentlich ganz gut. Nein, das stimmt nicht. Es geht mir nicht wirklich gut. Ah, weißt du, Michel, es ist ein beständiges Auf und Ab. Ich weiß manchmal selber nicht, wo mir der Kopf steht. Nein, der Kopf ist eigentlich nicht das Problem, es ist eher die Frage, wo der ganze restliche Körper steckt.
Michel schnauft ins Telefon.
Ich verstehe nur Bahnhof.
Ja, tut mir Leid, Michel. Ich kann es dir im Moment nicht sagen. Hättest du einen Finger in ganz kaltem und den anderen in heißem Wasser, wüsstest du nach einer Weile auch nicht mehr genau, was du fühlst.
Ja, dann steck doch beide Finger dorthin, wo du was Eindeutiges spürst, Tanner.
Och, Michel!
O. k. Ich will dich nicht nerven. Dann erzähl halt von deinem Fall.
Tanner erzählt in groben Zügen, um was es bei der so genannten anderen Geschichte geht. Natürlich nur in *sehr* groben Zügen.

Das klingt aber nach einer sehr komplizierten Sache! Ihr Männer von Athen, verdammt verworren. Und? Kommst du voran?
Nicht wirklich. Aber du weißt ja, wie es ist. Langer Stillstand, dann geht es plötzlich schubweise. Leider weiß man nur nie, wann der Schub kommt.
Sie lachen.
Und wie geht es deinen Seekühen? Sind noch mehr aufgetaucht?
Mach dich nur lustig. Ich sage dir, das ist auch eine verworrene Geschichte. Jetzt kannst du gleich noch einmal lachen. Meine Assistentin hat herausgefunden, dass die gewaltigen Wunden in den Kuhschädeln nur von einem einzigen wuchtigen Gegenstand her stammen können.
Ach, du hast eine Assistentin? Ist sie blond?
Komm, Tanner, bleib mal zur Abwechslung bei der Sache.
Also gut denn. Von welchem wuchtigen Gegenstand?
Von einem sagenumwobenen goldenen Hammer aus Kanton.
Was ist denn das für ein Blödsinn?
Kennst du nicht den goldenen Hammer von Kanton? Vielleicht kommt es dir weniger spanisch vor, wenn ich dir sage, dass Kanton heute *Guangzhou* heißt.
Ach so, der goldene Hammer von *Guangzhou*! Warum sagst du das nicht gleich, Michel.
Beide lachen Tränen.
Weißt du noch Michel, das Lied von den Beatles? Gab es da nicht so einen Text wie *Maxwells silver hammer* … oder so. Wir können jetzt singen: Michels golden hammer …
Doch genau. Ich erinnere mich.
Michel kennt zwar auch nicht mehr den genauen Text, aber er intoniert ziemlich gut die Melodie.
Es ist, als ob sie sich die Frustration über ihre Fälle, in denen sie nicht weiterkommen, von der Seele lachen könnten.
Nachdem sie sich ausgesungen und freigelacht haben, kommt Michel trotzdem noch einmal auf das Thema des Hammers zurück. Jetzt aber ganz sachlich.
Den Hammer gibt es wirklich, Tanner. Zuletzt wurde er nicht von einem Museum oder von einem offiziellen Sammler gekauft, sondern von einer Firma. Und der Name der Firma hat mich stutzig gemacht. Klingt nach Übersee oder Steuerparadiesinsel oder so.

Michel nennt die Firma.
Kannst du für mich rauskriegen, was es mit dieser Firma auf sich hat, Tanner? Du hast doch früher auf dem Sektor internationale Geldwäsche und so gearbeitet, oder?
Was ist denn daran merkwürdig, Michel? Der Hammer scheint eine gute Geldanlage zu sein. Verstehst du?
Ja schon, aber …
Ich gebe dir ein Beispiel. Wenn unsere einheimische Weltbank den Tut-ench-Amun hätte kaufen können, hätten die ihn bestimmt sofort gekauft. Da man ihn aber nicht kaufen kann, haben sie sich halt für ihre Millionen bloß eine Ausstellung gegönnt. Aber was soll's? Wenn es dir wichtig ist, werde ich mich nach dieser Firma erkundigen. Ich verspreche es dir. Zufrieden?
Ja, natürlich. Ich wäre dir sehr dankbar. Hat der Schmid eigentlich gespurt?
Ja, Michel, dank deiner freundlichen Intervention ist er ganz erträglich geworden.
Tanner wird selbstverständlich für Michel über diese Firma Nachforschungen anstellen, da hätte Michel nicht mit dem Zaunpfahl zu winken brauchen. Auch wenn sich die Erkundigungen über diese Firma mit großer Wahrscheinlichkeit etwas komplizierter gestalten werden als ein Anruf bei Schmid.
Deine Assistentin glaubt also, die Kühe sind mit diesem einzigartigen Hammer erschlagen worden?
Sie ist fest davon überzeugt.
Michel beschreibt in aller Ausführlichkeit, wie Claire auf die These mit diesem Hammer gekommen ist. Tanner hört geduldig zu.
Diese Claire scheint ja ein ziemlich aufgewecktes Mädchen zu sein. Das mit den scharfen Wundrändern klingt ja wirklich auffällig. Ihr meint also, die Schädel sind mit einem einzigen Schlag eingeschlagen worden?
Ja, es kann nur so sein. Mehrere Schläge würden eine ganz andere Wunde ergeben.
Ja, da hast du Recht. Wenn ihre These stimmt, gehört zu diesem Hammer aber auch ein außergewöhnlich kräftiger Mann, oder? Und er müsste wahrscheinlich auch eine gewisse Größe haben. Außer er stand irgendwie erhöht.
Ja, natürlich. Und der Mann müsste eine gewisse Geschicklich-

keit mit dem Hammer entwickelt haben. Kraft allein genügt da nicht.
Klingt alles nach einem barbarischen Ritus. Weiß man, was früher die Funktion des Hammers gewesen ist?
Wir wissen, dass er rituellen Zwecken diente. Für welche Art von Ritual wissen wir nicht. Am ehesten für Opferungen, denke ich, äh … also denkt Claire. Als Waffe ist so ein Riesending doch eher unpraktisch. Außer für Obelix vielleicht.
Ha, ha. Sehr witzig.
Habt ihr denn auch eine Phantasie über das Motiv?
Keine Ahnung, Tanner. Aus Spaß macht man so was ja nicht. Oder vielleicht doch? Was meinst du?
Nein, Michel, das glaube ich nicht. Dafür ist der Aufwand doch viel zu groß. Abgesehen davon, dass man so was alleine gar nicht schafft. Und dass eine ganze Gruppe von Leuten so was zusammen veranstalten, einfach aus Spaß an der Freud? Nein, nein. Das halte ich für unrealistisch. Interessant scheint mir, dass vier Kühe auf diese Weise erschlagen wurden, aber nur drei im See aufgetaucht sind. Irgendetwas oder irgendwer hat verhindert, dass die vierte Kuh im See gelandet ist.
Sie schweigen eine Weile.
Und in diesem Kieswerk oder der Werft, da gab es keinerlei Spuren, sagst du? Keine neuen Lastwagenspuren oder so?
Da gibt es Tausende von Lastwagenspuren. Das ist ja das Problem. Nein, Tanner, wir haben bis jetzt keine einzige brauchbare Spur gefunden. Auch die Kühe sind stinknormales Braunvieh, nicht mal speziell hochgezüchtete Tiere. Nach Meinung der Experten handelt es sich sogar eher um altmodische Exemplare, wenn du verstehst, was ich meine. In den Kuhmägen hat man noch nicht einmal Futterzusätze gefunden, wie sie heutzutage jeder normale Bauer verwendet. Auch die Milchproduktion dieser vier Kühe sei wahrscheinlich eher unter dem heutigen Durchschnitt gewesen. Also nichts Auffälliges. Es ist zum Verzweifeln.
Aber entschuldige, Michel, was du soeben beschrieben hast, ist doch auffällig. Welcher Bauer würde denn heute noch Kühe halten, die weniger Milch geben als der Durchschnitt? Und welcher Bauer würde freiwillig auf Futterzusätze verzichten? Da hast du doch deine Spur.

Ja, ihr Männer von Athen, soll ich zu Fuß rumgehen und fragen, welcher Bauer denn so unterbelichtete Kühe hält?
Wenn du den Fall lösen willst, dann musst du das tun, lieber Michel. Schick deine Claire in die Dörfer, die um den See liegen. Ich glaube nicht, dass man die Kühe sehr weit transportiert hat. Was würde es sonst für einen Sinn machen, die Kühe in *diesen* See zu werfen? Der Besitzer der Kühe soll es ja erfahren, nehme ich mal an. Ich bin immer noch der Meinung, dass sich jemand entweder rächt oder dass jemand mit dieser Aktion gegen den Besitzer der Kühe Druck gemacht hat. Es fällt mir einfach keine andere Möglichkeit ein.
Michel stöhnt ins Telefon.
Ach, so ein Mist. Und das bei der Hitze.
Noch was, Michel. Vier auch noch so unterbelichtete Kühe, wie du sie nennst, geben Milch. Auch wenn sie wenig geben, hast du pro Tag doch insgesamt zwischen fünfzig und achtzig Liter Milch. Irgendwas musst du ja damit machen. Oder irre ich mich da? Also entweder bringt dieser Jemand auf einen Schlag so viel Milch weniger in eine Käserei oder, wenn er sie selber verarbeitet hat, muss er sie plötzlich woanders einkaufen. Du siehst, es gäbe jede Menge zu untersuchen.
Damit bin ich ja die nächsten Jahre ausgelastet, verfluchter Mist.
Ein wenig mehr Zuversicht, wenn ich bitten darf. Zudem hast du ja jetzt eine neue Wunderwaffe. Claire heißt sie, oder? Wie bist du denn zu ihr gekommen?
Ich darf doch einmal ein bisschen Glück haben, Tanner!
Ach, Michel, mir kommen die Tränen. Apropos Glück, wie geht es deiner süßen Weltmeisterin im Melonen…
Exsüßen, Tanner. Und was heißt hier Weltmeisterin im Melonen…? Ach was, du willst mich nur auf den Arm nehmen. Also gut. Wir sind nicht mehr zusammen. Ich habe sie verlassen, das heißt, sie hat, äh … ja, es ist ihr plötzlich eingefallen, dass sie nicht mit einem Mann zusammen sein kann, der jeden Tag mit einem Bein im Grab steht. Und sie will Kinder, aber keine Waisen.
Waisen?
Ja, denn sie denkt, ich werde ja bald schon in Ausübung meines Berufes sterben.
Dann wären deine Kinder immer noch keine Waisen, höchstens Halbwaisen.
Ja, weißt du, für solche Details interessiert sie sich nicht. Und mir

wurde es dann doch auch zu mühsam, mich und meinen Beruf immer und immer wieder zu erklären. Da war dann halt Schluss.
Tanner wartet eine Weile, ob noch was kommt. Es bleibt aber still im Hörer.
Aha!
Was heißt aha?
Ja, ich merke, dass du nicht vom Schmerz überwältigt bist.
Du hast Recht, er hält sich in Grenzen.
Michel ist plötzlich ein bisschen kleinlaut geworden.
Und das hat natürlich nichts mit Claire zu tun, oder?
Wie kommst du denn darauf?
Michel bläst vor Aufregung gewaltige Luftmengen in den Hörer.
Hallo, Tanner, bist du noch da?
Ja, sicher.
Und warum schweigst du dann?
Ah, ich dachte, du wolltest mir gerade etwas erzählen, Michel?
Was soll ich dir denn erzählen?
Ja, von Claire zum Beispiel.
Mensch Tanner, du lässt auch nie locker. Ihr Männer von Athen! Die haben wir gerne! Speist andere mit allgemeinen Erklärungen ab, die kein Mensch kapiert, wenn man sie nach ihrem persönlichen Wohlergehen fragt. Aber dann den alten Michel ausquetschen, ja, ja.
Ach Michel, du platzt doch schier vor Lust, mir zu erzählen. Das spüre ich doch durch das Telefon. Bist du verliebt in sie?
Na, verliebt? Weiß ich nicht.
Bist du scharf auf sie?
Also hör mal, Tanner, es gibt Situationen zwischen äh … also ich meine, zwischen Männlein und Weiblein, die passen einfach in keine Schublade. Und da kommst du mit deinem *verliebt* oder *bist du scharf auf sie*? Es ist irgendetwas anderes. Dafür gibt es jetzt halt kein Wort, verdammt noch mal.
Tanner muss unwillkürlich an die Nacht mit Kiharu denken. Ja, verdammt noch mal, Michel hat Recht. Und wie Recht er hat! Trotzdem fährt er stur weiter.
Also würdest du sagen, du bist nicht scharf auf sie?
Doch, natürlich bin ich scharf auf sie. Ein Holzklotz wäre scharf auf sie.
Und sie? Will sie nicht?

Na, hör mal, sie hat ja schon … nein, also das kann ich dir jetzt nicht erzählen. Tut mir wirklich Leid.
Hat sie dir einen runtergeholt?
Ja, woher weißt …? Ja, äh … also nein, ich meine …! Was du einem für Fragen stellen kannst? Also, ihr Männer von Athen!
Was ist jetzt? Hat sie oder hat sie nicht?
Okay. Wenn es dich glücklich macht: Ja, sie hat.
Und du?
Was meinst du?
Was hast du gemacht?
Nichts!
Wie? Nichts?
Jetzt reicht's, Tanner. Ich erzähle nichts mehr. Schluss!
Am Ende erzählt Michel doch noch die ganze Geschichte mit Claire. Von allem Anfang an und mit allen erdenklichen Details. Und am Ende versteht Tanner alles. Es handelt sich ja auch bloß um eine Variante der ewig alten Geschichte.
Zurück bleibt diese eine Frage, die sich Tanner immer wieder stellt. Warum ist es eigentlich immer leichter, die Geschichte eines anderen zu verstehen als die eigene?

EINUNDDREISSIG

Kurz nach Mitternacht klingelt Tanner bei Kiharu. Wie beim ersten Mal hat er eine ganze Weile sorgfältig und geduldig die dunkle Straße beobachtet und hat sich ihrem Haus erst genähert, als er sicher war, dass er von niemandem beobachtet wird. Als er zu Fuß durch die Stadt ging, fühlte er sich von jemandem verfolgt. Nach einer Weile war er sich ganz sicher. In einer verwinkelten Ladenpassage entdeckte er in der Glasfront eines Juweliergeschäftes das gespiegelte Abbild von Natter.
Schau mal an! Schmid lässt mich beschatten. Oder macht er sich Sorgen um mich?

Tanner setzte seinen Weg fort und ließ sich nichts anmerken. Nach einigen geschickt durchgeführten Manövern im labyrinthischen Innern eines städtischen Parkhauses gelang es ihm, Natter abzuschütteln. Schmid wird keine Freude an seinem Mitarbeiter haben.
Es dauert eine ganze Weile, bis Kiharu die Wohnungstür öffnet. Tanner wird schon nervös, zumal er im Dunkeln harte Schritte kommen hört. Er drückt sich noch tiefer in den Schatten und wartet. Die Person muss jetzt zum Greifen nah sein. Tanner hält den Atem an. Zuerst sieht er den Schatten. Dann den Mann selbst, der aber an ihm vorbeigeht, ohne aufzublicken. Tanner atmet erleichtert auf und klingelt ein zweites Mal. Die Haustür öffnet sich.
Kiharu zieht ihn wie das erste Mal rasch in die dunkle Wohnung. Als sich die Tür hinter Tanner schließt, küsst sie ihn flüchtig auf die Lippen. Es war, als ob ihn der Flügelschlag eines Schmetterlings gestreift hätte, der mit Tau benetzt ist. Sie flüstert ihm ins Ohr, eng an ihn gelehnt.
Ich freue mich, dass Sie da sind, Herr Tanner. Oh ja, ich freue mich. Und unser Gast freut sich auch auf Sie. Kommen Sie, wir gehen auf die Terrasse.
Bevor Tanner antworten kann, nimmt sie seine Hand, führt ihn mit traumwandlerischer Sicherheit durch die dunkle Wohnung.
Auf der weichen Ottomane sitzt Chiyo im Lotussitz. Tanner erschrickt. Chiyo hat sich ihren Kopf kahl rasiert. Sie ist von Kopf bis Fuß ganz in Schwarz gehüllt. Tanner kann nicht erkennen, um welche Art Kleidungsstücke es sich handelt. Die Veränderung ist verblüffend. Es geht eine kriegerische Entschlossenheit von dieser schlanken Frau aus, die Tanner beunruhigt. Dass sie ein Star des Wassergeschäftes sein soll, wie Bruckner es ihm damals erklärte, kann man sich jetzt überhaupt nicht mehr vorstellen.
Guten Tag, Herr Tanner. Ich freue mich, Sie endlich kennen zu lernen. Setzen Sie sich mir bitte gegenüber.
Kiharu, die heute Abend einen kostbaren Kimono trägt, nickt ihm aufmunternd zu. Er setzt sich.
Woher können Sie eigentlich so gut Deutsch, Frau Inoué?
Nennen Sie mich bitte Chiyo. Warum ich Ihre Sprache spreche, ist eine Geschichte, die jetzt völlig uninteressant ist. Ich bin nicht hier, um Konversation zu machen. Erzählen Sie mir bitte, was Sie wissen, Herr Tanner.

Chiyo, ich werde Ihnen selbstverständlich erzählen, was ich weiß, auch wenn es noch nicht viel ist. Zuerst aber will ich wissen, was Sie vorhaben.
Ich werde die Mörder meiner Schwester zur Rechenschaft ziehen. Genügt das als Antwort?
Sie spricht leise, aber sehr bestimmt. Nach ihrem Gesichtsausdruck zu schließen, meint sie mit zur Rechenschaft ziehen auf keinen Fall eine Rechnung mit Einzahlungsschein.
Sie alleine?
Wenn es sein muss, ja!
Wollen Sie das nicht der Polizei überlassen?
Sie lächelt.
Welcher Polizei? Der von hier?
Tanner lächelt und winkt ab.
Gut. Ich verstehe. Aber unterschätzen Sie bitte nicht unseren Gegner. Das sind ganz bestimmt keine gewöhnlichen Verbrecher und sie kennen keine Skrupel.
Das weiß ich, Herr Tanner. Würden Sie mir jetzt endlich erzählen?
Gut. Ich erzähle Ihnen die ganze Geschichte von Anfang an.
Tanner beginnt zu erzählen. Er lässt kein Detail aus. Als er von dem Zettel spricht, der ihn in die Tiefgarage gelockt hat, und er auch erwähnt, dass er glaubte, *sie* hätte die Botschaft geschrieben, macht Chiyo eine unwillige Bewegung. Es ist die einzige Reaktion während Tanners langer Berichterstattung. Nicht einmal als er von seinem Besuch in der Kühlkammer der Gerichtsmedizin erzählt, reagiert sie sichtbar. Stoisch wie ein weiblicher Buddha folgt sie Tanners Worten.
Zum Schluss nennt er noch den Namen des Japaners, dessen Leichnam spurlos verschwunden ist. Als er geendet hat, schweigt sie mit geschlossenen Augen eine ganze Weile. Tanner blickt zu Kiharu. Sie formuliert mit ihren schönen Lippen tonlos ein Dankeschön. Wahrscheinlich dankt sie ihm für die rückhaltlose Offenheit, mit der er berichtet hat.
Nach ihrem Schweigen wendet sich Chiyo auf Japanisch an Kiharu. Tanner wartet geduldig, bis die beiden Damen sich entschließen, ihn wieder mit einzubeziehen. Es ist Kiharu, die als Erste wieder mit ihm spricht.
Chiyo hat mich gefragt, ob ich weiß, wer Kyiochi Fukumoto ist.

Und wissen Sie es, Frau Tsumura?
Ja. Ich habe meine Erkundigungen eingezogen. Herr Fukumoto war Biochemiker und arbeitete in einer hohen Funktion bei der großen Firma hier. Ich werde morgen seine Frau, also die Witwe treffen, und ich werde versuchen, sie behutsam auszufragen. Wir haben zufällig eine gemeinsame Bekannte und die hat uns beide zur Teezeremonie eingeladen. Morgen Abend kann ich Ihnen wahrscheinlich schon mehr berichten.
Also doch. Kiharu hatte also Recht mit dem Krieg, wie sie es nannte, der zwischen den internationalen Giganten der Chemie tobte. Es war zwar noch nicht bewiesen, aber Tanner war endgültig von Kiharus Theorie überzeugt. Und hatte sie nicht auch angedeutet, dass Michiko in irgendeiner Verbindung zu denen gestanden hatte? Er wendet sich an Chiyo.
Wissen Sie, ob Michiko jemals etwas mit gewissen Kreisen aus der japanischen Großindustrie zu tun hatte?
Ja, Herr Tanner. Das hatte sie. Einer dieser Herren hatte sich die Ehre erkauft, meine Schwester im Alter von dreizehn Jahren zu entjungfern.
Das Wort Ehre spuckt sie mehr aus, als dass sie es sagt.
Und kennen Sie den Namen dieses Herrn?
Tetsuo Amagatsu.
Wie bitte? Aber …?
Ja, ich weiß, was Sie sagen wollen. Der war an dem Abend auch in Kiharus Restaurant. Aber er ist kein Mörder. Ich hasse ihn zwar für das, was er meiner Schwester angetan hat, aber er ist kein Mörder. Er ist trotz allem ein großer Mann. Eigentlich ein Philosoph. Er hat bestimmt nichts mit dem Mord an Michiko zu tun.
Ähnlich bewundernd hatte damals auch Bruckner von dem Grauhaarigen gesprochen.
Und wie heißt die Firma dieses großen Philosophen?
Das hatte ihm Bruckner nicht verraten. Tanner hatte damals auch gar keinen Grund zu fragen.
Chiyo überlegt einen Moment, bevor sie den Namen laut und deutlich ausspricht.
Tanner glaubt, sich verhört zu haben.
Wie bitte? Sind Sie sicher?
Beide Frauen blicken ihn erstaunt an.

Natürlich bin ich sicher. Das weiß in Japan jedes Kind. Warum glauben Sie mir nicht?
Doch, doch. Entschuldigen Sie. Ich glaube Ihnen. Es ist mir nur gerade etwas durch den Kopf gegangen. Es hat aber nichts mit all dem hier zu tun. Verzeihen Sie. Natürlich glaube ich Ihnen, Chiyo.
Kiharu lächelt ihm erleichtert zu.
Tanner kann es irgendwie nicht fassen. Den Namen dieser Firma hat er heute schon einmal gehört. Allerdings wirklich in einem ganz anderen Zusammenhang. Da hat er gar nicht gelogen. Bei der Firma handelt es sich um die Käuferin des goldenen Hammers von Kanton. Exakt die Firma, für die sich Michel von Tanner Aufklärung erbittet.
Darf ich mich entschuldigen? Einen kurzen Moment …
Er geht ins Bad.
Er blickt in den Spiegel, während er sein Gesicht trocknet. Er hatte dringend eine Abkühlung nötig. Nicht nur wegen der anhaltenden nächtlichen Wärme.
Mein Gott, was bedeutet denn das jetzt? Tetsuo, der philosophische Firmenlenker, kauft den goldenen Hammer, erschlägt damit Kühe und wirft sie in einen See, der auf der Weltkarte nicht mal eingetragen ist? Was ist das alles für ein Unsinn? Andererseits … solche Zufälle gibt es doch gar nicht.
Tanner schlägt auf den Beckenrand. Auf jeden Fall hat er jetzt einen doppelten Grund, Michels Bitte zu erfüllen und diese Firma schleunigst unter die Lupe zu nehmen. Morgen früh wird er eine Reihe von Kollegen aus seinem früheren Berufsleben anrufen. Mit deren Hilfe wird es nicht schwer sein, an die notwendigen Informationen zu kommen.
Als Tanner auf die Terrasse zurückkommt, sitzt Kiharu neben Chiyo. Beide trinken Sake und tuscheln auf Japanisch miteinander. Man braucht kein Hellseher zu sein, um zu spüren, dass das Thema ihrer Unterhaltung Tanner ist. Chiyo schaut ihn jetzt merklich freundlicher und neugieriger an als vorher. Was hat Kiharu ihr erzählt? Chiyo reicht ihm eine Schale Sake.
Herr Tanner, ich weiß, dass Michiko spontan zu Ihnen Vertrauen gefasst hatte. Vielleicht war es auch mehr. Darf ich Sie bitten, mir für einen Moment Ihre Hand zu reichen?
Tanner streckt ihr die Hand entgegen. Das Ritual, das er schon mit

Kiharu erlebt hatte, wiederholt sich. Chiyo nimmt seine Hand zwischen ihre beiden Hände, befühlt sie und drückt sie einen Augenblick zärtlich.
Danke, Herr Tanner. Ich verstehe Michiko. Trinken wir gemeinsam.
Alle drei leeren die Schalen in einem Zug. Kiharu füllt sogleich nach.
Bevor sie wieder trinken, setzt Chiyo leise zu einer Rede an.
In unserer Kindheit werden wir geprägt durch Verletzungen. Das gilt, glaube ich, für uns alle. Und es gilt für die ganze Welt, für die ganze Menschheit. Als Kind sind wir so zerbrechlich, so feinfühlig und aufnahmefähig, dass Verletzungen gar nicht ausbleiben, gar nicht verhindert werden können. Auch im liebevollsten Umfeld geschehen sie. Oft ist es den Erwachsenen ja nicht klar, was zu diesen Verletzungen führt. Einsamkeits- und Verlassenheitsgefühle sind wahrscheinlich die häufigsten Verletzungsgründe. Und es sind diese frühkindlichen Verletzungen, die unser ganzes Leben prägen. Und jetzt stellen Sie sich Michiko vor. Unsere Familie ist auseinander gerissen worden, als sie noch ganz klein war. Allein in dieser Tatsache haben Sie schon den ganzen Katalog aller möglichen Verletzungen. Und dann obendrauf auf all das: die verkaufte Entjungferung. Mit dreizehn Jahren! Trotz aller späteren Hilfe und Zuneigung, vor allem durch Kiharu –
Kiharu lächelt und wischt sich eine Träne weg.
– hat sich meine Schwester äußerst labil verhalten. Sie neigte zu Verschwendungssucht und war auch tablettenabhängig. Ihre Beziehungen zu Männern haben uns oft Sorgen bereitet. Sie hatte eine regelrechte Begabung, immer auf die falschen Männer zu fliegen. Im Grunde ist sie das kleine Mädchen geblieben. Ein liebenswürdiges Wesen, das sich in der Welt nicht wirklich zurechtfand, auch wenn sie die Rolle der selbstständigen Frau nach außen hin perfekt spielen konnte. Sie hat nie jemandem etwas Schlechtes angetan. Außer sich selber.
Chiyo erhebt die Schale.
Trinken wir auf das Andenken meiner Schwester.
Sie leeren andächtig die Schalen und wieder verspürt Tanner diese seltsame Wirkung, die der Sake, der besondere Ort und die warme Nacht auf seinen inneren Zustand ausüben. Zunehmend empfindet er sich unter dem nächtlichen Sternenhimmel als Teil der ihm gegenübersitzenden Frauen. Er ertrinkt zunehmend in diesem Bild, das

sich verwandelt in eine Art Pforte, die ihn in einen Raum der kindlichen Geborgenheit hineinlässt. Worte braucht es nicht mehr.
Nach einer kleinen Ewigkeit erhebt sich Kiharu und verschwindet schweigend in der Tiefe ihrer Wohnung.
Chiyo erhebt sich auch und entkleidet sich ohne weiteren Kommentar. Im hellen Mondschein strahlt Chiyos schlanker Körper. Der Gegensatz zu ihrer schwarzen Bekleidung könnte nicht größer sein. Ihre Haut ist deutlich heller als die Haut von Kiharu, fast weiß. Ihre Brüste sind rund, klein und vorne ungewöhnlich spitz. Ihr ganzer Körper ist komplett haarlos. Ihr kleiner Bauch rundet sich leicht. Ist sie wirklich schwanger, wie Bruckner behauptet hat? Es ist jetzt allerdings nicht der Moment zu fragen.
Kiharu kommt zurück, jetzt ebenfalls nackt, und trägt in ihren Händen eine Schale. Chiyo legt sich auf die Ottomane und Kiharu beginnt ihren Körper mit einem würzig riechenden Öl einzureiben. Kiharu flüstert Worte, die Tanner natürlich nicht versteht. Zeitweise klingt es wie ein Lied. Tanner bleibt sitzen und schaut schweigend zu. Vor seinen Augen findet ein Ritual statt. So viel versteht er. Mehr aber nicht. Nach einer Weile dreht sich Chiyo auf den Bauch und Kiharu widmet sich Chiyos Rücken, ihrem Po und ihren langen Beinen. Ihre Augen sind weit geöffnet. Als sie auf ihrem Bauch liegt, schaut sie Tanner unentwegt an. Oder durch ihn hindurch?
Kiharu beendet ihre konzentrierte Arbeit. Chiyo erhebt sich und kleidet sich wieder an. Kiharu füllt noch einmal alle drei Schalen mit Sake. Sie trinken gemeinsam. Dann gibt Chiyo die Schale zurück, blickt beide noch einmal an – und geht.
Nach einer Weile dreht sich Kiharu zu ihm.
Chiyo verlässt uns jetzt. Sie fliegt nach Japan.
Hat sie sich von uns verabschiedet? Oder habe ich etwas verpasst?
Nein, sie hat sich nicht verabschiedet. Das würde nur Unglück bringen. Kommen Sie, lieber Herr. Trinken wir, und dann legen wir uns hin.
Sie trinken und legen sich hin, ohne sich zu berühren. Tanner schaut in die Sterne und lauscht auf ihren gleichmäßigen Atem. Schon ist der Mond im Begriff unterzugehen. Die Kerzen flackern in den kleinen Laternchen, die Kiharu auf ihrer Terrasse verteilt hat. Die Sterne, die zahlreich am Himmel stehen, sind bereits matter geworden. Dann schläft er ein.

Als Tanner die Augen wieder öffnet, ist es dunkler geworden, obwohl es doch bald Morgen sein müsste. Aber noch sind die Vögel stumm. Das Fernrohr schimmert matt im Licht der wenigen Kerzen, die noch brennen. Heute blickt es nicht in den Himmel, sondern ist auf ein Ziel am Horizont der Stadt gerichtet.
In seinem Arm liegt der kleine, warme Körper von Kiharu. Ihr Oberkörper hat sich etwas von ihm weggedreht, ihre Hüfte schmiegt sich ganz eng an seinem Bauch.
Ihre Arme hat sie angewinkelt neben ihrem Kopf. Tanner lernte als Kind, dass das die Schlafstellung von Königinnen sei.
Meine Königin …
Diesmal kann er ihren vollen Brüsten, die im nächtlichen Glanz direkt vor seinen Augen schimmern, nicht widerstehen. Er streichelt sie mit seiner Hand, liebkost ihre Rundung und ihre Spitzchen. Als diese, eine nach der anderen, erwachen und sich seinem Mund hellrosa entgegenstrecken, nimmt er sie zwischen seine Lippen. Kiharu seufzt und presst ihre runden Hüften stärker an seinen Bauch. Sie streckt sich wie eine Katze, die aus einem wohligen Traum erwacht. Sie spreizt ihre Beine und führt zärtlich seinen Kopf zu ihrer Tiefe. Ihre kleinen Finger abwechselnd in seinem Mund und in ihrer Scham, lenkt sie geschickt und wissend seine Zunge an die richtigen Stellen ihrer Lust, bestimmt, wann Bewegung, wann Stille. Und so führt sie sich immer höher in ihren Himmel. Es wird ein langer, wissender Flug. Und so wie ein erfahrener Segelflieger noch die kleinste Andeutung, den leisesten Hauch von Thermik auszunutzen weiß, weiß sie mit ihrem Körper, mit ihrer Lust zu spielen, bis sie sich verströmt.
Kein Tröpfchen darf verloren gehen, hatte sie bei ihrer ersten Begegnung gesagt. Und keins ging verloren.
So schön wie in dieser Nacht war es schon lange nicht mehr, Herr Tanner.
Sie hat ihn zu sich hochgezogen, klammert sich bebend an seinen Körper, flüstert ihm ins Ohr und küsst sein Gesicht, seine Augen.
Jetzt werde ich Sie genauso glücklich machen.
Als er still ist, steht sie auf.
Ich bin gleich zurück.
Sie huscht in die Wohnung und kommt mit der Decke zurück. Wie in der ersten Nacht deckt sie beide zärtlich zu. Nur heute – heute umar-

men sie sich unter der Decke wieder und wieder. Sie streicheln sich, sie küssen sich und erforschen wieder und wieder ihre so verschieden großen Körper.
Bis sie endlich einschlafen, landet die Decke noch einige Male am Boden und genauso oft hören die immer noch stummen Vögel melodisches Stöhnen.
Wer weiß, vielleicht nehmen sie die fremdartigen Tonfolgen in ihre Kompositionen auf …

ZWEIUNDDREISSIG

Der Anruf reist Michel morgens um sieben aus dem Bett. Ein Kollege aus dem Gebiet der drei Seen berichtet ihm vom Brand eines alten Bauernhofes. Er habe da einige merkwürdige Dinge gesehen, die ihn, Michel, vielleicht interessierten. Er solle sich doch gleich mal auf den Weg machen.
Michel flucht, stemmt sich aber aus seinem Bett und macht sich auf den Weg. Unterwegs ruft er Claire an, die zum Glück bereits geduscht und angezogen ist. Als er vor ihr Haus kommt, steht sie schon auf der Straße.
Hey, wo brennt's denn, Michel?
Gebrannt hat es schon! Steig ein.
Sie wirft sich auf den Vordersitz und schlägt mit einem ohrenbetäubenden Knall die Tür zu.
Au! Willst du mich zum Gehörlosen machen? Mensch, das ist mein Auto und nicht dein Kühlschrank.
Ja, ja. Entschuldige. Also, was ist los?
Ein alter Bauernhof ist abgebrannt. Der Sterch meinte, dass es da etwas Interessantes für uns zu sehen gäbe.
Wer ist Sterch?
Ein netter Kerl. Hat früher auch mal bei uns gearbeitet. Er lebt jetzt auf dem flachen Land, aber wir reden immer noch gerne über unsere Fälle.

Was meinst du mit flachem Land?
Hey, schläfst du noch? Die Gegend um die drei Seen ist eines der wenigen zusammenhängenden flachen Gebiete in unserem Land.
Danke, Herr Lehrer. Und was geht uns der Brand eines alten Bauernhauses an?
Das werden wir gleich sehen. Wenn der Sterch sagt, es sei interessant, dann ist es auch interessant.
Aye, aye, Sir.
Michel runzelt die Stirn, sagt aber nichts. Ein Seitenblick genügt, um erleichtert festzustellen, dass Claire heute nicht ganz so offenherzig angezogen ist wie an anderen Tagen. Schließlich werden sie es heute mit Leuten vom Lande zu tun haben.
Kurze Zeit später verlassen sie die Autobahn und fädeln sich ein in das weit verzweigte System von Straßen und Sträßchen, das dieses flache Land zwischen den Seen durchzieht, wie ein Fluss, der sich in seinem Delta in hundert Nebenflüsschen auflöst. Ein filigranes Netzwerk, das verschlafene Dörfer, Weiler und einsam liegende Höfe verbindet. Je tiefer man in diese Landschaft eindringt, desto mehr scheint die Zeit stehen geblieben zu sein. Tiefschwarz ist die Erde dieses Landstrichs. Voller dunkler Wasser dort, wo noch keine drainierenden Röhren in die Erde versenkt wurden. Die Landschaft, aufgeteilt und abgetrennt durch hohe, schlanke Bäume, die in Reih und Glied den zeitweise scharfen Winden die Stirn bieten, atmet immer noch ihre gefährlich sumpfige Vergangenheit. Das große Moos. So nennen sie die Einheimischen.
Im Herbst und im Winter halten oft tage-, ja wochenlang weiße Nebel die gesamte Landschaft unter Verschluss und kein einziger Sonnenstrahl vermag die dicke Watteschicht zu durchdringen. Dann sind die wie von loser Hand auf das flache Land ausgestreuten Dörfer und Höfe noch einsamer als sonst. Die sanfte Hügelkette, an deren Hängen der Sommer einen großen Wein mit unverwechselbar erdigem Geschmack hervorbringt, erhebt sich aus dem Nebelmeer wie eine geheimnisvolle Insel.
Heute Morgen zeigt sich die Landschaft in nackter Schärfe. Überall entdeckt man Spuren der Trockenheit. Normalerweise kämpfen die Bauern gegen einen Überfluss an Nässe. Jetzt durchziehen Risse die Äcker und der fruchtbare Boden, der an gewissen Stellen bereits unterhalb der drei Seespiegel liegt, hat sich durch das Absenken

des Grundwasserspiegels noch mehr gesenkt. Streckenweise wirken die Äcker in sich zusammengefallen wie ein misslungenes Soufflé. Daran ändern auch die automatischen Bewässerungsanlagen nichts, die das kostbare Nass in weiten Kreisen um sich herumschleudern und dabei keuchend im Stakkato-Rhythmus das Wasser zu allerfeinsten Wassertröpfchen pulverisieren. Aus der Ferne wirken die breit aufgefächerten Wasserfontänen, als hätte Christo dieser melancholischen Landschaft Hunderte silberndurchsichtige Vorhänge verordnet, die sich spielerisch um ihre eigenen Achsen drehen.
Michel kennt diese Landschaft wie seine Westentasche. Und er liebt Land und Leute gleichermaßen. Aber speziell schätzt er natürlich all die dörflichen Kneipen und Gasthöfe, in denen ein begnadeter Esser noch Portionen vorgesetzt bekommt, wie er sich das vorstellt. Auch wenn man dort Gäste mit großem Appetit gewohnt ist, hat man Augen gemacht über die immensen Portionen, die Michel zu vertilgen imstande war. Übrigens auch über seine großzügigen Trinkgelder.
Den Hof, zu dem sie unterwegs sind, kennt er nicht. Er kann sich auf jeden Fall nicht erinnern, dass er schon dort gewesen wäre. Das kleine Dorf, in dessen unmittelbarer Nähe der Hof liegen soll, hat er hingegen schon oft besucht, denn in dem kleinen Dorfgasthof gibt es die besten Bratwürste weit und breit. Und während der Jagdzeit pilgern Eingeweihte aus allen Himmelsrichtungen zu den vollen Platten mit den saftigen Wildschweinkoteletts an frischer Pilzsauce oder an Rotkohl mit Kastanien. Selbstverständlich alles hausgemacht, denn der Gastwirt ist Bauer, Sammler, Jäger, Metzger und Koch in einer Person. Wenn er eine der heiß dampfenden Platten durch eine schmale Durchreiche auf einen mächtigen Spaltstock stellt, von dem aus seine Frau dann die Verteilung übernimmt, quetscht seine Hand den Gummiball einer Hupe aus den Anfängen der Automobilbaukunst, die allen anwesenden Gästen die Niederkunft der nächsten göttlichen Speise verkündet.
Als sie aus dem Wäldchen herausfahren, das Dorf und Hof voneinander trennt, bremst Michel ziemlich abrupt.
Hey, du verdammte Scheiße. Das sieht aber nicht gut aus.
Claire blickt entsetzt durch das geöffnete Autofenster.
Von der Stelle aus, wo Michel angehalten hat, sieht man das ganze Ausmaß der Brandkatastrophe. Der Hof mit großem Haupthaus und

einigen Nebengebäuden, zwei angebauten Scheunen und drei Schuppen ist zum Teil bis auf die Grundmauern abgebrannt. An manchen Stellen steigt immer noch Rauch auf, aber das Feuer scheint gelöscht. In einiger Entfernung vom Hof stehen dicht gedrängt einige wenige Tiere. Zwei Kühe, einige Ziegen, drei Pferde und vier Esel.
Michel lässt jetzt auch das Fenster runter.
Das sind aber wenige Tiere für so einen großen Hof. Ich hoffe, der Rest ist nicht verbrannt.
Die Feuerwehr packt bereits ihre Gerätschaften wieder ein. Insgesamt fünf Fahrzeuge der Feuerwehr stehen um die Gebäude herum. Es sind Feuerwehren aus drei verschiedenen Gemeinden. Man kann es an den Wappen erkennen, die auf die Fahrzeugtüren gemalt sind.
Ach, da drüben ist der Sterch. Der Dunkelhaarige, der in den Trümmern rumstochert.
Warum arbeitet er nicht mehr in der Stadt? Kein Mensch geht freiwillig aufs Land.
So, meinst du, Claire? Der Sterch schon. Komm, wir steigen aus und lassen das Auto hier stehen.
Michel geht voraus und kümmert sich nicht um Claire. Hier draußen ist sie bloß seine Assistentin.
Die Luft ist voll von einem üblen Brandgeruch. Michel runzelt die Stirn.
Wenn das nach einem normalen Brand riecht, fresse ich einen Besen!
Und wenn das ein normaler Bauernhof war, dann fresse ich zwei.
Claire hat Michel eingeholt und zeigt auf die Grundmauern eines der Schuppen.
Schau mal, all diese Metallzylinder und Rohre. Das sieht doch nicht nach Landwirtschaft aus.
Nein, Claire. Du hast Recht. Nach Landwirtschaft sieht das nicht aus. Na ja, gleich werden wir mehr wissen.
Sterch hat Michel entdeckt und winkt ihm zu.
Hallo, Sterch. Du siehst, Anruf genügt – und schon sind wir da. Das ist Claire, meine Assistentin. Claire, das ist Sterch.
Sein Händedruck ist außergewöhnlich. Claire schreit kurz auf und blickt Michel böse an, weil er sie nicht vorgewarnt hat. Der verbirgt nicht einmal sein Schmunzeln.
Was hast du uns denn so Wichtiges zu zeigen, Sterch?

Mal langsam, Michel. Weißt du, wer hier wohnt, besser gesagt – wohnte?
Keine Ahnung. Wer wohnte denn hier und wo ist die Person? Ist sie verletzt?
Eins nach dem anderen. Bei der Person handelt es sich um Louis Pinget. Er ist nicht verletzt. Er war nämlich in der Nacht von gestern auf heute gar nicht auf seinem Hof. Wir wissen im Moment nicht, wo er sich befindet. Das Ehepaar, das ihm Hof und Haus besorgt, liegt mit schweren Rauchvergiftungen im Krankenhaus und beide sind noch nicht vernehmungsfähig.
Robert Pinget ist kein Landwirt, oder?
Sterch blickt Claire das erste Mal richtig an.
Gut beobachtet, Claire. Und doch nicht ganz richtig. Monsieur Pinget ist Wissenschaftler. Und nebenbei eine Art Landwirt aus Leidenschaft. Er hat bestimmte Theorien vertreten und hat sich hier damit nicht sonderlich beliebt gemacht.
Was für Theorien?
Michel tritt Claire auf den Fuß und blinzelt Sterch zu.
Du musst wissen, Claire kennt sich ganz gut mit Landwirtschaft aus, und besonders mit Kühen. Aber jetzt mal zur Sache, Sterch.
Entschuldige, Michel, es geht tatsächlich um Kühe. Pinget ist anscheinend der Meinung, die heutigen Züchtungen dienen einseitig völlig falschen Zielen. Es geht nur noch um die Erhöhung der Milchproduktion und dabei werden die überzüchteten Kühe immer anfälliger. Dann gibt man ihnen Penizillin, Antibiotika und so weiter. Das schwächt sie und sie werden noch anfälliger. Ein Teufelskreis. Pinget hat auf alte, widerstandsfähige Rassen gesetzt. Aber das ist wohl nur eine Art Hobby von ihm. Er ist Biochemiker. Und wie man hört, ein ziemlich berühmter. Er hat sich vor siebzehn Jahren zur Ruhe gesetzt, respektive sich hier ein Labor eingerichtet und seine Forschungen betrieben.
Sterch blickt zu Michel, der ungeduldig von einem Fuß auf den anderen tritt.
Keine Angst, Michel, ich komme gleich zur Sache.
Er beugt sich über eine Mauer und greift nach einer rußverschmierten Blechschachtel. Er öffnet den Deckel und stellt die offene Schachtel auf die Mauer.
Wisst ihr, was das ist?

Michel und Claire beugen sich gleichzeitig über die Schachtel und schlagen mit den Köpfen zusammen. Claire flucht, macht Michel aber ein Zeichen, dass er natürlich als Chef Vortritt hat. Michel blickt nun neugierig in die Schachtel, kann aber nicht erkennen, um was es sich bei dem Inhalt handelt.
Es riecht merkwürdig, muss ich sagen. Sieht irgendwie verschrumpelt und vermodert aus. Was ist das denn, Sterch?
Lass doch mal Claire schauen, Michel.
Michel macht Claire Platz, die sich in der Zwischenzeit dünne Gummihandschuhe übergestreift hat. Sie greift beherzt in das verworrene Dunkel.
Scheiße! Das sind Ohren. Abgeschnittene Ohren von Kühen. Stimmt's, Sterch?
Ich gratuliere dir zu deiner Assistentin, Michel. Und? Sind das die Ohren, die du suchst, Michel?
Kann sein. Die sind zwar von der Hitze ganz schön geschrumpft, aber es wird ja auf dieser schönen Welt nicht unendlich viele Schachteln mit abgeschnittenen Kuhohren geben.
Es sind acht Ohren, Michel. Es passt genau!
Claire hat alle Ohren auf der Mauer nebeneinander hingelegt und versucht herauszufinden, welche zueinander gehören.
Können wir sie mitnehmen und untersuchen lassen?
Klar, deswegen habe ich dich ja gerufen, Michel.
Mensch, Sterch, ich bin dir sehr dankbar. Das ist die erste brauchbare Spur.
Claire räuspert sich ungehalten.
Ja, also, äh … ich meine, greifbare … also mit den Händen greifbare Spur. Hast du sonst noch etwas gefunden, Sterch?
Nein, bisher nicht.
Und sag mal, was hat denn dieser Pinget geforscht?
Er hat sich hier mit alternativen Energien beschäftigt. Genauer weiß ich es auch nicht. Scheint aber, wie gesagt, eine weltbekannte Kapazität gewesen zu sein. Die Leute hier nennen ihn den Japaner.
Warum denn das? Der Name ist doch französisch?
Er übt im Freien mit dem Langbogen und im japanischen Kostüm. Hat wohl auch japanische Kunst und so gesammelt. Wahrscheinlich alles verbrannt. Es sei denn, er hätte die Objekte im Tresor einer Bank aufbewahrt.

Weißt du, wie alt er ist?
Das weiß niemand so genau, aber wahrscheinlich gegen achtzig. Nach Erzählungen der Leute hier scheint er aber außergewöhnlich fit und genauso streitsüchtig zu sein.
Claire richtet sich auf. Die Ohren liegen jetzt paarweise auf der Mauer.
Hätten die Herren etwas dagegen, wenn ich mich ein bisschen umsehe?
Michel schüttelt den Kopf.
Claire, passen Sie auf, fassen Sie im Laborbereich bitte nichts an. Man weiß ja nie.
Ja, ja. Ich passe schon auf.
Hör mal, Sterch. Wenn dieser Brand Zufall ist, dann fresse ich einen Besen.
Also, ich bin zwar kein Brandexperte, aber das war ganz bestimmt Brandstiftung. Es hat den Anschein, als ob die Gebäude von mindestens drei Seiten her angezündet worden sind.
Er zeigt zu den drei Orten. Michel brummt irgendetwas.
Wer hat ihn denn so gehasst?
Meinst du vom Ort hier, Michel? Niemand. Ich habe zwar gesagt, er habe mit seinen Ideen über die Landwirtschaft ein bisschen angeeckt, aber doch kaum so, dass sich deshalb jemand die Mühe machen würde, den Hof anzustecken.
Michel schaut sich ratlos um.
Dass wir ausgerechnet diese Scheißohren hier finden, stinkt mir ziemlich. Es passt nämlich gar nicht in unsere Theorie.
Das tut mir Leid, aber ich kann es nicht ändern. Pinget hatte wirklich sechs Kühe. Jetzt sind noch zwei da. Die Milch hat er bis vor kurzem direkt an die Wirtschaft im Dorf geliefert, die damit ihren eigenen Käse hergestellt hat. Der Stucki hat mir gesagt, dass Pinget ihm kürzlich erklärt habe, ein Teil der Kühe sei krank, deswegen könne er bis auf weiteres nicht mehr so viel Milch liefern. Der Wirt habe sich dabei nichts gedacht, da das auch bei anderen Bauern vorkommt.
Ja, dann haben wir die Bescherung. Jetzt weiß ich gar nichts mehr, verdammt.
Ja, lieber Michel, da kann ich dir jetzt auch nicht weiterhelfen. Du weißt ja, Spekulationen sind nicht mein Gebiet. Und es ist ja schließ-

lich dein Fall. Sobald seine beiden Angestellten vernehmungsfähig sind, wirst du vielleicht erfahren, wo sich Pinget aufhält. Ohne ihn wirst du die Antwort sicher nicht finden. Ich bin auf jeden Fall sehr zufrieden, dass ich dir, äh, irgendwie helfen konnte.
Michel legt gerade seine Hand auf Sterchs Schulter, als sie einen Schrei hören.
Verdammt, was ist denn jetzt los?
Michel! Sterch! Ich habe ihn gefunden. Juhu! Wow!
Claire taucht hinter einer halb verbrannten Bretterwand auf. Michel und Sterch laufen mit großen Schritten auf sie zu.
Was ist denn los? Was hast du gefunden?
Michel erreicht sie schwer keuchend als Erster. Claires Hände sind rußverschmiert, auch ihre Stirn.
Jetzt werdet ihr gleich Augen machen. Kommt.
Claire steigt über die Grundmauern des ehemaligen Haupthauses. Mitten im Durcheinander von verkohlten Dachbalken und verbrannten Möbeln hat sie um einen schwarzen Gegenstand herum einen freien Platz geschaffen. Breitbeinig stellt sie sich vor dem Gegenstand auf und blickt die beiden Männer mit triumphierendem Lachen an.
Das ist er! Ich habe ihn gefunden. Michel, das heißt, meine Theorie war richtig.
Sterch blickt verständnislos zu Michel. Der pfeift verblüfft durch die Zähne und geht in die Knie.
Das ist ja ein Ding. Ich glaub, mich knutscht ein …
Könnt ihr mich mal aufklären, wovon ihr eigentlich redet?
Sterch, hast du schon einmal vom goldenen Hammer von Guangzhou gehört? Wenn nicht, hast du die einmalige Gelegenheit, ihn jetzt leibhaftig kennen zu lernen. Leider ist der Stil fast ganz verbrannt. Den müssen wir uns jetzt – und alle zukünftigen Generationen auch – leider vorstellen.
Hör mal, Michel, ich verstehe nur Bahnhof. Claire, können Sie mir vielleicht erklären, was das ist.
Dieser Gegenstand hier ist ein historischer Hammer, minus Stil natürlich. Der goldene Hammer von Kanton. Oder wie die Stadt heute heißt: Guangzhou. Meine Theorie war es, nachdem ich die Wunden studiert hatte, dass die Kühe mit diesem Hammer erschlagen worden sein müssen.

Das ist doch bloß ein plumpes Stück Eisen. Wie kommen Sie darauf, Claire, dass es sich um diesen historischen Hammer handelt?
Schauen Sie genau hin, Sterch.
Claire reibt mit einem Lappen an der Oberfläche des Eisens.
Ich werd verrückt. Was ist denn das? Das sieht aus wie ein Ornament, oder?
Ja, das ist eine Art verschlungener Knoten. Genauso wie auf der Abbildung im Internet. Das ist der Hammer von Kanton. Und hier, seht ihr, die geschliffenen Kanten? Deswegen haben die Wunden diese scharfen Ränder.
Michel erhebt sich ächzend.
Also, Claire, ich muss schon sagen, das ist … äh, einfach erstaunlich. Und … äh, ich gratuliere dir. Deine Theorie war einfach, wie soll ich sagen? Hammermäßig! Claire, du bist ein Phänomen.
Das Problem ist, dass ich ihn hier nie vermutet hätte, Michel. Denn jetzt verstehe ich nämlich gar nichts mehr.
Claire lässt sich auf den Boden nieder.
Wie meinst du das?
Ja, Michel, überleg doch mal! Wir haben doch eben gedacht, dass hier die Kühe von jemandem entführt worden sind, dann im Kieswerk mit dem Hammer erschlagen, die Ohren abgeschnitten und rein in den See, oder?
Ja, schon …
Ja, Scheiße! Nicht ja, schon! Jetzt haben wir den Ort, wo die Kühe her sind. Toll! Wir finden hier aber auch die abgeschnittenen Ohren. Verstehst du das?
Äh, also … ja, das habe ich mich auch schon gefragt.
Claire schlägt die Hände vors Gesicht.
Und das ist ja noch nicht alles. Eine Firma in Übersee oder in Asien erwirbt den Hammer auf einer Auktion und jetzt finden wir ihn hier, mitten in den Trümmern dieses abgebrannten Scheißhofes. Was bedeutet denn das?
Claire schlägt mit ihrer Faust auf die Mauer.
Sie hat Recht, Michel. Das klingt alles sehr verworren. Gesetzt den Fall, es sind wirklich die Kühe aus dem See und die dazugehörenden Ohren. Aber die Wahrscheinlichkeit ist ja groß. So viele Zufälle auf einmal gibt es ja gar nicht. Aber es passt irgendwie nicht zusammen. Pinget wird doch nicht seine eigenen Kühe mit diesem Hammer er-

schlagen und anschließend in den See geworfen haben. Das wäre ja absurd.
Ja, Sterch. Vielleicht sind Ohren und Hammer nachträglich auf den Hof gebracht worden?
Zu welchem Zweck?
Das weiß ich nicht. Mensch, ich bin doch kein Hellseher.
Michel ereifert sich.
Aber … wenn Pinget durch den Totschlag seiner Kühe zu etwas gezwungen worden ist – nur mal als Beispiel – und er hätte klein beigegeben, dann könnte es doch sein, dass die Täter ihm am Schluss Tatwaffe und Ohren ausgehändigt haben.
Und warum das, um Gottes willen?
Ja, das weiß ich auch nicht!
Michel schnauft.
Ich meine, normale Menschen erschlagen keine Kühe. Also kannst du von denen auch kein normales Verhalten erwarten. Verstehst du, Sterch? Oder … na ja, ich weiß nicht …
Michel wirkt nicht sehr überzeugend. Die Männer blicken bedeutungsvoll in die Ferne und schweigen.
Plötzlich springt Claire auf.
Hey, Michel, wir müssen sofort zurückfahren. Ich habe eine Idee. Sterch, haben Sie nicht gesagt, dass Pinget asiatische Objekte und so gesammelt hat?
Ja, doch, so erzählt man hier. Gesehen habe ich ja nichts. Aber warum fragen Sie das?
Entschuldigen Sie, Sterch, aber ich kann das jetzt nicht erklären. Es ist nur eine Intuition. Michel, komm, lass uns zurückfahren. Können wir den Hammer mitnehmen? Ich meine ins Labor?
Ja, selbstverständlich!
Danke. Also los, Michel, worauf wartest du noch? Nimm den Hammer und ab die Post. Auf Wiedersehen, Sterch.
Claire stürmt in Richtung Auto.
Sterch blickt zu Michel.
Was guckst du so blöd? Ist was?
Sagtest du nicht, Claire ist deine Assistentin?
Ja, und?
Nichts, nichts, Michel. Los, los! Worauf wartest du? Nimm deinen Hammer und wandle …

DREIUNDDREISSIG

Bruckner ist zurück. Er wird dich anrufen. Ich habe ihm deine neue Nummer gegeben. Mir geht es blendend. Mach dir keine Sorgen. Bis bald. Martha.

Als Tanner am Morgen Kiharu verließ und sein Telefon in Betrieb setzte, holte ihn diese geschriebene Kurznachricht von Martha zurück in die Wirklichkeit.

Er hat sich ohne ein Wort des Abschieds aus den Armen der noch tief schlummernden Kiharu gestohlen. Sie lag wie ohne Bewusstsein. Auch er fühlte sich wie nach einer Narkose. Er hat erst kriechend, dann schwankend das Liebeslager verlassen wie ein Süchtiger seine Opiumhöhle. Fröstelnd, trotz der morgendlichen Wärme, ist er durch die noch leeren Gassen geirrt und hat sich schließlich in ein stilles Café geflüchtet. Drei hastig getrunkene Kaffees klären langsam seinen Geist, die vierte Tasse steht vor ihm.

Was für eine Nacht! Zuerst die Begegnung mit Chiyo, dann die nimmersatte Kiharu, die unter seinen Händen zur sprudelnden Quelle wurde. Bebend und zitternd vor Lust. Diese Art rasender Hingabe hat er so noch nie erlebt. Es hatte in Wahrheit auch nichts mit ihm zu tun. Sie hatte sich allein ihrer Lust hingegeben. Er war nur zufällig an diesem Prozess beteiligt. Sie hatte sich besinnungslos ihrer Lust geopfert. Sie war Altar, Hohepriesterin und Göttin in einer Person. Seine Rolle war höchstens die eines Ministranten gewesen, der minutiös Handlungen und Rituale der ausschweifenden Art unter ihrer Anleitung vollzog. Erstaunlich bei einer Frau wie Kiharu, die im Alltag offensichtlich nur aus Form und Höflichkeit bestand. Ist dieses übertriebene Formgefühl ihre Maske? Das Gefäß, das alles zusammenhält? Die notwendig scharf gezogene Linie eines inneren heißen Chaos? Das Magma ihrer Gefühle, das nur durch kühle Distanziertheit in Schach gehalten werden konnte? An dem sie ohne Selbstbeherrschung zugrunde gehen würde?

Bevor er sich ganz in seinen Spekulationen verliert, gibt er sich einen Ruck.

Tanner nimmt einen Schluck Kaffee. Was soll er jetzt tun?

Er muss dringend in der Klinik anrufen, um sich nach Elsies Zustand zu erkundigen. Wenn sie doch nur aufwachen würde! Sie fehlt ihm

dringender denn je. Er hat es gerade in dieser verrückten Nacht gespürt. Dann Bruckner. Was ihm wohl widerfahren ist? Soll er ihn anrufen oder einfach abwarten? Er muss schnell abklären, was es mit dieser ominösen Firma aus Übersee auf sich hat. Und wie es wohl dem Mann aus dem Busch geht? Ob er noch einmal mit ihm reden wird? Tanner weiß einfach nicht, wie er ihn dazu bringen soll zu sagen, ob er etwas gesehen hat. Vielleicht sollte er zuerst mit Professor Deichmann sprechen? Und was ist mit Martha? Es gehe ihr blendend! Und er solle sich keine Sorgen machen. Was heißt denn das nun wieder?
Tanner weiß im Moment nicht, was er tun soll.
Ich glaube, ich gehe erst mal in Marthas Wohnung schlafen. Das wird das Beste sein. Danach sehe ich vielleicht klarer.
Er bezahlt seine Rechnung und macht sich auf den Weg.
Martha ist nicht zu Hause. Sie hat offensichtlich auch nicht hier übernachtet. Hat sie doch einen Liebhaber?
Bevor er sich hinlegt, erkundigt er sich in der Klinik nach Elsies Zustand. Er ist beruhigt, als er hört, dass es ihr gut geht.
Ohne sich auszuziehen, legt er sich hin und schläft sofort ein.
Als ihn sein Telefon weckt, ist es bereits Mittag.
Hallo, Tanner. Hab ich dich geweckt? Seit wann schläfst du bis Mittag? Bist du krank?
Nein, Michel, nein. Aber ich hatte eine anstrengende Nacht.
So, so.
Was willst du?
Weißt du schon etwas über die Firma? Ich muss es wissen. Dringend sogar.
Wieso? Ist etwas geschehen?
Mann, stell dir vor, wir haben den Hammer gefunden!
Welchen Hammer? Hast du deinen Hammer verloren?
Ha, ha! Ich meine, wir haben den goldenen Hammer von Ghuangzhou gefunden.
Was du nicht sagst!
Tanner gähnt ungeniert in den Hörer.
Warst du denn in China? Oder hast du vielleicht deiner Claire eine Dienstreise spendiert?
Erstens ist es nicht *meine* Claire und zweitens haben wir den Hammer auf einem niedergebrannten Hof im Seeland gefunden. Es ist

übrigens exakt der Hof, von dem die erschlagenen Kühe stammen. Und die abgeschnittenen Ohren haben wir auch gefunden.
Hör mal, Michel. Das ist ja toll. Dann habt ihr ja alles.
Tanner kichert ins Telefon.
Du, Blödmann. Nix haben wir. Wir wissen jetzt zwar mehr, stehen aber genauso am Berg wie vorher. Dass wir das alles am selben Ort, quasi auf einem Haufen gefunden haben, erleichtert die Sache auch nicht gerade.
Und wem gehören all diese schönen Sachen, die ihr da gefunden habt, einschließlich deines goldenen Hammers? Ist er wirklich aus Gold?
Der ist natürlich nicht aus Gold, du Blödmann. Der ist aus schwerem Schmiedeeisen. Mit so einem seltsamen Ornament. Der Besitzer ist im Moment leider verschwunden. Aber den werden wir schon noch auftreiben. Das ist nur eine Frage der Zeit.
Hör mal, Michel, ich habe gerade nicht so viel Zeit, um mit dir zu plaudern, obwohl es wie immer sehr anregend ist. Und wegen dieser Firma gebe ich dir heute noch Bescheid. Versprochen!
Okay. Gut. Ich höre also von dir.
Tanner legt auf, und seine Gedanken sind bereits wieder bei einem anderen Thema. Nämlich bei Professor Deichmann.
Er lässt sich mit ihm verbinden. Deichmann meldet sich äußerst beschwingt am Apparat.
Hallo, Tanner! Hey, wie geht es Ihnen?
Ja, eigentlich recht gut, Herr Professor. Ich hoffe, Sie sind nicht allzu böse auf mich.
Wieso denn böse? Sie meinen die Geschichte mit Alois? Im Gegenteil! Sie haben mir – und vor allem dem guten Alois – einen großen Dienst erwiesen.
Dienst erwiesen? Ich verstehe nicht recht?
Ja, Tanner, Sie sollten ihn sehen.
Deichmann lacht schallend ins Telefon.
Seit er sich die Nase gebrochen hat, ist er wie verwandelt. Die ganzen Therapien von früheren Aufenthalten haben nicht diesen Erfolg gezeitigt. Ich sollte Sie direkt engagieren. Was haben Sie denn mit ihm gemacht?
Ja, äh … ich habe ihm einfach unverblümt die Wahrheit gesagt. Ich meine, die Wahrheit über den Tod seiner Frau.

Aha? Und sonst nichts?
Nein, ganz sicher nicht. Ich habe es ihm auf den Kopf zugesagt und da war er einen unheimlichen Augenblick lang ziemlich still, ja … und dann hat er sich ohne Vorwarnung das Gesicht mit brachialer Wucht auf die Tischplatte geschlagen.
Das ist ja ein Ding. Wissen Sie, Tanner, man kann seither fast völlig vernünftig mit ihm sprechen. Als ob nicht nur die Nase gebrochen, sondern gleichzeitig etwas Ungutes in ihm endlich auch zerstört worden wäre. Irgendeine Klammer, die sein Gehirn fest im Griff hatte, denn jetzt scheint er wie erlöst. Auf jeden Fall habe ich so etwas schon lange nicht mehr erlebt. Ich meine, so eine schnelle Verwandlung ins Positive. Gut, er nimmt jetzt brav seine Tabletten, die helfen natürlich, aber trotzdem. Es klingt hart, aber der Tod seiner Frau hat ihn wohl auch befreit.
Hat er das selber gesagt?
Er hat es zumindest angedeutet. Und dann bin ich mir weniger denn je schlüssig, ob wir es nicht eigentlich mit einem ungewöhnlichen Schauspieler zu tun haben.
Aha? Sie meinen, dass er gar nicht wirklich krank ist?
So weit würde ich nicht gehen. Sie wissen ja, die Übergänge sind fließend. Aber ich traue ihm nicht ganz. Oder anders gesagt: Ich traue ihm alles zu. So. Auf jeden Fall wartet er ungeduldig auf Ihren Besuch. Habe ich das schon gesagt? Wann können Sie denn kommen?
Eigentlich sofort. Ich habe nichts Dringendes vor.
Dann kommen Sie. Kommen Sie!
Tanner angelt sich noch schnell etwas Essbares aus Marthas Kühlschrank, verschlingt es stehend und macht sich auf den Weg. Unterwegs in einer schmalen Quergasse entdeckt er von neuem Natter, der offensichtlich von Schmid den Dauerauftrag gefasst hat, Tanner zu – ja, was? Zu beschützen oder zu beschatten?
Er winkt ihm zu und Natter rettet sich hinter einen Vorsprung. Tanner geht blitzschnell in einen Buchladen, der zur Querstraße einen zweiten Ausgang besitzt. Danach kann er ihn nicht mehr sehen. Entweder hat er ihn wirklich abgehängt oder Natter verhält sich geschickter.
Es ist heiß wie eh und je. Backofenhitze. Erstaunlicherweise gewöhnen sich die Menschen langsam an dieses ungewohnte Klima.

Es geht sogar schneller, als man dachte. Keiner kann sich mehr so richtig Regen vorstellen, geschweige denn Kälte und Schnee. Seit fast einem Monat nur blauer Himmel und eine Hitze wie in Marokko.
Als Tanner sich gerade der Anmeldung in der psychiatrischen Klinik nähert, eilt Deichmann mit ausholenden Schritten auf ihn zu.
Sind Sie geflogen, Tanner? Kommen Sie in mein Büro.
Deichmann ist offensichtlich in ganz ausgezeichneter Laune. Man könnte beinahe von einem euphorischen Zustand sprechen. Er hakt Tanner unter, und so schreiten sie in Richtung Deichmanns Büro. Im Vorzimmer nickt Tanner freundlich der blonden Sekretärin zu, die offensichtlich schlecht gelaunt ist, sich hinter ihrem Computerbildschirm verkriecht und Tanners Gruß ignoriert. Der Unterschied zu Deichmanns Laune könnte nicht auffälliger sein. Tanner behält seine Meinung für sich, obwohl er Lust hat zu fragen, ob Deichmann eine Glückspille geschluckt habe.
Nehmen Sie Platz, Tanner. Haben Sie die Akten über Ihren Großvater Land gelesen?
Ja, das habe ich. Sehr aufschlussreich, würde ich sagen.
Und? Haben Sie Fragen?
Nein. Eigentlich habe ich keine Fragen.
Eigentlich?
Na ja, abgesehen davon, dass die Akte vor allem eine Bankrotterklärung der damaligen Psychiatrie vor dieser Krankheit ist, gibt es eigentlich nur drei Fragen. Aber die können Sie wahrscheinlich alle nicht beantworten.
Nämlich?
Warum hat man meinen Großvater, diesen kranken und wehrlosen Menschen, einfach abgeschoben? Er wohnte immerhin schon sehr lange in dieser Stadt. Und seine Frau und seine beiden Kinder lebten hier. Zwei kleine Mädchen verloren durch diese Abschiebung ihren Vater. Warum hat man ihnen das angetan? Warum hat man eiskalt diese Familie getrennt? Wie muss man sich einen Staat vorstellen, der so etwas tut? Da weht mich aus der Vergangenheit ein so unmenschlich kalter Wind einer beschissenen, autoritären Bürokratie an, dass ich kotzen könnte. Dieses Land, das sich in seinen offiziellen Feiertagstönen so gerne und selbstgefällig gerade mit der humanitären Tradition brüstet. Und dann so etwas. Die hehre Eidgenossen-

schaft. Da kann ich nur lachen. Die zweite Frage ist: Und warum hat niemand ernsthaft Einspruch erhoben? Und drittens: Wohin haben die Land gebracht?
Sie haben Recht, Tanner. Sie haben mit jedem Wort Recht. Man kann es nur noch deutlicher sagen. Ihr Großvater war im Grunde Abfall und musste entsorgt werden. Da er Deutscher war, gab es eine bürokratische Lücke – und ab mit ihm. Die plötzliche Verdoppelung der Aufenthalts- und Pflegekosten war natürlich nicht korrekt. Und die Klinik war damals nicht wirklich überfüllt. Ich habe in alten Berichten nachgelesen. Da gibt es keinerlei Hinweise auf eine so drastische Überbelegung, die diese Argumentation legitimiert hätte. Ja, so ist das leider.
Deichmann hebt hilflos die Hände.
Die letzte Frage kann ich Ihnen aber beantworten.
Ach ja?
Ich habe gestern etwas recherchiert. Ihr Großvater kam in ein Heim, nicht unweit von seinem Geburtsort. In eine badische Heil- und Genesungsanstalt. Was für ein Name! Vor allem, wenn man bedenkt, dass aus dieser Art Anstalt selten jemand wieder gesund entlassen worden ist. Ich habe Ihnen hier die Adresse aufgeschrieben. Ich habe mir erlaubt, die jetzige Leitung auf Ihren Besuch vorzubereiten. Heute ist es allerdings ein reines Alterspflegeheim. Zu jener Zeit war es ein typisches Sammelauffangheim für alle Arten von Menschen, die durch das damalige System fielen. Psychisch Kranke, Gebrechliche, Behinderte, Renitente, Arbeitsscheue, verarmte Leute. Die Liste ließe sich noch fortsetzen. Ein trauriges Kapitel. Die jetzige Leiterin hat mir versprochen, im Archiv nach Karl Gustav Land zu suchen. Dass er wirklich dort war, hat sie mir schon bestätigt. Mehr konnte ich bisher in Sachen Land nicht unternehmen.
Herr Professor, das ist ja großartig. Ich bin Ihnen sehr dankbar. Ich werde das Heim auf jeden Fall besuchen. Vielen Dank. Wie haben Sie denn das herausgefunden?
Na ja, ich habe eine ziemlich einfache Überlegung angestellt. Es mag vielleicht zynisch klingen, aber ich habe mir gedacht, dass die ihn einfach in die nächstbeste Anstalt gesteckt haben. Um Reisekosten zu sparen. Das Geschwätz von den Kliniken in Freiburg und so habe ich sowieso nicht geglaubt. Damals ging es auch in Deutschland schon um kostengünstige Lösungen. Zumal ihr Großvater ja in der

Zeit ein reiner Versorgungsfall und für die psychiatrischen Kliniken nicht von besonderem Interesse war. Unter dem Gesichtspunkt gab es nicht viele Möglichkeiten. Danach reichten zwei Anrufe. Insofern war es ziemlich einfach.
Ja. Ich verstehe. Trotzdem vielen Dank.
Die beiden schweigen eine Weile. Man hört durch die geschlossene Tür, dass Deichmanns Sekretärin mit gedämpfter Stimme telefoniert. Deichmann scheint mit seinen Gedanken weit weg zu sein. Tanner räuspert sich.
Wer hat denn übrigens beim Tennis gewonnen? Martha oder Sie?
Martha natürlich. Haben Sie etwas anderes erwartet?
Deichmann lacht etwas gezwungen. Spricht dann aber gleich weiter. Okay – und jetzt wartet Alois ungeduldig auf Sie. Ich begleite Sie noch zu ihm.
Der Themenwechsel war etwas zu abrupt, als dass Tanner ihn nicht bemerkt hätte. Auch schien es ihm, dass Deichmann rot geworden ist. Jetzt ist eigentlich alles klar: Deichmann ist über beide Ohren in Martha verknallt. Deswegen auch diese übertrieben zur Schau gestellte Euphorie. Und als Hintergrundbild die übellaunige Sekretärin.
Ja, das passt alles aufs Schönste zusammen.
Er schmunzelt, aber schweigt. Deichmann sieht natürlich, dass Tanner begriffen hat. Aber auch er schweigt.
Ja, das können die Männer perfekt. Schweigen und so tun, als sei nichts gewesen.
Na dann, viel Vergnügen mit dem Rätsel namens Martha. Tanner unterdrückt die Lust diesen Gedanken auszusprechen.
Sie erheben sich. Tanner amüsiert. Deichmann innerlich jubelnd. Ein Dritter hätte vielleicht nichts bemerkt. Aber die Sekretärin natürlich, die hat alles begriffen. Wer weiß, welche Hoffnungen sie sich gemacht hat? Und welche Hoffnungen Deichmann bei ihr geweckt und genährt hatte? Ein gebrochenes Herz mehr …
Kommen Sie, Tanner, Alois wartet draußen im Park.
Deichmann eilt Tanner voraus. So gehen verliebte und siegesbewusste Jungs ihrem Schicksal entgegen. Tanner muss erneut schmunzeln. Nach kurzer Zeit biegen sie in den Park ein und verlangsamen gleich ihre Schritte.
Alois Weiß steht unbeweglich wie eine elegante Statue auf einer

Mauer und pisst entspannt in weitem Bogen in den benachbarten Garten. Der Strahl glitzert und funkelt im Sonnenlicht. Sie warten stoisch im Schatten eines Baumes, bis Alois sein Geschäft erledigt hat. Es dauert ziemlich lange. In aller Ruhe knöpft er seine Hose zu und geht wieder zurück an einen weißen Tisch unter den ausladenden Ästen einer mächtigen Blutbuche und zeichnet weiter auf ein Blatt Papier.
Einmal mehr staunt Tanner, wie vornehm und großzügig in psychiatrischen Kliniken die Parkanlagen sind. Die Parallele zu Schlossanlagen und herrschaftlichen Gütern ist unübersehbar. Sind diese Anlagen wirklich für das Wohlbefinden der Patienten gemacht? Oder sind sie indirekt ein Ausdruck der Angst, die die Gesellschaft vor der Macht der gestörten Psyche empfindet? Die erschreckenden Abgründe der Psyche sollen in eine möglichst schöne harmonische Welt verbannt werden?
Tanner hätte große Lust, Deichmann diese Fragen zu stellen. Er lässt es aber sein, um sich auf die Begegnung mit Alois zu konzentrieren. Wie zu erwarten, ist sein Gesicht vor lauter Verband und Pflaster hier und Pflaster dort kaum zu sehen. Aber die wirkliche Veränderung liegt in Alois' Augen, die Tanner offen und direkt fröhlich entgegenblicken.
Ah, Tanner und Deichmann. Nimm Platz, Tanner. Willst du eine Tasse Tee?
Sehr gerne, Herr Weiß.
Ich heiße Alois. Deichmann? Wären Sie so lieb und würden unserem Herrn Tanner eine Tasse Tee organisieren?
Deichmann verdreht die Augen.
Gut. Ich lasse Ihnen eine schicken. Ich verabschiede mich jetzt. Und wünsche einen angenehmen Nachmittag.
Gut, dass wir den los sind. So ein Schleimer, ein eingebildeter. Dazu noch ein Verliebter.
Verliebt? Woher wissen Sie denn das, Alois?
Das sieht doch ein Blinder mit Krückstock. Aber lassen wir das! Hast du weiter über das Rätsel nachgedacht, Tanner?
Tanner blickt ihn prüfend an. Verschwunden ist dieser zynische und gehässige, hämische Ausdruck in Stimme und Auge. Will er wirklich ernsthaft weiter über dieses Rätsel reden?
Ich bin wirklich neugierig auf deine Antwort, Tanner. Nur Mut. Ich

werde dich nicht auffressen. Aber warte. Vorher noch etwas anderes. Kannst du dir den Ton in meinem Kopf vorstellen, als ich mir die Nase brach?
Ja, schon. Es klang wie wenn der hölzerne Rumpf eines Schiffes an einer Felsenklippe zersplittert und zerbirst. Ein hässliches Geräusch.
Das Bild kam Tanner ganz spontan. Er sprach es aus, ohne darüber nachzudenken. Alois starrt ihn entgeistert an. Nach einer Weile wühlt er hektisch in seinen Zeichnungsblättern. Zieht ein Blatt hervor und legt es mit der Rückseite nach oben vor Tanner.
Jetzt wirst du staunen, Tanner. Dreh das Blatt um. Jetzt bitte.
Tanner dreht das Blatt um und starrt die Zeichnung an.
Jetzt bin ich aber ... wie soll ich sagen, Alois?
Nicht wahr? Wie erklärst du dir das, Tanner?
Dafür habe ich keine Erklärung. Tut mir Leid.
Tanner ist wirklich verblüfft. Und auch ein wenig ratlos. Das Bild nämlich zeigt die Arche Noah, wie sie auf dem Berg Ararat gestrandet ist. Die Zeichnung hat Alois überraschend begabt mit einem Rötelstift angefertigt. Er hat genau den Moment des harten Kontaktes zwischen Arche und Fels festgehalten. Man glaubt, das berstende und knirschende Geräusch des Holzes aus der Zeichnung heraus zu hören.
Dieses Bild habe ich erst heute Nachmittag gezeichnet. Und noch hat es, außer dir, kein Mensch zu Gesicht bekommen. Deine Intuition, Tanner, ist fabelhaft. Mehr ist dazu nicht zu sagen. Ich habe noch eine andere Zeichnung für dich vorbereitet. Die zeige ich dir aber erst später. So weit, so gut. Wollen wir jetzt über das Rätsel sprechen?
Einverstanden. Ich habe allerdings nicht weiter darüber nachgedacht, Alois.
Aber das ist es ja! Mit Nachdenken allein kommst du nicht weiter. Du musst die Augen aufmachen. Die Wahrheit muss man *sehen* lernen!
Eine junge Krankenpflegerin bringt Tanner eine heiße Tasse Tee.
Vielen Dank, Schwester Rosa.
Alois schaut ihr eine Weile nach. Dann blickt er wieder zu Tanner.
Weißt du denn das Rätsel noch?
Obwohl Tanner nickt, beginnt Alois in einem merkwürdigen Singsang zu zitieren.

Was ist das Größre vor dem Herrn? Ein ausgespiener Apfelkern, ein Hund, ein Kind, ein Halm im Wind, die Reue einer Dirne?
Es entsteht eine Pause.
Diese Frage ist Teil eines längeren Gedichtes von einer Frau, die ich einmal geliebt habe. Der Name tut nichts zur Sache. Elfriede war in meinem Leben übrigens eine Last. Ich habe mir nicht die Nase gebrochen, weil ich so traurig über ihren Tod war.
Sondern?
Ja, Tanner, das verstehst du jetzt nicht. Ich erkläre es dir auch nicht. Reden wir nicht mehr davon.
Und die Frau mit dem Gedicht, die Sie geliebt haben?
Ja? Was soll mit ihr sein? Ich habe sie nie kennen gelernt.
Sie haben doch gesagt, dass sie diese Frau geliebt haben.
Ja und? Kann ich sie deswegen nicht geliebt haben? Nur weil ich sie nie getroffen habe? Ich kenne ihre Gedichte, und deswegen habe ich sie geliebt.
Jetzt nicht mehr?
Nein. Jetzt nicht mehr. Weißt du nun die Antwort auf das Rätsel?
Nein, Alois, ich weiß sie nicht.
Schade.
Tut mir Leid, aber ich weiß die Antwort wirklich nicht.
Gut. Du kannst es wahrscheinlich gar nicht wissen. Ich sage dir jetzt die richtige Antwort.
Er schweigt. Dann öffnet er die Hände und zeigt sie Tanner.
Was siehst du?
Ihre Hände.
Weiter?
Sie sind leer.
Genau. Und so ist auch die Wahrheit über Gott. Es gibt nämlich gar keinen Gott. Also erübrigt sich die Antwort auf die Frage.
Tanner ist wieder verblüfft.
Nein, es gibt keinen Gott. Oder hast du ihn schon jemals gesehen? Oder wirklich seine Existenz erlebt? Sei ehrlich.
Nein, habe ich nicht. Aber ich habe ja auch nie behauptet, dass ich an Gott glaube. Im Gegensatz zu …
Zu mir? Nein, nein! Da verwechselst du etwas ganz Entscheidendes. Ich habe von der Bibel gesprochen, nicht von Gott.
Aber die Bibel ist doch Gottes Wort, heißt es.

Ja, heißt es. Glaubst du daran? Es sind Worte von Menschen, die verzweifelt an die Existenz Gottes glauben wollen.
Alois lacht kurz auf.
Du lieber Mann! Die Bibel ist eine exakte Beschreibung aller Charaktereigenschaften von Gott. Eigentlich ist es ja eher eine Personenbeschreibung. Und die Person, die da beschrieben wird, ist das böseste Wesen, das je in dieser Ausführlichkeit beschrieben wurde. Diese Person ist kleinlich, cholerisch, nachtragend, eifersüchtig. Zudem ist sie ein Massenmörder. Sie mordet Kinder. Sie bestraft ganze Völker, das heißt, sie löscht sie aus. Lässt sie im Meer untergehen. Führt Menschen bewusst ins Verderben. Die Liste ließe sich unendlich fortsetzen. Das Problem ist, dass viele Leute einfach blind sind. Noch nicht einmal das, was schwarz auf weiß steht, können sie sehen. Blind. Blind und taub. Sie wollen einfach die Wirklichkeit nicht wahrnehmen.
Alois lacht von neuem.
Aber es gibt ja auch Leute, die füllen jede Woche einen Lottozettel aus, weil sie überzeugt sind, dass sie eines Tages gewinnen. Aber sie gewinnen nie. Das eine ist der Glaube an etwas, das andere ist die Wahrheit. Das ist selbstredend ein bedeutender Unterschied, den viele Menschen vergessen. Oder gar nicht wissen wollen.
Jetzt erstaunen Sie mich aber, Alois.
Wieso? Du kennst mich doch gar nicht. Du hast dir von mir ein Bild gemacht, das ist alles. Basta. Du hast mich aus dem Busch heraus religiös klingende Weissagungen machen hören – und schon denkst du, ich glaube an Gott? Mein Dasein im Busch hat mit Gott überhaupt nichts zu tun. Was das war, erkläre ich dir einmal später. Vielleicht.
Alois atmet tief durch und schaut in die Baumkrone.
Zurück zum Rätsel. Was mir an dieser besonderen Fragestellung so gut gefällt, ist nämlich, dass sie die Frage nach Gott ad absurdum führt. Das wirklich Raffinierte ist, dass der Satz vorgibt, die Existenz Gottes zu festigen, in Wirklichkeit untergräbt er seine Existenz. Das ist Dialektik vom Feinsten, Herr Tanner. Gäbe es denn wirklich so einen Gott, wie die Bibel es uns glauben machen will, so wären die Fragen ja sowieso obsolet. Da hattest du das letzte Mal sogar ganz Recht. Ein Gott, der diese Unterschiede machen würde, stell dir vor, hätte sich selbst automatisch disqualifiziert. Es ist einzig und allein diese verdammte menschliche Sucht nach Kategorien und

nach Hierarchien, die für diese Fragestellung verantwortlich ist. Wenn es aber diesen Gott gäbe – und man würde ihn und seine Botschaft wirklich ernst nehmen –, dann wäre unsere ganze Gesellschaft auf einen Schlag in Frage gestellt. Dann wäre die ganze Menschheitsgeschichte vom Anfang bis heute komplett falsch und verdammenswürdig. Dann hätten wir kein Recht mehr zu leben. Diese ganze Konstruktion von einem persönlichen Schöpfergott mit seinen Geboten und mit diesem Jesus, der die Menschen liebt und sie von ihrer Schuld erlöst haben soll, das geht doch alles gar nicht auf. Es geht im Moment deiner persönlichen Katastrophe nicht auf, genauso wenig wie bei Menschheitskatastrophen. Es gibt keinen Sinn stiftenden Gott. Es gibt das Wunder und die Grausamkeit der Natur, von der die Menschen ein Teil sind. Es ist der Mensch, der die Fähigkeit hat, dem Ganzen einen Sinn zu geben. Und wenn er diese Fähigkeit halt nicht anwendet, ist er verdammt. Und so ist ja auch der Zustand dieser Welt. Quod erat demonstrandum.
Alois trinkt seine Tasse leer.
So. Das reicht fürs Erste. Eigentlich willst du ja etwas ganz anderes von mir als theologische Haarspaltereien. Du vermutest nämlich, dass ich dir sagen kann, wer die schöne Frauenleiche in den Brunnen gelegt hat, oder?
Ja, Sie haben Recht. Ich gebe es zu.
Und wenn ich zu der Zeit geschlafen hätte? Gar nichts mitbekommen hätte? Was dann? Dann war all dein Bemühen vergebens.
Nichts ist vergebens, Alois. Das habe ich im Leben gelernt.
Ja, ja, stimmt. Siehe meine Nase, ha, ha, ha.
Zum ersten Mal sieht Tanner Alois herzlich lachen. Sein vermummtes Gesicht bekommt durch das Lachen etwas wirklich Komisches, Koboldhaftes. Plötzlich sitzt Puck im Park und schüttelt sich vor Lachen. Ein ansteckendes Lachen. Tanner muss auch lachen. Alois erhebt sich. Seine Arme hoch erhoben, lacht er und beginnt unter der Buche zu tanzen. Seine Arme heben und senken sich, als ob er gleich davonfliegen wollte. Dann beruhigt er sich allmählich und setzt sich wieder an den Tisch.
Also, Spaß beiseite. Dein Bemühen war nicht ganz vergebens. Da. Du hast es dir redlich verdient. Die Männer waren, denke ich, Chinesen.
Alois streckt Tanner eine Zeichnung hin. Mit demselben Rötelstift hat er auf das Blatt eine ganze Serie von Skizzen und Studien ge-

zeichnet. Alles ist zu sehen: ein Mercedes Sprinter mit erkennbarem Frankfurter Autokennzeichen. Ein Mann am Steuer. Drei Männer, die einen großen Korb zum Brunnen tragen. Zwei Männer, die später die nackte Leiche von Michiko ins Wasser legen. Ein Mann, der aufmerksam Ausschau hält. Die Gesichter sind deutlich und scharf gezeichnet. Alle vier sind wahrscheinlich Chinesen. Alois hat Recht. Das Ganze ist besser gezeichnet als die üblichen Phantombilder der Polizei.

Lieber Alois, ich kann Ihnen gar nicht sagen, wie froh ich über diese Zeichnung bin. Ich danke Ihnen.

Tanner atmet tief durch. Endlich hat er etwas in der Hand. Endlich wird er handeln können.

Warte. Ich habe noch etwas für dich. Es gab noch einen fünften Mann, der das Ganze aus dem Hintergrund beobachtet hat. Und per Zeichensprache Anweisungen gegeben hat. Der war aber, glaube ich, Japaner. Den konnte ich allerdings nicht so gut sehen. Deswegen ist die Zeichnung auch etwas schemenhaft.

Alois reicht Tanner ein zweites Blatt. Darauf ist eine einzige Gestalt festgehalten, die man tatsächlich nicht so gut erkennen kann. Aber die Haltung dieses Mannes …

Diese Haltung, diese Körperhaltung habe ich schon einmal gesehen, Alois. Aber wo? Den habe ich ganz sicher schon einmal gesehen. Ich komme im Moment nur nicht darauf, wo. Mensch, Alois, was haben Sie für eine gute Beobachtungsgabe. Ich bin Ihnen sehr dankbar. Würden Sie denn diesen Mann identifizieren können, zum Beispiel bei einer Gegenüberstellung?

Ja, davon kannst du ausgehen. Ich habe ja ein so genanntes fotografisches Gedächtnis.

Ja, das haben Sie wirklich, Alois.

Er lächelt.

Ich habe noch etwas für dich.

Er streckt Tanner eine dunkelgrüne Perlenkette entgegen. Tanner nimmt sie und betrachtet sie. Es könnte eine Gebetskette sein. An ihrem Ende hängt ein quadratisches Emblem. Geschnitzt aus Elfenbein. Es stellt dreidimensional eine Art Knoten dar. Ob es einer der Mörder verloren hat?

Das ist ja ein Wahnsinn! Wo hast du das gefunden?

Unweit des Busches. Ich schenke es dir.

Danke, Alois.
Tanner steckt die Kette in seine Hosentasche. Dann schaut er in den Park. Er ist unschlüssig.
Ich war übrigens in der Wohnung.
In welcher Wohnung?
In Ihrer.
Du meinst dieses Loch, in dem Elfriede hauste?
Tanner nickt.
Und was hattest du da verloren?
Ohne meinen Besuch in der Wohnung hätte ich zum Beispiel Sie nie gefunden.
Und was hast du sonst noch gefunden?
Siebenundzwanzigtausend Franken.
Alois lacht böse auf.
Ja, ja. Die geizige Elfriede. Von Hundefutter leben und dabei so viel Geld im Sparstrumpf horten. Das ist typisch. Und was geschieht jetzt mit dem Geld?
Falls noch Schulden zu bezahlen sind, wird das abgezogen. Der Rest gehört dir.
Schulden? Die Schulden, die sie hatte, kann man nicht mit Geld bezahlen.
Das klingt äußerst bitter. Tanner weiß aber, dass es gar keinen Sinn hat, nachzufragen. Alois blickt ihn auch schon ganz provozierend an. Die abschmetternde Antwort bereits auf den Lippen. Tanner schweigt und erhebt sich.
Er verabschiedet sich von Alois, muss aber das Versprechen abgeben, wiederzukommen, denn der theologische Unterricht sei noch nicht abgeschlossen. Tanner verspricht es.
Zurück in der Stadt, lässt er sich eine Kopie der beiden Zeichnungen machen. Er hat vor, die Kopien dem sehr geehrten Herrn Hauptkommissar Schmid zu schicken. Er lässt sich einen Umschlag geben, entscheidet sich dann aber im letzten Moment, Schmid die Zeichnung mit dem einzelnen Mann noch vorzuenthalten. Er lässt sich noch einen weiteren Umschlag geben. Vielleicht erkennt Kiharu den Mann. Er schreibt für sie einen Gruß auf die Rückseite. Auf die Kopie für Hauptkommissar Schmid schreibt er nichts. Der wird auch so begreifen. Bei der nächsten Poststelle schickt er beide Kuverts per Eilboten ab. Wäre Natter in der Nähe gewesen, hätte er ihm das Kuvert

in die Hand drücken können, aber weit und breit ist nichts von ihm zu sehen.
Tanner grinst.
Wenn man sie braucht, sind sie nicht da!
Als er die Post verlässt, klingelt sein Telefon. Es ist Bruckner.

VIERUNDDREISSIG

Michel sitzt einmal mehr allein in seinem Büro und wartet ungeduldig auf die Rückkehr von Claire. Warten im Allgemeinen ist nicht Michels Stärke. Warten auf Claire aber ist wie das Absitzen einer Strafe. Seit sie hier ist, weiß er mit sich alleine nichts mehr anzufangen. Er weiß, dass das natürlich eine Katastrophe ist. Diese Erkenntnis ändert aber nichts an der Tatsache als solche.
Was macht sie nur so lange?
Er haut schwer mit der Faust auf die nahezu leere Schreibtischplatte. Drei gespitzte Bleistiftstummel, ein grüner Radiergummi, schief abgewetzt, ein Brieföffner aus afrikanischem Holz und eine angefangene Schokoladenpackung tanzen – vom Schlag auf die Tischplatte mit einem deftigen Energieschub versorgt – für den Moment eines Wimpernschlags in der Luft, um dann wieder in etwa auf ihren angestammten Platz zurückzufallen. Nur dem kleinsten Bleistiftstummel gefällt es, bei der Gelegenheit vom Tisch zu rollen. Michel guckt ihm grimmig zu und hebt ihn anschließend ächzend vom Boden auf.
Diese Claire! Die macht mich wahnsinnig!
Sie hat irgendetwas Unverständliches von wegen Internet gemurmelt, und da könne ihr nur dieses Fräulein Ehrsam helfen. Alle anderen Aufgaben hat sie ihm, Michel, zugeteilt. Und er hat bereits alles erledigt, obwohl seine Aufgabenliste sicher viel länger war als ihre.
Er war als Erstes in der Klinik gewesen, wo das von diesem Louis Pinget angestellte Ehepaar lag, die ihm Haus und Hof betreuten. Beide hatten schwerste Rauchvergiftungen erlitten und befanden sich immer noch auf der Intensivstation im Sauerstoffzelt. Immerhin konnte

er unter Aufbietung seiner ganzen Überredungskunst eine Schwester dazu bringen, die beiden zu fragen, wo sich denn ihr Chef aufhalte. Viel kam dabei nicht heraus. Er habe ihnen nur gesagt, dass er für die nächsten Tage ins Ausland verreisen müsse. Da dies regelmäßig der Fall war, haben sie sich auch gar nicht gewundert. Es gehörte eben zu ihrem Alltag. Ihr Chef kam und ging – und kam wieder.
Danach hatte er die Schachtel mit den abgeschnittenen Kuhohren im gerichtsmedizinischen Institut abgeliefert. Desgleichen den schweren Hammer. Immerhin konnten sie den Hammer auf der Stelle mit den Wunden vergleichen. Und tatsächlich, der Hammer passte perfekt. Die Untersuchung der Ohren würde wahrscheinlich wieder Jahre dauern. Schon wieder warten! Immer warten, warten, warten.
Es ist zum Wahnsinnigwerden. Mensch, Claire, wo bist du denn?
Nachdem er all seine Aufgaben erledigt und gesehen hatte, dass Claire noch nicht zurück war, lieferte er beim Oberstaatsanwalt einen Zwischenbericht über den Stand der Untersuchungen ab. Mehr so zum Zeitvertreib. Dieser Zeitvertreib dauerte allerdings nur exakt vierundzwanzig Minuten. Diese Zeit bestand aus einer enervierenden siebzehn Minuten langen Eingangserklärung von seinem Chef plus sieben Minuten Redezeit für Michel. Der Herr Oberstaatsanwalt hat nämlich seit kurzem eine neue Macke. Jeder, der bei ihm vorspricht, hat seit neuestem genau sieben Minuten Zeit für sein Thema. Nicht mehr und nicht weniger. Wenn man also bei seiner Hoheit vorspricht, muss man sich erst einen ellenlangen Vortrag über die Kostbarkeit der Zeit anhören, bevor man dann die besagten sieben Minuten in Anspruch nehmen darf. Die Zeit sei das einzige Gut, über das jeder Mensch scheinbar im Überfluss verfüge.
Dies ist aber eben eine fatale Täuschung, he, he, he!
Dann rechnete er minutiös vor, wie viel Zeit jeder Mensch mit Schlafen und mit Essen und so weiter verbringe. Kein Detail der täglichen Verrichtungen fehlte in dieser Liste. Auch die durchschnittliche Zeit, die jeder Mensch angeblich auf der Toilette verbringt, wurde nicht ausgelassen. Am Schluss blieb eigentlich nichts übrig. Also entweder rechnete der Herr Oberstaatsanwalt nach einer privaten Rechenmethode – sprich: falsch – oder man hat wirklich nicht sehr viel übrig. Auf jeden Fall blieb nicht viel Zeit für die wesentlichen Dinge, wie er es ausdrückte. Zu den wesentlichen Dingen des Lebens ge-

hörte selbstredend auch die Berichterstattung seiner Untergebenen. Wenn Sie mehr als sieben Minuten brauchen, sind Sie entweder schlecht vorbereitet oder ein Schwätzer. Also, legen Sie los. Ich schaue auf die Uhr.
Michel kam natürlich prompt ins Stottern, da er aber gar nicht so viel zu erzählen hatte, schaffte er es in den geforderten sieben Minuten, trotz verschiedentlicher Anläufe und kurzzeitiger Erinnerungsschwächen, die unter dem Druck des Rennens gegen den Uhrzeiger entstanden.
Geht doch, Michel, prima! Sehen Sie, wenn wir uns alle ein bisschen Mühe geben, bleibt uns etwas mehr Zeit für das Wesentliche.
Wütend und schweißgebadet flüchtete Michel in sein unterkühltes Büro und verfluchte sich, dass er freiwillig und unaufgefordert bei seinem Vorgesetzten vorgesprochen hatte.
Nie mehr, ich sage *nie mehr* wird das vorkommen!
Und wieder fällt die Faust wie ein Dampfhammer auf die Tischplatte. Und wieder überwinden besagte Objekte für einen kurzen Augenblick die Erdanziehung. Doch diesmal rollt kein Bleistift über die Tischkante.
Na also. Geht doch. Prima. Wenn wir uns alle ein bisschen Mühe geben …
Auftritt Claire. Wie ein Wirbelwind saust sie ins Büro.
Mühe geben? Bei was denn? Sprichst du neuerdings mit deinem Tisch?
Ah, Claire, du bist schon zurück? Ich hatte dich viel später zurückerwartet.
Ja, tut mir Leid, Chef. Aber die Angelegenheit war komplizierter als erwartet. Und ohne Fräulein Ehrsams Kenntnisse im Umgang mit dem Internet wäre es sowieso hoffnungslos gewesen.
Claire, ich habe dir schon ein paar Mal gesagt, das Wort Chef will ich nicht hören, sonst …!
Sonst? Sonst was?
Claire baut sich angriffslustig mitten im Raum auf.
Sonst nehme ich dich übers Knie und …
In diesem Moment öffnet sich überraschend die Tür des Büros und einer der Beamten vom Revier stolpert in den Raum.
Störe ich gerade?
Michel schnauft entrüstet.

Anklopfen, Meier! Hast du schon einmal davon gehört, dass man anklopft, wenn man das Büro eines Vorgesetzten betritt?
Okay, verstehe. Soll ich noch einmal rausgehen, Chef?
Claire beginnt zu kichern.
Vorsicht, Meier! Du stehst schon fast auf einer Splittermine. Was willst du denn?
Also, ich wollte nur ausrichten, dass die vom Institut ausrichten lassen, also, äh … ich meine, ich solle dir sagen, dass die Ohren passen. Ja, das soll ich dir ausrichten lassen, also, ich meine, dir sagen. Ja, genau. So war es. Ohren passen. Er hustet vor Aufregung. Verstehst du das mit den Ohren?
Ja, Meier, ich verstehe das. Du kannst wieder gehen.
Der Beamte macht auf der Stelle kehrt und schließt ziemlich geräuschvoll die Tür. Michel springt auf und will ihm nach. Claire hält ihn zurück.
Nicht doch, Michel. Lass das. Das hast du doch nicht nötig.
Ausrichten lassen … ausrichten … dir sagen, also äh … ich meine, dir ausrichten! Mann, bin ich nur von Idioten umgeben. Bringen keinen einfachen Satz sauber über die Lippen. Aber zur Tür reinplatzen, das können sie, die Hornochsen.
Okay, Michel, reg dich ab.
Gut. Wo waren wir stehen geblieben?
Wenn mich nicht alles täuscht, wolltest du mich gerade übers Knie nehmen, oder?
Michel starrt sie an.
Willst du mich jetzt auch noch ärgern?
Nein, natürlich nicht. Ich glaube, wir sollten heute wieder mal 'ne Runde spielen.
Michel grinst und entspannt sich.
Ja, Claire, das ist eine gute Idee. Und heute – deucht es mir – heute gewinne ich.
So, so. Deucht es dir! Das werden wir ja sehen.
He, hast du gehört? Die Ohren passen. Das ist doch was, oder? Und die waren schnell. Verdammt schnell sogar.
Ja, die waren schnell, das muss man ihnen lassen.
Und du? Warst du erfolgreich?
Ja! Meine Idee war genau richtig.
Welche Idee denn?

Also, meine Idee war richtig, aber die Arbeit hat allein Fräulein Ehrsam gemacht. Ich finde, wir sollten sie einmal zum Essen einladen.
Ja, einverstanden. Aber jetzt erzähl doch schon.
Um es kurz zu machen: Louis Pinget hat schon dreimal versucht, unseren Hammer zu erwerben. Aber er wurde immer überboten. Ist das nicht der Wahnsinn, Michel?
Ja, schon. Aber kannst du das mal so der Reihe nach erzählen, dass es auch ein einfaches Gemüt versteht? Zudem habe ich einen Bärenhunger.
Ach du armes, hungriges, einfaches Gemüt. Also: Wir verstehen ja nicht, warum Herkunftsort der Kühe und Fundort von Ohren und Hammer identisch sind, oder?
Michel nickt.
Wir haben aber erfahren, dass Pinget Asiatika sammelt. Ich wollte beweisen, dass er einen sehr persönlichen Bezug zu dem Hammer hat, auch wenn er nach unseren bisherigen Erkenntnissen nicht der jetzige Eigentümer des Hammers ist. Den hat ja diese komische Firma gekauft. Aber was ist, wenn sich herausstellt, dass Pinget der Besitzer dieser Firma ist? Dann wäre er Besitzer *und* Eigentümer des Hammers. Dreimal hat er auf früheren Auktionen als Privatmann mitgeboten, kam aber nicht zum Ziel. Beim vierten Mal hat er ihn vielleicht über seine Firma erworben. Verstehst du?
Nicht wirklich, entschuldige, Claire. Das scheint mir eine sehr wirre Theorie.
Vielleicht hat er ihn aber auch gestohlen oder stehlen lassen?
Ja, vielleicht. Vielleicht aber auch nicht. Claire, wir müssen uns an Fakten halten.
Ja, das meine ich doch auch. Stell dir vor, wir erwischen diesen Pinget und er würde zum Beispiel behaupten, dass er den Hammer überhaupt nicht kennt. Dann können wir ihm beweisen, dass er ihn ziemlich verzweifelt erwerben wollte. Auf drei internationalen Auktionen. Das sind dann Fakten.
Ja, da hast du Recht. Also ist nach wie vor das Dringlichste, ihn zu erwischen. Von seinen Leuten habe ich allerdings nur erfahren, dass er – wie so oft – kurzfristig ins Ausland verreist ist. Claire, weißt du was?
Claire schüttelt erwartungsvoll den Kopf.
Wir werden den Herrn jetzt suchen lassen. Wenn es sein muss, inter-

national. Nach allen Regeln der Kunst. Schließlich ist er praktisch unser Kronzeuge. Du gehst jetzt zur Zentrale und setzt alles in Bewegung. Flughäfen, Grenzübergänge und so weiter und so weiter.
Toll! Jetzt ist endlich was los. Dann gehen wir essen und danach heißt es wieder: Schere – Stein – Papier! Ihr beliebtes Familienspiel …
Eine Viertelstunde später steht Claire bereits wieder in seinem Büro. Michel hat in der Zwischenzeit seine drei Bleistifte geordnet, die durch ihren freien Flug etwas in Unordnung geraten waren.
So. Die Maschinerie läuft. Gehen wir jetzt essen, Michel? Ich weiß auch schon, wo.
Gut. Ich lasse mich überraschen. Gehen wir essen.
Als die beiden in ziemlich aufgeräumter Laune mitten in der Stadt beim Eingang eines Restaurants Halt machen, das sich im ersten Stock eines stattlichen Hauses befindet, ändert sich seine Meinung ziemlich schnell.
Nein, Claire. Hier gehe ich nicht essen.
Aber warum denn nicht? Das ist das beste vegetarische Restaurant in der ganzen Stadt.
Ja, von mir aus. Aber ich esse nicht vegetarisch.
Aber Fräulein Ehrsam isst nur vegetarisch.
Verdammt, was heißt das? Du hast gesagt, wir laden sie *einmal* zum Essen ein. Das hieß irgendwann. Aber doch nicht heute.
Ich habe mich, äh … *uns* aber mit ihr verabredet. Sie sitzt sicher schon oben an einem Tisch und wartet auf uns. Komm, tu mir den Gefallen. Sie hat mir so geholfen. Und sie freut sich auf dich. Du, übrigens, sie hört nicht mehr so gut. Man muss laut und deutlich sprechen.
Michel setzt sein grimmigstes Gesicht auf und lässt sich widerwillig die Treppe hinaufziehen.
Was habe ich gesagt? Da hinten sitzt sie schon. So, Michel. Und jetzt bitte recht freundlich.
Fräulein Ehrsam sitzt kerzengerade in einem blauen Deux-Piéces an einem der weiß gedeckten Tische und studiert die umfangreiche ledergebundene Speisekarte. Vor ihr steht bereits eine Flasche stilles Wasser und daneben ein Glas mit dunklem Saft.
Guten Tag, Fräulein Ehrsam. Darf ich Ihnen meinen Vorgesetzten vorstellen.
Michel reicht ihr seine Pranke.

Guten Tag. Michel.
Guten Tag. Michel? Und wie noch?
Er heißt Michel mit Familiennamen.
Ach ja, doch. Michel ist ein schöner Name. Ich bin das halt nicht so gewohnt, die Menschen gleich zu duzen. Aber ich weiß ja, ihr jungen Leute seid da viel unkomplizierter. Dann will ich mir heute mal einen Ruck geben. Also, hallo Michel. Ich heiße Hildegard. Nimm Platz, Michel, und du auch. Wie heißt du mit Vornamen?
Ich heiße Claire.
Claire bedeutet Michel, das Spiel halt in Gottes Namen mitzumachen. Michel verdreht die Augen und setzt sich. Fräulein Hildegard Ehrsam strahlt die beiden an.
Ich stelle für uns etwas zusammen.
Wie bestellt ist auch schon ein älterer Kellner mit gezücktem Bestellblock und leicht verschobenem Toupet zur Stelle. Fräulein Ehrsam und der Kellner scheinen sich zu kennen.
Ach, Herr Grob, wie gut, dass Sie heute bedienen. Also. Die jungen Leute trinken auch stilles Wasser und je ein Glas Johannisbeersaft. Jetzt – was essen wir? Wir beginnen mit einem fein passierten Fenchelsüppchen. Das ist sehr gut für die Entwässerung. Dann einen kleinen Rohgemüsesalat, äh … für den jungen Mann mit einigen Nüssen als Garnitur. Oder, Michel? Du kannst sicher etwas Kräftigeres vertragen als wir Damen. Als Hauptgang nehmen wir den Sellerie im Sesammantel mit gedunsteten Kefen und dazu die Salzkartoffeln. Das Dessert klären wir später. Einverstanden?
Sie schaut kurz in die kleine Runde
Herr Grob? Haben Sie alles? Wollen Sie die Bestellung zur Sicherheit wiederholen?
Herr Grob hat alles, wiederholt alles und watschelt in Richtung Küche.
Michel kann es sich nicht verkneifen.
War Herr Grob früher beim Ballett?
I bewahre. Herr Grob war lange bei der Heilsarmee in der Jugendarbeit tätig. Er hat über lange Jahre eine Knabenarmee aufgebaut, die sehr viel Gutes bewirkt hat. Dann hat ihn ein furchtbares Schicksal ereilt und seither arbeitet er hier. Eine treue Seele.
Claires Fuß trifft Michels Schienbein an einer sehr empfindlichen Stelle. Michel zuckt zusammen.

Au! Ich meine, oh je. Furchtbar, so ein furchtbares Schicksal.
Ja, Michel. Wie schön, dass du als Polizeibeamter immer noch Mitgefühl für andere Menschen empfinden kannst. Man hört ja meist ganz schlimme Sachen von der Polizei.
Michel läuft rot an.
Zum Glück kommt die kellnernde Ente zurück und serviert die Getränke. Fräulein Ehrsam nimmt das Glas mit dem blutroten Saft.
Prost. Auf die Gesundheit. Passt mit dem Saft auf. Flecken gehen praktisch nicht mehr aus dem Tischtuch.
Genau wie bei Blutflecken. Letzthin hatten wir einen erschlagenen Mann im Unterholz gefunden ...
I bewahre, Michel. Wer wird denn am Tisch von so etwas Grässlichem reden.
Wieder trifft ein gezielter Tritt Michels Schienbein. Diesmal unterdrückt er seinen Schmerz. Michel sitzt wie die Bild gewordene Wut am Tisch. Fräulein Ehrsam bemerkt es nicht. Sie neigt ihren zarten Kopf über die Suppenschälchen, die Grob gerade serviert.
Ah, da ist das Süppchen. Und wie es duftet. Danke, Herr Grob.
Herr Grob, bringen Sie mir bitte ein Bier. Hildegard, es tut mir Leid, ich kann diesen Saft beim besten Willen nicht trinken. Wenn ich mich zwinge, muss ich gleich ko...
Claire unterbricht ihn geistesgegenwärtig.
Er bekommt ganz schlimmes Nesselfieber von roten Natursäften.
Oh je, du Armer. Dann solltest du aber viel Kamillentee trinken.
Claire blickt sie mit einem um Verständnis werbenden Lächeln an.
Na ja, ein Bier in Ehren kann niemand verwehren. Herr Grob, seien Sie so nett und bringen Sie unserem Michelchen ein Bier. Aber nicht zu kalt, gell.
Herr Grob setzt ein schiefes Lächeln auf und zwinkert Michel zu. Mit übertriebener Mimik formuliert er hinter Hildegards schmalem Rücken einen tonlosen Satz.
Ich bringe dir ein schön kaltes Bier, keine Sorge.
Michel macht eine unwillige Bewegung, als wolle er eine Fliege von seiner Stirn vertreiben.
Guten Appetit, meine Lieben.
Alle drei tauchen ihre Löffel in ihre winzigen Schüsselchen. Zum Glück konzentriert sich Hildegard auf ihre Suppe, so bemerkt sie Michels Gesichtsausdruck nicht.

Liebe Hildegard, kannst du Michel mal etwas über die Knoten erzählen, bitte?
Michel guckt Claire verständnislos an.
Was für Knoten denn?
Es geht um das Ornament auf dem Hammer. Aber hör ihr mal zu.
Herr Grob tänzelt heran und kredenzt Michel ein Bier, als handle es sich um einen Jahrhundertwein.
Lieber Michel, dann auf dein Wohl.
Michel nimmt einen tiefen Schluck von dem tatsächlich schön kalten Bier. Herr Grob wartet auf einen Kommentar. Michel nickt ihm gnädig zu. Grob strahlt, als wäre ihm soeben das Himmelreich versprochen worden.
Sie können mir gleich noch eins bringen, Grob.
Hildegard überhört geflissentlich die Bestellung. Dafür gerät ihre nächste Frage etwas streng.
Verstehst du etwas von Knoten, Michel?
Michel, dessen Laune sich durch die bloße Anwesenheit von Bier spürbar aufgehellt hat, antwortet den Umständen entsprechend außerordentlich charmant.
Wenn Sie ... pardon, ich meine, wenn du mich *so* fragst: Nein! Also, ich kann meine Schuhe binden, aber das war's dann auch schon.
Gut. Dann muss ich ein bisschen ausholen.
Etwas enerviert blickt sie nach Grob. Der eilt eben mit Michels zweitem Bier heran.
Herr Grob, Sie können den Salat servieren. Sie sehen ja, dass wir mit der Suppe fertig sind. Sie war ausgezeichnet. Das Bier für unseren Michel hätte ja noch warten können. Sie sehen doch, dass sein Glas noch nicht leer ist.
Michel nickt Grob ein zweites Mal zu. Diesmal mit einem leichten Ansatz von Verschwörermiene. Jetzt *ist* Grob im Himmelreich.
Grundsätzlich dienen ja Knoten dazu, Dinge miteinander zu verbinden. Der Knoten ist vielleicht – neben dem Rad – eine der wichtigsten kulturellen Erfindungen der Menschheit. Ihr müsst euch diese Erfindung nur einen Moment lang ganz praktisch vorstellen, so werdet ihr selber spüren, wie wichtig die Entdeckung des Knotens für die Entwicklung der Menschheit ist.
Sie schließt ihre Augen, als ob sie sich auf der Stelle in eine dieser

dunklen Höhlen zurückversetzen möchte, in der die ersten Menschen hausten. Da sie aber gleich darauf fürchterlich niesen muss, stellt sich das Augenschließen nur als eine notwendige Vorbereitung auf dieses sehr in der Jetztzeit angesiedelte Ehrsam'sche Naturereignis heraus. Erstaunlich, mit welch explosiver Kraft diese schmale Person niest. Die wenigen Leute im Restaurant blicken sich alle um. Michel lacht.
Ihr Männer von Athen, der hat aber voll eingeschlagen, Hildegard. Gesundheit!
Danke, Michel. Sehr freundlich. Ich überspringe jetzt in meinem Exkurs all die wichtigen Stationen in der Entwicklung der praktischen Knotenkunst. Lasst mich nur stichwortartig die Entwicklung der Baumeisterei, der Schneiderei und vor allem die der Seefahrt erwähnen. Das ganze Schiffswesen wäre ja ohne Knoten gar nicht denkbar. Ja, Michel, bis hin zu deinem Schuh ist die ganze Welt voller einfacher oder raffinierter Knoten. Könnt ihr mir so weit folgen?
Ja, Hildegard, so weit können wir dir folgen.
Chorisches Sprechen braucht oft wochenlanges Training. Bei Claire und Michel klappt es auf Anhieb.
Herr Grob, Sie kommen wie gerufen. Wir sind bereit für den Hauptgang. Der Salat war exzellent. Den Teller vom jungen Herrn können Sie noch stehen lassen. Er wird den Salat bestimmt gerne zum Hauptgang noch fertig essen, gell, Michel?
Herr Grob tut wie geheißen und bald stehen riesige Teller mit adrett verteilten winzigen Medaillons aus Sellerie vor ihnen, eingehüllt in zarte Sesammäntelchen, garniert mit dreieinhalb Kefen und sieben durchs Wasser gezogenen Kartoffelwürfelchen von beinahe durchsichtiger Konsistenz. Grob und Michel sind nun so weit eingespielt, dass es für die weiteren Bierlieferungen nicht mehr als je einen Blick und das unmerkliche Anheben einer Augenbraue brauchen wird. Dieser Knoten wäre also schon einmal erfolgreich geschürzt.
Guten Appetit. Jetzt zurück zu unseren Knoten. Die fanden nämlich schon früh auch noch eine Anwendung, die nicht praktischer Natur war. Nämlich als Symbol oder als Metapher.
Jetzt meinst du sicher den gordischen Knoten, gell, Hildegard.
Ja, Michel. Ganz recht. Wie aufmerksam.

Hildegard schenkt ihm einen züchtigen Augenaufschlag, der aber für Ehrsam'sche Verhältnisse recht gewagt ist.
Wissen Sie was, Herr Grob, heute ist ein ganz besonderer Tag. Bringen Sie mir bitte auch ein Bier. Und für Claire auch eins.
Grob guckt, als hätte sie ihm einen Heiratsantrag gemacht, sputet sich dann aber.
Hildegard wirft ihren Kopf zurück und öffnet den obersten Knopf ihres Jäckchens.
So! Jetzt kommen wir der Sache langsam näher. In mythologischen oder philosophischen Zusammenhängen tauchen schon früh die verschiedenartigsten Formen von Knoten auf.
Grob, der inzwischen Flügel hat, bringt die bestellten Biere.
Also, noch einmal: Zum Wohl!
Sie nimmt gleich einen tüchtigen Schluck. Dann stachelt sie sich ein Medaillon auf die Gabel.
Mhm, dieser Sellerie ist wunderbar. Mit Bier schmeckt er noch einmal so gut. Wo war ich stehen geblieben? Ah ja, jetzt kommen wir zu unserem Ornament auf dem goldenen Hammer von Ghuangzhou. Dieses Ornament stellt einen der kompliziertesten Knoten dar, die je ihre Darstellung gefunden haben. Er wird der buddhistische Knoten genannt.
Sie dreht sich unwillig um.
Grob! Wo sind Sie denn? Bringen Sie gleich noch einmal drei Biere.
Grob grinst und zündet den Overdrive. In null Komma nichts stehen die drei Gläser auf dem Tisch.
Prost. Ich heiße Hildegard. Ach ja, das hatten wir schon! Was wollte ich gerade sagen? Ja, warum könnte das nun für deinen Fall interessant sein, Michel?
Hildegard, ich habe nicht den blassesten Schimmer einer Ahnung.
Das habe ich mir gedacht. Ich habe sowieso den Eindruck, dass du nicht gerade der Schnellste bist. Aber du scheinst trotzdem in Ordnung zu sein. Und du hast ja Claire.
Michel ist so baff, dass er nur ein dämliches Grinsen zustande kriegt.
Claire taucht mit ihrem Gesicht unter den Tisch, um dort in der Anonymität ihres Lachkrampfes irgendwie Herr zu werden.
Grob! Wo steckt denn dieser Grob wieder? Ah, da bist du ja, Grob.
Was darf's denn sein, Fräulein Ehrsam?
Bist du jetzt auch noch blind, Grob? Unsere Gläser sind beinahe leer.

Und die Teller kannst du auch wegräumen. Oder machen das hier seit neuestem die Gäste selber?
Nein, natürlich nicht. Aber ich habe ja auch noch andere Gäste.
Wo denn, Grob? Ich sehe keine anderen Gäste. Wir sind die Gäste. Basta. Also, Michel, keines dieser Symbole ist natürlich geschützt. Schon gar nicht vor Missbrauch. Denk nur an das keltische Sonnenrad, Michel.
Was ist damit, Hildegard?
Die Angesprochene starrt ihn verzweifelt an, dann verwirft sie theatralisch die Hände und guckt an die Decke. Schnell bläst Claire das Stichwort ein.
Ach so, ja klar. Du redest vom Hakenkreuz, Hildegard. Ja, das ist natürlich der Gipfel des Missbrauchs. Schweinenazis, die Saubande, die!
Grob landet just in dem Moment mit drei neuen Gläsern Bier.
Wünschen Sie die Dessertkarte, Fräulein Ehrsam?
Dessert? Wie geschmacklos. Also nein! Sie sehen doch, Grob, dass wir Bier trinken.
Grob rauscht beleidigt ab.
Der wäre wohl doch besser bei der Heilsarmee geblieben, oder, Michel? Als Knabengeneral mit kurzen Hosen. Ist doch wahr, ha, ha, ha …
Jetzt bricht aus Fräulein Ehrsam ein Kichern und Lachen heraus, das niemand vermutet hätte. Wer hätte ahnen können, dass in dieser ungeküssten Brust so ein Lachen wohnt? Und dass drei Gläser Bier reichen, es herauszulösen? Michel lacht schon Tränen und Claire hält ihren kleinen Bauch mit beiden Händen.
Stopp. Ich kann nicht mehr. Gnade, Hildegard. Gleich mach ich in die Hose.
Aber du hast ja einen Rock an, Claire!
Aber Michel, sie meinte wohl ihr Höschen!
Aber Hilde, sie hat doch nie ein Höschen an.
I bewahre, also nein. Und er nennt mich Hilde! So hat mich lange niemand mehr genannt. Hilde, du Wilde … sei nicht so streng, sei ein bisschen milde … ha, ha, ha.
Hildegard schnappt nach Luft.
Es dauert eine gute Weile, bis die drei sich wieder einigermaßen gefangen haben.

Hildegard holt tief Atem und gibt sich alle Mühe weiterhin aufrecht zu sitzen. Denn ihr Motto ist: Haltung ist alles! Trotzdem fällt ihr das klare Sprechen langsam schwer.
Zurück zu deinem äh … Fall und zu dem Missbrauch, Michel. Oje, jetzt ist mir irgendwie schwindlig und ein bisschen schlecht. Also … ich habe in der unendlichen Welt des Internets Hinweise gefunden, dass in Asien – und zwar länderübergreifend – eine Vereinigung von Wirtschaftsleuten existiert, der auch gewisse Kreise einer chinesischen Mafia zugehören, die sich den bu…bu…ddhistischen Knoten als Zeichen ihrer Vereinigung entlehnt hat. Das Ziel dieser Vereinigung ist, oje … mir ist schwindlig … ist nicht mehr und nicht weniger als die äh … hicks … pardon … Vorherrschaft über den Westen zu erringen und in den Besitz der wichtigen Ressourcen zu kommen, bevor sie der Westen komplett aufgebraucht hat. Das Letzte kann ich sogar noch verstehen … So! Ich habe geschlossen! Grob. Die Rechnung, bitte!
Diesen Satz bringt sie gerade noch über ihre Lippen, dann kippt sie vom Stuhl. Zum Glück ist der gute Grob in Reichweite und es gelingt ihm gerade noch, das besoffene Fräulein Ehrsam aufzufangen. Schwer ist sie ja nicht. Kaum liegt sie in seinem Arm, beginnt sie selig zu schnarchen.
Was machen wir jetzt mit ihr? Bringt ihr sie nach Hause? Ich habe die Adresse. Sie wohnt hier um die Ecke.
Michel seufzt und blickt zu Claire.
Ja. Machen wir. In Gottes Namen. Komm, gib sie mir. Claire, kannst du die Rechnung begleichen?
Grob wehrt ab.
Nein, nein. Sie wollte euch unbedingt einladen. Ich werde morgen einkassieren. Sie kommt ja jeden Tag.
Also los, Claire. Bringen wir es hinter uns. Danach brauch ich dringend ein blutiges Steak und dann – dann gehen wir auch nach Hause.

FÜNFUNDDREISSIG

Tanner startet den Motor des schweren Jaguars, dreht die Lichter an und fährt behutsam aus dem engen Parkhaus, in dem Bruckner einen Dauerplatz gemietet hat. Der Motor des eleganten Wagens schnurrt in den engen Spiralschlaufen der Ausfahrt wie eine zufriedene Wildkatze. Draußen im Freien wird man kaum noch ein Geräusch hören. Der Wagen gehorcht dem leisesten Druck auf's Gaspedal. Der Parkwächter hat ihm ohne ein Wort die Schlüssel des Wagens ausgehändigt. Es lief alles genau so ab, wie Bruckner es am Telefon beschrieben hatte. Er klang irgendwie bedrückt und etwas diffus. Außer in seinen Anweisungen. Da hatte er klare Vorstellungen inklusive eines exakten Zeitplans. Da er möglicherweise beobachtet werde, müsse Tanner seinen Wagen aus der Garage holen. Er könne im Moment sowieso nicht selber lenken. Und es sei besser, wenn sie hinaus aufs Land führen. Alles Weitere würde er ihm dann später berichten. Er müsse sich nur genau an seinen Plan halten.

Die vielen Stunden zwischen Bruckners Anruf und dem Starten des Jaguars waren für Tanner schier unerträglich gewesen. Die Zeit rann zäher als eingedickter Honig. Nachdem er seine alte Dienststelle um Auskünfte über die Firma von Tetsuo Amagatsu gebeten hatte, hieß es auch da: warten und nochmals warten. Tanner irrte in der Zwischenzeit in der Stadt umher, geradeso wie früher in seiner Jugendzeit, wenn er – getrieben durch seine Rastlosigkeit – nichts mit sich anzufangen wusste. Auf der Suche nach einem Abenteuer, das er dann äußerst selten bis nie fand. Einen Moment lang hatte er erwogen, in die Klinik zu Elsie zu fahren, aber dafür schien ihm die Zeit dann doch zu knapp. Vielleicht war es aber auch nur eine Ausrede, denn er fühlte sich aufgrund seiner Unruhe nicht in der Lage, sich auf Elsies Zustand einzulassen. Also verwarf er diese Idee. Er setzte sich in das erstbeste Kino, flüchtete aber bald, weil er den Film unerträglich fand. Die nächste Station war das kleine Stammlokal, in dem Kiharu ihre freien Nachmittage verbrachte. Aber entweder hatte sie nicht frei oder sie hatte heute keine Lust auf den Tea Room. Nach einer Stunde Warten gab Tanner enttäuscht auf. Andererseits war er froh, dass er sie nicht angetroffen hatte. Dieser Widerspruch war ge-

radezu typisch für seinen inneren Zustand. Sich sehnlichst etwas herbeizuwünschen und trotzdem erleichtert zu sein, wenn es dann nicht eintraf.
Irgendwann meldete sich dann immerhin seine alte Dienststelle. Leider wusste er nach dem Anruf auch nicht viel mehr als vorher. Gegen die Firma lag international nichts von Bedeutung vor. Die Firma war eine Holding-Gesellschaft, die an unzähligen asiatischen, amerikanischen und europäischen Firmen beteiligt war. Angefangen bei Automobilfirmen, Biochemiefirmen, Raffinerien und Banken und Versicherungen war alles dabei, was in der globalen Wirtschaft von Interesse ist. Ebenso wenig lag gegen den wichtigsten Mann dieser gigantischen Zusammenballung industrieller und finanzieller Macht, Tetsuo Amagatsu, etwas vor. Enttäuscht bedankte sich Tanner für die Auskünfte und meldete sie gleich an Michel weiter, der ebenso frustriert war. Allerdings wurde ihnen allmählich klar, dass sie möglicherweise am selben Fall arbeiteten. Und das schon die ganze Zeit.
Mensch, Tanner, das kann doch kein Zufall sein. So was gibt es doch gar nicht. Ich verstehe zwar die Zusammenhänge überhaupt nicht, aber das kommt ja vielleicht noch. Und jetzt kommt es gleich noch dicker, Tanner.
Michel berichtete von Louis Pinget, den die Leute hier den Japaner nannten und dass der sich seit Jahrzehnten mit irgendwelchen neuen Technologien beschäftigte. Und er erzählte ihm auch Fräulein Ehrsams Theorie von der asiatischen Weltverschwörung und ihrem Emblem, dem buddhistischen Knoten.
Wie sieht der denn aus, dieser Knoten?
Also, das ist halt so etwas Verschlungenes, äh … so verworren, weißt du. Ähnlich wie der gordische Knoten, nur nicht ganz so wirr. Den kennst du ja, oder? Alexander und so? Nur ist der buddhistische Knoten ohne Anfang und Ende. Stellt die Verschlungenheit und die Vielfalt des Lebens dar. Und dass eben alles miteinander verbunden ist. Verstehst du? Dieser Knoten findet sich als Ornament auf dem Hammer.
Mann, was du alles weißt! Und warum erzählst du mir das erst jetzt, Michel? Ich habe diesen Knoten ja auch gesehen, und zwar hatte Michiko den eintätowiert. Mensch, das hättest du mir auch schon früher sagen können. Außerdem haben wir vom mutmaßlichen Mörder

eine Kette gefunden. Mit einem Anhänger, der genau dieses Motiv abbildet. Mann oh Mann!
Früher, früher! Du bist gut. Ich weiß ja von der Existenz dieses Superknotens auch erst seit gestern. Du machst mir Spaß. Also wirklich. Und wer ist übrigens Michiko?
Eine Japanerin, mit deren Tod eigentlich alles begann. Wenigstens für mich.
Tanner gibt ihm eine knappe Zusammenfassung aller Ereignisse der letzten Tage.
Ja, ihr Männer von Athen, und warum erzählst *du* mir das alles erst heute?
Weil wir dumm waren. Und du warst ja so mit deinen Kühen und deiner Claire beschäftigt.
Ach, ja? Und mit wem warst du denn so beschäftigt?
Du hast ja Recht. Aber das erzähle ich dir ein anderes Mal. Hör mal, Michel, ich treffe heute am späten Abend einen alten Freund, der irgendwie in die ganze Sache verwickelt ist und der gerade aus Japan – sozusagen aus der Höhle des Löwens, vermute ich – zurückgekommen ist. Von ihm erhoffe ich Aufschluss über manche Dinge. Sobald ich mehr weiß, rufe ich dich gleich an. Vielleicht wird es aber erst nach Mitternacht sein.
Brummend verabschiedete sich Michel.
Tanner lenkt den Jaguar mittlerweile gerade in eines der großen städtischen Parkhäuser. Dies gehört zu Bruckners Plan, falls nicht nur seine Person, sondern auch sein Auto beschattet würde. In dem Parkhaus soll Tanner so lange bleiben, bis er sicher sein kann, dass ihm niemand gefolgt ist. Diese Prozedur soll Tanner noch zweimal in anderen Parkhäusern wiederholen. Falls Natter heute Abend auch wieder Schatten spielte, ihn hätte er mit diesen Manövern längst abgehängt. Es gibt natürlich weitaus geschicktere Verfolger als Natter, denen man nicht so leicht etwas vormacht.
Ziemlich genau innerhalb des Zeitplans erreicht Tanner eine belebte Tankstelle, bei der er das Auto voll tanken soll. Hier soll Bruckner zusteigen. Tanner blickt sich unauffällig um, kann Bruckner aber nirgends entdecken. Nachdem er an der Kasse bar bezahlt hat, steigt er wieder ins Auto.
Hey, Tanner, ich liege auf dem Rücksitz. Dreh dich nicht um, sondern fahr los. Nimm unsere alte Strecke.

Tanner startet den Motor und schmunzelt. Wirklich clever gemacht von Bruckner, selbst er als Profi hat ihn nicht bemerkt.
Sie schweigen, bis sie die Stadt hinter sich gelassen haben. Sie werden nicht verfolgt.
Halt doch mal irgendwo an, dann kann ich mich neben dich setzen.
Zu Befehl, Herr Mysteriös.
Auf dem Parkplatz einer öden Wohnwagenausstellung kann Tanner anhalten. Schnell springt er aus dem Wagen, um Bruckner die Tür aufzumachen. Dieser kriecht ächzend vom Hintersitz. Bruckner umarmt Tanner ungestüm und hält ihn eine Weile fest in seinem Arm. Tanner ist ziemlich baff über so viel Emotion von dem sonst eher höflich distanzierten Jugendfreund.
Hallo, mein Freund. Wie gut, dich zu sehen. Und bitte, erschrick nicht, wenn du mich ansiehst. Ich bin nämlich über Nacht weiß geworden.
Tanner löst sich aus der Umklammerung. Dann erschrickt er.
Wie? Du bist weiß ge …? Um Gottes willen, Bruckner! Wie siehst du denn aus?
Bruckner steht leicht gebeugt vor ihm und lächelt ein schiefes Lächeln. Seine Haare sind tatsächlich weiß geworden und seine linke Hand ist dick einbandagiert.
Deine Haare sind ja ganz weiß geworden. Wie ist denn so etwas möglich? Was ist denn passiert?
Sag ich doch. Ich habe doch gerade gesagt, du sollst dich nicht erschrecken. Ja, meine Haare sind weiß geworden. Na und? Rot oder weiß! Spielt doch keine Rolle.
Ja, aber wie ist denn das passiert?
Das ist eine lange Geschichte. Ein Teil davon werde ich dir erzählen, wenn wir endlich wieder in mein Auto steigen. Oder willst du die Nacht auf diesem öden Gelände verbringen? Vielleicht in einem dieser bescheuerten Wohnwagen?
Tanner kann sich nicht erholen.
Tut mir Leid, Richard, wenn du mich für etwas langsam hältst. Aber ich kann es einfach nicht fassen. Und was, um Gottes willen, ist mit deiner Hand passiert?
Meine Hand ist in eine Autotür geraten, die jemand etwas zu beflissen schnell zugemacht hat.
Aua! Das hat wehgetan. Mensch, Bruckner! Ich fasse es nicht!

Jetzt mach halt nicht so ein Trara. Ich stehe doch lebend vor dir und lächle. Ist das nix? Komm, jetzt machen wir unsere Tour. Letztes Mal mussten wir ja abbrechen, weil ein einzelner Herr sein Rendezvous verschwitzt hatte. Pardon, das war jetzt geschmacklos von mir. Los, steig ein und mach bitte nicht so ein Gesicht. Sonst muss ich noch denken, es steht ein Monster vor dir.
Sie steigen wieder ein. Bruckner betrachtet sich im Beifahrerspiegel und lacht.
Ich sehe doch eigentlich recht attraktiv aus mit weißen Haaren, findest du nicht?
Ja, doch. So kann man es auch sehen, Richard.
Tanner ist es ziemlich flau im Magen. Seine Tante hat ihm früher die Geschichte von dem jungen Mädchen erzählt, das im Bombenhagel von Dresden zwei Tage lang verschüttet war. Als man es lebend fand, hatte es schlohweiße Haare. Tanner hatte damals nächtelang Albträume. Was musste Bruckner widerfahren sein, dass sein Körper so heftig reagierte?
Wie geht es denn dir, Tanner? Martha hat mir erzählt, dass du in jener Nacht angeschossen wurdest.
Davon bleibt höchstens ein kleiner Kratzer zurück. Kaum noch zu sehen.
Tanner startet nun den Jaguar und lenkt den schweren Wagen zurück auf die leere Straße.
Ich stell mal die Klimaanlage etwas höher, wenn es dir recht ist, Simon. Ist ja immer noch eine Sauhitze draußen. War es denn die ganze Zeit über so heiß?
Tanner nickt.
Ja, es war die ganze Zeit über so ungewöhnlich heiß.
Nach dieser belanglosen Konversation verstummen beide. Als sie an der alten Zementfabrik mit der langen Brennröhre vorbei sind, blickt Tanner seinen Freund an.
Soll ich dir jetzt gezielt Fragen stellen oder erzählst du mir mal der Reihe nach? Einige Erklärungen, denke ich, bist du mir schon schuldig, oder, Richard?
Das bin ich, in der Tat. Ich weiß aber beim besten Willen nicht, wo ich anfangen soll.
Am Anfang! Ganz von Anfang an und der Reihe nach.
Und wenn es keinen Anfang gibt?

Das ist mir zu philosophisch, Richard. Dann mach es andersrum. Erkläre mir mal in einfachen und klaren Worten, worum es bei der ganzen Geschichte eigentlich geht.
Bruckner stellt seine Sitzlehne tiefer.
Es geht ums große Wassergeschäft.
Wie bitte? Es geht um Geishas und Nutten?
Nein, nein. Das ist das kleine Wassergeschäft.
Bruckner lacht.
Das eine nennt man von alters her so. Das andere nenne *ich* das große Wassergeschäft.
Und um was, bitte schön, geht es beim großen Wassergeschäft?
Du weißt, dass die Öl- und Gasreserven dieser Erde langsam zu Ende gehen?
Ja, stell dir vor, das weiß sogar ich.
Irgendwann werden die Ressourcen knapp. Du kannst dir vorstellen, was dann auf der Erde los sein wird. Es werden ja, wie wir wissen, bereits heute Kriege um die Ölfelder geführt, auch wenn man sie offiziell mit anderen Motiven verbrämt. Die Investitionen in Alternativenergien sind aber unbegreiflicherweise immer noch marginal. Kannst du mir so weit folgen?
Tanner nickt.
Stell dir vor, es gäbe jemanden, der ganz im Stillen ein revolutionäres Verfahren entwickelt hätte, das es möglich machen würde, billig und effizient Wasserstoff zu gewinnen und damit zu einer neuen, universell verwendbaren Energie zu kommen. Was würde da passieren, Simon?
Es klingt vielleicht ein bisschen pathetisch, aber ich würde sagen: Wer dieses Verfahren besitzt, beherrscht die Welt.
Bruckner blickt Tanner ernst an.
Besser kann man es nicht auf den Punkt bringen, Simon.
Und das ist es, was du das große Wassergeschäft nennst?
Exakt. Siehst du die Dimension?
Ja, Richard, ich sehe die Dimension. Das heißt, natürlich nein. Aber ich ahne sie. Und wie geht deine Geschichte jetzt weiter, Bruckner?
Da du die Dimension vom großen Wassergeschäft erahnen kannst, kannst du dir vielleicht auch vorstellen, welche Geldsummen und welche Macht im Spiel sind?

Da kommt es auf das eine oder andere Leben nicht besonders an, ja? Willst du das damit sagen?
Ich verdamme das und ich habe damit nichts zu tun.
So, so. Du hast damit nichts zu tun! Und was soll dann das ganze Theater mit den Parkhäusern und den Tankstellen. Kannst du mir das einmal freundlicherweise erklären? Irgendeine Rolle spielst du doch, oder?
Nur eine kleine, unbedeutende Nebenrolle.
Die da wäre?
Bruckner seufzt und stellt seine Sitzlehne wieder etwas aufrechter.
Ich war für meine Bank einige Jahre in Japan, wie du weißt. Ich hatte um eine zeitlich begrenzte Versetzung gebeten, da die Arbeit hier mit der Zeit etwas monoton wurde. Man hatte damals meinem Wunsch entsprochen. Man hat mich in Japan mit Spezialaufgaben betreut.
Lass mich mal raten, lieber Bruckner. Du solltest für deine Bank neue Beziehungen knüpfen, eventuell neue Investoren auftun. Stimmt's? Darüber hinaus solltest du von Japan aus ein bisschen Industriespionage betreiben, denn die Bank wollte früher als die Konkurrenz wissen, wenn sich etwas Neues, etwas Aufregendes tut.
Volltreffer, Tanner. Man wusste, dass bestimmte Geschäftskreise im asiatischen Bereich bereit waren, sozusagen eine industrielle Großoffensive zu starten. Das Ziel war und ist, sich von der Vorherrschaft des Westens und der USA frei zu machen. Dabei geht es natürlich vor allem auch um Knowhow-Transfer. Meine Aufgabe war es, Beziehungen zu knüpfen, diese zu fördern und dafür zu sorgen, dass bei den dadurch notwendigen Investitionen für die Bank möglichst viel abfällt.
Und für dich? Fiel dabei auch für dich etwas ab, wenn ich mal so fragen darf?
Nicht wirklich. Wenigstens nicht am Anfang. Aber dazu komme ich später. In dieser Zeit habe ich Tetsuo Amagatsu kennen gelernt, einen der weisesten Firmenlenker, die es gibt.
Oje, jetzt kommt wieder die Lobeshymne auf diesen Typen.
Okay, Tanner, mach dich nur lustig. Wenn du ihn kennen und erleben würdest, du würdest ganz sicher zu derselben Einschätzung kommen wie ich. Da mache ich jede Wette mit dir.
Ja, gut. Ich glaube dir. Und weiter?

Er war der Erste, der begriffen hat, dass es wenig Sinn macht, den USA oder dem Westen die Oberherrschaft über die Ölressourcen streitig zu machen. Er glaubt an neue Energiequellen. Und für die will er, wenn es sie denn gibt, all seine Kraft einsetzen, um dort der Erste zu sein.
Das große Wassergeschäft!
Ja, genau. Er engagierte in der ganzen Welt unzählige Wissenschaftler, die den Auftrag hatten, nach diesen neuen Technologien Ausschau zu halten, bevor andere sie entdeckten.
Forschungs- und Industriespionage nennt man das im Allgemeinen.
Nenn es, wie du willst. Auf die große Sache sind wir eigentlich erst gestoßen, als ich schon wieder zurück aus Japan war. Ich bin durch einen Wissenschaftler, der in der hiesigen Chemie arbeitet, auf eine interessante Sache aufmerksam gemacht worden.
War dieser Wissenschaftler zufälligerweise Japaner und hieß Fukumoto?
Bruckner blickt ihn überrascht von der Seite an.
Nein, Tanner. Du bist zu schnell. Auf den komme ich noch.
Hör mal, Richard. Ich will dich ungern unterbrechen, aber wir nähern uns unserem Restaurant. Sollen wir dort einkehren?
Ja, doch. Das halte ich für eine sehr gute Idee. Hoffentlich haben sie noch diese saftigen Fleischspieße vom offenen Feuer.
Ganz sicher. Die wären ja dumm. Deswegen kommen doch die Leute.
Der Wissenschaftler, von dem ich rede, war zwar auch Japaner, hieß aber Sakamoto. Er ist übrigens bei einem Segelunfall auf deinem See umgekommen. Dieser Tod war wirklich ein Zufall. Dass er auf deinem See segelte, war insofern kein Zufall, als er dort in der Nähe ein Wochenendhaus besaß. Und er war der Schüler und Freund eines anderen, eines ganz großen Wissenschaftlers, einer Koryphäe, der in der Nähe des Sees auf einem Bauerngut zurückgezogen lebt und seine eigenen Forschungen betreibt.
Tanner parkt nun den Jaguar auf dem gut besetzten Parkplatz des Restaurants, das links von der Straße behäbig auf einer schönen Anhöhe sitzt und einem das wohlige Gefühl vermittelt, man sei bereits in Frankreich.
Tanner und Bruckner steigen aus.
Du redest sicher von Louis Pinget, dessen Hof vor zwei, drei Tagen einer Brandstiftung zum Opfer fiel.

Bruckner klemmt sich vor Schreck beinahe ein zweites Mal seine Hand in der Autotür ein.
Was? Ist das wahr? Das ist ja eine Katastrophe. Und was ist mit seinem Labor?
Es ist wohl alles niedergebrannt. Seine beiden Angestellten liegen mit schweren Rauchvergiftungen auf der Intensivstation. Pinget selber war in jener Nacht nicht dort. Er sei ins Ausland verreist. Niemand weiß, wohin. Kannst du ihn erreichen? Es wäre sehr dringend, dass er zurückkommt.
Das kann ich machen. Ich weiß, wie man ihm eine Botschaft zukommen lassen kann. Aber ich kann es erst morgen früh tun.
Gut. Aber mach es bitte. Und wenn er zurück ist, arrangierst du ein Treffen mit ihm. Du kannst ja auch dabei sein, wenn du willst.
Ich werde es versuchen. Komm, wir gehen essen und ich erzähle dir weiter.
Das Restaurant ist ziemlich gut besucht. In der Mitte glüht das offene Feuer, auf dem diese unglaublichen Fleischstücke gebraten werden. Auf den Tischen stehen unzählige Kerzen. Einen romantischeren Gegensatz zum dunklen und eher abweisenden Tal kann man sich nicht vorstellen. Bruckner steuert auf einen unbesetzten Tisch in einer lauschigen Nische zu.
Wir nehmen das Übliche, oder? Und ich zahle, Tanner!
Wenn es dich glücklich macht.
Die Chefin selbst kommt an den Tisch. Sie steht einen Moment da, blickt sie an und stutzt.
Guten Abend, die Herren. Täusche ich mich oder waren Sie beide früher regelmäßig hier?
Was für ein Gedächtnis Sie haben, Madame! Richtig, mein Freund Tanner und ich waren früher sehr oft hier.
Und Sie haben sich kein bisschen verändert. Ich freue mich sehr, dass Sie den Weg zu uns wieder einmal gefunden haben. Was darf ich Ihnen denn bringen?
Danke für das Kompliment, wenn es denn eins ist. Bringen Sie uns bitte das Übliche, falls es das noch gibt.
Ja, sicher, bei uns hat sich nichts verändert! Und es *war* als Kompliment gemeint.
Sie sagt es voller Stolz und lässt die beiden allein.
Also, wo war ich stehen geblieben? Ja, genau, bei Sakamoto. Das war

der mit dem Segelunfall auf deinem See. Er hatte eine leitende Stellung und wir verhandelten über Fördergelder. Meine Bank ist an einer Stiftung beteiligt, die innovative Forschungsprojekte finanziert. Fukumoto, den du bereits erwähnt hast, arbeitete in seinem Stab. Also, es war Sakamoto, der mich eines Tages auf die Arbeit seines Lehrers Pinget aufmerksam machte. Nach einigen Abklärungen und Gesprächen mit Pinget war ich wie elektrisiert, denn ich war der Überzeugung, dass ich den Schatz gefunden hatte, nach dem Tetsuo so dringend sucht. Pinget war anfänglich auch einverstanden, dass ich mit Tetsuo Verhandlungen aufnehme. Ich bin sofort nach New York gereist, denn er dirigierte damals seine Geschäfte von dort aus. Ich habe ihm das Projekt von Pinget vorgelegt. Er hat die Unterlagen geprüft und hat mir sofort grünes Licht gegeben.
Grünes Licht? Was heißt das?
Ja, das heißt, äh … dass er mir weitgehende Vollmachten gab und auch ein Konto eröffnete, über das ich verfügen konnte. Sakamoto, der noch bei der hiesigen Chemie arbeitete, wollte dort aussteigen und mit Pinget weiter an dem Verfahren arbeiten, deswegen war er auch dafür, die Verhandlungen mit Tetsuo intensiv voranzutreiben. Aus irgendeinem Grund hasste er seine Firma. Jetzt kommt dein Fukumoto ins Spiel. Der hatte fatalerweise von der Sache Wind bekommen, ging schnurstracks zur obersten Direktion und erzählte denen alles. Die Folge war, dass Sakamoto als Chef abgesetzt und eine Anklage gegen ihn angestrengt wurde.
Aha. Und Fukumoto übernahm seine Position, quasi als Lohn für seine Loyalität gegenüber seiner Firma?
Ja, genau. Fukumoto bekam also den Auftrag, mit Pinget zu verhandeln, aber natürlich im Namen seiner Firma. Damit begann die ganze Sache aus dem Ruder zu laufen. Sakamoto starb bei diesem erwähnten Unfall. Ein merkwürdiger Zufall. Fukumoto wurde aus dem Verkehr gezogen. Das war dann vermutlich kein Unfall. Ich vermute, dass Ito dahinter steckt. Du warst ja offensichtlich dabei, als er in den Armen einer Nutte starb. Mir entzog Tetsuo sofort das Mandat. Das Konto wurde geschlossen. Aus der Traum.
Tanner blickt Bruckner direkt an.
Kommt jetzt die Stelle, wo du erzählen möchtest, was für dich bei der ganzen Sache abfällt?
Ist das nicht ein unnötiges Detail, Simon?

Vielleicht, Richard. Ich bin aber ein rettungslos neugieriger Mensch. Komm, zier dich nicht.
Also gut. Zuerst die schlechte Nachricht. Mit dem Wegfall des Mandats kriege ich natürlich keine zukünftigen Beteiligungen mehr an der Sache.
Und die gute?
Für das Aufspüren von Pinget und die Vermittlung an Tetsuo bekam ich zwanzig Millionen ausbezahlt.
Schweizer Franken?
Dollar.
Okay. Dann kannst du wirklich unser Essen bezahlen! Mein Gott, ich glaub, ich höre nicht recht. Und das nennst du eine kleine, unbedeutende Rolle im Spiel?
Komm, Simon. Es geht hier um ein Milliarden-, wenn nicht Billionengeschäft. Da sind zwanzig Millionen Peanuts. So. Und jetzt wünsche ich dir einen guten Appetit.
Mittlerweile wurden ihnen die ovalen Teller mit den Fleischspießen serviert. Dazu verschiedene Salate und in einer separaten Schüssel köstliche von Hand geschnitzte Pommes Frites.
Ja. Das wünsche ich dir auch, Richard.
Sie essen schweigend. Mit jeder Minute steigt in Tanner die Wut, wenn auch eine ohnmächtige. Nach einer Weile wirft er sein Besteck auf den Teller.
Und warum musste Michiko sterben? Kannst du mir das bitte erklären? Ich meine, diese Sakamotos und Fukumotos sind mir irgendwie egal. Ich gebe es unumwunden zu. Aber warum Michiko! Könnt ihr denn eure großen Geschäfte nur machen, indem ihr eure Wege mit Leichen pflastert? Kannst du denn noch ruhig schlafen, Richard? Ich weiß, ich klinge wie ein Waschweib, aber es ist doch wahr. Verdammte Scheiße.
Nein, Simon, du klingst nicht wie ein Waschweib. Ich habe zwar noch nie jemandem persönlich ein Leid angetan, aber ich bin nicht so naiv, wie du glaubst. Ich habe mich in etwas verstrickt, das ich unterschätzt habe und das ich nicht mehr kontrollieren kann. In dem Sinne bin ich Teil dieser ganzen Tragödie. Das Ganze ist zu einem immensen Krebs gewuchert, den wahrscheinlich niemand mehr stoppen kann. Aber, glaub mir, ich habe getan, was in meiner Macht steht. Und ich habe meinen Preis bezahlt.

Ja, so flennen sie immer, die Zauberlehrlinge! Wenn die Monster, die sie geschaffen haben, selbstständig werden und aus dem Ruder laufen. Wie heißt es so treffend bei Goya? *Der Schlaf der Vernunft gebiert Monster.* Mit deinen Monstern möchte ich auf jeden Fall nicht leben. Verstehst du, Richard, ich mache dir persönlich gar keinen Vorwurf. Ich meine, wer bin ich denn? Ich möchte einfach nicht in deiner Haut stecken, ehrlich gesagt. Auch für zwanzig Millionen nicht.
Geschlafen habe ich übrigens seit der Nacht, als ich dich ohne ein Wort verlassen hatte, nicht mehr. Das kann ich dir versichern.
Ah ja, da fällt das Stichwort. Was hat dich denn da getrieben? Steht einfach ohne ein Wort der Erklärung auf und verlässt das Restaurant. Doch nicht, weil ich dich gefragt habe, ob Chiyo die Schwester von Michiko ist, oder?
Ja und nein, Simon. Aber iss doch weiter. Es ist doch schade um das schöne Essen. Ob du isst oder nicht, ändert doch auch nichts, oder? Eines sage ich dir noch einmal: Tetsuo ist kein Mörder.
Ja, ja, Richard. Ich höre deine Worte, allein, mir fehlt der Glaube. Michiko ist ja nicht von selbst gestorben, oder? Sie war offensichtlich eine gefährliche Zeugin. Fukumotos Tod ist ganz bestimmt kein natürlicher, sonst hätten sie seine Leiche nicht in einer Nacht-und-Nebel-Aktion beiseite geschafft. Dieselben, die für den Mord an Fukumoto verantwortlich sind, sind auch die Mörder von Michiko. Und wer hat einen Vorteil durch Fukumotos Tod? Wäre Sakamoto nicht durch seinen Segelunfall gestorben, käme vielleicht sogar er in Frage. Das Motiv wäre dann Rache. Aber er kommt als Täter nicht in Frage. Sein Alibi ist durch seinen eigenen Tod wasserdicht. Ergo kann es ja nur Tetsuo sein, der Fukumotos und Michikos Tod zu verantworten hat. Denn er ist der Einzige, der einen Vorteil durch diese Morde hat. Das ist doch glasklar, Richard. Und jetzt erklär mir endlich, warum du damals das Restaurant ohne ein Wort verlassen hast.
Bruckner rutscht auf seinem Stuhl herum und wischt sich den Mund mit seiner Serviette sauber.
Nachdem du mir all die Geschichten um den Tod der beiden Japaner und den Tod von Michiko berichtet hattest, bin ich in Panik geraten. Denn mir war erstens sofort klar, dass sie die Leiche von Michiko in den Brunnen gelegt haben, um mich zu warnen, und zweitens, dass die ganze Sache aus dem Ruder läuft. Ich wusste aber, dass Tetsuo auf dem Sprung zum Flughafen ist. Als ich an der Rezeption erfah-

ren habe, dass er bereits zum Flughafen unterwegs ist, habe ich mir ein Taxi geschnappt, denn ich wollte Tetsuo unbedingt Aug in Aug fragen, ob er etwas mit diesen Morden zu tun hat.
Du hast in also gefragt?
Ja, Simon. Aber er hat mir versichert, dass er nichts damit zu tun hat.
Und du hast ihm geglaubt?
Ich habe ihm geglaubt und ich glaube ihm auch heute noch. Dann hat er mich inständig gebeten, gleich mit ihm in seiner Privatmaschine nach Japan zu fliegen, weil er meine Anwesenheit dort dringend für notwendig hielt.
Und das ist ihm nicht vorher in den Sinn gekommen? Abgesehen davon hat er dir doch dein Mandat weggenommen?
Ja, das stimmt. Trotzdem hat er mich plötzlich unbedingt in Japan haben wollen, weil es ein paar Missverständnisse zu klären galt, wo er mich dabeihaben wollte. Außerdem ist er ein Mann von schnellen Entschlüssen.
Und? Konntet ihr sie klären?
Ja. Gott sei Dank.
Das müssen aber furchtbare Missverständnisse gewesen sein.
Wie meinst du?
Tanner deutet mit der Gabel auf Bruckners weiße Haare.
Ach so. Ja, es waren zähe Verhandlungen.
Und dann noch die Hand, nicht wahr?
Ja. Aber das hatte ja keinen Zusammenhang.
Bruckner beendet ziemlich abrupt sein Essen.
Kann es sein, Bruckner, dass du zu dem Zeitpunkt deine Millionen noch nicht auf dem Konto hattest?
Ja, das auch.
Bruckner spricht jetzt sehr leise.
Und?
Und was?
Hast du sie nun auf deinem Konto?
Ja.
Tanner spürt, dass Bruckner immer noch nicht die ganze Wahrheit sagt.
Richard, entschuldige, wenn ich es so hart formuliere, aber ich fühle mich irgendwie verarscht.
Aha? Und wieso?

Das, was du mir da erzählst, macht doch gar keinen Sinn. Oder nur halb. Was waren denn das für Missverständnisse? Da musst du schon konkreter werden, sonst glaube ich dir kein Wort.
Bruckner rutscht unruhig auf dem Stuhl herum.
Okay, du hast Recht. Ito hatte mich im Verdacht, dass ich ein doppeltes Spiel spiele.
Und, hast du das?
Was heißt hier doppeltes Spiel? Ich wollte sichergehen und habe auch mit anderen potenziellen Partnern verhandelt.
Hintenrum?
Ich musste mich doch absichern. Ich wusste ja, dass hiesige Kreise auch an dem Geschäft interessiert waren.
Du meinst die Arbeitgeber von Fukumoto?
Ja.
Davon hat Ito Wind bekommen?
Unglücklicherweise. Sie haben mich gezwungen, Pinget offiziell mitzuteilen, dass die Verhandlungen hier gescheitert sind. So blieb ihm dann keine andere Wahl.
Was heißt hier Wahl? Sie haben ihn ja sowieso fertiggemacht.
Ja, das stimmt. Aber in Itos Augen blieb immer noch ein Hintertürchen offen.
Das hast *du* dann zugeschlagen. Und dafür haben sie dich ausbezahlt?
Ja.
Bruckner zittert und ist dem Heulen nahe. Tanner ist es egal.
War Pinget denn auch in Japan?
Ja. Selbstverständlich.
Und was ist eigentlich mit Martha? Hat sie mit der Sache auch zu tun? Sie war ja zur selben Zeit in Japan.
Nein, Martha hat mit der Sache nichts zu tun.
Gar nichts?
Also, am Anfang hat sie für uns einige Aufträge erledigt. Unbedeutende Sachen. Später nicht mehr.
Ist ihr die Sache zu heiß geworden?
Da musst du sie schon selber fragen, Simon.
Tanner begreift, dass Bruckner auch hier blockt. Er nimmt die Skizze von Alois mit dem schemenhaften Mann aus seiner Brieftasche, entfaltet sie und legt sie Bruckner hin.

Wer ist das? Kennst du den Mann?
Bruckner nimmt seine Lesebrille und studiert die Zeichnung.
Das ist offensichtlich ein Japaner, oder?
Ja, Bruckner. So viel sehe ich auch.
Tut mir Leid. Ich kenne den Mann nicht.
Bruckner blickt Tanner offen an.
Glaub mir, ich kenne den Mann nicht. Ich weiß nicht, wer das ist. Hast du denn eine Idee?
Nein, Richard. Deswegen frage ich ja dich.
Tanner lügt, denn in dem Moment, als Bruckner die Skizze betrachtet hat, ist ihm plötzlich eingefallen, wo er diesen Mann schon einmal gesehen hat. Damit weiß er aber auch, dass Bruckner lügt.
Na ja, es war einen Versuch wert. Du musst ja auch nicht jeden Japaner kennen, oder? Aber ich dachte, vielleicht hilft uns der Zufall und du kennst ihn. Sehr schade. Wirklich sehr schade.
Ein zweites Indiz, dass Bruckner lügt, besteht in der Tatsache, dass er nicht einmal fragt, wer die Skizze angefertigt hat. Oder bei welcher Gelegenheit.
So, Richard, jetzt ist mir doch wohler und ich kann wieder essen.
Tanner gibt sich betont gelassen.
Übrigens, die Mörder von Michiko sind beobachtet worden, wie sie ihren Leichnam in den Brunnen gelegt haben. Hauptkommissar Schmid wird sicher alles daransetzen, diese Männer aufzuspüren und zu verhaften. Es ist nur eine Frage der Zeit. Dann wird ganz sicher der ganze Fall aufgerollt. Dann werden wir ja sehen. Isst du nicht mehr, Richard?
Nein, mir ist die Portion einfach zu groß. Früher habe ich das ja weggeputzt, aber heute ist es zu viel für mich. Zudem habe ich auch etwas Probleme mit der Verdauung.
Ja, das kann vorkommen. Gewisse Dinge, auch wenn man sie noch so gut kaut, sind schwer zu verdauen.
Dieses Fleisch auf jeden Fall.
Ja, das auch.
In diesem Augenblick ertönen die Klänge eines Wiener Walzers. Es ist Bruckners Mobiltelefon.
Bruckner steht auf und geht hinaus, um den Anruf entgegenzunehmen. Tanner schneidet sein letztes Stück Fleisch an. Die Chefin des Restaurants kommt an den Tisch.

Und? Hat es wie früher geschmeckt? Oh, ihr Freund hat ja gar nicht aufgegessen.
Doch, es hat ganz ausgezeichnet geschmeckt. Mein Freund hat lediglich Verdauungsprobleme.
Ich hoffe, es dauert nicht so lange, bis Sie uns wieder mit einem Besuch beehren. Darf ich Ihnen noch einen Kaffee bringen?
Sehr gerne.
Bruckner kommt zurück und setzt sich schwer auf den Stuhl. Sein Gesicht ist totenbleich.
Tanner, es ist unfassbar: Ito ist verschwunden. Man hat ihm offensichtlich eine Falle gestellt. Man befürchtet eine Entführung. Alles ist in Aufruhr. Hier ist meine Brieftasche. Kannst du die Rechnung begleichen, bitte? Ich gehe noch schnell auf die Toilette und danach muss ich schleunigst in die Stadt. Oh, mein Gott. Ist das schrecklich! Die denken jetzt sicher …
Bruckner verschwindet in Richtung Toilette.
Tanner winkt der Chefin und macht ihr das Zeichen für die Rechnung. Er mag jetzt auch nicht mehr essen.
Die Chefin kommt mit den beiden Kaffees und der Rechnung.
Mein Freund hat einen Anruf bekommen. Wir müssen leider sehr schnell aufbrechen.
Er bezahlt die Rechnung.
Ein Kellner kommt hastig zu ihrem Tisch und sagt aufgeregt, dass der Gast mit den weißen Haaren, der hier gesessen habe, vor der Toilette zusammengebrochen ist. Er glaube, er sei nicht mehr bei Bewusstsein.
Verdammt, auch das noch. Rufen Sie einen Arzt, bitte, oder besser noch: eine Ambulanz.
Tanner rennt durchs Restaurant und eilt die Treppe hinunter.
Bruckner hat sich im Vorraum zu den Toiletten wohl noch auf den Zigarettenautomaten gestützt, bevor er zusammengebrochen ist.
Tanner kniet sich hin und dreht seinen Freund um. Er atmet flach und ist bewusstlos. Tanner dreht ihn in die vorgeschriebene Lage, legt seinen Kopf auf seine Jacke. Auf der Toilette befeuchtet er einen Stoß Papierservietten mit Wasser und hält sie Bruckner an die Stirn. Nach einer Weile öffnet er die Augen.
Richard, kannst du mich verstehen? Du musst nicht reden, drück meine Hand, wenn du mich verstehst.

Bruckner drückt die Hand.
Wir haben bereits einen Arzt gerufen. Mach dir keine Sorgen. Die Hilfe kommt bald.
Die Chefin kommt in Begleitung eines älteren Mannes die Treppe hinunter.
Wir haben hier unter unseren Gästen einen Arzt. Er kann nach ihrem Freund schauen.
Tanner macht Platz. Der Arzt beginnt die Untersuchung. Nach einer Weile öffnet er seinen kleinen Koffer und verabreicht Bruckner eine Spritze. Dann richtet er sich auf.
Ihr Freund hat einen schweren Kreislaufkollaps. Ich habe ihm eine Spritze gegeben. Er muss sofort ins Spital. War ihr Freund krank? Sein Allgemeinzustand scheint sehr geschwächt.
Er hat schwere Zeiten hinter sich, in der Tat, aber krank war er meines Wissens nicht.
Draußen hört man die Ambulanz die Anhöhe herauffahren. Nach wenigen Augenblicken kommen die Sanitäter. Der Arzt orientiert die beiden und gemeinsam heben sie Bruckner auf die Trage.
Tanner verabschiedet sich von der Chefin und bedankt sich bei dem Arzt. Draußen presst Tanner Bruckners Hand.
Ich werde mit dem Jaguar folgen und dich begleiten. Es wird sicher alles gut.
Bruckner nickt, aber in seinen Augen spiegelt sich die Angst.
Tanner setzt sich in den Jaguar und folgt der mit Blaulicht und Sirene davonbrausenden Ambulanz. Er schlägt mit der flachen Hand auf das Wurzelholzsteuerrad.
Ito ist entführt worden. Jetzt kommt Bewegung in die Sache. Und wie.
Er muss an die kurze Begegnung mit Ito auf der Toilette denken. Und die ganz und gar ungute Vorahnung, die ihn beschleicht, kann er vorerst noch unterdrücken. Mit jedem Kilometer, den er sich der Stadt nähert, gelingt es ihm allerdings weniger.
Ich muss unbedingt Kiharu sprechen.
Tanner konzentriert sich im Verkehr ganz darauf, den Anschluss an die Ambulanz nicht zu verlieren. Deswegen fällt ihm nicht auf, dass ihnen, seit sie den Parkplatz des Restaurants verlassen haben, ein dunkler Mercedes folgt.

SECHSUNDDREISSIG

Tanner wird schlagartig wach. Es muss mitten in der Nacht sein, denn draußen ist es noch dunkel. Er weiß im ersten Moment nicht, wo er sich befindet. Durch die Tür fällt ein blasser Lichtstrahl. Im Türspalt steht eine schmale Figur. Tanner zuckt zusammen.
Ich bin es! Martha! Habe ich dich erschreckt? Entschuldige, aber ich wollte nur sehen, ob du da bist.
Tanner lässt sich erleichtert in sein Bett zurückfallen.
Wie spät ist es denn?
Es ist gerade vier Uhr. Ich bin so froh, dass du da bist.
Sie setzt sich auf die Bettkante.
Aber Martha, was ist denn los?
Als wenn sie nur noch auf die richtige Frage gewartet hätte, bricht der Damm. Sie beginnt jämmerlich zu schluchzen und zu weinen. Tanner nimmt sie in den Arm.
Ist es denn so schlimm, Martha? Deichmann ist doch ein sehr attraktiver Mann und ein sehr netter Mensch obendrein, glaube ich.
Sie reißt sich los und starrt ihn an.
Woher weißt du …?
Dann lässt sie sich wieder fallen und heult erst richtig los.
Tanner kann nichts anderes tun, als das bebende Elend in seinem Arm zu halten. Sie presst ihre Wange an sein Gesicht und ihre Tränen rinnen seinem Hals entlang.
Wieso bist du denn nicht bei ihm? Bist du denn nicht auch in ihn verliebt? Also, er ist total verknallt in dich. Ich habe ihn heute erlebt. Er schwebt definitiv auf Wolke sieben und würde es am liebsten beständig hinausposaunen.
Martha antwortet stockend.
Ja, das ist es ja. Ich habe mich auch verliebt.
Und wo ist das Problem?
Er will mit mir schlafen.
Nein, was für eine Überraschung! Das ist ja schrecklich. Für so primitiv hätte ich ihn nun doch nicht gehalten.
Martha lacht unter Tränen und versetzt ihm einen Schlag vor die Brust.
Willst du denn nicht mit ihm schlafen?

Doch, schon.
Wo ist denn das Problem?
Ich sage es dir, wenn du mich nicht auslachst.
Tanner schüttelt den Kopf.
Ehrenwort?
Ehrenwort!
Ich habe noch nie mit einem Mann geschlafen.
Dieser Satz kam sehr leise über ihre Lippen und gleich darauf beginnt sie wieder zu heulen.
Aha, das ist des Pudels Kern.
Tanner denkt es bloß.
Also, Martha. Du wirst überrascht sein, aber so richtig schlimm finde ich das nicht. Dann hast du halt noch nie mit einem Mann geschlafen, na und? Ich habe auch noch nie mit einem Mann geschlafen.
Sie wehrt sich gegen das Lachen. Es gelingt ihr nicht ganz.
Jetzt beruhige dich doch. Dann wirst du es halt jetzt tun. Und Deichmann ist sicher der Richtige in dieser besonderen Lebenslage.
Wie meinst du das?
Na ja, er hat doch Erfahrung mit … äh, sagen wir mal mit komplizierten Situationen.
Willst du damit sagen, dass ich einen Dachschaden habe?
Nein, natürlich nicht. Wo denkst du hin. Obwohl …
Martha wirft sich kreischend auf ihn. Sie rollen balgend übers Bett.
Wie gut, dass ich mich nicht in dich verliebt habe.
Wieso?
Dann könnte ich nicht so mit dir reden, du Trottel. Meinst du wirklich, ich soll es machen?
Ja, sicher. Wenn dein Gefühl stimmt, würde ich keine Sekunde länger warten.
Sie richtet sich auf.
Doch. Er soll nur noch ein bisschen warten, sonst wird er noch eingebildeter, als er schon ist. Meinst du nicht?
Okay. Ein bisschen warten lassen kannst du ihn schon, aber nicht zu lange.
Also gut. Ich gehe jetzt ins Bett. Ich bin hundemüde. Ich habe die letzten Nächte kaum geschlafen.
Tanner greift nach ihrer Hand.

Martha, hast du Bruckner auch schon gesehen? Ich war heute Abend mit ihm essen.
Sie setzt sich wieder auf die Bettkante und plötzlich ist sie sehr ernst.
Ja. Den habe ich gesehen. Heute Nachmittag. Ist es nicht schrecklich?
Du meinst, die weißen Haare? Ja, das ist erschreckend.
Nein, ich meine, dass er sich seinen kleinen Finger abschneiden musste.
Tanner erstarrt.
Was sagst du da?
Du weißt es gar nicht? Hat er dir denn das nicht erzählt? Oh Gott, oh Gott. Muss ich dir das jetzt erzählen?
Was ist passiert. Bitte, erzähle!
Sie haben ihn vor die Alternative gestellt, entweder sie zertrümmern ihm die ganze Hand oder er schneidet sich selber den kleinen Finger ab. Tanner, es ist so eine schreckliche Vorstellung.
Aber, Martha, warum denn in aller Welt haben die das von ihm verlangt?
Tanner weiß zwar bereits über die Motive Bescheid, will aber hören, was Martha erzählt.
Um sich seiner Loyalität zu versichern. Und zur Strafe, weil er die irgendwie angelogen hatte. Warum muss *ich* dir das alles erzählen? Ich hatte gehofft, dass Bruckner es dir selber erzählt. Was soll's? Eines Tages würdest du es ja doch erfahren. Sie haben ihn dann einen Tag und eine Nacht in einem Keller eingesperrt, bis er sich entschieden hatte.
Und dann?
Ja, dann musste er sich vor versammelter Mannschaft den Finger abschneiden. Es war sogar ein Arzt dabei, der ihn anschließend verbunden hat. Dann haben sie sich alle verbeugt. Und er konnte gehen. Die sind doch alle wahnsinnig, diese Japaner!
Wen meinst du denn eigentlich mit *die*?
Das wollte er mir partout nicht sagen. Wahrscheinlich Tetsuo und seine Leute. Oder was weiß ich? Ich habe mich ja früh von denen und der ganzen Geschichte getrennt. Die waren mir alle unheimlich. Die betreiben Geschäfte wie Samurais. Mit einem altertümlichen Ehrenkodex. Da muss man vielleicht ein Mann sein, um das zu verstehen.
Nein, ich glaube, da muss man Japaner sein. Bruckner geht es übri-

gens ziemlich schlecht. Er ist heute Abend zusammengebrochen und liegt jetzt auf der Intensivstation in der Uniklinik.
Beide schweigen bedrückt.
Du, Simon. Ich muss dir noch etwas beichten. Damals, als wir zusammen gegessen hatten und danach in dein wunderschönes Haus an den See gefahren sind, da habe ich Bruckner bereits über diese Morde informiert, von denen du mir erzählt hattest.
Aha. Und wieso?
Ich war nach dem Essen so lange auf der Toilette und da habe ich ganz spontan Bruckner angerufen, um ihn zu warnen.
Vor wem?
Ja, vor denen. Verstehst du nicht? Bruckner wollte nie begreifen, wie gefährlich diese Leute sind, und ich fühlte mich verpflichtet, ihn zu warnen.
Aha. Also hat mich Bruckner angelogen. Er hat nämlich behauptet, von den Morden erst von mir gehört zu haben.
Urteile bitte nicht zu streng über ihn. Es ist ihm einfach alles über den Kopf gewachsen.
Ach ja? Allerdings mit sicheren zwanzig Millionen Dollar auf dem Konto. Hat er dir das auch erzählt?
Nein. Das hat er mir nicht erzählt.
Nach einer Weile erhebt sich Martha.
Gute Nacht, Simon. Ich gehe jetzt ins Bett.
Tanner liegt noch eine Weile wach, bevor er in den Schlaf zurücksinkt.
Als er knapp drei Stunden später wieder erwacht, liegt Martha schlafend neben ihm im Bett. Er betrachtet sie einen Augenblick lang. Dann gibt er sich einen Ruck.
Oh, nein. Nicht auch das noch. Steh sofort auf und geh dich duschen.
Tanner steht auf und duscht sich lange und ausgiebig. Immer im Wechsel mit kaltem und warmem Wasser.
Dann bereitet er sich einen Kaffee zu, trinkt ihn stehend aus und macht sich auf den Weg. Zuvor wirft er noch einen Blick ins Zimmer. Martha schläft immer noch tief. Sie hat mittlerweile ihre Position verändert. Sie liegt mit angezogenen Beinen wie ein Kind und umschlingt die Bettdecke.
Auf Wiedersehen, Martha!

Das Auto von Bruckner hat er gestern Nacht nicht zurück in das Parkhaus gebracht. Bruckner hatte ihm noch leise zugeflüstert, er solle es vorerst behalten. Das kam ihm sehr gelegen, denn er hat einiges vor, das an einem einzigen Tag nur mit einem Auto zu schaffen ist. Bevor er den Motor startet, überlegt er noch einmal kurz die Reihenfolge seiner Besuche.
Zuerst fährt er in die Klinik zu Bruckner. Die Stadt ist trotz der frühen Morgenstunde schon sehr belebt.
Er findet einen Platz in der Tiefgarage der Klinik und fährt mit dem Lift in das Stockwerk, wo er gestern Nacht Bruckner der Obhut der Ärzte übergeben hat. Man meldet ihm, dass Herr Bruckner nun in einem anderen Stockwerk in einem Einzelzimmer liege. Tanner ist erleichtert, denn das heißt, dass es ihm besser geht. Als er zu seinem Zimmer kommt, schließt gerade ein schwergewichtiger Pfleger die Tür hinter sich.
Herr Bruckner schläft. Er muss vor allem viel schlafen. Aber Sie können beruhigt sein, es geht ihm viel besser. Kommen Sie gegen Abend wieder, dann können Sie mit ihm reden.
Können Sie ihm einen Gruß ausrichten, wenn er erwacht, und dass ich ihn abends besuchen werde?
Tanner schaut kurz ins Zimmer und überzeugt sich, dass er wirklich schläft. Als er ihn so ruhig daliegen sieht, schüttelt es ihn vor Grauen bei der Vorstellung, was seinem Freund widerfahren ist.
Mein Gott, der tapfere Kerl. Wie lebt man mit so einer Erfahrung weiter?
Das Auto lässt er in der Tiefgarage stehen und macht sich zu Fuß auf ins Kommissariat, das sich nicht weit von der Klinik befindet.
Unterwegs ruft er die Klinik an, in der sich Elsie befindet. Eine Schwester, die ihn von seinen vielen Besuchen her kennt, berichtet ihm, dass ihr Zustand leider unverändert sei. Es sei aber gerade ein Besuch bei Elsie, der ihn bei der Gelegenheit gerne sprechen würde.
Hallo, Simon. Hier ist Ruth. Ich bin gerade bei Elsie. Du weißt ja, wir vom Land stehen früh auf. Alle Kinder sind auch hier und wir lesen Elsie aus Tausendundeiner Nacht vor. Ich hoffe, du hast nichts dagegen.
Nein, natürlich nicht, Ruth. Ich bin dir sehr dankbar.
Wir haben dort weitergelesen, wo ein Zettel drin war. Die Kinder sind ganz begeistert von den Geschichten, vor allem von Zumurrud.

Das kann ich mir vorstellen. Geht es euch gut?
Ja, uns geht es gut. Und dir?
Ja, eigentlich schon. Ich bin im Moment nur sehr beschäftigt, aber ich hoffe, dass ich auch bald wieder regelmäßig zu Elsie gehen kann.
Du, Simon. Gestern Nachmittag war eine unglaublich nette Japanerin bei Elsie.
Was?
Ja, sie hat gesagt, dass ihr befreundet seid und sie wolle doch einmal Elsie kennen lernen. Du hättest ihr so schön von ihr erzählt. Du, die ist ja so klein. Hat aber eine unglaublich weibliche und vornehme Ausstrahlung.
Ja, das hat Kiharu.
Hast du was mit ihr?
Ach, Ruth. Kiharu ist eine außergewöhnliche Frau. Und es ist, äh … wie ein Wunder.
Also hast du etwas mit ihr.
Ja.
Das kann ich sehr gut verstehen. Eines Tages wirst du mir alles erzählen.
War sie lange bei Elsie?
Ja, sie saß den halben Nachmittag mit uns an ihrem Bett und hat ihr japanische Lieder vorgesungen. Du kannst dir vorstellen, wie fasziniert die Kinder waren. Vor allem Glöckchen hättest du sehen sollen. Die hat sie sofort einverleibt. Seither geht sie nicht mehr – sie trippelt und verhält sich ganz vornehm wie eine kleine Königin.
Das kann ich mir lebhaft vorstellen. Küss bitte Elsie von mir und grüße auch die Kinder.
Deswegen war Kiharu gestern Nachmittag nicht in ihrem Stammcafé anzutreffen. Tanner ist seltsam berührt. Er weiß im Moment nicht, ob er sich über diesen Besuch freuen soll. Es ist ihm irgendwie unangenehm, dass sie sich so in sein Leben mischt. Aber vielleicht ist es auch gut so. Er schiebt diese Gedanken weit von sich und klopft an Schmids Tür.
Der Hauptkommissar ist allein im Büro und telefoniert gerade. Er bedeutet ihm Platz zu nehmen. Er hat sogar so etwas wie ein Lächeln auf sein skeptisches Gesicht gezaubert.
So! Entschuldigen Sie, Herr Tanner, dass ich Sie habe warten lassen.

Möchten Sie gerne einen Kaffee? Frau Häusermann, bringen Sie unserem Kollegen doch bitte einen Kaffee!
Das sind ja ganz neue Töne. Tanner muss ein wenig schmunzeln.
Ich nehme an, diese hervorragende Zeichnung der Täter hat dieser Mann im Busch angefertigt, oder?
Gute Kombination, Herr Kollege. Und? Können Sie etwas damit anfangen?
Die Fahndung in Frankfurt läuft auf Hochtouren. Die Typen sind dort seit langem bekannt, aber man konnte ihnen bislang nie etwas nachweisen. Es handelt sich sozusagen um eine Untergruppe einer chinesischen Mafiagruppe, die in Europa operiert. Es wird nur eine Frage der Zeit sein, bis sie verhaftet sind.
Gut. Das heißt, es bleibt uns nichts anderes übrig, als zu warten.
Die Frage ist, wie wir an die Auftraggeber herankommen, oder?
Ja, das ist in der Tat die Frage. Auch wenn die Viererbande verhaftet ist, heißt das ja nicht automatisch, dass die dann bereit sind zu reden.
Schmid macht wieder sein griesgrämiges Gesicht.
Nein, natürlich nicht. Die Frage ist ja auch, ob sie an uns ausgeliefert werden. Die Staatsanwaltschaft bereitet zwar schon den Antrag vor, aber was heißt das schon? Wir werden sicher wieder das Nachsehen haben, das kenne ich doch.
Warten wir's mal ab. Wichtig wären vor allem die Hintermänner.
Wie denn, Herr Kollege?
Das weiß ich leider auch noch nicht. Danke für den Kaffee, Frau Häusermann.
Tanner nimmt den Kaffee entgegen.
Nur so viel: Der Fall ist Teil einer internationalen Geschichte und die Auftraggeber befinden sich wahrscheinlich allesamt in Asien. Ob wir da überhaupt eine Chance haben, ist das größte Fragezeichen, verstehen Sie?
Ja, ja. Quasi ein monumentales Fragezeichen, oder? He, he, he …
Tanner lacht auch mit. Was für ein Wunder! Schmid hat einen Witz gemacht!
Noch zu Ihrer Information: Ihr Kollege Michel arbeitet sozusagen an demselben Fall im Seeland. Er sucht nach einem Wissenschaftler namens Louis Pinget. Er ist eine wichtige Figur in diesem Spiel. Zumindest als Zeuge und auch als Opfer.

Aber das weiß ich doch längst, Herr Tanner.
Und jetzt kann Herr Hauptkommissar Schmid auch einmal eine kleine Überlegenheit ausspielen. Und er tut es genüsslich wie ein Zigarrenliebhaber, der eine Romeo und Juliet anwärmt, die er sich für eine ganz besondere Gelegenheit aufgespart hat.
Sinn und Wesen einer großen Suchaktion bestehen ja darin, dass sie alle Kommissariate zur Kenntnis nehmen. Haben Sie das vergessen, Herr Kollege?
Ja, das habe ich doch prompt vergessen. Danke, dass Sie mich wieder auf den Stand gebracht haben.
Gern geschehen, nichts zu danken.
Ach ja, Herr Schmid, es ist sehr nett, dass Sie sich so große Sorgen um mich machen, aber ich denke, Sie können Natter wieder andere Aufgaben zuteilen.
Schmid antwortet nicht, sondern starrt auf den Bildschirm, als verfolge er die Mondlandung.
Tanner räuspert sich.
Berichten Sie mir, wenn die Frankfurter Erfolg haben, Herr Schmid?
Ja, selbstverständlich tue ich das, Herr Tanner.
Dann wünsche ich Ihnen einen schönen Tag, Herr Schmid. Wie geht es eigentlich Ihren Salaten?
Gut, gut. Den Umständen entsprechend. Sie wissen ja, das Wetter.
Dieser Schmid. Die Anspielung auf Natter hat er einfach überhört.
Unterwegs zu seinem Auto, entdeckt er hinter einer Säule seinen Beschatter. Er ruft ihm zu, er solle sich bei Schmid melden. Es sei dringend. Natter ist ganz perplex und greift automatisch nach seinem Telefon.
Tanner geht weiter und versucht Kiharu anzurufen. Er erreicht sie aber nicht. Er möchte zwei Dinge dringend von ihr wissen. Das erste betrifft ihren Besuch bei Elsie und die zweite, noch dringlichere Frage betrifft Chiyo.
Wo ist Chiyo? Verdammt noch mal, das würde ich gerne wissen!
Er würde sie lieber am Telefon fragen, als sie wieder auf ihrer Liebesterrasse zu besuchen. Ihr Verhalten wird ihm zusehends unheimlicher.
So! Und jetzt fahre ich in diese badische Heil- und Genesungsanstalt. Ich muss jetzt wissen, was mit Land geschehen ist.
Die Adresse, die Deichmann ihm gegeben hat, befindet sich in seiner

Brieftasche. Er freut sich auf diesen Ausflug mit dem eleganten Auto von Bruckner. Er braucht dringend etwas geographischen Abstand zu all den verworrenen Geschichten der letzten Tage.
Und schließlich ist er aus seiner selbst gewählten Isolation ausgebrochen, um das Geheimnis vom Schicksal seines Großvaters zu lösen. Da sich Tanner immer noch nicht eingestehen kann, dass dies möglicherweise nur ein Vorwand war, um wieder in irgendeiner Form am Leben teilnehmen zu können, fühlt er gegenüber seinem eigenen Auftrag durchaus eine moralische Verpflichtung. Genug, dass er seine Pflichten gegenüber Elsie so sträflich verletzt. Er darf nicht auch noch seinem eigenen Auftrag untreu werden.
Zum Glück weiß er nicht, was ihn dort erwartet, sonst hätte er die Reise mit anderen Gefühlen angetreten.
Kurz nach der Grenze verlässt er die Autobahn und fährt über Nebenstraßen, durch verschlafene Dörfer, an sanft geschwungenen Hügelketten vorbei. In dieser idyllischen Landschaft ist sein Großvater Land aufgewachsen und hierher ist er offenbar unter Zwang wieder zurückgebracht worden.
Die ehemalige Anstalt, die heute laut Deichmann ein reines Alters- und Pflegeheim ist, liegt auf einem Hügel am Rande einer zersiedelten und verbauten Ortschaft, wo man offensichtlich die Schönheit der Landschaft nicht ertragen hat und mit Fleiß die hässlichsten Häuser hingepflanzt hat. Mit vollem Erfolg. Tanner ärgert sich einmal mehr über eine bestimmte Sorte Architekten, die in seinen Augen schlicht und ergreifend hinter Gitter gehören.
Man kann auch eine Landschaft ermorden, verdammt noch mal! Und die kann sich nicht wehren.
Auf der neu geteerten Straße, die zum Heim hinaufführt, begegnen ihm etliche alte, zerbrechliche Menschen, die alle ein Vierradgestell als Gehhilfe vor sich herschieben. Im Schneckentempo. Einige winken freundlich, andere starren entrückt in die Ferne. Es sieht fast so aus, als ob das Heim heute zur Abwechslung des monotonen Heimlebens ein Rennen veranstalten würde. Wenn es dann gegen Mittag wieder so richtig heiß sein wird, werden die alten Menschen wahrscheinlich regungslos in ihren Zimmern liegen.
Lieber Himmel, lass mich nicht so alt werden!
Er parkt den Wagen auf dem nahezu leeren Besucherparkplatz und hofft, dass es kein Fehler ist, unangemeldet zu erscheinen.

Das Heim ist offenbar vor noch nicht langer Zeit renoviert worden. Die Eingangshalle und die Gänge erstrahlen in heiteren Pastellfarben. An den Wänden hängen die neuesten Kunstwerke eines wahrscheinlich nahe gelegenen Kindergartens.
Der Anmeldung sieht aus wie die Rezeption eines Vierstern-Hotels, ist aber unbesetzt. Er klingelt dort, wo klingeln steht.
Ah, Sie müssen Herr Tanner sein oder irre ich mich?
Eine groß gewachsene Frau mit hochgestecktem blondem Haar und breiten Hüften begrüßt ihn im schönsten badischen Dialekt. Tanner fühlt sich sofort zu Hause.
Woher wissen Sie …?
Also, erstens kommt nicht jeden Tag so ein schönes Auto aus unserer großen Nachbarstadt zu Besuch und zweitens hat Herr Professor Deichmann Sie sehr genau beschrieben. Ich bin die Leiterin von dem Laden hier. Mein Name ist Charlotte Steinweg. Sie haben Glück. Ich habe gerade etwas Zeit für Sie. Wollen Sie etwas trinken?
Etwas Kaltes wäre sehr schön.
Frau Steinweg führt ihn in ihr kleines Büro.
Ich habe hier Orangensaft, frisch gepresst, wenn es Ihnen recht ist.
Sie füllt zwei Gläser und setzt sich hinter ihren aufgeräumten Schreibtisch.
Professor Deichmann hat mir erklärt, dass Sie Kriminalkommissar sind. Das ist ja sicher ein spannender Beruf, oder?
Ich bin beurlaubt. Ich habe zuletzt lange in Marokko für die dortige Regierung gearbeitet und weiß noch nicht so richtig, was ich mit meinem weiteren Leben anfangen soll. Da habe ich mich entschlossen, endlich der Geschichte meines Großvaters Land nachzugehen. Bei uns in der Familie hieß es immer nur, er sei verschollen.
Ach so, ich verstehe. Ja, also, wie Sie bereits wissen, hat man Gustav Adolf Land nach der Überstellung nach Deutschland hier in dieses Heim gesteckt. Das ist nach der Aktenlage gesichert. Das Datum der Überstellung stimmt mit den Daten, die mir Deichmann gegeben hat, überein. Er wurde von der Grenze direkt hierher gebracht und blieb hier auch bis zum April einundvierzig.
Dann seufzt sie und steckt energisch ein paar ihrer widerspenstigen Haare dahin, wo sie sein sollten.
Dieses Heim müssen Sie sich zu der Zeit leider ganz anders vorstellen.

Ja, Deichmann hat mich schon aufgeklärt, dass es ein eher trauriges Versorgungsheim für alle Arten von Menschen gewesen sei.
Das ist leider so und heute können wir uns kaum noch vorstellen, in welch erbärmlichen Umständen diese armen Leute gehalten wurden. Ärztliche Betreuung gab es kaum und wenn überhaupt, dann nur zur Ruhigstellung. Sie wurden eher schlecht als recht ernährt und die Hygiene folgte auch noch anderen Grundsätzen.
In diesem Moment hört man draußen vor der Bürotür ein Geschrei. Offensichtlich tobt und rast eine Schar wild gewordener Kinder durch die Gänge des stillen Heims.
Was ist denn das? Ich dachte, ich bin in einem Altersheim?
Ja, Herr Tanner. Was Sie hören, sind die Klänge eines Experiments, wenn ich es mal so sagen darf. Und es ist wie Musik in meinen Ohren.
Voller Freude und Stolz lauscht sie dem Kindergeschrei, bis es in der Tiefe des Hauses genauso plötzlich verebbt, wie es aufgebraust ist.
Wir haben zweimal die Woche einen ganzen Tag lang eine Kindergruppe aus einem benachbarten Kindergarten zu Besuch.
Und was machen die hier?
Es gibt eine ganze Reihe von alten Menschen, die mit den Kindern ganz ausgezeichnet spielen, singen und basteln können.
Das ist ja interessant. So was habe ich noch nie gehört.
Wissen Sie, Herr Tanner, es gibt nichts Traurigeres als diese Gettoisierung der Alten in unserer Gesellschaft. Früher hatten die alten Menschen in den Großfamilien wichtige Aufgaben, gerade auch in der Kinderbetreuung. Das ist heute weit gehend weggefallen. Die Alten verlieren in diesen Heimen nahezu jeden Kontakt zur Wirklichkeit. Und viele von ihnen sind imstande, wertvolle Arbeit zu leisten. Und da habe ich mir gesagt, warum hole ich nicht die Kinder ins Heim?
Frau Steinweg, die Idee ist bestechend.
Wissen Sie, die meisten Alten langweilen sich entsetzlich. Andererseits haben die Kinder in dem Alter überhaupt keine Berührungsängste, auch nicht mit dem, was viele Erwachsene an alten Menschen vielleicht abstoßend finden. Die Kinder nehmen sie als die Persönlichkeiten wahr, die sie in Wirklichkeit sind. Und zwar mit den Einschränkungen oder Behinderungen, die halt da sind. An Äußerlichkeiten stoßen sie sich nicht. Kinder beurteilen alte Leute

grundsätzlich ganz anders als wir Erwachsenen. Und für viele meiner alten Gäste sind diese zwei Tage in der Woche zu einem neuen Lebensinhalt geworden.
Also, Frau Steinweg, ich bewundere Sie. Jetzt, wo ich die Idee begriffen habe, wundere ich mich, dass nicht alle Altersheime so etwas machen.
Ich will mich nicht mit fremden Federn schmücken. Es ist nicht meine Idee. Es gibt einzelne Heime, die das auch machen. Auch in Ihrem Land. Aber es ist immer noch zu wenig verbreitet. Und Sie können sich nicht vorstellen, gegen welche Widerstände ich ankämpfen musste und immer noch muss.
Ja doch, das kann ich mir vorstellen.
Ich warte darauf, bis jemand den Mut hat, ein Altersheim auf diesem Prinzip von Grund auf neu zu konzipieren. Vor allem auch architektonisch. Das Wichtigste wäre ein speziell geschultes Personal, das mit beiden Gruppen arbeiten kann und für beide Alter Verständnis hat.
Essen die denn auch hier?
Ja klar. Das ist das Lustigste überhaupt. Die einen können zum Teil noch nicht so schön essen und die anderen können es nicht mehr. Sie sollten unseren Esssaal nach so einem Essen mal sehen. Sieht aus wie nach einer Schlacht.
Frau Steinweg lacht.
Jetzt aber zurück zu Ihrem Großvater. Ich fürchte, dass das eine ganz traurige Geschichte ist. Sie wissen ja nicht, wie und wo Ihr Großvater gestorben ist, oder?
Nein, ich weiß nur, wann. Das heißt, man weiß schon, wo. Nur weiß ich leider nicht, welche Stadt mit H. gemeint ist. In den Akten seines Geburtsortes steht nämlich, dass er in H. verstorben sei.
Aha. Ja, das habe ich leider befürchtet. Das heißt, dieses H. bestätigt endgültig meine schlimmste Ahnung.
Was für eine Ahnung?
Herr Tanner, ich habe Ihnen in etwa geschildert, wie man sich dieses Heim früher vorstellen muss. Dies war ja leider nichts anderes als ein Spiegelbild der Gesellschaft im Bezug auf psychisch kranke Menschen. Es wurde in der Politik, aber auch in den maßgebenden psychiatrischen Kreisen – und das ist das Entsetzlichste an der ganzen Sache – immer offener diskutiert, ob solche Leben überhaupt

lebenswert seien oder nicht. Ob es vielleicht nicht auch ein Akt der Gnade sei, sie einfach zu töten. Man rechnete der Bevölkerung in plumpen Kampagnen vor, was diese kranken Menschen den Vater Staat kosteten. Nämlich mehr, als ein einfacher Arbeiter damals verdiente.
Sie reden von Euthanasie?
Ja, davon rede ich. Diese Gedanken waren im universitären, aber auch im gesellschaftlichen Humus gefährlich virulent. Hitler hat diese Gedanken nicht erfunden, er hat sie dankbar aufgegriffen und dann auch mit Nachdruck verwirklicht. Es gab zwischen achtunddreißig und einundvierzig zwei Wellen von Euthanasie, bevor die industrielle Judenvernichtung so richtig in Gang kam. Und zwar mitten in Deutschland. Erst als sich vor allem Kreise der Kirche gegen die Vernichtung von kranken Menschen zur Wehr setzten, verlagerte man das Geschehen an Orte, wo es weniger auffiel. Also nach Osten. Außerdem wurde den Verantwortlichen klar, dass es für die Moral der Soldaten an der Ostfront oder anderswo nicht besonders motivierend war, wenn sie das Gefühl hatten, zu Hause dereinst den »Gnadentod« zu erhalten, falls sie durch den Krieg invalid oder psychisch krank werden würden.
Das Todesdatum meines Großvaters war übrigens einundvierzig, Frau Steinweg.
Ja, dann kann es sein, dass er das Pech hatte, gerade noch von der letzten Welle erfasst zu werden. Ich vermute, dass Ihr Großvater dieses Schicksal erlitten hat.
Wenn sich herausstellt, dass es stimmt, was Sie sagen, Frau Steinweg, dann bedeutet die Abschiebung nach Deutschland ja noch einmal etwas anderes.
Das sehe ich auch so, Herr Tanner. Sie müssen sich vorstellen, dass es Ärzte gab, die vom Reichsministerium den Auftrag hatten, in die Heime und Anstalten dieses ganzen Landes zu gehen, um Menschen für das Euthanasieprogramm auszusondern. Entweder diagnostizierte man »unwertes Leben« oder sie waren unter Umständen für die Pathologie interessant. Oder beides. Es wurde zum Teil schon in den einzelnen Heimen von jedem Patienten festgehalten, welche Organe nach seinem Tod interessant sein könnten.
Frau Steinweg hält einen Moment inne.
Und wie hat man das den Angehörigen verheimlichen können?

Man hat einerseits viel Phantasie darauf verwendet, aber gleichzeitig diesen blinden Autoritätsglauben der Leute schamlos bis zum Letzten ausgereizt. Es gab zum Beispiel überraschend angeordnete Transporte und niemand von dieser Anstalt wurde informiert, wohin ihre Patienten gebracht wurden. Es hieß einfach, es sei eine vom Reichsministerium angeordnete Verlegung in eine andere Klinik. Wenn also die Verwandten sich nach dem Verbleib ihrer Väter, Brüder, Schwestern, Töchter, Ehegattinnen oder Ehegatten erkundigten, konnte das Personal nur wahrheitsgetreu berichten, dass sie es nicht wüssten. Wenn sich die Mutigen dann an das Reichsministerium wandten, wurden sie dort – meist am Telefon – schon so abgeputzt, dass sie ihre Zivilcourage verloren, oder es wurde ihnen offen gedroht.
Das ist ja ein Wahnsinn.
Ja, aber er hatte durchaus Methode, Herr Tanner. Verwaltungstechnisch war alles perfekt durchorganisiert. So wurden die Spuren verwischt. Meist blieben dann die Patienten noch eine ganze Weile in einer der Sammelkliniken, bis sie an ihren Bestimmungsort gefahren, vergast und verbrannt wurden. Die Transporte übrigens zwischen den Kliniken wurden mit grauen Bussen gemacht, deren Scheiben man mit dunkler Farbe blind gemacht hatte. Nach einer gewissen Zeit wusste die Bevölkerung genau, was es bedeutete, wenn ein grauer Bus auftauchte. Nur die Betroffenen wussten es wahrscheinlich bis zum bitteren Ende nicht, denn sie waren in diesen schrecklichen Heimen ja weitgehend von der Außenwelt abgeschottet. Vor dem Verbrennen der Leichen wurden von Chirurgen oder Pathologen vor Ort die entsprechenden Organe herausgenommen. Es ist noch nicht so lange her, dass Studenten an der Humboldt-Universität darauf gekommen sind, dass sie an Hirnen arbeiteten, die von solchen bedauernswerten Opfern stammten. Es war natürlich ein Riesenskandal. Die Nation war für ein, zwei Tage geschockt. Man hat dann die Organe feierlich und rituell bestattet.
Sie blickt einen Moment zum Fenster hinaus.
Es ist einfach unbegreiflich.
Ja, das ist es, Frau Steinweg.
Sie nickt und nimmt einen Schluck Orangensaft.
Waren die Opfer tot, schrieb man den Angehörigen mit falschen Zeitangaben und erfundenen Todesursachen bedauernd vom Able-

ben ihres Angehörigen. An den entsprechenden Orten wurden massenhaft junge Tippfräuleins beschäftigt, die nichts anderes taten, als den ganzen Tag solche erlogenen Briefe zu schreiben. Pech hatten sie allerdings, wenn sie zum Beispiel schrieben, ihr Angehöriger sei an Blinddarmentzündung gestorben, dabei hatte der Betreffende den Blinddarm längst nicht mehr. Aber das nur am Rande.
Das Telefon klingelt. Sie nimmt den Hörer ab.
Ja, ich komme gleich.
Sie legt auf.
Vielleicht finde ich noch die Listen der Transporte, denn davon gibt es in den Archiven einige. Wenn wir Glück haben, finden wir die von Ihrem Großvater, dann würden wir nämlich auch wissen, in welche anderen Heime oder Kliniken er verschleppt wurde, bis es zu seinem Ende kam. Ich werde Sie in den nächsten Tagen anrufen, wenn ich etwas finde, was uns weiterhilft.
Ich bin Ihnen zu großem Dank verpflichtet, Frau Steinweg. Und was bedeutet denn jetzt dieses H?
Das bedeutet mit großer Wahrscheinlichkeit, dass Ihr Großvater Gustav Adolf Land in Hadamar vergast und verbrannt wurde.
In Hadamar?
Ja, so heißt die Stadt.

SIEBENUNDDREISSIG

Als Tanner sich von Charlotte Steinweg verabschiedet hat und das Heim gerade verlässt, kommt ihm eine Kindergruppe mit Indianergeheul entgegen, gefolgt von zwei Frauen und einem Mann, alle drei mit erhitzten Gesichtern, aber einem breiten Lachen auf den Lippen. Ob sich diese Kinder später einmal werden vorstellen können, was sich in diesem Land abspielte? Für sie werden es Geschichten aus einer grauen Vorzeit sein, so dass sie das Gefühl haben werden, Geschehnisse von einem fernen Planeten zu hören. Ein bisschen ist es Tanner gerade auch so ergangen.

Wie kann man sich denn diesen Wahnsinn vergegenwärtigen?
Er geht in den Park hinter dem gedrungenen Häuserkomplex und setzt sich auf eine Bank.
Dieses Grauen ist es also, was sich sein Leben lang hinter dem Wort *verschollen* verborgen hat.
Die Wirklichkeit hat alles, noch die verrückteste Phantasie, die er je zu diesem Wort hatte, Lügen gestraft.
Tanner legt sich erschöpft der Länge nach auf die Bank.
Hoch oben über ihm schäkern Tausende von Blättern einer mächtigen Baumkrone mit dem Sonnenlicht. Obwohl kein Wind zu spüren ist, bewegen sich die Blätter ohne Unterlass. Sind sie angetrieben durch den ewigen Puls der Natur? Oder ist das die leise Drehung der Erde, die von den Blättern wiegend wahrgenommen wird?
Wo sich gerade eine gleißende Blätterlücke auftut, verschwindet sie in Nanosekundenschnelligkeit und erscheint vervielfacht wie durch Zauberhand an hundert anderen Stellen. Nach kurzer Zeit ist Tanners Netzhaut überfordert und er schließt die Augen.
Die Bilder, die jetzt entstehen, sind noch schwerer zu ertragen. Tanner legt seine Hände über die Augen.
Vor allem ein Bild bedrängt ihn. Er weiß nicht, aus welcher Tiefe es kommt. Er sieht das ausgemergelte Gesicht von Land in einer Spiegelscherbe, die er selber in seiner knochigen Hand hält. Durch ungeschickte Handhabung des Messers hat er sich mehrere Male geschnitten und einige Partien hat er übersehen. Die weißen Gruppen von Stoppeln sehen aus wie verdorrtes, salziges Gestrüpp an einem öden Meeresufer. Er betrachtet mit fiebernden Augen sein eigenes Gesicht. Wie ein fremdes Land.
Es ist der hilflose Blick eines verlorenen Mannes, eines Todgeweihten. Das Bild legt sich auf Tanner mit ungeheurer Last. Einem schweren Tier gleich, das sich ausgerechnet seine Brust als letztes Lager gewählt hat, bereit für einen langen Todeskampf.
Tanner weiß nicht, wann er sich je so schwer, so leer gefühlt hat. Es will sich kein heftiges Gefühl einstellen. Auch keine Wut. Das ist vielleicht das Erstaunlichste. Er müsste doch wütend sein, oder nicht? Er aber fühlt sich wie ein gestrandetes Treibholz, das von harten Wellen hin und her geschlagen wird.
Es ist genug. Genug. Es sind schon zu viele unverstandene Bilder in seiner Seele.

Elsie befindet sich im Koma. Es ist nur ein Wort. *Koma*. Nicht mehr und nicht weniger als *verschollen*. Es ist eine Verabredung der Sprache. Was aber verbirgt sich hinter der Sprache?
Welches furchtbare Land muss Elsie durchschreiten, bis sie wieder ihre Augen öffnen darf?
Oder: Aus welchen seligen Gefilden wünscht er sie zurück in diese schreckliche Welt?
Er weiß es nicht. Er weiß überhaupt nichts.
Tanner öffnet die Augen. Die Blätter des mächtigen Ahorns bewegen sich nicht mehr. Es ist still.
War es doch der Wind gewesen? Vielleicht die scheuen Vorboten eines Windes, der endlich Abkühlung bringen wird, vielleicht sogar Regen? Tanner schließt die Augen wieder und überlässt sich der Stille.
Er sehnt sich nach Wasser. Jetzt in einem kühlen Fluss untertauchen! Ausgeblendet aller Lärm. Weggezaubert alles Schwere. Ins grüne Licht eingetaucht, von goldenen Perlen des aufsteigenden Sauerstoffes umtanzt. Von phosphoreszierenden Schatten begleitet. Eingehüllt in die Musik der Kieselsteine. Auch Elsie liebt das Wasser. Und hatte er nicht damals in einer der ersten Liebesnächte am Strömungsverlauf ihrer feinsten Härchen an Hals, Rücken und Bauch entdeckt, dass sie in Wirklichkeit ein Wasserwesen ist? Und siehe da: Schon gleitet sie geschmeidig und mühelos durchs Wasser, überholt ihn. Lacht und winkt ihm zu. Sie muss nicht zurück an die Oberfläche und Atem holen wie er. Aber sie wartet auf ihn, bis er wieder abtaucht.
Bald wirst du nicht mehr Atem holen müssen, du Armer. Bald wirst du dich so frei bewegen können wie ich und meinesgleichen.
Sie lacht ihm verheißungsvoll zu und gibt ihm ihre kräftige Hand. Merkwürdigerweise fühlt sich ihre Hand gar nicht nass an. Hand in Hand mit ihr vergisst er, dass er atmen muss. Es scheint, als ob das Wasser durch ihn hindurchfließen würde. Dann lassen sie sich gemeinsam von der Strömung des Flusses mitziehen. Sie deutet ihm die Sprache der sich wiegenden Sträucher. Sie zeigt ihm die Wege der Muscheln. In einer Höhle zeigt sie ihm ihre Schätze. Dann küsst sie ihn, bis er keine Luft mehr hat.
Vor Schreck erwacht Tanner und japst nach Luft. Er rudert mit den Armen und wäre fast von der Bank gefallen. Die Sonne brennt heiß auf sein Gesicht, sein Hals ist ausgetrocknet, aber etwas von der

Schwere hat ihn losgelassen. Er sitzt noch eine Weile auf der Bank und wundert sich über seinen Traum, der ihn mit einer eigenartigen Leichtigkeit beschenkt hat.
Im Moment, als er den Schlüssel ins Zündschloss steckt, klingelt sein Telefon. Es ist Martha, die hysterisch und etwas stotternd spricht.
Tanner? Bist du's? Bruckner ... mit Bruckner ist etwas passiert ... er ist verschwunden. Tanner, komm sofort her. Mein Gott, es ist so schrecklich.
Tanner versucht sie zu beruhigen.
Martha, ich bin ja schon unterwegs. Wo bist du denn?
Ich bin in der Klinik. Ich wollte Bruckner besuchen. Aber sein Zimmer ist leer. Ich stehe hier mit einem riesigen Blumenstrauß. Keiner kann mir sagen, wo Bruckner ist. Tanner, hörst du mich? Er ist sicher entführt worden.
Martha, ich bin in einer halben Stunde bei dir. Bewege dich nicht von der Stelle. Und ich werde sofort die Polizei benachrichtigen. Aber bitte, Martha, mach nicht das ganze Spital verrückt und ruf mich sofort an, falls Bruckner doch auftaucht. Vielleicht hat er auch nur eine lange Verabredung auf der Toilette. Er hat ja angeblich Verdauungsbeschwerden.
Du bist ein Idiot, Tanner. Ich sage dir, er ist entführt worden.
Ja, ist ja gut. Ich werde jetzt mit der Polizei telefonieren.
Tanner lässt sich mit Schmid verbinden und erklärt ihm in raschen Worten die neue Situation.
Wissen Sie, Herr Kollege, Bruckner ist meine einzige Hoffnung, um an die Hintermänner ranzukommen. Wir müssen ihn so schnell wie möglich finden. Wahrscheinlich ist sein Leben in Gefahr. Am anderen Ende der Welt ist gestern nämlich der Neffe von einem der mutmaßlichen Drahtzieher entführt worden.
Aha, das sind ja Neuigkeiten! Und was soll ich Ihrer Meinung nach jetzt tun?
Gehen Sie bitte mit ein paar Leuten ins Krankenhaus und versuchen Sie rauszufinden, ob jemand etwas gesehen hat. Es hat viel mehr Gewicht, wenn Sie da auftauchen, das wissen Sie doch.
Ja, gut. Das könnte ich machen. Und eine Fahndung nach dem Lieferwagen.
Es wäre natürlich von Vorteil, wenn Sie es sogleich machen könnten, Herr Hauptkommissar.

Ja, in der Tat. Also, was telefonieren wir denn noch lange? Ich denke, wir sehen uns vor Ort.
Tanner gibt Gas und der schwere Wagen braust davon. Diesmal nimmt er die Autobahn.
Leider hat sich an der Grenze ein Stau gebildet. Nervös trommelt Tanner auf das Steuerrad.
Bruckner entführt! In diesem Moment legt sich die Angst wie eine kalte, bleierne Schicht auf seine Brust.
Wie, wenn sie ihn bereits getötet haben? Wird er dann der Nächste sein?
Unruhig blickt er in den Rückspiegel und betrachtet die Autos hinter ihm.
Ob Schmid ihn immer noch beschatten lässt? In diesem Augenblick wäre Tanner direkt froh, wenn es so wäre.
Der Stau löst sich zum Glück schneller auf, als er befürchtet hat. Die meisten Autos werden von den gelangweilten und gähnenden Beamten einfach durchgewinkt. Auf der Gegenseite des Grenzüberganges stehen bereits mehrere Polizisten und beobachten die Fahrzeuge, die ausreisen. Schmid hat wirklich sofort gehandelt.
Kurze Zeit später stellt Tanner den Jaguar in der Tiefgarage des Krankenhauses ab.
Auf dem Gang vor Bruckners Zimmer befragen Schmid und seine Leute das Dienst habende Klinikpersonal. Es liegt eine nervöse Spannung in der Luft. Ganz anders als heute Morgen, als Tanner seinen Freund besuchen wollte. Martha ist nicht zu sehen, obwohl er sie gebeten hatte, nicht von der Stelle zu weichen.
Schmid hat ihn entdeckt und kommt auf ihn zu.
Herr Kollege, es ist so, wie Sie befürchtet haben. Alles spricht für eine Entführung. Und zwar eine ziemlich raffinierte. Es war unsere Viererbande, die wir längst wieder in Frankfurt vermutet haben. Dabei tanzen die uns hier auf der Nase herum. Einer hat sich als Arzt ausgegeben, mit einem legalen Überweisungsschein für eine Rekonvaleszenzklinik am Bodensee. Er sprach leidlich deutsch. Alles wurde korrekt unterschrieben. Es sprach wohl auch aus ärztlicher Sicht nichts dagegen. Der behandelnde Arzt hätte ihm sowieso den Aufenthalt in einer ähnlichen Klinik empfohlen, denn hier konnte man nichts mehr für ihn tun. Dies ist ja ein Akutspital und die Zimmer sind auch gerade knapp. Dann hat man sich freund-

lich verabschiedet und weg waren sie. Das Auto hat leider niemand gesehen. Das Ganze ist ungefähr vor zwei Stunden über die Bühne gegangen.
Vielleicht ist er freiwillig mitgegangen?
Das habe ich zuerst auch gedacht, denn das Personal hatte nicht den Eindruck, dass er bedroht wurde. Aber das kann täuschen.
Herr Schmid, haben sie Martha Vogel gesehen? Sie war es, die bei mir Alarm geschlagen hat.
Ich habe sie in die Kantine geschickt. Sie hat hier alle nervös gemacht. Sie wartet dort auf Sie. Ich habe natürlich sofort eine Großfahndung ausgelöst. Autobahnen, Grenzübergänge, Flughäfen und so weiter. Die Konterfeis der Herrschaften haben wir ja. Kann es sein, dass die ihn nach Asien verschleppen wollen?
Das ist schwer zu sagen. Ich weiß es nicht. Aber die Leute sind Profis. Die wissen genau, wo wir sie jetzt erst mal suchen. Also sind sie irgendwo untergeschlüpft und warten. Also, ich meine, wenn sie klug sind. Wir müssen alles überwachen lassen, möglicherweise haben sie einen Privatjet zur Verfügung.
Wird gemacht, Herr Kollege. Haben Sie eine Idee, wo die Unterschlupf gefunden haben könnten?
Keine Ahnung, ehrlich gesagt. Wenn mir was einfällt, sind Sie der Erste, der es erfährt.
Das wäre ja mal was ganz Neues, Herr Kollege. Ich mache jetzt weiter meine Arbeit. Ach ja, übrigens die Klinik am Bodensee haben wir überprüft, die wissen nichts davon. Ich wollte nichts unversucht lassen. Dann wünsche ich noch einen schönen Tag.
Tanner lässt sich die Kantine zeigen. Martha sitzt allein an einem Fenstertisch. Den Blumenstrauß für Bruckner hat sie auf einen Stuhl neben sich gelegt.
Ah, da bist du ja endlich. Und. Gibt's was Neues, Tanner?
Nein, leider nicht. Die Fahndung läuft.
Dieser Schmid ist ja sowieso ein Volltrottel.
Unterschätz den Schmid nicht, Martha. Er ist ziemlich ehrgeizig. Und bis jetzt hat er in dem ganzen Fall noch nicht punkten können, also wird er alles daran setzen, diesen Rückstand aufzuholen.
Aber ohne irgendeinen Hinweis? Was soll er denn tun?
Er hat bereits landesweit die Polizeistationen alarmiert, alle Grenzübergänge und sämtliche Flughäfen werden streng kontrolliert, auch

die kleinen. Die Radio- und Fernsehstationen werden die Bevölkerung um Hinweise bitten. Vielleicht hilft uns ein Zufall. Auf jeden Fall läuft jetzt eine große Maschinerie an. Man kann sagen, dass das Netz ausgelegt ist. Uns bleibt der bittere Rest.
Nämlich?
Warten.
Warten? Bis Bruckner tot ist?
Nein, natürlich nicht. Bis die Entführer sich entweder melden, bis ein Hinweis kommt, oder bis sie einen Fehler machen.
Tanner weiß, wie schwach seine Argumente sind. Aber eine andere Möglichkeit sieht er auch nicht.
Okay, Martha. Ich fahre jetzt zu Deichmann in die Klinik. Willst du mitkommen?
Sicher nicht. Spinnst du? Der hätte sicher keine Freude, wenn ich ihn in der Klinik besuchen komme. Und dann seine Sekretärin! Diese eingebildete Ziege, nein danke.
Gut. Dann gehe ich alleine. Was machst du mit dem Blumenstrauß? Ich wüsste jemanden, der sich freuen würde.
Du kannst ihn ruhig haben. Aber nicht der Sekretärin von Deichmann, hörst du?
Wie kommst du denn auf so eine abwegige Idee, Martha?
Abwegig? Bei euch Männern ist kein Rock zu abwegig. Und sie ist ja so blond! Also, geh jetzt. Guck nicht so belämmert. Ich trinke noch meinen Kaffee aus.
Martha, hast du eine Idee, wo sie Bruckner versteckt haben könnten? Hat Bruckner irgendwo ein Haus? Ein Jagdhaus? Eine Alphütte? Oder ein Bootshaus?
Nein, der doch nicht. Der hat sein wahnsinniges Stadtappartement und fertig. Der Rest seines Lebens spielt sich in Hotels ab. Und auf seinem Bankkonto.
Tanner fährt mit seinem riesigen Blumenstrauß in die psychiatrische Universitätsklinik und stellt seinen Jaguar frech auf den für Ärzte reservierten Parkplatz.
Ich glaube, mit dem Auto kann ich mir das leisten.
Bevor er aussteigt, wählt er die Nummer von Kiharu. Diesmal hat er Glück.
Tsumura am Apparat.
Guten Tag, Frau Tsumura. Ich bin's, Tanner. Störe ich Sie?

Nein, im Gegenteil. Ich habe Mittagspause und Sie wissen ja, wo ich dann sitze.
Ja, außer gestern Nachmittag. Da habe ich Sie vergebens in Ihrem Stammcafé gesucht.
Sie haben mich gesucht! Wie schön. Ja, gestern Nachmittag habe ich Ihre Elsie besucht. Was für eine schöne Frau, Ihre Elsie. Und wie bezaubernd sie daliegt. Das schreckliche Wort Koma passt gar nicht dorthin. Aber leider ist es trotzdem so. Ich bin mir ganz sicher, dass sie wieder aufwachen wird, wenn die Zeit gekommen ist.
Ja, das hoffe ich auch. Frau Tsumura, wie geht es Ihnen? Sie klingen irgendwie so … traurig.
Nein, nein, ich bin gar nicht traurig. Ich bin nur etwas müde. Und wie geht es Ihnen, Herr Tanner?
Mir geht es ehrlich gesagt nicht sehr gut. Aber das ist eine lange Geschichte.
Dann erzählen Sie es mir besser heute Nacht auf meiner Terrasse, oder? Ich würde mich sehr freuen, wenn Sie kommen.
Ja, ich werde kommen.
Ach ja, wegen Frau Fukumoto. Meine Freundin hat mir mitgeteilt, dass die Dame mit einem Nervenzusammenbruch in eine Klinik eingeliefert worden sei. Daraufhin wurde die Einladung sowieso abgesagt. Ich kann Ihnen da also auch nicht weiterhelfen. Es tut mir Leid.
Das ist nicht so schlimm. Aber jetzt habe ich eine ganz wichtige Frage an Sie.
Fragen Sie, bitte. Sie können mir jede Frage stellen, Herr Tanner.
Zuerst muss ich Ihnen sagen, dass mein Freund Bruckner entführt worden ist. Und zwar durch dieselben Leute, die Michiko umgebracht haben. Es sind Itos Leute. Ich bin mir inzwischen ganz sicher.
Kiharu sagt nichts.
Und jetzt komme ich zu meiner Frage.
Fragen Sie.
Wo ist Chiyo?
Kiharu schweigt ziemlich lange.
Sie ist in Japan.
Das weiß ich bereits. Kiharu, ich bitte Sie, es geht um ein Menschenleben. Hat sie Ito entführt?
Ich kann nur hoffen, Chiyo macht nicht irgendeine Dummheit, die sie dann ihr Leben lang bereuen wird.

Ich entnehme Ihrer Antwort, dass sie es getan hat. Können Sie ihr eine Nachricht zukommen lassen?
Ja, das ist möglich. Und was soll ich ihr sagen?
Sie soll mich ganz dringend anrufen. Sie hat ja meine Nummer. Egal, wo sie ist und egal, was sie gemacht hat: Sie soll mich so schnell wie möglich anrufen. Ich kann ihr helfen.
Das werde ich tun.
Kiharu beendet das Gespräch, ohne sich zu verabschieden. Aber das ist egal. Tanner weiß, was er wissen wollte, und konnte seine Botschaft anbringen. Er ist sich ganz sicher, dass Kiharu sie weiterleiten wird.
Verdammt, wie ich es vermutet habe. Wie wird das enden?
Reglos bleibt er im Auto sitzen und überlegt, ob er etwas übersehen hat, ob es etwas gibt, das er noch tun könnte. Dann packt er die Blumen und geht durch die Eingangshalle, direkt in Richtung Park.
Und tatsächlich sitzt Alois auf derselben Mauer, auf der er letzthin stehend den Nachbargarten bewässert hat.
Aber was macht er denn da?
Tanner bleibt stehen und schaut fasziniert zu. Neben Alois sitzt ein großer, schwarzer Rabe. Alois füttert das Tier, das anscheinend ganz zutraulich ist. Tanner kann sich ziemlich nahe an die Mauer schleichen und versteckt sich hinter einem Baum. Den Blumenstrauß legt er ins Gras.
Alois spricht mit dem Raben. Leider kann Tanner die Worte nicht verstehen. Näher kann er auch nicht heran, sonst würde Alois ihn bemerken. Alois gestikuliert mit den Händen, als würde er dem Raben gerade etwas ziemlich Kompliziertes erklären. Nicht anders würde er wahrscheinlich mit jeder Person reden, die dort neben ihm sitzen würde.
Das ist ja ein Spinner …
Nachdem Alois den letzten Bissen verfüttert hat, schreitet der Vogel gravitätisch der Mauer entlang, Tanner entgegen. Und – man kann es nicht anders beschreiben: Der Vogel entdeckt Tanner hinter dem Baum, schaut ihn genau an, guckt sich zu Alois um, krächzt einige gutturale Laute und fliegt davon. Alois ruft ihm noch etwas hinterher und blickt dann in Richtung Baum.
Komm nur hervor, Tanner. Ich weiß, dass du dich dort versteckst.
Tanner kommt hinter dem Baum hervor und streckt Alois die Hand entgegen.

Du hast deine Blumen im Gras vergessen, Tanner.
Woher weißt du von den Blumen?
Herr Szabo hat es mir gesagt.
Wer ist Herr Szabo?
Hast du den Raben nicht gesehen?
Das ist Herr Szabo?
Er hat dich gesehen und gleich an mich verraten. Vögel petzen für ihr Leben gern.
Tanner schüttelt den Kopf und holt die Blumen, die er tatsächlich hinter dem Baum hat liegen lassen.
Die habe ich Ihnen mitgebracht. Als Dank für die schönen Zeichnungen.
Du bringst mir Blumen? Okay, danke. Ich glaube, ich habe noch nie Blumen von einem Mann geschenkt bekommen.
Na ja, das können Sie von jetzt an nicht mehr sagen.
Und was willst du?
Sie haben doch gesagt, dass der theologische Unterricht noch nicht beendet sei, oder?
Das stimmt. Aber ich habe heute keine Lust. Ich muss mich auf das große Wasser vorbereiten.
Alois blickt zum Himmel.
Das große Wasser? Sie meinen, es kommt Regen?
Tanner blickt zweifelnd nach oben. Kein Wölkchen weit und breit.
Ja, Regen! Hast du Bananen in den Ohren? Morgen Nacht wird hier ein Regen niederdonnern, dass die Leute glauben werden, die Sintflut kommt. Leider wird es nicht die Sintflut sein.
Warum leider?
Es wäre doch an der Zeit, dass das ganze Pack von der Erde verschwindet, oder Tanner? Du darfst ruhig anderer Meinung sein.
Woher wissen Sie denn das mit dem Regen so sicher?
Das wirst du jetzt nicht verstehen. Das heißt, genau gesagt, wirst du das gar nicht verstehen *wollen.*
Und wenn doch? Versuch's doch mal.
Okay, Tanner. Herr Szabo hat es mir gesagt.
Der Rabe? Kann er denn reden?
Wenn man ihn versteht, ja klar. Was meinst du jetzt, Tanner? Sage ich die Wahrheit oder sind das Spinnereien eines Kranken?
Ich denke, du sagst deine Wahrheit, Alois.

Ich finde es übrigens sehr nett, dass du mir jetzt endlich du sagst! Aber deine Antwort ist wieder diese typische Weder-Fisch-noch-Vogel-Trickkiste. Meine Frage war glasklar. Soll ich sie wiederholen?
Nein, nein. Ich habe deine Frage schon verstanden!
Also? Und wie lautet die glasklare Antwort des Herrn Tanner?
Ich denke, du bist einer der wenigen glücklichen Menschen, die mit Herrn Szabo wirklich sprechen können. Und die ihn auch verstehen. Doch, davon bin ich überzeugt. Ich habe dich ja auch im Busch mit den Vögeln reden hören.
So. Hast du. Wieso denkst du, ich sei ein glücklicher Mensch, weil ich mit den Tieren reden kann?
Ich stelle es mir als ein ungewöhnliches Glück vor, mit den Tieren reden zu können.
Das ist ja interessant. Und beweist einmal mehr, wie naiv du bist. Die Tiere erzählen mir hauptsächlich von ihrem Unglück und von ihrem Leiden.
Was für ein Leiden?
Ja, bist du blöd, Tanner? Schau dich doch mal um. Findest du, wir behandeln die Tiere so, dass sie glücklich sein müssten? Wohlverstanden, ich rede jetzt global und auch historisch und nicht von Tante Friedas fett gewordener Hauskatze! Seit es uns gibt, massakrieren wir die Tiere. Viele Tierarten gibt es ja schon gar nicht mehr, so sehr lieben wir sie. Wir zerstören ihre Umwelt. Wir vergiften die Meere. Wir fressen sie. Soll ich noch mehr anführen?
Nein, du hast ja Recht, Alois.
Sie schweigen. Alois schaut sich nach dem Raben um. Der scheint aber endgültig verschwunden zu sein.
Wolltest du mich etwas fragen, Tanner?
Kann man sich mit Zeitungspapier vor Geistern schützen?
Wie kommst du denn jetzt auf so was?
Ich habe eine glasklare Frage gestellt, Alois.
Okay. Eins zu null für dich. Ja. Kann man. Es kommt darauf an, wie man die Zeitung wickelt und wie viele Lagen.
Kannst du mir das genauer erklären, bitte?
Also, bei bestimmten Geistern musst du so viele Lagen wie möglich um dich wickeln, am besten kreuzweise, damit der Wind nicht dazwischen kann. Das würde dann zum Beispiel gegen die Geister der Kälte nützen, ha, ha, ha …

Du bist ein Komiker. Ich meine nicht die Geister der Kälte, sondern echte Geister.
Es gibt keine Geister. Auch keine echten. Basta. Wer hat dir denn so einen Bären aufgebunden? Deichmann etwa? Ha, ha, ha …
Nein, mein Großvater pflegte sich mit dieser Methode gegen Geister zu schützen. Er hat sich Zeitungen in mehreren Lagen zwischen Hemd und Leibchen gestopft.
Dein Großvater? Hatte er einen Dachschaden, oder was?
Er war psychisch krank, ja. Er war übrigens eine Zeit lang auch hier untergebracht.
Aha. Ich verstehe. Und sonst? Wie ist es danach mit ihm weitergegangen?
Er wurde am Ende vergast und verbrannt.
Hier?
Nein, in Deutschland.
Wie kam er denn nach Deutschland? Wenn er hier, wie du sagst, untergebracht war?
Die haben ihn abgeschoben, weil er Deutscher war.
Sag ich doch. Sintflut her – und das ganze Pack ersäufen!
Alois schaut auf den Boden und stochert mit seinen Schuhen im Gras.
Und? Was weißt du sonst noch von deinem Großvater? Wie hieß er denn?
Er hieß Gustav Adolf Land. Er hatte religiöse Wahnideen und Verfolgungswahn.
Aha. Wer hat ihn verfolgt?
Wieso fragst du *wer*?
Ach, Tanner. Du bist schon verboten naiv. Hinter jeder psychischen Krankheit stehen immer konkrete Menschen. Also? Wer hat ihn verfolgt?
Er hat verfolgt. Er hat seiner Frau unterstellt, dass sie ihn fortlaufend betrügt. Mit jeder Menge Männer. Kreuz und quer. Familie, Verwandtschaft, Männer von der Straße und so weiter.
Aha. Vielleicht stimmte das ja?
Nein, meine Großmutter hat sich nicht für Sex interessiert. Im Gegenteil.
Aha. Dann ist der Fall ja eh klar!
Wie? Klar?

Ja, sicher. Dann hatte *er* einen unglaublichen Sexualtrieb und seine Frau eben nicht, wie du gerade gesagt hast. Eine Familie ist ein geschlossenes System, wie in der Physik. Der Druck wächst und wächst. Die Hormone stoßen nach. Also noch mehr Druck in das System. Und eines Tages macht es bums. Natürlich beim Schwächsten. Und das war dein Großvater. Zuerst hat er versucht, verzweifelt zu sublimieren, wie Deichmann gerne sagt. Mit möglichst hehren Ideen oder Idealen. Er war religiös, sagtest du?
Tanner nickt.
Na also! Da haben wir doch die klassische Mischung. Kein Sex und dann auch noch religiös. Da hat der arme Kerl so lange sublimiert und sublimiert und sich kastriert, bis es in seinem Kopf zu dieser Fehlschaltung kam. Er hat die sexuelle Lust, die eigentlich *er* empfindet, sich aber abschneiden musste, auf seine Frau übertragen. Dann sagen die Idioten, der Typ leidet an Verfolgungswahn und somit kann man ihn gleich internieren. Und wenn er dann auf die zwanghafte Internierung etwas komisch reagiert, wie jeder normale Mensch: bums! Schon hat er ein Etikettchen um den Hals. Mit Vorliebe Schizophrenie oder so was Nettes. Das versteht niemand, aber alle halten es für das absolut Schlimmste. Also kann man damit jede Art von Schikane begründen. Entmündigung, Kasernierung, die völlige Entrechtung eines Menschen. Siehe Gustav Adolf Land. Und was war noch? Ach, so? Er ist ja ein Deutscher! Ja, dafür haben wir natürlich kein Geld. Rums! Und weg ist er. Schon einer weniger. Dass man damals wahrscheinlich schon ahnte, dass unsere charmanten Nachbarn solche Menschen früher oder später einfachheitshalber abmurksen werden, hat man heute natürlich vergessen. Oder achselzuckend ad acta gelegt. Schließlich können wir uns ja nicht um alles kümmern. Wir haben deinen verehrten Großvater in Treu und Glauben in eine deutsche Klinik überstellt. Wie? Die vergasen und verbrennen solche Leute? Nie was davon gehört. Ja schade. Aber jetzt können wir halt auch nichts mehr machen. Herzliches Beileid. Amen.
Alois zittert vor Wut.
Ich sage es noch einmal: Sintflut her – und das ganze Pack ersäufen.

ACHTUNDDREISSIG

Michel ist heute ausnahmsweise bis weit in den Nachmittag im Bett geblieben und hat Löcher in die Zimmerdecke gestarrt. Ob er doch weiterlesen sollte? Claire hatte ihm das Buch von diesem Holländer gegeben, aus dem sie die Geschichte vom Mönch hatte, der ins Puff ging und dann erleuchtet wurde. Aber er ist schon am Vorwort gescheitert. Das heißt, er ist gleich eingeschlafen. Jedes Mal, wenn er versuchte weiterzulesen, ist er gleich wieder eingeschlafen. Hat er das Buch beiseite gelegt, war er sofort wieder hellwach. Es war wie verhext.

Claire ist heute den ganzen schrecklich langen Tag unterwegs. Sie muss für ihren Bruder, der vielleicht aus Australien zurückkehren will, irgendwelche dringlichen Sachen erledigen.

Diese Claire …

Michel fühlt sich ausgelaugt und tief in ihm drin breitet sich eine furchtbare Leere aus. Irgendwo am fernen Horizont lauert der Augenblick, da seine Praktikantin zu neuen beruflichen Ufern aufbrechen wird. Wann immer dieser Gedanke ihn einholt, zieht er die Decke so lange über den Kopf, bis er sich wieder verzogen hat.

Die einzige Abwechslung heute Morgen ist das Gespräch mit Schmid gewesen. Der hat ihn überraschenderweise angerufen und ihn auf den neuesten Stand gebracht. Diese chinesische Saubande, diese Viererbande, die jetzt auch noch den Bruckner weiß Gott wohin entführt hat, die würde er gerne mal in seine Finger kriegen. Schmid hatte sich eigentlich bloß erkundigen wollen, ob der Wissenschaftler, Louis Pinget, schon aufgetaucht sei. Die Frage war schnell beantwortet und danach hat sich der Herr Hauptkommissar herabgelassen, ihn über die Vorkommnisse des Tages zu informieren.

Wäre nicht der Hunger, der ihn plagt, Michel würde nicht die Kraft finden, aus dem Bett zu steigen. Auch seine Blase ist zum Bersten voll. Er schleppt sich ächzend in die Küche und öffnet den Kühlschrank. Gott sei Dank sind da noch ein paar Schweinswürste. Ein paar Tage über dem Datum, aber was soll's?

So, die verehrten Herren Würste, ihr werdet jetzt schön gekocht und dann mit viel scharfem Senf vertilgt, und zwar von einem Herrn mit Bärenhunger.

Als die Pfanne auf der Kochplatte steht, schlurft Michel in Richtung Toilette.
Zuerst die Arbeit, dann das Vergnügen, hi, hi, hi …
Kaum plätschert der Strahl in die Schüssel, schrillt das Telefon.
Verdammt, kann man nicht mal in Ruhe pissen?
Mit aller Kraft bändigt er sein Bedürfnis und rennt zum Telefon.
Ja, was ist denn los?
Ich bin's, Tanner. Ist dir was über die Leber gekrochen, Michel?
Nein, ich wollte nur endlich mal meine Briefmarkensammlung ordnen und schon wird man gestört. Was willst du?
Setz dich ins Auto. Die Ereignisse überstürzen sich. Heute Morgen ist Bruckner von den Chinesen entführt worden. Wir haben bisher keine Spur und es gibt auch noch keine Forderung der Entführer.
Ja, das hat mir Schmid schon erzählt. So eine Scheiße! Und wohin soll ich kommen?
Pinget hat sich gemeldet. Ich treffe ihn in dem Gasthaus, weißt du, da in dem Dorf, wo sein Haus abgebrannt ist. In einer guten halben Stunde. Ich bin schon unterwegs. Beeil dich. Du willst doch sicher dabei sein, oder?
Ja, sicher. Du hättest mir auch ein bisschen früher Bescheid sagen können.
Konnte ich nicht. Ich hatte kein Netz. Also bis gleich, Dicker.
Michel legt wütend auf.
Kein Netz! Kein Netz! Das kann jeder sagen. Und nenn mich nicht Dicker, du!
Michel rennt ins Badezimmer und setzt sein begonnenes Wasserwerk fort.
Und meine Würste? Die kann ich natürlich in den Kamin schreiben. Herrgott, hast du mich verlassen? Meine Güte, diese Hetze! Ihr Männer von Athen, was für ein beschissener Tag.
Er schreibt Claire eine SMS und informiert sie über Ort und Zeitpunkt des Treffens mit Pinget. Wer weiß, vielleicht ist sie mit ihren Erledigungen bald fertig.
Tanner hatte den Anruf von Pinget bekommen, kaum hatte er Alois verlassen. Bruckner ist es also offenbar am Morgen vor seiner Entführung noch gelungen, Kontakt mit ihm aufzunehmen.
Pinget war am Telefon sehr knapp, beinahe unfreundlich gewesen. Er hatte lediglich Ort und Zeitpunkt eines möglichen Treffens ins Te-

lefon gebellt. Tanner konnte gerade noch sagen, dass der Vorschlag in Ordnung sei, dann war die Leitung wieder tot. Offensichtlich benutzt Pinget eine unterdrückte Nummer, denn das Display von Tanners Apparat zeigte nichts an.
Er ist sofort losgefahren. Erst später, als er sich schon im Mittelland befand, kam ihm die Idee, Michel zu dem Treffen mitzunehmen. Der muss ja auch nicht weit fahren.
Da der Jaguar über ein GPS verfügt, ist es für Tanner ein Leichtes, den Weg zum Dorf zu finden. Als er die Autobahn verlässt und ins Seeland einbiegt, den grünen Hügelzug vor Augen, der die drei Seen trennt, überkommt ihn urplötzlich ein schier übermächtiges Gefühl der Sehnsucht nach seiner Wohnung am See. Zuletzt war er dort gewesen, als Martha ihn begleitet hatte. Es kommt ihm wie eine kleine Ewigkeit vor. Er hätte große Lust, alles fahren zu lassen und sich in seiner Wohnung zu verkriechen.
Was gehen mich eigentlich all diese Geschichten an? Bruckner? Ja, Bruckner muss gefunden werden, und zwar ziemlich schnell. Aber sonst? Alois? Der braucht mich nicht, so viel ist klar. Vielleicht brauche ich ihn? Und Kiharu? Tanner bemüht sich, all diese Gedanken wegzuscheuchen, und konzentriert sich auf den Bildschirm seines satellitengestützten Wegweisers. Gerade hat er in diesem Moment eine entscheidende Abzweigung verpasst.
Er hält an und wendet den Wagen. Da sieht er in der Ferne ein Auto mit Blaulicht heranrasen. Das kann eigentlich nur Michel sein, der Spinner. Tanner lässt das Fenster runter und hält kurz vor der Abzweigung an. Bald darauf nimmt Michel die Abzweigung mit kreischenden Reifen und fährt in vollem Tempo an ihm vorbei. Tanner winkt, aber Michel sieht nichts.
Blinde Nuss. Ach so, der kennt ja das Auto gar nicht.
Tanner tritt aufs Gas. Bald hat er Michel eingeholt und klemmt sich an dessen Hinterrad.
Auf dem Parkplatz des kleinen Gasthofes parken sie gleichzeitig ihre Wagen. Michel taucht mit hochrotem Kopf aus seinem Auto auf.
Was zum Teufel? Ach, du bist das, Tanner? Ich wollte gerade sagen, welches Aas klebt an meinem Hinterrad, wenn ich mit Blaulicht fahre?
Ach, du bist es, Michel? Und ich wollte gerade fragen, welches Aas fährt gegen die Dienstvorschrift mit Blaulicht?

Ja, ja. Hier draußen in der Wildnis gelten keine Dienstvorschriften. Sag mal, hast du im Lotto gewonnen?
Michel zeigt auf den Jaguar.
Ist nur geliehen. Komm, lass uns schauen, ob Pinget schon da ist.
Hab ich dir gesagt, Tanner, dass die ihn im Dorf den Japaner nennen?
Ja, hast du. Michel, ich rede! Ist das klar?
Michel nickt nur.
Sie betreten nacheinander das Wirtshaus. Erst als sich ihre Augen an die relative Dunkelheit in dem niedrigen Raum gewöhnen, sehen sie, dass die Gaststube leer ist, bis auf ein altes Bäuerchen, das mit dem Rücken zu ihnen allein an einem der Tische sitzt.
Tanner dreht sich wieder um.
Tja, der Herr verspätet sich. Wollen wir draußen warten?
Nein, der Herr hat sich nicht verspätet. Wer sich verspätet hat, sind die Herren. Um genau elf Minuten.
Oh, Entschuldigung. Sie sind Herr Pinget?
Sehen Sie sonst noch jemanden hier? Normalerweise ist das Gasthaus um diese Zeit noch geschlossen. Aber ich bin hier seit dreißig Jahren Stammgast. Setzen Sie sich bitte und sagen Sie mir, was Sie von mir wollen.
Das ist Michel. Hauptkommissar der Kriminalpolizei. Ich bin Tanner. Danke, dass Sie sich bereit erklärt haben, mit uns zu sprechen.
Das habe ich nicht. Ich bin bereit, erst mal zu erfahren, was Sie von mir wollen. Ob ich wirklich mit Ihnen sprechen werde, entscheide ich danach.
Tanner und Michel setzen sich Pinget gegenüber. Pinget, der von hinten wie ein greises Männchen wirkte, ist tatsächlich alles andere als das.
Jetzt, wo Tanner Pingets Gesicht sieht, ist er sofort in seinem Bann. Drei Begriffe fallen ihm zu diesem Gesicht ein: Askese, Intelligenz und Güte. Pingets wache Augen stehen in einem krassen Gegensatz zu dem schroffen Ton. Tanner begreift, dass er Angst hat. Darin kennt er sich aus. Seine für einen Mann seines Alters ungewöhnlich großen und schönen Augen blicken Tanner überraschend offen an.
Wenn Sie mein Gesicht fertig studiert haben, wäre es sehr freundlich von Ihnen, mir endlich zu sagen, was Sie von mir wollen. Meine Zeit ist bemessen.

Wissen Sie, Herr Pinget, dass Richard Bruckner entführt worden ist?
Nein, aber das ist mir egal. Haben Sie noch mehr Fragen?
Dass Ito, der Neffe von Tetsuo auch entführt worden ist, nehme ich an, wissen Sie aber.
Ja, das weiß ich. Es ist mir aber genauso egal. Weiter.
Dass vor einiger Zeit Herr Fukumoto ermordet worden ist, ist Ihnen wahrscheinlich auch egal, oder?
Nein, Herr Tanner, das ist mir nicht egal. Aber ich kann es nicht ändern.
Dass eine junge Frau, die zufällig Zeugin dieses Mordes war, Michiko Inoué, auch ermordet wurde, nehme ich an, wissen Sie wahrscheinlich nicht.
Nein, das wusste ich nicht.
Tanner und Michel warten auf die sture Formel *das ist mir egal*, aber diesmal kommt sie nicht. Pinget schaut in Tanners Augen, aber auf seiner Stirn bilden sich plötzlich kleine Schweißperlen.
Dass sozusagen aus Versehen eine Frau verbrannt ist, weil sie bei einer Brandstiftung, die ebenfalls zur Beseitigung eines Zeugen ausgeübt worden ist, zufällig am falschen Ort war, wissen Sie dann wahrscheinlich auch nicht, oder?
Nein, das weiß ich auch nicht.
Pinget weicht das erste Mal Tanners Blick aus. Jetzt meldet sich plötzlich Michel zu Wort. Gegen ihre Absprache.
Herr Pinget, Sie sind doch hier Stammgast, oder? Glauben Sie, dass ich um diese Uhrzeit etwas zu essen kriegen könnte. Ich sterbe vor Hunger.
Tanner verdreht die Augen. Pingets Reaktion aber ist überraschend. Er lacht herzhaft.
Sie gefallen mir, Michel. Ihnen soll geholfen werden.
Pinget dreht sich in Richtung Küche.
He, Stucki, wach auf. Bring mal dem Herrn Michel ein Stück vom Mittagsbraten.
Aus der Küche hört man Geräusche. Stucki brummt irgendetwas, was Pinget offensichtlich als Zustimmung entschlüsselt.
Der Stucki macht nämlich meistens sein Mittagschläfchen in der Küche, gell Stucki!
Pinget wendet sich wieder dem Tisch zu.
So, Michel, Ihr Problem wird in Kürze gelöst sein. Tanners Problem

ist offenbar nicht so schnell zu lösen. Aber zuerst muss ich es verstehen. Was wollen Sie denn eigentlich von mir, Herr Tanner?
Herr Pinget, ich glaube, ich verstehe Ihre Lage sehr gut.
Ach ja? Dann berichten Sie doch mal von meiner Lage.
Sie haben in einem langen, wissenschaftlichen Leben offensichtlich ein Verfahren entwickelt, das der Menschheit die Nutzung einer neuen, ungeheuren Energie zur Verfügung stellen wird.
Pinget lächelt.
Etwas vage ausgedrückt, aber im Prinzip stimmt es.
Sie könnten uns ja mal genau erzählen, um was es bei Ihren Forschungen und bei Ihrem Verfahren wirklich geht, oder?
Muss das sein? Ich habe nicht viel Zeit.
Wir wären Ihnen sehr verbunden, wenn Sie uns aufklären könnten.
Pinget schaut auf die Uhr.
Also, gut. Ich versuche es Ihnen so zu erklären, dass Sie es verstehen. Es geht um die Gewinnung von Wasserstoff, das heißt um die Erschließung einer unerschöpflichen Energiequelle. Wie Sie vielleicht wissen, war das bisher gängige Verfahren, um Wasserstoff herzustellen, die Elektrolyse. Diese erfordert allerdings eine große Menge Strom, erzeugt aus fossilen Brennstoffen. Dass das im Grunde keinen Sinn macht, können die Herren vielleicht nachvollziehen.
Michel und Tanner nicken.
Mein Team und ich sind deshalb neue Wege gegangen. Es ist uns gelungen, eine einzellige Alge herzustellen, die Wasserstoff in reinster Form produziert.
Michel räuspert sich.
Entschuldigen Sie, Herr Pinget, hat diese Alge etwas mit den Blutalgen aus unserem See zu tun?
Pinget lächelt.
Nein, nein. Wie soll ich Ihnen das erklären? Unsere Alge ist eine genetisch veränderte Mutante der Grünalge, Chlamydomonas reinhardtii namens Stm6. Mit ihr gelingt es, dreizehn Mal mehr Wasserstoff herzustellen, als dies bisher der Fall war. Und die Herstellung ist extrem billig. Es gibt ein paar Geheimnisse, die ich Ihnen natürlich nicht erzähle. Einer industriellen Verwertung steht praktisch nichts mehr im Wege. In fünf bis sechs Jahren wird es möglich sein, einen entsprechenden Großbioreaktor für kommerzielle Zwecke herzustel-

len. Parallel dazu haben wir in Verbindung mit Entwicklungsteams aus der ganzen Welt ganz neuartige, hocheffiziente Brennstoffzellen für Automobile entwickelt. Alles in allem kann man von einer Revolution im gesamten Bereich der Energiegewinnung und -anwendung reden.
Und wie funktioniert das mit den Algen?
Es ist relativ einfach. In einem geschlossenen Behälter werden die Algen in der wässrigen Suspension beleuchtet. Dabei produzieren sie mit Photosynthese Wasserstoff in Gasform. Wollen Sie noch mehr wissen?
Pinget schaut erneut auf die Uhr.
Damit geben wir uns zufrieden, Herr Pinget. Ich kürze ab. Haben Sie an Tetsuo Amagatsu verkauft?
Es geht Sie zwar nichts an, aber ich habe verkauft. Aber nicht an ihn, sondern an seine Firma, und die leitet jetzt sein Neffe Ito.
Der entführt worden ist, Herr Pinget.
Ja. Das hatten wir schon.
Und wenn ich Ihnen sage, dass für all diese Morde Ito Amagatsu verantwortlich ist?
Pinget schweigt eine Weile und senkt wieder seinen Blick. Dann fragt er leise.
Können Sie das beweisen, Tanner?
Ich werde es beweisen, Herr Pinget.
In diesem Moment tritt ziemlich geräuschvoll ein vierschrötiger Mann aus der Küche in die Gaststube. Es ist Stucki, der einen riesigen Teller mit dampfendem Braten und Gemüse bringt.
Hier, Michel. Dein Braten.
Danke, Stucki.
Du kennst den Herrn, Stucki?
Wer kennt ihn nicht? Der größte Bratenverschlinger aller Zeiten, nicht wahr, Michel.
Der grunzt und macht sich über seinen Teller her.
Dann wünsche ich Ihnen einen guten Appetit, Herr Michel.
Danke, Herr Pinget.
Ab sofort ist wenigstens ein Mensch in diesem Raum glücklich. Pinget unterzieht seine Hände einer konzentrierten Untersuchung. Sie könnten die eines Konzertpianisten sein. Nach einer Weile wendet er sich wieder an Tanner.

Wenn Sie es tatsächlich beweisen können, Herr Tanner, ist dann der Vertrag ungültig?
Tanner ist jetzt unnachgiebig.
Sie sind gezwungen worden, Pinget. Geben Sie es zu. Es ist ja keine Schande.
Michel hört vor Aufregung auf zu kauen. Pinget holt Luft.
Ja.
Michel blickt auf.
Die Kühe, nicht wahr? Der goldene Hammer von Ghuangzhou.
Pinget nickt.
Das war aber nicht alles. Sie drohten als nächsten Schritt, meiner Tochter und ihrer Familie etwas anzutun. Da habe ich verkauft.
Michel kratzt sich an der Stirn.
Und warum haben die dann Ihren Hof angesteckt? Wenn Sie ja schon verkauft hatten?
Natürlich um meine Labors zu zerstören. Die brauchen mich nämlich nicht mehr. Das Verfahren haben sie ja.
Es wird ein Leichtes sein, vom Gericht den Vertrag als ungültig erklären zu lassen.
Ich hoffe, dass Sie Recht haben.
Alle schweigen einen Moment. Bis Tanner weitermacht.
War es Ito oder Tetsuo?
Es waren Ito und sein Verein. Tetsuo wusste nichts davon.
Haben Sie denn nicht mit Tetsuo darüber gesprochen?
Natürlich, aber der ist vernarrt in seinen Neffen. Er hat mir überhaupt nicht zugehört. Tetsuo ist klug und weise. Aber er hat eine Schwachstelle, und die heißt Ito. Er behandelt ihn wie einen Halbgott. Kein Mensch weiß, wieso. Ich meine, Ito ist blitzgescheit, aber sein Charakter ist nicht jedermanns Sache. Auf Frauen soll er allerdings eine sehr starke Wirkung haben.
Michel räuspert sich.
Entschuldigen Sie, Herr Pinget. Was meinten Sie mit Ito und seinem *Verein*?
Ja, das können Sie wahrscheinlich nicht wissen. Ito und ein paar andere haben eine Bewegung gegründet, so nach der Art der Samurai, mit dem Ziel, sich von der wirtschaftlichen Allmacht der USA zu lösen. Es sind lauter Söhne oder nahe Verwandte von mächtigen Wirtschaftsbossen oder einflussreichen Politikern. Sie sind quasi die

Nachfolgergeneration, die zum Teil jetzt schon das Sagen hat oder es bald haben wird. Sie wissen vielleicht, dass in Asien die Clannachfolge noch immer eine große Rolle spielt, anders als in Europa. Und wegen ihrem hoch gesteckten Ziel waren sie natürlich so wild auf mein neues Verfahren. Und damit werden die über kurz oder lang ihr Ziel erreichen. Das ist klar.
Obwohl Pinget von seinem eigenen Verfahren spricht, klingt es tief bekümmert.
Michel hat fertig gegessen und greift sich einen Zahnstocher.
Dieser Verein, den Sie eben geschildert haben, benutzen die als Emblem den buddhistischen Knoten?
Sieh mal an, Michel, Sie wissen ja doch Bescheid. Genau. Das ist ihr Zeichen. Furchtbar altmodisch das Ganze, aber leider sehr effizient. Ich sage Ihnen, die sind so gnadenlos wie Terroristen, nur tragen sie Geschäftsanzüge und pflegen nach außen perfekte Manieren. Ob Sie mit denen fertig werden, Herr Tanner, erlaube ich mir anzuzweifeln.
Ich rede ja auch nur von Ito, nicht von ganz Asien, Herr Pinget.
Tanner zückt die Zeichnung, die Alois gemacht hat.
Hier ist eine Skizze. Sie ist zugegeben etwas schemenhaft. Aber trotzdem. Erkennen Sie den Mann?
Pinget wirft einen einzigen Blick drauf.
Das ist Ito. Das ist seine typische Haltung. Kein Zweifel. Wer hat das gezeichnet?
Sie werden verstehen, Herr Pinget, dass ich das für mich behalten muss.
Ja, das verstehe ich.
Kennen Sie die hier?
Tanner zückt aus seiner Tasche die Kette, die Alois gefunden hat.
Die gehört eindeutig Ito. Manchmal hat er, wenn er bei Gesprächen dabeisaß, damit herumgespielt und alle nervös gemacht.
Pinget nimmt die Kette in die Hand und hält den geschnitzten Anhänger gegen das Licht.
Das stellt den Knoten dar, von dem wir geredet haben.
Michel wischt sich mit der Serviette den Mund.
Ja, das ist er, der buddhistische Knoten.
Er verschluckt sich vor Aufregung und kann kaum weiterreden.
Was ich immer noch nicht verstehe, Herr Pinget: Warum haben wir denn den Hammer auf Ihrem Hof gefunden?

Sie haben den Hammer auf meinem Hof gefunden?
Ja, der Stiel ist leider verbrannt.
Pinget lächelt bitter.
Es ist klar, dass Sie das nicht verstehen können. Das ist der Ausdruck einer ganz bestimmten Sorte von Humor. Itos Humor. Die wussten, dass ich als Sammler jahrelang hinter dem Hammer her war.
Tanner nimmt die Kette wieder an sich.
Herr Pinget, eine allerletzte Frage. Warum sind Sie eigentlich nie zur Polizei gegangen?
Pingets Gesichtszüge verhärten sich.
Plötzlich durchschneidet eine scharfe, unangenehme Stimme den Raum.
Ja, Louis, warum bist du nie zur Polizei gegangen?
Pinget dreht sich um. Im Gegenlicht der offenen Tür steht ein übertrieben seriös gekleideter Mann.
Michel steht langsam auf.
Herr Oberstaatsanwalt …? Wie kommen Sie, äh … hierher?
Entschuldige, Michel. Ich konnte nicht ver…, äh …
Hinter dem Oberstaatsanwalt wird Claire sichtbar. Sie versucht mit lebhafter Körpersprache den begonnenen Satz zu vervollständigen.
Der Oberstaatsanwalt macht eine ungeduldige Bewegung.
Sie haben sich gar nicht zu entschuldigen, Fräulein Claire.
Claire verdreht die Augen.
Ich habe im Kommissariat Ihre Assistentin getroffen, die sich gerade einen Dienstwagen bestellt hatte, um zu dem Treffen mit Pinget zu fahren. Da habe ich beschlossen, einmal selber nach dem Rechten zu schauen. Also, Louis! Warum bist du nie zur Polizei gegangen? Hast du kein Vertrauen in die Staatsgewalt?
Der Angesprochene reagiert ausgesprochen überraschend. Er lacht und schüttelt den Kopf.
Was ist denn das hier für eine Versammlung? Ich habe mich nur zu einem informellen Treffen bereit erklärt. Zu mehr nicht. Haben Sie das alle verstanden?
Pinget erhebt sich. Tanner auch.
Herr Oberstaatsanwalt, mein Name ist Tanner. Ich glaube, das ist jetzt wirklich nicht der richtige Zeitpunkt, um Herrn Pinget –
Lassen Sie es gut sein, Tanner. Mit diesem aufgeblasenen Waden-

beißer, mit dem ich leider auch noch verwandt bin, werde ich alleine fertig.
Pinget zeigt mit ausgestrecktem Arm auf den Oberstaatsanwalt.
Und du, lass dir Folgendes gesagt sein: Auf deine Staatsgewalt, wie du das pompös nennst, kann ich gerne verzichten! Glaubst du wirklich, dass ihr gegen die irgendeine Chance habt? Glaubst du wirklich, ihr hättet mich vor denen beschützen können? Da kann ich nur lachen. Da ist mir mein Leben – und vor allem das meiner Familie – doch zu wichtig, als es euch anzuvertrauen. Nein, es ist meine Privatsache, wie ich das löse. Meine Herren, ich muss gehen. Ich habe wirklich keine Zeit für solche Scherze.
Mit einem Seitenblick zum Oberstaatsanwalt, der fast an seiner Wut erstickt, wendet er sich ganz ruhig an Tanner.
Ach ja, hier ist eine Nummer. Die ist aber nur für Sie. Für den Notfall.
Dann senkt er seine Stimme.
Und wenn Sie es schaffen, wird es nicht zu Ihrem Schaden sein, Tanner.
Pinget dreht sich um.
Tanner und Michel setzen sich wieder.
Der Oberstaatsanwalt, der so eine Abfuhr in seinem ganzen Leben noch nicht bekommen hat, und schon gar nicht vor Zeugen, fährt Pinget mit hochrotem Gesicht an.
Was denkst du dir eigentlich? Privatsache? Deine erschlagenen Kühe versauen den See, bringen den ganzen Tourismus hier zum Erliegen und du erklärst das alles zu deiner Privatsache. Ich werde dich wegen Unterlassung und Irreführung der staatlichen Behörden anzeigen. Seit Wochen tappen unsere hoch qualifizierten Beamten im Dunkeln. Unzählige Untersuchungen wurden in teuren Instituten für nichts und wieder nichts durchgeführt und am Schluss stellt sich heraus, dass die Kühe dir, meinem alten Onkel Pinget gehören, der in eine haarsträubende Geschichte verwickelt ist, die bereits einige Tote gefordert hat.
Dann faucht er Claire an.
Und Sie fahren mich jetzt gefälligst wieder zurück. Sie haben mir das eingebrockt. Dafür werde ich Sie zur Rechenschaft ziehen. Und meine Herren, das wird ein Nachspiel haben. Und das wird kommen, wie das Amen in der Kirche, wie ich zu sagen pflege.
Er stapft hinaus. Dann dreht er sich noch einmal um.

Michel! Morgen früh um acht Uhr sind Sie in meinem Büro. Zum Rapport!
Claire verabschiedet sich mit ihrem charmantesten Lächeln und folgt der Spur des Zorns. Draußen hört man den Motor des Dienstwagens aufheulen. Nach einer Weile ist es wieder still.
Dann flüstert Michel zu Tanner.
Hat er von Geld gesprochen?
Wer? Der Oberstaatsanwalt?
Nein, du Depp. Über den rede ich gar nicht. Den strafe ich mit Schweigen. Ich meine Pinget.
Ich verstehe dich nicht, Michel.
Ja, er hat doch gesagt, dass es nicht zu deinem Schaden sein wird, wenn du es schaffst.
Ach so. Ich weiß es nicht. Aber so weit sind wir noch lange nicht.
Wie willst du denn das beweisen, Tanner?
Das weiß ich auch nicht, Michel. Das heißt, ich habe so eine Idee, aber … ob es funktionieren wird?
Ja, ihr Männer von Athen! Heißt das, du hast geblufft?
Michel, hör auf zu fragen. Ich weiß es selber nicht. Bist du wenigstens satt? Dein Beitrag war ja wieder einmal großartig.
Immerhin habe ich das Eis gebrochen, das musst du doch zugeben, oder?
Tanner lacht.
Ja, du hast Recht. Die Atmosphäre war ganz schön eisig.
Na also. Immer zuerst meckern. Mein Gott, die arme Claire! Was die sich jetzt alles anhören muss.
Ja, sie tut mir auch Leid. Das war ja, gelinde gesagt, ein etwas merkwürdiger Auftritt. Du tust mir allerdings auch Leid.
Wieso?
Ja, *den* als Chef!
Immerhin hat er von hoch qualifizierten Beamten gesprochen.
Ja, ja. Ist ja gut. Aber jetzt entschuldige mich mal.
Wen willst du denn anrufen?
Ich muss den Schmid was fragen.
Tanner wartet auf die Verbindung.
Hallo, Herr Hauptkommissar. Tanner. Nein, in der Sache Bruckner habe ich keine Neuigkeiten. Und Sie? Auch nicht? Aber ich hätte da noch eine Bitte an Sie. Michiko hatte an der Innenseite ihres Schen-

kels eine kleine Tätowierung. Könnten Sie sich für mich erkundigen, wie alt die etwa war? Ich meine, wann die gemacht wurde? Genau gesagt reicht es mir, wenn ich weiß, ob die Tätowierung vor oder nach ihrem Tod angebracht wurde. Ja, genau. Vielen Dank, Herr Kollege.
Wieso nach ihrem Tod?
Ich will wissen, ob man sie quasi nach ihrem Tod gebrandmarkt hat, oder ob ...
Michel runzelt die Stirn.
Ach, so. Ich verstehe. Und, äh ... was machen wir jetzt?
Also, ich muss zurückfahren. Ich habe noch einen Termin.
Schade. Sonst hätten wir zusammen essen gehen können.
Aber, Michel, du hast doch gerade einen Riesenteller mit Braten verdrückt. Kann es sein, dass du nichts zu tun hast?
Ist ja gut. War nur eine Frage. He, Stucki, kann ich bezahlen?
Aus der Tiefe der Küche kommt eine schläfrige Antwort.
Das geht auf Rechnung des Hauses, Michel.
Die beiden erheben sich und gehen zum Ausgang.
Danke, Stucki, bis zum nächsten Mal.
Draußen trommelt Tanner mit den Fingern aufs Autodach.
Was ist los?
Mein Gott, wohin haben die den Bruckner gebracht, Michel?
Keine Ahnung. Meinst du nicht, die sind sofort mit einem Privatjet abgedüst?
Vielleicht? Aber mein Gefühl sagt mir, dass die noch hier sind. Aber wo? Ich muss jetzt fahren. Bis bald, Michel.
Tanner setzt sich ins Auto.
Deine Claire ist übrigens ein sehr sympathisches Wesen, das muss ich sagen. Ich verstehe dich.
Das heißt, du findest sie hässlich.
Nein, nein. Sie ist auch sehr attraktiv.
Wirklich?
Natürlich. Wenn ich es dir sage.
Gut.
Michel beißt sich auf die Unterlippe.
Tanner?
Ja, Michel?
Pass auf dich auf, ja?

Tanner antwortet nicht mehr, sondern schlägt die Tür zu und startet den Motor. Er schaut bei jeder Abzweigung in den Rückspiegel, ob ihm ein Auto folgt. Zur Sicherheit schaltet er das GPS aus. Denn alles, was Signale von Satelliten empfängt, kann bei geeigneter technischer Ausrüstung auch durch Dritte geortet werden. Das erste Mal seit langem vermisst er seine Dienstwaffe. Vielleicht könnte Schmid ihm eine besorgen?
Jetzt nur nicht paranoid werden, Tanner.
Es ist ja Bruckners Wagen, und die wissen kaum, dass er damit unterwegs ist.

Eine gute Stunde später tritt er in Schmids Büro. Natter und Waibel sind auch da.
Herr Hauptkommissar, wenn Sie gestatten? Guten Tag, die Herren.
Man nickt sich freundlich zu. Natter lächelt etwas verkniffen, will etwas sagen, aber Schmid lässt ihn gar nicht erst zu Wort kommen.
Ach gut, dass Sie kommen, Tanner. Gerade wollte ich Sie anrufen. Wegen der Tätowierung von dieser … Wie heißt sie schon wieder?
Natter und Waibel antworten im Chor. Schmid macht eine ungeduldige Bewegung.
Ja, sag ich doch, von Michiko.
Und? Was ist mit der Tätowierung, Herr Kollege?
Sie ist offenbar schon älteren Datums. Es sei wohl ohne sehr aufwändige Untersuchungen nicht aufs Jahr genau zu bestimmen. Aber der Pathologe schätzt, dass sie mindestens fünf Jahre alt ist.
Aha. Dann ist das also auch geklärt. Ich bedanke mich sehr herzlich für die schnelle Abklärung, Herr Kollege.
Tanner hatte insgeheim gehofft, dass die Auskunft eine andere sein würde. Somit muss er einer unangenehmen Wahrheit ins Auge blicken.
Würden Sie uns auch verraten, was das denn jetzt bedeutet, Herr Tanner?
Das bedeutet nichts anderes, als dass Michiko auch zu dem Verein gehörte.
Zu welchem Verein?
Tanner erklärt in groben Zügen die Bedeutung der Vereinigung des buddhistischen Knotens.

Schmids Reaktion ist überraschend.
Ja, was soll ich sagen? Klingt im Ansatz eigentlich ganz vernünftig. Ich meine, was die vorhaben. Es ist doch sowieso eine Sauerei, wie die USA mit der Welt umgehen, als gehörte alles ihnen, oder?
Waibel und Natter nicken beifällig. Es fehlt nicht viel und sie beginnen ihrem Chef zu applaudieren.
Tanner verspürt im Moment gar keine Lust, über Weltpolitik zu diskutieren.
Schmid, können Sie mir eine Waffe besorgen?
Der Angesprochene runzelt zwar die Stirn, dennoch gibt er Natter ein Zeichen.
Der schnellt sofort hoch und geht zum Waffenschrank. Dort dreht er sich zu Tanner um.
Das Übliche?
Haben Sie nicht was Besseres?
Alles blickt zu Schmid. Der nickt. Natter lächelt und greift in die Tiefe des Schranks.
Tanner nimmt die Waffe und eine Schachtel Munition entgegen.
Und hier, bitte eine Unterschrift. Ich fülle das Formular später aus.
Natter!
Schmid hat kaum die Stimme gehoben. Natter aber zuckt förmlich zusammen.
Ah ja, Herr Tanner, ist gar nicht nötig.
Schmid erhebt sich.
Die Fahndung nach den Entführern läuft auf Hochtouren. Bisher leider ohne Resultate. Wir arbeiten auch mit den Fernseh- und Radiostationen zusammen. Wir bitten die Bevölkerung um Hinweise. Ich werde Sie auf dem Laufenden halten, Tanner, sobald sich etwas tut.
Brechen Sie bitte die Überwachung der Flughäfen nicht zu früh ab, Herr Kollege. Man kann nie wissen.
Nein, nein. Das tun wir sicher nicht.
Dann bin ich beruhigt. Übrigens, Schmid. Morgen Abend soll's regnen.
Guter Witz, Tanner.
Als er die Tür hinter sich schließt, hört er die drei Männer lachen.
Tanner blickt auf sein Telefon und entdeckt, dass er eine Nachricht erhalten hat.
Sie stammt von Charlotte Steinweg. Wenn er Zeit und Lust habe,

solle er morgen gegen Mittag zu ihr kommen. Sie habe weitere Neuigkeiten.
Dann schaut er nach der Uhrzeit. Es sind noch genau fünf Stunden bis zu seinem Rendezvous.

NEUNUNDDREISSIG

Pünktlich um Mitternacht klingelt Tanner bei Kiharu.
Er hat sich lange im Schatten des gegenüberliegenden Hauses aufgehalten, bis er sicher sein konnte, dass ihm niemand gefolgt ist. Es dauert eine ganze Weile, bis sie die Tür aufmacht. Sie empfängt ihn mit tropfnassem Haar und nur in ein Badetuch gehüllt.
Entschuldigen Sie, Herr Tanner. Ich bin ein bisschen spät dran. Die Gäste wollten und wollten das Restaurant nicht verlassen und, Sie sehen es ja, ich war gerade unter der Dusche, als Sie klingelten. Kommen Sie und setzen Sie sich schon mal auf die Terrasse. Es ist alles bereit und ich werde schneller sein, als ein Halm zu Boden fällt, wenn er geschnitten wird.
Sie verschwindet im Badezimmer und Tanner sucht sich durch die dunkle Wohnung den Weg auf die Terrasse.
Heute sind noch mehr Kerzen und Laternchen aufgestellt als sonst. Die Terrasse erstrahlt in märchenhaftem Glanz. Die breite Ottomane hat eine neue, kostbare Decke erhalten und auf einigen winzigen Tischchen stehen in unzähligen Schälchen Köstlichkeiten zum Essen bereit. Mein Gott, so was können wir nicht. Alles klein und fein, harmonisch aufeinander abgestimmt. Ein Wahnsinn.
Er geht zum Fernrohr, neugierig darauf, auf welches Beobachtungsobjekt es gerichtet ist. Sein Auge braucht eine Weile, bis sich ein Bild herstellt. Er sieht den Aussichtsbalkon des höchsten Turmes des Münsters. Hat er nicht genau dort gestanden, an seinem ersten Tag in der Stadt?
Was für ein Zufall!
Tanner lächelt und geht in Richtung Baldachin.

Tatsächlich, sie hat nicht übertrieben, kaum hat er auf einem der Sitzkissen Platz genommen, schwebt Kiharu heran.
Schneller als ein Halm zu Boden fällt …
Sie hat ein weißes Kimonokleid an, mit einigen wunderbar glitzernden Verzierungen. Sie lässt sich königinnengleich auf der Ottomane nieder und strahlt Tanner an. Sie ist nicht geschminkt, hat nur etwas Rouge auf die Lippen gelegt. Ihre Haare glänzen wieder matt im Kerzenlicht, wie am ersten Abend.
Heute habe ich mir besondere Mühe gegeben. Sie sehen es. Dieses Kleid trug ich als Maiko bei meiner Mizuage. Ich habe es seither nie mehr getragen. Aber Sie sehen, es ist noch gut erhalten. Ich werde es heute Nacht und dann noch ein einziges Mal tragen, dann wird die Geschichte dieses Kleides zu Ende sein.
Und bei welcher Gelegenheit wird das sein, Frau Tsumura?
Das darf ich Ihnen nicht verraten, sonst bringt es Unglück, aber es wird bei einer sehr schönen und einzigartigen Gelegenheit sein, so viel kann ich sagen.
Sie gießt behutsam warmen Sake in die kleinen Schalen. Sie reicht ihm die eine, die andere nimmt sie.
Heute ist unsere letzte Nacht, Herr Tanner. Und wir wollen sie fröhlich verbringen. Ich werde Sie verwöhnen und Sie werden mich verwöhnen. Zum Wohl.
Kiharu deutet die westliche Art des Zutrinkens an und leert die Schale in einem Zug. Tanner tut es ihr nach. Sie tun es Aug in Aug. Warm rinnt der Reiswein den Hals hinab.
Ihre letzte Nacht? Soll er nachfragen, warum sie das so bestimmt sagt? Besser nicht. Zuerst ist Wichtigeres zu klären.
Frau Tsumura, bevor mich der Sake und vor allem Ihre Augen vollends schwindlig machen, muss ich Ihnen ein paar Fragen stellen. Nur wenn Sie es gestatten, natürlich.
Aber, lieber Freund, deswegen habe ich Sie ja eingeladen. Für das andere haben wir noch viel Zeit. Ich habe nicht vor, diese Nacht zu schlafen. Ich habe überhaupt nicht mehr vor zu schlafen, bis wir unser gemeinsames Ziel erreicht haben werden.
Tanner lächelt. Genau das hat er ja geahnt. Wie gut, hat er vorhin noch drei Stunden in Marthas Wohnung schlafen können. Was sie mit dem gemeinsamen Ziel meint, versteht er nicht. Er wird sie vielleicht später fragen. Zuerst das Wichtige.

Fragen Sie, Herr Tanner, fragen Sie.
Haben Sie mit Chiyo Kontakt aufnehmen können?
Ja, das habe ich.
Wird sie mich anrufen?
Nein. Sie will nicht mit Ihnen sprechen, aber mich wird sie anrufen. In wenigen Augenblicken. Dann kann ich Ihre Fragen an sie weitergeben. Ich habe mein Telefon hier.
Sie deutet auf eine Stelle ihres Kleides, wo sich anscheinend verdeckt eine Tasche befindet.
Hat sie Ito entführt?
Kiharus Stimme ist ganz klar, als sie nach einer kurzen Pause antwortet.
Ja, sie hat Ito in ihrer Gewalt.
Wird sie ihn töten?
Dazu ist sie fest entschlossen.
Warum hat sie es noch nicht getan?
Ich habe es ihr verboten.
Kiharu sitzt ganz ruhig da. Ihre Augen sind halb geschlossen.
Wenn Ito stirbt, bringen sie Bruckner um.
Chiyo wird sehr schwer umzustimmen sein.
Kiharu gießt ein zweites Mal die Schalen voll.
Trinken wir. Es wird uns stärken.
Sie trinken beide, diesmal nachdenklich und nicht in einem Zug.
Sie wissen, was mit ihr geschieht, wenn sie Ito umbringt.
Ja, sie werden sie früher oder später auch umbringen. Und es wird auf eine grausame Art und Weise geschehen.
So wird es sein, Kiharu.
Sie holt ein zusammengefaltetes Blatt unter einem Kissen hervor. Sie entfaltet es und streicht es glatt.
Der Mann auf der Zeichnung ist Ito.
Ja, Frau Tsumura, heute Nachmittag hat es mir jemand bestätigt, der ihn auch kennt.
Haben Sie Ito damals in meinem Restaurant eigentlich gesehen?
Nur ganz kurz natürlich. Ich muss gestehen, ich war sehr befremdet von seiner provozierend demütigen Haltung, mit der er am Tisch saß. Außerdem hatte ich eine merkwürdige Begegnung mit ihm auf der Herrentoilette.
Ito ist ein ungewöhnlich aggressiver Mensch. Demut ist das Schwers-

te für ihn. Und im allerbesten Fall kann er sich nur gegenüber Tetsuo, seinem Onkel und Gönner, zur Demut zwingen.
Es wurde mir berichtet, dass Tetsuo seinen Neffen über alles vergöttert.
Ja, und es ist leider keine Übertreibung. Sein eigener Sohn ist im Alter von sieben Jahren bei einem Autounfall gestorben, den Tetsuo selber verschuldet hatte. Darüber ist er nie wirklich hinweggekommen, das heißt, er hat seine ganze Liebe und wahrscheinlich auch seine ganzen Schuldgefühle auf seinen Neffen übertragen. Hat ihn systematisch von der Familie seines eigenen Bruders entfremdet. Er ist gegenüber Ito absolut blind und irrational. Das Gegenteil von dem, was diesen Mann sonst auszeichnet. Er hat ihn sein Leben lang mit Geschenken und Privilegien überhäuft. Ito durfte alles und jedes. Gab es Probleme, waren Anwälte und Geldscheine in Hülle und Fülle zur Stelle. Und es gab jede Menge Probleme. Vielleicht erinnert ihn Ito auch an seine eigene Jugend. Tetsuo ist beileibe nicht als der weise Mann geboren worden, der er heute ist.
Kiharu schüttelt sich angewidert.
Ja, so züchtet man sich eine Schlange, Herr Tanner. Lieb und zahm kennt sie nur sein Meister. Kaum ist der nicht da, zeigt sie ihre Giftzähne. Übrigens, was war denn das für eine Begegnung in der Toilette, die Sie vorhin andeuteten?
In diesem Augenblick klingelt Kiharus Telefon. Sie nestelt es hervor und meldet sich.
Kiharu spricht natürlich japanisch mit Chiyo. Tanner ist nervös, er würde so gerne genau verstehen, welche Worte sie wählt. Kiharu spricht lange und energisch, dann hört sie genauso lange zu. Es dauert eine ganze Weile, bis sich Kiharu an Tanner wendet.
Was wollen Sie Chiyo sagen, Herr Tanner?
Haben Sie ihr die neue Situation mit Bruckner erklärt?
Ja, natürlich. Aber sie ist unbeirrbar. Sie sagt, sie würde Ito deswegen auf keinen Fall freilassen. Sie habe sich geschworen ihn zu töten, und sie tue es schließlich für ihre Schwester. Und sie sei ihr das schuldig.
Sagen Sie ihr, Michiko würde das auf keinen Fall wollen.
Kiharu blickt ihn misstrauisch an. Sie presst das Telefon gegen ihr Kleid und flüstert.
Woher wollen Sie denn das wissen, Herr Tanner?
Er geht jetzt aufs Ganze, auch wenn er sich selber nicht sicher ist.

Fragen Sie Chiyo, ob sie weiß, dass Ito Michikos Geliebter gewesen ist. Und dass sie mit aller Wahrscheinlichkeit bei der Manipulation, die zu Fukumotos Tod geführt hat, eine Rolle gespielt hat.
Das Gesicht von Kiharu wird aschfahl. Sogar bei dem romantischen Kerzenlicht ist es unübersehbar. Ihre Stimme ist gepresst und so leise, dass er sie kaum versteht.
Woher wissen Sie das?
Tanner kann jetzt nicht mehr zurück.
Fragen Sie Chiyo. Ich bin mir sicher, dass sie es ahnt. Fragen Sie sie, bitte. Und noch etwas: Sie soll versuchen herauszufinden, wo Ito die Leiche von Fukumoto hat verschwinden lassen.
Kiharu beginnt zögernd ins Telefon zu sprechen.
Nach einer Weile hört man durch das Telefon vom anderen Ende der Welt einen Schrei. Kiharu erschrickt und hält das Gerät von ihrem Ohr weg. Als sie wieder mit Chiyo sprechen will, stutzt sie, dann schaut sie Tanner an.
Sie hat einfach aufgelegt!
Ungläubig schaut sie auf ihr Telefon.
Was heißt das jetzt, Herr Tanner?
Dass es sie getroffen hat.
Meinen Sie? Haben Sie überhaupt einen Beweis für Ihre Behauptung?
Tanner zückt das Foto von Michikos Tattoo.
Das hat sie sich nach Meinung der Experten vor mindestens fünf Jahren machen lassen.
Sie flüstert wieder.
Ich hatte gehofft, dass Sie es nicht herausfinden.
Kiharu legt das Gesicht in ihre Hände. Sie weint.
Tanner schenkt neuen Sake ein, reicht ihr eine Schale und nennt sie das erste Mal bei ihrem Vornamen.
Liebe Kiharu, warum hätte ich denn das nicht herausfinden sollen?
Ich wollte, dass Sie in Ihrer Erinnerung Michiko in einem schönen Licht sehen.
Das tue ich doch trotzdem. Ich weiß jetzt halt, dass Michikos Leben noch etwas komplizierter war, als ich es bisher angenommen habe. Seien Sie nicht traurig, Kiharu.
Schön, wie Sie meinen Vornamen aussprechen. Ja, Sie haben Recht. Trinken wir.

Sie leeren ihre Schalen.
Dass sie mit Ito ein Verhältnis hatte, hing mit Tetsuo zusammen.
Wieso mit Tetsuo?
Ich habe Ihnen doch erzählt, dass er es war, der sie gekauft hatte, also ich meine, der das Entjungferungsrecht von Michiko erkauft und vollzogen hatte.
Tanner überlegt.
Ja, ich verstehe. Das ist möglicherweise eine Erklärung.
Wissen Sie, diese erkaufte Entjungferung stellte in Michikos Leben eine so unüberwindliche Erniedrigung dar, dass ihre Handlungsweisen schwer mit normalen Maßstäben zu beurteilen sind. Sie hatte das Gefühl, indem sie mit Ito ein Verhältnis hatte, könnte sie sich an seinem Onkel rächen. Tetsuo hat sie natürlich auch nie akzeptiert.
Tanner wundert sich. Vielleicht dienen all die Erklärungen nur einem einzigen Ziel: Kiharu kann nicht akzeptieren, dass Michiko Ito liebte. Er kann sogar verstehen, warum sie es nicht wahrhaben will. Ihr liebster Schützling liebte die böse Schlange.
Kiharu sitzt eine ganze Weile still da, mit geschlossenen Augen.
Kiharu, wollen Sie mir jetzt nicht auch noch sagen, was Michiko mit dem Tod von Fukumoto zu tun hatte?
Sie wischt ihre Tränen weg.
Ach, sie war so blind! Ito verlangte von ihr einen Liebesdienst. So nannte er es. Danach würde er sie in Ruhe lassen. Es handle sich um eine Art Scherz zwischen Geschäftsfreunden.
Aha. Und worin bestand dieser Scherz?
Sie hätten für Fukumoto eine dieser Pillen, die er regelmäßig bei seinen Besuchen im Schlaraffenländli schluckte, mit einem harmlosen Schlafmittel präpariert. Und Michiko sollte diese Pille unbemerkt austauschen.
Und das hat sie dann auch getan?
Ja.
Tanner schaut in den Himmel. Er ist sich nicht sicher, ob er die Geschichte glauben soll. Aber immerhin, es könnte so gelaufen sein. Er muss unwillkürlich an das arme Gretchen denken, das auf dieselbe Art unwissentlich ihre eigene Mutter tötete. Damit würde sich auch erklären, warum Michiko nicht nur entsetzt, sondern auch so erschrocken war.

Glauben Sie mir, lieber Herr, Michiko hätte es nie gemacht, wenn sie gewusst hätte, was Ito wirklich vorhatte.
Gut, Kiharu, ich glaube Ihnen.
Dann lächelt sie und schaut auf die unzähligen Schälchen.
Haben Sie keinen Hunger? Essen Sie, lieber Herr Tanner. Ich habe mir große Mühe gegeben. Sie müssen sich stärken.
Gut. Essen wir. Nehmen Sie noch Sake?
Sehr gerne. Es ist schön, wenn Sie mich bedienen.
Und so essen sie eine Weile schweigend von den verschiedenen Köstlichkeiten. Tanner hat zwar nicht wirklich Appetit, aber als Grundlage für den Sake scheint es ihm dringend angeraten, etwas feste Nahrung zu sich zu nehmen. Außerdem schmeckt es wirklich köstlich. Kiharu scheint trotz der angespannten Lage völlig ausgeglichen und entspannt. Aber vielleicht ist das auch nur äußerlich. Er versucht sich vorzustellen, wie sie als Maiko in demselben Kleid, das sie heute Abend trägt, bebend vor Angst auf den Eintritt ihres Gönners gewartet hatte. Wahrscheinlich durfte sie sich damals auch nichts von ihrer Anspannung und Verzweiflung anmerken lassen.
Liebe Frau Tsumura, gestatten Sie mir die Frage, warum sie vorhin mit so großer Bestimmtheit gesagt haben, dies sei unsere letzte Nacht?
Sie dürfen mich ruhig weiter Kiharu nennen. Warum ich das gesagt habe? Weil es die Wahrheit ist. Und Sie wissen es auch.
Sie legt ihre Hand auf seinen Arm.
Erwidern Sie jetzt nichts, bitte. Sie werden ja bald nicht mehr in dieser Stadt sein, denn der ganze Fall wird sich, so oder so, bald auflösen, oder? Ich hoffe und glaube immer noch, er wird nicht so schrecklich enden, wie er begonnen hat. Und dann wünschen wir uns doch, dass Ihre Elsie schnell wieder aufwachen wird, oder? Dann ist für mich kein Platz mehr, das ist doch nur natürlich.
Sie küsst ihn auf die Wange.
Und ich bin gar nicht traurig, wissen Sie. Sie haben mir in einem Moment meines Lebens, als ich nichts mehr erhoffte, etwas Kostbares geschenkt. Dafür bin ich dankbar und es hat die Richtung meines Schicksals bestimmt. Eines Tages werden Sie verstehen, was ich damit meine.
Ihr Telefon klingelt. Vor Schreck lässt sie ihre Sake-Schale fallen. Sie zersplittert in tausend Scherben.

Kiharu wartet zwei Klingelzeichen ab. Dann nimmt sie das Telefon ans Ohr. Quälend lange lauscht sie den Worten von Chiyo, endlich sagt sie selber auch etwas, allerdings ganz wenig, höchstens ein paar Silben. Dann geschieht etwas Unerwartetes: Kiharu beginnt ein Lied zu singen. Ein sehr einfaches, langsames Lied. Kiharu hat plötzlich Tränen in den Augen. Tanner setzt sich zu ihr auf die Ottomane und legt seinen Arm um ihre Schultern. Er tut es eigentlich nicht, um sie zu trösten, sondern weil er die Spannung nicht mehr aushält, ihr gegenüberzusitzen und nichts zu tun.
Die Tränen kullern mittlerweile über ihre glatten Wangen. Tanner küsst jede einzeln weg. Kiharu lehnt sich an ihn, ihre freie Hand sucht seine Hand. Dann unterbricht sie abrupt das Singen und das Telefongespräch ist zu Ende. Das Ganze hat kaum fünf Minuten gedauert. Tanner kam es wie eine Ewigkeit vor.
Und? Wie hat sich Chiyo entschieden?
Sie wird Ito vorerst nicht töten. Sie hatten Recht, Chiyo ahnte im Grunde, dass Ito der Geliebte von Michiko war. Sie hat es aber immer krampfhaft verdrängt. Ja also, sie wird so lange warten, bis Sie Ihren Freund Bruckner gefunden haben. Erst dann wird sie sich entscheiden. Es tut mir Leid, mehr konnte ich nicht erreichen.
Tanner nimmt sie in den Arm und presst ihren kleinen Körper an sich.
Aber das ist ja wunderbar. Dann haben wir wenigstens einen Aufschub.
Ach ja, sie hat versprochen, Ito nach dem Verbleib von Fukumotos Leiche zu äh … ja, zu befragen. Und sie hat mir versprochen, dass Ito ein Lebenszeichen geben darf, so dass die wissen, dass er noch lebt. Also, natürlich nur, wenn er sich kooperativ zeigt.
Er hält sie immer noch im Arm.
Oh, ist das alles schrecklich. Halten Sie mich bitte ganz fest.
Wenn ich nur eine Idee hätte, wo sie Bruckner hingebracht haben könnten. Aber ich habe keine Ahnung.
Kiharu löst sich aus der Umarmung.
Wo waren die denn überall tätig?
Die haben als Erstes die Leiche von Fukumoto entsorgt. Wohin, wissen wir eben nicht. Dann haben sie im Schlaraffenländli Michiko ermordet.
Kiharu wiegt ihren Kopf.

Michiko hat immer in unserem Hotel gewohnt, wenn sie hier gearbeitet hat. Und ab und zu hier, bei mir. Sie hatte nie eine eigene Wohnung in dieser Stadt.
Das heißt, wir haben keinerlei Anhaltspunkt. Wir können nur auf irgendein Zeichen warten. Oder spekulieren, bis wir graue Haare haben. Oh, wie ich das hasse!
Lieber Herr Tanner, schenken Sie bitte in unsere übrig gebliebene Schale Sake ein und lassen Sie uns gemeinsam trinken. Manchmal muss man den Kopf ausschalten, um den richtigen Gedanken Platz und Eingang zu verschaffen.
Tanner gießt behutsam ein und reicht Kiharu die Schale. Auch seine Hand zittert ein wenig.
Ich behalte den nächsten Schluck Sake in meinem Mund. Tun Sie das bitte auch und dann küssen wir uns. Aber Sie erinnern sich, es darf kein Tropfen verloren gehen.
Ihre Lippen treffen sich, sie öffnen sich und der warme Sake vermischt sich in ihren Mündern, fließt hin und her. Mal saugt er alles auf seine Seite, dann lässt er die ganze Wärme in ihren Mund zurückströmen. Schließlich schlucken beide und schauen sich in die Augen. Kiharu lacht.
Ist das nicht die schönste Art Sake zu trinken? Jetzt wechseln wir ab. Einmal tränke ich Sie und danach tränken Sie mich.
Sie nimmt einen großen Schluck und presst ihre Lippen auf die seinen. Köstlich spritzt sie den öligwarmen Saft in seinen Mund. Gleichzeitig tasten ihre Hände zwischen seine Beine. Nachdem er dasselbe Spiel mit ihr gemacht hat, nestelt sie an ihrem schönen Kleid.
Ziehen wir uns aus, dann wird es erst richtig schön. Helfen Sie mir bitte, lieber Herr.
Das Kleid stellt sich als raffiniertes Schneiderkunstwerk heraus, mit vielen Verwicklungen, Verschürzungen und verdeckten Verknotungen. Ganz darauf angelegt, den Ausziehvorgang quälend in die Länge zu ziehen. Neckisch wird zuerst die eine, dann die andere Schulter frei. Sogar der Glanz der Brüste blitzt für einen kurzen Augenblick auf, auch ihr Schoß – bis alles gleich wieder unter Tüchern und Bändern verschwindet. Endlich ist das Kleid entwirrt. Unterwäsche trägt sie keine. Kiharu lächelt.
Ziehen Sie sich auch aus, lieber Herr.

Bei Tanner geht es bedeutend schneller.
Sie knien sich beide auf die Ottomane und setzen ihr Spiel fort. Sie legt die Regeln fest.
Baden Sie meine Brustspitzen in Sake, lieber Herr.
Er nimmt den Mund voll Sake, küsst ihre Brustspitzen, badet und umspült sie mit der warmen Flüssigkeit. Kiharu stöhnt.
Saugen Sie und schlucken Sie, lieber Herr. Saugen Sie, als ob Sie mich mittrinken möchten.
Er tut es. Sie zittert am ganzen Körper.
Dann wechselt er die Brust.
Essen Sie sie auf. Beißen Sie. Ich flehe Sie an, lieber Herr.
Er tut es. Aus ihrem Zittern wird ein Beben. Sie haucht in sein Ohr.
Aufhören, lieber Herr. Aufhören, sonst komme ich, schneller als ein Halm zu Boden fällt.
Dann dreht sie sich kniend um, legt den Kopf auf die Ottomane, streckt ihm ihren runden Po entgegen und spreizt die Beine.
Tröpfeln Sie den Sake in den Spalt zwischen meinen Po und trinken Sie.
Er bückt sich tiefer, neigt die Schale behutsam an der Stelle, wo ihr süßer Po sich teilt, und träufelt die Flüssigkeit in die Rinne ihres Spalts. Langsam schlängelnd sucht sich der Saft seinen Weg bis zu ihren geöffneten Lippen, wo seine Zunge zuletzt ein kleines Wehr bildet. Durch Kiharus Körper geht ein stürmisches Beben.
Bitte, lieber Herr, noch eine Schale. Nein, lieber Herr, nehmen Sie gleich die Flasche.
Er nimmt wie in Trance die halb volle Flasche.
Lange noch verharrt Kiharu in dieser Stellung. Er umschlingt ihren Körper von hinten, sie presst zärtlich seine Härte zwischen ihre weichen Schenkel. Dann wiegt er das Himmelsgewicht ihrer Brüste, liebkost ihre weich gebissenen Spitzen.
Sie dreht sich auf den Rücken, zieht ihn zu sich herunter und umarmt ihn lange und schweigend. Dann dreht auch er sich auf den Rücken. Sie betrachten den tiefschwarzen Nachthimmel.
Heute ist kein Mond zu sehen. Sind es nicht auch weniger Sterne als sonst?
Nein, Kiharu, *Sie* sind es, die heute Abend heller denn je leuchten, deswegen treten die Sterne zurück.
Ach, lieber Herr, das ist schön gesagt. Wissen Sie, für das, was ich

gerade erleben durfte, gibt es keine Worte. Aber Sie haben es ja gespürt. Und doch wird ein Mann nie genau wissen, was in diesem Augenblick mit einer Frau passiert.
Da mögen Sie Recht haben, Kiharu. Aber je enger man zusammen ist, desto mehr kann sich von diesem Gefühl übertragen.
Sie kuschelt sich näher an ihn.
Ich weiß, was Sie meinen, lieber Herr. Sie wollen in mich eindringen, damit ich Ihre und Sie meine Explosion besser spüren, oder?
Das habe ich zwar nicht gemeint, aber …
… es wäre schön, wollten Sie sagen. Aber dies ist nun leider nicht meine Bestimmung, lieber Herr. Aber ich mache Ihnen einen Vorschlag, den ich mein Leben lang noch nie gemacht habe. Ich zähle Ihnen die Gründe auf, warum ich ihn jetzt machen werde.
Sie streckt ihre kleine Hand gegen den Himmel und kichert ein wenig.
Weil ich Sie in mein Herz geschlossen habe. Weil Sie mir eine so wunderbare Lust verschafft haben. Weil Sie es diese Nacht noch einige Male tun werden. Weil es unsere letzte Nacht sein wird und – weil ich Ihnen vertraue.
Um was für einen Vorschlag handelt es sich?
Ahnen Sie es nicht, lieber Herr?
Nein, liebe Kiharu.
Wir werden das machen, was alle Liebespaare in Japan tun, solange sie nicht verheiratet sind. Sie werden in mich eindringen, aber nicht ganz. So können wir uns wenigstens ein bisschen spüren.
Kiharu lacht.
Ist das nicht eine schöne Vorstellung, lieber Herr?
Doch, Kiharu.
Sie sehen, ich vertraue Ihnen ganz und gar. Würden Sie allerdings die Situation ausnützen – denn ich könnte mich in dem Moment nicht mehr dagegen wehren –, würden Sie ein großes, zukünftiges Glück zerstören.
Ich werde die Situation nicht ausnützen, liebe Kiharu.
Versprechen Sie mir das, lieber Herr?
Ich verspreche es.
Aufrichtig?
Ja.
Seine Stimme kam von irgendwoher. Der Sake und Kiharu haben

ihn wieder an einen Ort katapultiert, wo er sich ganz fremd fühlt und doch so unbeschreiblich wohl. Selige Stille mitten in einem tosenden Geschrei.
Zuerst werde ich ihn aber in Sake baden und saugen, lieber Herr. Das müssen Sie mir schon erlauben. Knien Sie sich bitte hin.
Wie schlafwandelnd führt er ihre Anweisung aus. Andächtig badet sie sein geschwollenes Glied in einer Schale voll Sake, wäscht es, liebkost es. Dann legt sie sich wieder unter ihn, er stützt sich auf seine Arme und sie öffnet den Mund.
Kurz bevor er kommt, robbt sie hoch, küsst ihn auf den Mund und spreizt ihre Beine. Ihre Hände führen seine violette Spitze behutsam an ihre Enge heran. Dann hinein. Stückchen für Stückchen. Der Kopf ist drin. Er überlässt alles ihr. Dann geht es tiefer. Es kommt ihm unendlich tief vor. Irgendwann stoppt sie ihn sanft. Ihre Hände lassen ihn aber nicht los. Tanner blickt in ihre Augen.
Kiharu, ja! Da könnte ich zu Hause sein. Kiharu!
Er murmelt es stöhnend. Er beginnt sich zu bewegen. Langsam. Dann zieht er den Kopf heraus, stößt ihn wieder behutsam hinein. Sein Blut pulsiert in seinem Schaft. Spürt sie es auch? Ihre Pupillen weiten sich. Ihr Atem nimmt plötzlich einen Sprung. Dann bricht es ungläubig aus ihr heraus.
Lieber Herr, das ist ein wunderschönes Gefühl. Helfen Sie mir, lieber Herr. Seien Sie stark, ich weiß nicht, ob ich es bin. Ich brauche Sie jetzt.
Sie spricht es stöhnend und abgehackt. Ihre Hände lassen ihn jetzt los. Sie streckt sich und räkelt sich unter ihm mit weit geöffneten Augen. Sie winkelt ihre Knie an. Spreizt ihre Schenkel bis zum Anschlag. Sie stützt sich auf ihre Ellbogen und wirft den Kopf nach hinten. Ihr Körper gespannt wie ein Bogen, streckt sie ihm ihre vollen Brüste entgegen, die Spitzen prall und hart. Er nimmt sie zwischen seine Lippen. Sie bäumt sich auf und schreit.
Beiß, lieber Herr. Beiß zu.
Und jetzt wird ihre Stimme ganz ungewohnt tief.
Und um Gottes willen, stoß mich. Schlitz mich auf. Füll mich ganz. Durchstoß mich. Ganz in mich hinein. Ich will es … spüren … bis zum Anschlag. Und beiß mich endlich!
Er beißt sie. Sie schreit auf, dann schlägt sie die Hände vor die Augen und wimmert.

Ich bin verloren. Sei stark, lieber Herr. Ich darf nicht. Hilf mir. Rette mich. Bitte, bitte!
Ihre Hände trommeln auf seinen Rücken. Sie zerrt an seinen Haaren. In seinem Kopf tost ein Sturm, die Brandung ihrer Lust zerrt an dem Damm, den er verzweifelt verteidigt.
Ich habe es ihr versprochen. Ich habe es ihr versprochen. Versprochen!
Er küsst sie beschwichtigend. Sie aber stößt ihre Zunge in seinen Mund. Ihre Beine legen sich wie Klammern um seine Hüften. Ihr ganzes Leben drängt ihm entgegen.
Nimm mich. Öffne mich. Spalte mich. Töte mich. Oh, du lieber …
Tanner verändert mit aller Kraft seine Stellung, krampfhaft bemüht, nicht tiefer in sie einzudringen und die Kontrolle zu behalten. Sein Kopf wiederholt automatengleich blödsinnig nur einen Gedanken.
Ich habe nur eine Chance. Ich habe nur eine Chance. Eine Chance.
Seine Hände suchen ihren Po. Kiharu bäumt sich auf.
Oh ja, lieber Herr … ja, lieber Herr … schneller, lieber Herr. Tiefer! So! So! So! Ja! Genau so! Und jetzt – jetzt komme ich! Ich komme.
Nach einer Weile dreht er sich wieder auf den Rücken.
Die Nacht ist wirklich dunkler als sonst. Sind vielleicht doch weniger Sterne zu sehen? Er erinnert sich an Alois' Prophezeiung.
Morgen Abend kommt das große Wasser.
Kiharu kommt zu sich und dreht sich zu ihm um.
Sie haben mich gerettet, lieber Herr. Es war so … ich kann nicht sagen, wie. Aber Sie haben es ja gespürt, oder? Sie haben uns gerettet.
Tanner nickt und lächelt sie erschöpft an.

VIERZIG

Der Lärm ist schlicht ohrenbetäubend. Jeder scheint jeden anzuschreien. Nur die Alten schweigen und lächeln, wirken zwischen den heftig gestikulierenden Kindern wie stille Bojen in einer bewegten See.

Tanner fühlt sich eigenartig betäubt. Wie ein Reisender, dem es schwindlig geworden ist, weil er in zu kurzer Zeit zu viele verschiedene Zeit- und Klimazonen durchquert hat. Die Entführung Bruckners, die Nacht mit Kiharu, der Morgen, den er auf dem Kommissariat verbracht hat – und jetzt sitzt er unvermittelt zwischen einer Schar Kinder und Alten. Die Kinder haben sich unendlich wichtige Dinge mitzuteilen, und da sie es offenbar alle aufs Mal tun müssen, schreien sie sich gegenseitig die Ohren voll. Am liebsten würde er auch mitmachen. Die Angst und Verzweiflung herausschreien, die die Entführung Bruckners ausgelöst hat. Das Lähmende überwinden. Was nützte die ganze fieberhafte Hektik, die er heute Morgen auf dem Kommissariat miterlebt hat, ja, zum Teil mit ausgelöst hat? Es war wie verzweifeltes Rudern an Ort. Im Laufe des Morgens sind zwar unzählige Hinweise aus der Bevölkerung eingegangen, die sich aber alle als falsch oder als zu vage entpuppt haben. Aber natürlich: Noch der unwahrscheinlichsten Spur musste nachgegangen werden. Wie viele Beamte haben sich bereits vergebens an der Suche nach Bruckner beteiligt? Es grenzt an Wahnsinn. Die Stecknadel im Heuhaufen. In seiner Verzweiflung hat Tanner sogar Pingets Geheimnummer gewählt und ihn beschworen, all seinen Einfluss auf Tetsuo Amagatsu auszuschöpfen. Pinget hat immerhin versprochen, Verbindung mit ihm aufzunehmen. Ließ aber keinen Zweifel daran, dass das völlig nutzlos sei. Tanner war von sieben Uhr morgens, bis ihn Schmid kurz vor Mittag hinauswarf, im Kommissariat. Er könne jetzt nichts mehr beitragen. Man müsse jetzt halt Geduld haben. Er könne die Sache ruhig ihm überlassen. Er solle einfach telefonisch rund um die Uhr erreichbar sein. Tanner musste es einsehen, und aus purer Verzweiflung hat er sich spontan entschieden, Charlotte Steinwegs Einladung anzunehmen. Jetzt nur nicht allein sein.
Als der Kartoffelsalat, die Würste, der Senf und das in dicke Scheiben geschnittene Bauernbrot endlich auf den Tellern verteilt sind und unzählige Gabeln, von mehr oder weniger geschickten Händen und Händchen geführt, in die pralle Haut der Würste stechen, senkt sich der Tonpegel so schnell, als hätte jemand Erbarmen gehabt und mittels eines Hauptreglers energisch die Lautstärke gedrosselt.
Der blonde Knirps, der neben Tanner sitzt, fragt, ob er den Trick mit dem Brot kenne.
Welchen Trick meinst du?

Damit es halt nicht spritzt, weißt du!
Zeigst du ihn mir?
Na, klar!
Er bedeckt geschickt die einstechende Gabel mit einem Stück Brot, so dass der herausschießende Saft vom Brot aufgenommen wird, bevor er auf dem weißen Kragen des Nachbarn oder auf dem Tischtuch landen kann.
Ist gut, gell?
Woher hast du den Trick?
Max zwei hat ihn mir verraten.
Und wer ist Max zwei?
Der Junge nimmt eine Gabel voll Kartoffelsalat in den Mund und zeigt auf einen glatzköpfigen, älteren Herrn am Ende des Tisches, der sich vergebens auf drei kleine Gesprächspartner gleichzeitig einzustellen versucht.
Und wer ist Max eins?
Den haben sie weggebracht.
Aha. Wohin denn?
In den Himmel natürlich. Der war nämlich ganz nett. Der ist jetzt sicher bei den Engeln. Wohnst *du* jetzt in seinem Zimmer?
Tanner lacht.
Nein, nein, ich bin nur zu Besuch hier.
Der Kleine überlegt eine Weile und stochert in seinem Essen herum.
Kennst du auch einen Trick?
Nein, leider nicht.
Der Junge macht ein enttäuschtes Gesicht.
Weißt du was? Dafür erzähle ich dir ein Geheimnis.
Oh ja, bitte.
Draußen scheint die Sonne und es ist kein Wölkchen zu sehen, stimmt's? Trotzdem: Heute Abend wird es regnen, und zwar ziemlich heftig.
Woher weißt du das? Meine Mama hat gesagt, dass es noch lange nicht regnen wird. Wir werden heute Abend draußen grillen und ich darf lange aufbleiben. Mein Papa hat nämlich Geburtstag.
Herr Szabo hat es einem Freund von mir gesagt.
Wer ist Herr Szabo?
Ein großer Rabe.
Ein Rabe? Und der kann sprechen?

Ja, klar.
Den möchte ich auch einmal kennen lernen.
Du musst draußen nach ihm Ausschau halten. Es ist ein besonders großer Rabe. Vielleicht wirst du ihn eines Tages antreffen.
Der Junge isst jetzt schweigend und blickt häufig durch das Fenster in den Garten. Kaum dürfen die Kinder nach dem Essen aufstehen, verschwindet er sofort.
Tanner folgt Charlotte Steinweg in das Büro.
Nehmen Sie auch einen Kaffee?
Er nickt.
Und wie hat Ihnen unser kleines Gemeinschaftsessen gefallen, Herr Tanner?
Ausgezeichnet. Ich habe mich sehr gut unterhalten. Und ich muss Ihnen noch einmal sagen, dass ich Ihre Idee eines Altenheims mit integriertem Kindergarten ganz wunderbar finde. Kann ich mich schon mal prophylaktisch anmelden?
Frau Steinweg stellt den Kaffee auf den Bürotisch.
Na ja, um diese Idee so zu realisieren, wie ich sie mir vorstelle, müsste ich erst mal einen Geldgeber finden. Abgesehen davon ist es ja noch eine gute Weile hin, bis Sie sich mit solchen Fragen beschäftigen müssen, Herr Tanner.
Danke für das Kompliment. Der Kleine, der neben mir saß, hat mich auf jeden Fall gefragt, in welchem Zimmer ich denn wohnen würde.
Sie lacht.
Ja, die Kleinen machen da keine Unterschiede. Wer hier reinkommt und weder Kind noch Mitarbeiter ist, wird sofort als neuer Mitbewohner eingeordnet. Der Kleine heißt übrigens Lars und ist ein ziemlich aufgewecktes Kerlchen.
Ja, das habe ich bemerkt.
So, Herr Tanner. Jetzt zu Ihrem Großvater. Ich habe unterdessen einiges herausfinden können.
Vielen Dank, Frau Steinweg, dass Sie sich dieser Geschichte so annehmen.
Wir können davon ausgehen, dass Land vier Jahre lang hier in diesem Heim war, bevor man ihn verlegte. Gleichzeitig sind mit ihm zwei Frauen und vierzehn Männer von dem grauen Bus abgeholt worden. Die insgesamt siebzehn Patienten wurden also zwecks Verschleierung der Spuren in eine andere Klinik gebracht, ohne dass die

Leitung dieses Heims das Ziel der Reise wusste. Die Patienten selbstverständlich auch nicht.
Wie haben Sie das so schnell herausgefunden?
Ich habe eine halbe Nacht im Keller verbracht. Da habe ich immerhin einen Hinweis auf den Transport gefunden, sogar mit Datum. Daraufhin habe ich einige der Kliniken angerufen, die in Frage kommen. Wir wissen ja, welche Kliniken die hauptsächlichen Stationen der Spurenverwischung auf dem Weg nach Hadamar waren. Es waren insgesamt neun Zwischenanstalten. Schon nach kurzer Zeit wurde mir bestätigt, dass Land nach Wiesloch kam.
Wiesloch? Noch nie gehört. Wo ist das denn?
Das ist eine psychiatrische Klinik in der Nähe vom Odenwald. Sehr ländlich, angelegt wie ein Dorf, mit landwirtschaftlichen Betrieben. Der verantwortliche Arzt, der das Archiv betreut, hat mir Lands Ankunft an besagtem Tag bestätigt.
Wissen Sie auch, wie lange Land in Wiesloch bleiben musste?
Ja. Ihr Großvater kam Mitte Juni nach Hadamar.
Das heißt, dass er zwei Monate in Wiesloch war und in Hadamar noch zwei Wochen leben durfte, bis er umgebracht wurde.
Nein, das mit den zwei Wochen stimmt nicht. Denn das Sterbedatum, das Sie in der offiziellen Geburtsurkunde gefunden haben, ist falsch. Es war üblich, dass man die Benachrichtigung und damit auch das Sterbedatum um mindestens zwei Wochen verschob. Alles aus dem Bemühen, die Spuren zu verwischen.
Wann ist er dann also gestorben?
Am Tag seiner Ankunft in Hadamar.
Was?
Diese Information berührt ihn unerwartet heftig. Er kann es sich zwar selber nicht erklären, aber die Vorstellung, dass sein Großvater in Hadamar, einem Ort, den er ganz sicher nicht kannte, aus dem grauen Bus herausgeführt und gleich darauf umgebracht wurde, bewegt ihn beinahe mehr als die Tatsache der Vergasung selbst.
Es war dort nie vorgesehen, dass die ankommenden Opfer länger als ein paar Stunden leben durften. Es gab gar keinen Platz für die achtzig Menschen, die gleichzeitig umgebracht wurden. Es gab drei graue Busse, die nach einer generalstabsmäßigen Planung die Opfer in den neun Zwischenanstalten einsammelten und nach Hadamar brachten.

Sie steht auf und füllt noch einmal wortlos die Kaffeetassen.
Herr Tanner, soll ich weiterberichten?
Erzählen Sie, was Sie wissen.
Die grauen Busse erreichten nacheinander ihre Endstation, meistens am frühen Nachmittag. Die Menschen selber ahnten natürlich nichts von ihrem Schicksal.
Tanner muss plötzlich an Alois denken. Dem hätte man nichts vormachen können. Der hätte es gemerkt.
Ich frage mich, Frau Steinweg, was die Menschen denn gedacht haben, als sie von den grauen Bussen abgeholt wurden. Immerhin waren ja die Fenster blind. Man konnte es wahrscheinlich schwer als Ausflug ins Blaue verkaufen, oder?
Nein, natürlich nicht. Aber Sie müssen sich vorstellen, dass diese Menschen durch ihre jahrelange Internierung abgestumpft und wahrscheinlich auch recht willenlos waren. Bei den meisten von ihnen lag ihre letzte eigene Lebensentscheidung sehr lange zurück.
Da haben Sie natürlich Recht.
Andererseits waren die Organisatoren zum Teil sehr erfindungsreich.
Wie meinen Sie das?
Sie haben zum Beispiel alles dafür getan, dass die Transporte und vor allem alle Vorgänge bis zur Tötung ohne Panik ablaufen konnten. Man verteilte in den Bussen Schokolade, etwas, was die Patienten in den Heimen sicher nie bekamen. Man suggerierte ihnen auch, dass sie an einen besseren Ort kämen. Die Scheiben hätte man blind gemacht, um sie vor den aufdringlichen Blicken der Menschen zu schützen.
Und die Fahrt bedeutete ja trotz allem eine Abwechslung zum monotonen Anstaltsleben, nehme ich an. Und das Versprechen einer Veränderung, ja sogar einer Verbesserung, half da sicher mit.
Genau. In Hadamar erfüllte sich sogar auf den ersten Blick diese Verheißung.
Aha. Wie denn?
Die ankommenden Opfer durchliefen etwa zehn Stationen, bis ihre Asche in einem Massengrab verscharrt wurde.
Erinnert irgendwie an den Leidensweg Christi.
Ja?
Entschuldigen Sie, ich wollte Sie nicht unterbrechen.
Sie trinkt einen Schluck Kaffee.

In dem Hause begrüßte man sie scheinbar herzlich und vermittelte ihnen das Gefühl, dass sie jetzt an einem Ort angekommen waren, wo es ihnen besser gehen würde als in allen Kliniken, in denen sie bisher waren. Im ersten Stock war ein sauberer und schöner Krankensaal mit achtzig Betten eingerichtet. Die blütenweiße Bettwäsche versprach fürsorgliche Pflege. Man wollte, dass sich die Ankommenden freuten und die folgenden Prozeduren heiter und ohne Widerstand über sich ergehen ließen. Sie mussten sich alle erst einmal ausziehen. Man sammelte die Kleider ein und versprach ihnen, dass sie nach dem Duschen neue und saubere Kleidung erhalten würden. Nackt mussten sie dann einzeln in das so genannte Fotografierzimmer gehen, denn sie wurden alle nackt fotografiert.
Warum denn das?
Ich habe Ihnen ja erzählt, dass man den Opfern anschließend Organe entnahm. Es lief also alles ganz wissenschaftlich ab. Das war, glaube ich, auch ganz wichtig für das Personal. Ich meine, dieser Anstrich von Wissenschaft. Dazu gehörten eben auch Ganzkörperfotografien.
Tanner nickt und gibt ihr zu verstehen, dass sie fortfahren soll.
Danach mussten sie einzeln ins Arztzimmer. Dort wurden die so genannten Krankenakten fertig gestellt.
Krankenakten? Kurz bevor sie umgebracht wurden?
Ja, einerseits wegen den eventuellen Organentnahmen, aber vor allem, um eine möglichst plausible Todesursache für die Angehörigen erfinden zu können. Man hatte ja in diesem Bereich zu Beginn Fehler gemacht, was zu unangenehmen Nachfragen geführt hatte.
Der Blinddarm, der schon in der Jugend wegoperiert worden ist.
Ja, genau. Also, diese Akten wurden dann in die Trostbriefabteilung weitergereicht, wo man einen mehr oder weniger glaubhaften Brief an die Angehörigen verfasste. In Hadamar waren zeitweise bis zu sieben junge Damen engagiert, die ausschließlich mit der Verfertigung dieser Trostbriefe beschäftigt waren.
Mein Gott, was für eine Beschäftigung!
Die Opfer mussten dann anschließend in den Keller, in den so genannten Duschraum. Laut Zeugenaussagen von ehemaligem Pflegepersonal verlief jeweils bis zum Gang in diesen Raum alles so ruhig, wie man es sich ausgedacht und gewünscht hatte. Erst als man die luftdichte Tür abschließen wollte, brach Panik aus.

Warum genau dann?
Weil der Raum zu klein war, besonders für Menschen, die denken, dass sie sich duschen und waschen sollen.
Wie viele Menschen hätten sich denn gleichzeitig duschen und waschen können?
Höchstens dreißig. Es waren aber oft bis zu achtzig, die man in den Raum pferchte. Das heißt nichts anderes, als dass im letzten Moment, vor dem Schließen der Tür, die gespielte Fürsorge und Gastfreundlichkeit ein abruptes Ende fand. Achtzig nackte Menschen bringt man nur mit rabiater Gewalt in diesen Raum. Ich habe ihn gesehen, diesen Raum. Vierzehn Quadratmeter groß.
Den gibt es noch?
Ja, den gibt es noch. Also, im Moment des Schließens brach Panik aus. Kaum war die Tür dicht verschlossen, ließ man das Gas in den Raum strömen. Kohlenmonoxyd. Am Anfang ließ man einfach einen Lastwagenmotor laufen, schloss an den Auspuff einen Schlauch und leitete die Abgase in den Raum.
Aber das ist ja …
Man experimentierte mit verschiedenen Gasen. Später in Auschwitz wusste man dann, welches.
Wie lange dauerte es, bis die Menschen tot waren?
Es dauerte zwanzig Minuten.
Zwanzig Minuten?
Wollen Sie die ganze Wahrheit wissen?
Ja.
Zuerst erbrachen sich die Leute, dann konnten sie auch Wasser und Kot nicht mehr halten. Zuletzt erstickten sie qualvoll. Die Körper waren am Ende so ineinander verklammert und verkeilt, dass die Brenner – so nannte man die Männer, die die Leichen verbrannten – die Körper mit Brecheisen voneinander trennen mussten. Dann transportierte man sie mit Loren entweder direkt zu den Verbrennungsöfen oder zu den Seziertischen, wo Chirurgen die Organe entnahmen. Ja, Ärzte entnahmen die Organe gemäß den Bestelllisten, die wiederum Ärzte geschrieben hatten.
Sie hält inne und schaut aus dem Fenster. Dann fährt sie fort.
Es gab zwei Verbrennungsöfen – die ersten dieser Art. Später wurden sie demontiert und nach Auschwitz gebracht. In einem Ofen hatten zwei bis drei Leichen Platz. Die Verbrennung dauerte zwei bis

drei Stunden. Man arbeitete in drei Schichten, Tag und Nacht. Das bedeutet, dass aus einem hohen Kamin dicker Rauch strömte, der intensiv nach verbranntem Fleisch roch. Zwei Jahre lang. Tag und Nacht.
Tanner räuspert sich und blickt sie an.
Und die, die das alles ausgeführt haben, waren Menschen. Wie Sie und ich. Keine Monster. Was lernen wir daraus? Wir sind zu allem fähig.
Sie blickt ihm in die Augen. Ob sie seinem Gedanken zustimmt, weiß er trotzdem nicht. Sie spricht leise weiter.
Beim zehntausendsten Toten hat das Personal eine ausschweifende Feier veranstaltet. Ein junger Mensch mit Wasserkopf wurde mit Blumen geschmückt, das ganze Personal versammelte sich im Keller zum Feiern. Das Bier floss in Strömen und einer der Pfleger mimte einen Priester. Zum Höhepunkt der Feier veranstalteten sie einen ausgelassenen Reigen um die ganze Klinik. Der Wasserkopfmensch wurde wie ein Heiliger herumgetragen. Dann töteten sie ihn.
Tanner hält ihrem Blick stand.
In diesem Augenblick ertönt vor dem Fenster ihres Büros ein Geschrei. Es klingt, wie wenn eine ganze Horde ein einzelnes Kind verfolgt.
Tanner schaut sie immer noch an. Sie zuckt ratlos mit den Achseln.
Ich zähle auf zehn – wenn es dann vorbei ist, war es Spiel.
Sie lauschen beide, ohne sich zu rühren. Dann lächelt sie ihn an.
Hören Sie? Sie lachen. Diesmal war es Spiel. Oft lässt es sich am Klang nicht unterscheiden.

Als Tanner später langsam über schmale Nebenstraßen zurück in die Stadt fährt, fühlt er sich noch betäubter als vorher.
Nun, die Welt ist durch das Gespräch mit Charlotte Steinweg nicht wirklich anders geworden. Allerdings hat sich ein elementarer Teil seiner Vorstellungen von der Welt, die er sich in seinem jugendlichen Leben gemacht hatte und an denen er irgendwie hing, in nichts aufgelöst. Mussten einer brutalen Wahrheit weichen. Es waren immerhin Vorstellungen, die ihn geprägt hatten. Jetzt weiß er, dass sie alle auf völlig falschen Bildern beruhten.
Plötzlich erinnert er sich, dass seine Mutter einmal erzählt hatte, dass sie eines Tages ihren Vater besuchen wollten und er sei einfach nicht

mehr in dem Heim gewesen. Sie hätten dann die Stationsschwester nach seinem Verbleib gefragt und die hätte nur gesagt, der Führer wisse schon, was für ihren Vater gut sei. Darauf seien sie wieder zurückgefahren und ihre Mutter habe während der ganzen Reise geweint.
Hat sie vielleicht doch die ganze Zeit über alles gewusst? Wenigstens geahnt.
Tanner weiß im Moment nicht, wann und wie er ihr von diesen bitteren Erkenntnissen seiner Recherche berichten soll. Möglicherweise weiß sie ja alles und konnte einfach nie darüber reden? Vielleicht musste sie all diese Erinnerungen und Bilder sorgfältig, möglichst luftdicht, einpacken und tief unterhalb ihres Bewusstseins versenken? Gibt es eine Halbwertszeit für solche Erinnerungen?
In diesem Augenblick klingelt sein Telefon. Es ist Hauptkommissar Schmid.
Herr Kollege, wir können, glaube ich, davon ausgehen, dass die Entführer mit Bruckner noch im Lande sind. Wir haben sehr sorgfältig recherchiert. Haben bei allen Flughäfen und Grenzstationen Nachforschungen angestellt. Ich denke, vier Chinesen mit einem Europäer zusammen sind als Gruppe nicht so leicht zu übersehen. Zumal wir ja sehr genaue Bilder von allen haben. Hundertprozentig sicher können wir natürlich nicht sein, vielleicht sind sie einzeln oder zu zweit gereist, aber wir haben getan, was in unserer Macht steht.
Ich habe auch das Gefühl, dass die noch hier sind. Aber wo? Wir haben im Moment nicht einen einzigen Anhaltspunkt.
Nein, leider nicht. Aber wenn es etwas Neues gibt, melde ich mich wieder. Und noch etwas. Ihr Handy ist gefunden worden. Sie haben es offenbar im Mietwagen vergessen, als sie ihn zurückgaben.
Ach, da bin ich aber erleichtert. Vielen Dank.
Mein Gott, wie unkompliziert das plötzlich geworden ist mit diesem schwierigen Herrn Hauptkommissar …
Tanner beschleunigt das Tempo. Gleich darauf klingelt wieder das Telefon.
Hallo, Tanner. Hier ist Deichmann. Alois möchte Sie gerne sprechen. Haben Sie Zeit?
Tanner überlegt. Hat er Zeit? Was soll er tun? Solange kein neuer Hinweis wegen Bruckner hineinkommt, sind sie alle zur Untätigkeit

verdammt. Soll er wieder tatenlos bei Schmid herumhocken und den Leuten auf die Nerven gehen?
Ich kann in einer halben Stunde bei ihm sein. Um was geht es denn?
Das sagt er mir doch nicht, Tanner. Ich glaube, er verachtet mich. Mich benutzt er höchstens als Bote und als Telefonisten.
Er lacht.
Ich sage ihm, dass Sie kommen. Vielen Dank, Tanner. Was ich noch sagen wollte ... Sie wissen, dass Sie ihm unterdessen viel bedeuten. Ich muss Sie warnen.
Warnen? Wovor?
Es ist sehr schwer an Menschen wie Alois heranzukommen, aber wenn es gelingt, dann fangen sie an zu klammern.
Ich glaube, damit kann ich umgehen. Also, sagen Sie ihm bitte, dass ich unterwegs bin.
Tanner legt auf.
Klammern? Was für eine merkwürdige Wortwahl. Ob sich da nicht eher Deichmanns Erfahrungen mit seinen Geliebten widerspiegeln, von denen er sicher einige hatte? Fängt Martha schon jetzt an zu klammern? Dazu ist die Beziehung sicher noch zu neu. Sie hat noch nicht einmal mit ihm geschlafen.

Überraschenderweise erwartet ihn Alois in der Empfangshalle.
Hallo Tanner, wo sind die Blumen? Ich dachte, du bringst mir jetzt immer Blumen!
Sie lachen.
Hast du ein Auto?
Ja. Soll ich dich irgendwohin fahren?
Gut. Lass uns gleich gehen.
Alois geht sofort los. Offensichtlich hat er gesehen, von welchem Teil des Parkplatzes Tanner gekommen ist.
Oj, oj, oj, was für ein Schlitten. Brauchst du das für dein Ego?
Du hast es erraten. Willst du nun einsteigen oder hast du ein weltanschauliches Problem damit?
Alois steigt wortlos ein.
Ich möchte den Busch sehen. Können wir dahin fahren?
Kein Problem. Schnall dich an.
Du fragst gar nicht, ob ich das darf?
Nein, das interessiert mich nicht. Das ist deine Sache.

Alois lacht.
Na, dann zeig mal, was die Karre kann.
Alois spricht kein Wort mehr, bis sie in dem Parkhaus in der Innenstadt ankommen. Er springt sofort aus dem Auto und eilt los, ohne auf Tanner zu warten.
Na ja, ich weiß ja, wo er hingeht.
Als Tanner in die Nähe des Brunnens kommt, sieht er, wie Alois am Rande des Platzes, wo sein Busch gestanden hat, heftig mit zwei Männern streitet. Schon bald hört er ihn auch, denn Alois ist außer sich.
… die Vögel brauchen wieder einen Busch. Seid ihr wahnsinnig. Sie brauchen eine Wohnstatt und Nahrung. Was pflanzt ihr denn da an? Ihr könnt doch hier nicht so ein bescheuertes Niedergewächs anpflanzen, ihr Idioten. Ihr müsst wieder einen Dornbusch anpflanzen.
Die beiden Männer sind offenbar Mitarbeiter der Stadtgärtnerei, die an der Stelle, wo der abgebrannte Busch stand, kleine Gewächse einpflanzen.
Alois hat sich auf die Erde geworfen und beginnt, die bereits gesetzten Pflanzen rabiat auszureißen.
Tanner rennt zu ihm, packt ihn an der Schulter und zerrt ihn hoch.
Alois, hör auf. So geht das nicht. Du setzt dich jetzt dort auf die Mauer und wartest, bis ich mit den beiden Männern gesprochen habe. Oder willst du, dass man die Polizei holt. Sei kein Idiot.
Aber die Vögel brauchen wieder einen Busch. Verstehst du? Das ist ein ganz wichtiger Treffpunkt. Da werden große Dinge entschieden. Wir dürfen die Vögel nicht noch mehr aus dem Gleichgewicht bringen, als wir es schon getan haben.
Ja, du hast Recht, aber wir müssen das anders lösen. Ich verspreche dir, dass wir das klären. Aber diese beiden Männer haben bloß einen Auftrag, den sie ausführen. Die haben nichts mit dieser Entscheidung zu tun.
Okay, dann mach du das. Aber du hast es versprochen. Ich vergesse es nicht. Du sorgst dafür, dass die Vögel wieder ihren Busch bekommen.
Aber das dauert Jahre!
Na, und? Versprich es.
Gut. Ich verspreche es.

Alois setzt sich auf die Mauer. Tanner geht zu den beiden Männern, die ziemlich erschrocken sind.
Guten Tag. Hören Sie, Sie müssen ihn entschuldigen. Er liebt die Vögel und macht sich Sorgen um ihre Zukunft. Dieser Busch, der hier stand, war ein wichtiger, äh … Nistplatz, verstehen Sie. Hier haben Hunderte von Vögeln Nester gebaut und kleine Vögel aufgezogen. Und er ist so etwas wie ihr Beschützer und deswegen ist er so äh … ausgeflippt. Können Sie das verstehen?
Die beiden nicken. Er drückt jedem einen Geldschein in die Hand.
Ist das gut so?
Sie nicken. Tanner verabschiedet sich und wendet sich zu Alois, der ruhig auf der Mauer sitzt.
Entschuldige, aber ich konnte nicht anders. Aber jetzt nimmst du ja die Sache an die Hand. Und du hast es versprochen! Die Vögel brauchen wieder einen Busch. Es ist ganz wichtig.
Und du? Brauchst du auch wieder einen Busch, Alois?
Sicher nicht. Das ist vorbei. Hast du noch Geld oder hast du eben alles verschenkt?
Ich habe noch etwas übrig. Warum?
Ich habe Hunger. Wir gehen was einkaufen.
Alois springt sofort auf und rennt los. Tanner kann ihm kaum folgen. Nach einer Weile stehen sie vor einem ziemlich schicken Lebensmittelladen. Vor der Tür dreht Alois sich um.
Ich gehe allein hinein. Gibst du mir Geld?
Tanner zuckt die Schultern und drückt ihm einen Schein in die Hand.
Kurze Zeit später erscheint er wieder mit einer Tüte.
Ich weiß, wo wir das essen. Komm, wir machen einen kleinen Spurt.
Ach nein, Alois, aber nicht bei der Hitze.
Aber er hört ihn schon nicht mehr. Tanner bleibt nichts anderes übrig, als ihm nachzurennen. Alois biegt in die Gasse, die hinauf zum Münster führt.
Oh je, auch noch bergauf. Mist!
Als er vor dem hohen Sandsteingebäude steht, ist von Alois weit und breit nichts zu sehen.
Mensch, Alois!
Er guckt zum Turm hinauf. Jemand steht dort oben und schaut runter zu ihm. Vielleicht bildet er sich das auch nur ein. So stand er letzthin

auch dort oben. Es war genauso heiß wie heute. Wann war das? Vor einer Ewigkeit. Er winkt zum Turm hinauf. Die Gestalt reagiert nicht. Tanner trottet keuchend in Richtung Kreuzgang. Wenigstens wird es dort schattig sein.
Es ist tatsächlich relativ kühl im Innern des Kreuzganges. Nach ein paar Schritten bleibt Tanner wie angewurzelt stehen. Alois sitzt mitten auf dem von der Sonne noch beschienenen Teil der Grünfläche, um die der Kreuzgang herumführt. Er sitzt mit dem Rücken zu Tanner und ihm gegenüber hat sich eine Gruppe grauer Vögel auf der Wiese niedergelassen.
Tanner traut seinen Augen nicht.
Alle Vögel blicken starr zu Alois und verharren unbeweglich. Leider kann Tanner nicht sehen, ob Alois spricht. Er kann aber auch nicht näher gehen, weil er das Gefühl hat, er würde etwas zerstören.
Tanner kann, was er sieht, nicht einordnen. Er blinzelt einige Male. Das Bild ist immer noch da.
Alois im dunklen Anzug sitzt im Schneidersitz am Boden, den Oberkörper sehr aufrecht, fast königlich in seiner Haltung, und ihm gegenüber sitzen, über den Daumen gepeilt, etwa siebzig bis hundert Vögel, die alle in seine Richtung schauen und sich nicht bewegen. Die Geräusche der Stadt sind hier nicht mehr zu hören. Es ist absolut still. Es ist, als ob die Zeit stehen geblieben sei.
Tanner muss unwillkürlich an Elsie denken. Ist das ihr Zustand? Befindet sie sich in einer vergleichbaren Situation? Sitzt sie gebannt gegenüber einer Schar Vögel, die sie hypnotisiert, die sie in absolute Stille taucht, während ihre Zeit stillsteht?
Plötzlich kommt überraschend Leben in die Tiere. Und auch der Ton kommt jetzt zum Bild. Sie hüpfen aufgeregt auf und ab und schnattern, ja schreien regelrecht und scheinen völlig durcheinander. Alois bleibt nach wie vor regungslos. Dann beginnen über ihnen plötzlich die Turmglocken herrisch zu schlagen. Mit Macht meldet sich die Zeit zurück.
Es ist sechs Uhr.
Nach dem letzten Schlag verstummen auch die Vögel, und zwar beängstigend gleichzeitig. Die plötzliche Stille wirkt beinahe greller in den Ohren als die gemeinsame Komposition von Vogelgeschrei und harten Glockenschlägen. Dann erheben sich alle Vögel auf einmal in die Luft. Wer gab das Zeichen? Der Schwarm umkreist Alois dreimal

und verschwindet in aberwitzigem Tempo durch das offene Dach des Kreuzganges. Das Geräusch, das die unzähligen Flügel auf diesem engen Raum machen, zwingt ihm unwillkürlich ein Wort auf die Lippen.
Metaphorisch.
Alois steht jetzt auf und kommt auf Tanner zu. Auf der Fenstermauer, die die innere Grünfläche vom Kreuzgang trennt, packt Alois seelenruhig die eingekauften Sachen aus. Eine Packung Blinis, Kaviar, Fertigschlagsahne, ein Prosecco, zwei Plastikgläser.
Passt so richtig zu deinem Auto.
Er lacht.
Und ist erst noch die richtige Abwechslung zum Klinikfraß.
Er füllt die Blinis mit Schlagsahne und Kaviar, gießt die Gläser voll.
So, Tanner. Prost und guten Appetit.
Sie trinken sich zu und beginnen die gefüllten Blinis zu essen. Alois doziert mit vollem Mund.
Es gibt nichts Besseres als süße Schlagsahne mit Kaviar, und dann musst du in den vollen Mund hinein den Prosecco trinken. Ah … spürst du, wie es prickelt und wie sich die verschiedenen Konsistenzen und Geschmacksrichtungen zu einem einzigen Gaumentraum verbinden? Das ist angewandte Alchemie. Greif zu, Tanner. Einem Russen würde sich vielleicht der Magen umdrehen, aber wir sind ja keine Russen.
Tanner versucht, die Frage so beiläufig und harmlos wie möglich zu stellen.
Du, Alois, äh … was waren das für Vögel?
Das waren Stare. Wieso?
Ach, nur so.
Sie essen und trinken schweigend und mit großem Genuss.
Sag mal, Alois, wie geht es jetzt mit dir weiter?
Hm, gute Frage. Deichmann will mich noch nicht entlassen. Er will zuerst sicher sein, dass mein äh … Zustand stabil ist, der Idiot.
Alois lacht.
Der hat keine Ahnung. Er glaubt an die Veränderung. Ein unbelehrbarer Optimist. Ich bin so, wie ich bin, wie ich immer schon war, und so werde ich bleiben. Basta.
Was willst du denn in Zukunft machen? Suchst du dir wieder einen Busch?

Spinnst du? Die Zeit ist vorbei. Das war sowieso nur ein zeitlich begrenzter Auftrag.
Ein Auftrag?
Ja, Tanner, hier kommen wir wieder an die Grenze. Ich kann es dir nicht erklären.
Hat es etwas mit den Vögeln zu tun?
Nicht schlecht, Tanner. Ende der Fragestunde. Mehr sage ich nicht dazu.
Noch eine Frage, Alois. Was hast du eigentlich früher gemacht?
Ah, du mit deinen Fragen! Also, wenn du es unbedingt wissen willst: Ich war Zeichenlehrer.
Und warum hast du aufgehört?
Die haben mich überall rausgeschmissen. Jetzt sag bloß, du bist überrascht?
Warum haben die dich rausgeschmissen?
Weil ich den Kindern nicht das beibringen konnte, was im Lehrplan stand. So. Jetzt reicht es aber endgültig. Fahr mich bitte zurück in die Klinik, sonst flippt der Deichmann aus. Zudem habe ich meine Pille noch nicht geschluckt.
Welche Pille?
Die Wunderpille, die mich zu einem nützlichen Mitglied dieser Gesellschaft machen soll.
Draußen an der prallen Sonne müssen sie erst einen Augenblick stehen bleiben, so krass ist der Helligkeitsunterschied.
Tanner fährt Alois bis vor die Eingangshalle.
Ich sehe übrigens noch kein einziges Wölkchen am Himmel. Hältst du immer noch an deiner Wetterprognose fest?
Sicher. Heute Nacht kommt der große Regen. Glaub es oder glaub es nicht. Ist mir doch wurscht!
Ist ja gut. Ich glaube dir.
Glauben ist was für Idioten! Tanner, es geht um Wissen! Und darum, danach zu handeln!
Auf der Fahrt zurück lässt ihn das Bild der Vögel, die aus dem Kreuzganggarten hinauf in den Himmel fliegen, nicht los. Es erinnert ihn an etwas ganz Bestimmtes.
Mensch, warum komme ich nicht drauf? Jemand hat doch kürzlich etwas von Vögeln erzählt, die in einem wahnsinnigen Tempo aufgeflogen sind …

Er bremst scharf, denn fast hätte er ein Rotlicht übersehen und einen ziemlich korpulenten Mann überfahren. Er entschuldigt sich mit einer Handbewegung.
Michel! Michel hat mir davon erzählt.
Tatsächlich hatte Michel ihm von einem ungeheuren Schwarm Vögel erzählt, der aus dem Schuppen aufflog, als er die Tür aufbrechen wollte. Der Schuppen, wo sie die Kühe erschlagen haben.
Du meine Güte! Der Schuppen! Warum bin ich nicht früher darauf gekommen, ich Idiot?

EINUNDVIERZIG

Tanner rast mit dem Jaguar über die Autobahn. Er ist bereits zweimal geblitzt worden. Es ist egal. Dass Michel seit gut fünfundvierzig Minuten sein Telefon nicht abnimmt, ist ihm hingegen nicht egal.
Verdammt Michel, nimm ab! Ich brauche dich. Wo steckst du denn?
Alle fünf Minuten versucht er es erneut. Ohne Ergebnis.
Bereits biegt er mit quietschenden Reifen in die Autobahn ein, die ins Seeland führt.
Er nimmt die Waffe samt Munition, die ihm Schmid zur Verfügung gestellt hat, aus dem Handschuhfach und legt sie neben sich auf den Autositz.
Der Stimme, die ihm dringend rät, die Polizei zu alarmieren, entgegnet er, dass er ja erst mal nachschauen müsse, ob er tatsächlich Anzeichen oder Spuren für eine Bestätigung seiner Eingebung findet. Danach könne er ja immer noch die Polizei benachrichtigen. Aber Michel hätte er schon gerne dabei.
Verdammt, wo steckst du?
Und wieder versucht er ihn zu erreichen.
Okay, jetzt gebe ich's auf!
Er verlässt die Autobahn und erreicht bald darauf das flache Land. Er hat zwar eine ziemlich genaue Vorstellung davon, wo das verlassene

Kieswerk liegt, aber er weiß nicht, wo die richtige Abzweigung von der Hauptstraße abgeht. Er fährt unvermindert schnell.
Ist es da? Nein! Wahrscheinlich kurz vor Ende des Waldstreifens.
Tanner blickt zum Horizont. In diesem Moment ist die Sonne, die tief im Westen steht und durch den flachen Winkel die Landschaft phantastisch plastisch ausleuchtet, schlagartig weg. Vor Schreck geht er auf die Bremse. Er blickt zum Himmel über dem dunklen Wald.
Was ist denn das?
Die Sonne ist nicht untergegangen, sondern wird von einer mächtigen, schwarzen Wolke verdeckt.
Alois hatte Recht.
Ich glaube es nicht. Der Kerl hatte Recht. Herr Szabo hatte Recht. Gibt's denn so was?
Er drückt wieder aufs Gas.
Wo ist diese verdammte Abzweigung?
Als er zum nächsten Verkehrskreisel kommt, weiß er, dass er die Abzweigung verpasst hat. Er kurvt um den Kreisel herum und fährt zurück. Es hat immerhin den Vorteil, dass er jetzt auf der richtigen Straßenseite fährt.
Er achtet vor allem auf den Straßenrand und hofft dadurch, die Nebenstraße besser zu sehen, sollte sie mit Absicht verdeckt worden sein.
Und tatsächlich, nach etwa dreihundert Metern, hat er die Einfahrt in den Wald entdeckt.
Jemand hat sich große Mühe gegeben und in den Boden hohe schilfartige Pflanzen gesteckt, von denen gegenüber dem Wald ein ganzes Feld üppig wächst. Der Boden ist ziemlich hart, denn er ist total ausgetrocknet. Man musste sicher zuerst mit einer spitzen Metallstange Löcher bohren, um die Pflanzen einstecken zu können.
Er blickt zum Himmel. Die Wolke ist rasch größer geworden. Der Wolkennachschub kommt von jenseits des Hügelzuges. Als ob dort drüben ein Riesenventilator stehen würde, der unaufhaltsam, und aus einem gewaltigen Vorrat schöpfend, üppige Wolkenbänder hinüberpustet.
Das ist ja unglaublich!
Bevor er in den Wald fährt, versucht er noch einmal Michel zu erreichen. Während er vergebens auf eine Verbindung wartet, betrachtet er sorgfältig die Umgebung. Es scheint alles ruhig zu sein.

Er gibt Gas und fährt kurzerhand über das eingesteckte Grünzeug. Der Boden des luxuriösen Wagens murrt etwas, als ahnte er bereits, was ihm in diesem Wald bevorsteht. Im Rückspiegel beobachtet Tanner, wie sich die Pflanzen wieder elastisch und anmutig aufrichten.
Raffiniert!
Der Wald, der sich praktisch über die gesamte Schmalseite des Sees erstreckt, kaum vierhundert Meter tief, ist einer der typischen Windschutzwälder, von denen es im Gebiet dieses flachen Landes unzählige gibt. Sie wurden symmetrisch, in gleichmäßig versetzten Reihen angelegt, um den bestmöglichen Schutz zu bieten vor der scharfen Bise, die von Norden her bläst.
Da die Bäume extrem weit ausladende Baumkronen besitzen, stehen die hohen und biegsamen Baumstämme überraschend weit auseinander. Für den Wanderer entsteht das Gefühl, durch eine märchenhaft weitläufige Säulenhalle zu schreiten. Bei Sonnenschein fällt durch das dichte Blätterdach ein gleichmäßiges, gefiltertes Licht, als ob sich die Waldhalle unter Wasser befände. Jetzt, mit der sich rasch ausbreitenden Schwärze am Himmel, wirkt der Wald allerdings düster und bedrohlich.
Tanner fährt im Schritttempo und überquert einen ersten Weg. Die Dunkelheit im Wald nimmt jetzt spürbar zu. Normalerweise wäre es um die Uhrzeit immer noch fast zwei Stunden hell. Die Scheinwerfer will er allerdings so lange wie möglich nicht einschalten. Nach seiner Schätzung sind es noch etwa dreihundert Meter, bis er das verlassene Gelände des Kieswerkes erreichen wird, das sich zwischen dem Wald und der Mündung des Verbindungskanals zum See befindet.
In der Hälfte der vermuteten Wegstrecke hält er an, schaltet den Motor aus und lässt mit einem Knopfdruck alle Fenster des Autos herunter.
Als das leise Surren verstummt ist, umfängt ihn eine tiefe Stille. Die Verdunkelung durch die aufziehenden Wolken ist mittlerweile so fortgeschritten, dass er kaum noch fünfzig Meter weit sehen kann. Wüsste er nicht mit Bestimmtheit, dass der Wald gar nicht so tief ist, hätte er das Gefühl, er wäre im Mittelpunkt einer Welt angekommen, die ganz und gar aus Wald besteht. Obwohl er angestrengt lauscht, ist kein einziges Geräusch zu hören. Nur der heiß gelaufene Motor des Jaguars gibt dann und wann einen klickenden Ton von sich. Nach

einer Weile hört auch das auf. Tanner atmet tief durch, entspannt seinen Körper und konzentriert sich ganz auf sein Gehör.
Nichts regt sich.
Tanner lehnt sich weit aus dem Fenster, aber er kann keinen Himmel sehen. Zu dicht sind die Blätter oder zu dunkel ist der Himmel bereits. Er überlegt, ob er zu Fuß weitergehen soll. Er lässt sich wieder in den Sitz sinken.
In der Ferne des Waldweges zuckt plötzlich ein Lichtstrahl.
Verdammt, was ist denn das?
Instinktiv greift er nach dem Zündschlüssel. Der Motor springt fauchend an.
Tanner schaut angestrengt in die Dunkelheit.
Was ist das?
Das Licht bewegt sich. Zuerst nach links, einen Moment später geht es in unregelmäßigem Rhythmus an und aus. Dann verschwindet es ganz.
Tanner ist unschlüssig, ob er warten oder fahren soll.
Jetzt erscheint der Lichtstrahl wieder. Direkt vor ihm.
Mist, das ist ein Motorrad! Und es kommt mir entgegen.
Tanner fährt zügig rückwärts, von der Waldstraße weg ins Unterholz. Nach ungefähr fünfzig Metern hält er an, lässt aber den Motor laufen.
Da er jetzt die Perspektive gewechselt hat, verwandelt sich das Licht immer mehr in einen zitternden Fingerstrahl, der schnell näher kommt. Ein Geräusch hört er immer noch nicht.
Dann sieht er es. Es ist kein Motorrad, sondern ein Lieferwagen, bei dem nur ein Scheinwerfer brennt.
Den kenn ich doch, verdammt.
Es ist der Lieferwagen mit den abgedunkelten Scheiben der chinesischen Viererbande, den Alois mit seinen brillanten Zeichenkünsten festgehalten hat.
Was jetzt passiert, entsteht aus keiner Überlegung. Tanner tut es einfach. Er drückt das Gaspedal bis zum Anschlag durch. Der Motor heult auf. Tanner hält das Steuer mit ausgestreckten Armen. Wie eine abgeschossene Rakete schießt das schwere Auto zurück zum Waldweg. Die Insassen des Lieferwagens erkennen die Gefahr erst im allerletzten Moment. Der Fahrer gibt noch Gas, aber der Jaguar erwischt den Lieferwagen an seinem hinteren Kotflügel.

Tanner hört und spürt den Aufprall nicht. Er hat in dem Augenblick so laut geschrien wie wahrscheinlich noch nie zuvor in seinem Leben. Sein eigener Schrei hat für einen Augenblick all seine Wahrnehmungsfähigkeit überlagert. Durch den Aufprall wird der Lieferwagen von der Straße geschleudert. Der Jaguar schießt mit unverminderter Geschwindigkeit durch die Baumreihen.
Nur immer geradeaus fahren, nur immer geradeaus fahren!
Dieser Satz hämmert in seinem Kopf, denn sehen kann er bei dieser Geschwindigkeit und bei diesem Licht kaum etwas. Es ist sein Glück, dass der Wald praktisch auf dem Reißbrett entstanden ist. Tanner ist schweißgebadet und zittert.
Jetzt stoppt er den Wagen, stellt den Motor ab und atmet tief durch. Aus der Richtung der Waldstraße hört er aufheulenden Motorenlärm und ein hässliches Scheppern. Dann ist es einen Moment lang still. Fürchterlich still. Als der erste Wassertropfen auf die Windschutzscheiben des Jaguars fällt, heult der Motor des Lieferwagens wieder auf. Offenbar hat der Fahrer das Auto irgendwie auffangen und den Motor wieder starten können. Tanner sieht den Lichtstrahl nur blass in der Ferne, also steht das Auto wahrscheinlich mit dem Heck zu ihm.
Wieder handelt er, ohne zu überlegen. Er startet den Motor und rast ohne Licht den Weg zurück. Gerade sind die Baumstämme noch zu ahnen. Als er die Waldstraße erreicht, reißt er das Steuer nach rechts. Kurz vor dem Ende des Waldes, wo es gegen den See hin wieder heller wird, bremst er scharf und fährt rückwärts zwischen zwei Baumstämme. Er wischt seine Hände trocken. Dann überlegt er.
Nein, das mach ich jetzt anders.
Er fährt zurück, hält mitten auf der Waldstraße. Dann greift er nach der Waffe. Der Lieferwagen, dessen einäugiges Licht immer noch brennt, kommt in mittlerer Entfernung eben wieder auf die Straße und rast im rechten Winkel direkt auf ihn zu.
Warten Tanner, warten.
Dann lehnt er sich aus dem Fenster und leert das ganze Magazin in Richtung des näher kommenden Lichts. Ohne zu sehen, ob die Schüsse irgendeine Wirkung erzielt haben, gibt er Gas, rast in den Wald und kurvt um die schlanken Baumstämme, wie ein Hase, der wilde Haken schlägt, um dem Jäger zu entkommen.
Tanner fährt um einen Baum einen ganzen Kreis und stoppt. Den

Motor lässt er laufen. Hastig wechselt er das Magazin der Waffe. Jetzt fallen große Wassertropfen durch die dichten Baumkronen.
Mein Gott, jetzt kommt tatsächlich der Regen.
Wenn sich der Waldboden erst in Morast verwandelt hat, wird er mit diesem Auto keine Chance mehr haben. Der Lieferwagen aber wahrscheinlich auch nicht.
Er betätigt die Scheibenwischanlage und sieht in etwa siebzig Meter Entfernung den Lieferwagen schemenhaft auftauchen. Ohne Licht. Offenbar hat er immerhin den einzigen Scheinwerfer erwischt, der vorhin noch geleuchtet hatte.
Tanner drückt sofort wieder aufs Gas und fährt in die Richtung des Lieferwagens. Dann sieht er zwei Mündungsfeuer aufblitzen. Er korrigiert sofort die Richtung, so dass sich zwischen ihm und dem Lieferwagen immer möglichst viele Bäume befinden. Die größte Gefahr wird sein, wenn er ihn auf dessen Höhe parallel passiert, denn dann wird der Abstand zwischen den Bäumen am größten sein. Kurz vor diesem Augenblick bremst er scharf, gibt aber sofort wieder Gas. Mit der höchstmöglichen Geschwindigkeit durchquert er die gefährliche Zone. Er sieht, trotz der rasenden Fahrt, wie bei angeschossenen Bäumen die Splitter fliegen. Jetzt schaltet er die Scheinwerfer an. Durch das Rammen brennt allerdings auch nur noch einer, aber immerhin. In dieser Hinsicht hat er jetzt einen kleinen Vorteil. Ohne diesen Scheinwerfer hätte er nicht mehr früh genug erkannt, dass er sich wieder der Waldstraße nähert. Er reißt das Steuer nach links und rast schlingernd auf der Straße in Richtung See. Sobald sich die Sicht zum See hin etwas aufhellt, schaltet er den Scheinwerfer wieder ab. Er kurvt ohne abzubremsen auf das Gelände des ehemaligen Kieswerks und der Bootswerft.
Trotz der niederen Gewächse, die sich das Gelände wieder zurückerobert haben, ist der Untergrund für sein Auto besser als der jetzt langsam aufgeweichte Waldboden. Allerdings prasselt hier – ohne die schützenden Baumkronen – der Regen mit voller Kraft auf die Windschutzscheibe. Die Scheibenwischer nutzen kaum etwas. Heimtückisch sind außerdem die Eisenbahnschienen, die zum Teil überwachsen sind. Tanner fährt um die verlassenen Gebäude, um die verrosteten Silos herum und an dem großen Hauptkran vorbei. Er merkt sich den Verlauf der Geleise und die zwei Stellen, wo es über die Geleise hölzerne Rampen gibt.

Dann bremst er abrupt.
Neben zwei halb zerfallenen Schuppen entdeckt er Michels Auto.
Das glaub ich jetzt aber nicht! Kein Wunder habe ich ihn nicht erreicht.
In diesem Augenblick prescht der Lieferwagen mit kreischenden Reifen um die Silos und fährt geradewegs auf den Jaguar zu. Tanner startet durch. Er hat nur die Möglichkeit, sich zwischen den beiden Schuppen hindurchzuquetschen.
Der Durchgang ist zu eng, viel zu eng! Jetzt stirbst du, Tanner.
Irgendeine innere Stimme zischt es ihm hysterisch zu. Er hört nicht auf sie. Die Räder drehen im ersten Moment mit einem hässlich heulenden Geräusch durch. Als sie greifen, schießt das Auto auf den schmalen Durchgang zu.
Der Durchgang ist zu eng! Zu eng!
Er schließt die Augen. Im nächsten Moment wird er durchgerüttelt und gegen das Steuer geschleudert. Der Sicherheitsgurt schneidet sich brennend in seine Achsel, seine Brust. Tanner steht trotzdem unerbittlich auf dem Gaspedal. Links und rechts sprühen Funken. Das Tempo verlangsamt sich rabiat. Die Räder drehen durch. Das Geräusch der brutal geschundenen Karosserie ist atemberaubend.
Ich will da durch. Ich muss da durch. Ich komm da durch.
Die Chinesen eröffnen das Feuer. Tanner spürt, wie die Kugeln in das Auto einschlagen. Die rückwärtige Windschutzscheibe zerbirst in tausend Splitter. Tanner wirft seinen Oberkörper auf den Beifahrersitz, den Fuß immer noch auf dem Gas. Sein Auto ist mittlerweile fast zum Stehen gekommen.
Jetzt rammt der Lieferwagen den Jaguar mit so einem gewaltigen Stoß, dass dieser einen Sprung nach vorne macht und endgültig durch die enge Passage zwischen den Grundmauern der beiden Schuppen geschoben wird. Da Tanner immer noch den Fuß auf dem Gas hat, rast das Auto los, kaum hat es sich aus der Enge befreit. Weil er seinen Oberkörper tief auf den Beifahrersitz gedrückt hat, ist sein Bein verheddert, so dass er den Fuß nicht vom Gaspedal nehmen kann. Er stemmt sich mit schier unmenschlicher Kraft hoch, reißt das Steuerrad nach links, gerade rechtzeitig, bevor er mit einem der Silotürme kollidiert. Er bremst und blickt zurück. Er sieht, dass nun der Lieferwagen selbst zwischen den beiden Schuppen eingeklemmt ist. Der Regen prasselt immer heftiger. Der ausgetrocknete Boden ist

bereits nicht mehr in der Lage, das viele Wasser aufzunehmen. In rasender Geschwindigkeit bilden sich Seen und in den Gräben kleine Flüsse. Tanner greift nach seinem Telefon, wählt eine Polizeinotrufnummer und gibt hastig seinen Standort durch. Er kann gerade noch vermelden, dass sich auch Michel offensichtlich in Schwierigkeiten befindet.
Schickt einen Helikopter und ein Spezialkommando. Aber schnell!
Dann sieht er mit Schrecken, dass es den Chinesen gelungen ist, den Lieferwagen rückwärts wieder flottzukriegen. Tanner gibt Gas und kurvt um einen der hohen Kieshügel. Er fragt sich, wie lange sein Auto das noch durchhält. Auch der Lieferwagen nimmt Kurs auf den Kieshügel. Kurz bevor er aber den Hügel erreicht, biegt er schlingernd auf die entgegengesetzte Seite ab, offensichtlich wollen die Chinesen ihm den Weg abschneiden.
Kaum sind sie hinter dem Hügel verschwunden, bremst Tanner und fährt, so schnell er kann, rückwärts in einen offenen Schuppen. Der geschundene Jaguar ächzt und klingt ganz und gar nicht mehr vornehm. Als die Chinesen wieder vor dem Hügel erscheinen, rasen sie an ihm vorbei, ohne ihn zu sehen.
Auf der vom See abgewandten Seite des Hügels führt bis zu seiner abgeflachten Spitze eine Rampe aus Holzbohlen. Direkt in seiner Richtung. Ganz konzentriert drückt Tanner aufs Gas und hält auf die Rampe zu. Jetzt ist ihm alles egal.
Kaum ist er aus dem Schuppen draußen, peitscht der Regen so auf die Scheibe, dass er praktisch nichts mehr sieht.
Nach seiner Berechnung müsste er, wenn er einfach geradeaus fährt, zwingend auf die Rampe kommen und seine Gegner sollten bei gleich bleibender Geschwindigkeit in wenigen Augenblicken auf der anderen Seite des Kieshügels sein. Wenn seine Berechnung stimmt.
Die werden Augen machen!
Als die Vorderräder des Jaguars die Rampe erreichen, schlägt der Unterteil des Kühlers schwer auf die Bretterbohlen. Er drückt das Gaspedal voll durch. Der Wagen schießt die Rampe hoch, schlägt oben erneut mit einem hässlichen Krach auf und rast auf der anderen Seite des Hügels wieder hinunter.
Der Jaguar erwischt den schnell fahrenden Lieferwagen auf der Höhe der Vorderachse. Dieser wird durch die Wucht des Aufschlags abgedrängt und schlittert auf die Pier zu. Die Strecke ist objektiv zu

kurz, um zu bremsen, also versucht der Fahrer beides: Er bremst und reißt gleichzeitig das Steuer nach rechts. Die Folge ist katastrophal. Der Lieferwagen kippt, fällt krachend auf die Fahrerseite und rutscht mit ohrenbetäubendem Lärm über die Betonrampe der Pier. Als ein Teil des Wagens schon über den vom Regen aufgepeitschten Fluten des Kanals hängt, kommt die kreischende Rutschfahrt zum Halten. Tanner hat in demselben Moment den Jaguar unter Kontrolle gebracht und klettert sofort aus dem hoffnungslos zerbeulten und zerknautschten Auto, die Waffe in der Hand.
Der Lieferwagen kippelt unentschieden über dem Abgrund. Die Räder drehen. Der Regen peitscht auf das Auto. Tanner wartet einen Moment, dann hebt er die Waffe und schießt ein einziges Mal in die ihm zugewandten Eingeweiden des Wagens. Eine Weile passiert gar nichts. Tanner wartet. Dann neigt sich der Wagen in Richtung Fluss. In Zeitlupe. Mit einem letzten hässlichen Geräusch rutscht er über die Piermauer und klatscht schwer in die Fluten. Erschöpft lässt sich Tanner auf den Boden gleiten. Dass er sich mitten in einen kleinen See gesetzt hat, kümmert ihn nicht, er ist so oder so bis auf die Haut durchnässt.
Der Lieferwagen ist bis zur Hälfte unter Wasser und treibt mit den Rädern nach oben flussabwärts. Nach kaum fünfzig Metern stößt der Wagen auf ein Hindernis und bleibt stecken und sinkt auch nicht weiter.
Dass die Chinesen genau so im Wasser enden wie Michiko, empfindet Tanner in diesem Moment als eine überraschend sinnfällige Gerechtigkeit. Davon wird sie zwar auch nicht wieder lebendig, aber … Mensch, wo ist Bruckner? Wo ist Michel?
Tanner rappelt sich hoch und stolpert durch die riesigen Wasserpfützen auf den größten Schuppen zu. Er reißt das Tor auf. Der Schuppen hat praktisch kein Dach mehr und es regnet drinnen genauso heftig wie draußen. Auf dem Boden steht das Wasser schon knöcheltief. Er watet durch den Raum, stolpert über einen Balken und fällt der Länge nach hin. Bei seinem Fall ertönt ein dumpfes Geräusch. Unter sich fühlt er roh gehobeltes Holz. Er stemmt sich auf die Knie und tastet mit den Händen, bis er einen eisernen Ring findet. Er versucht die Bodentür aufzustemmen, schafft es aber nicht. Er blickt sich im Raum um. An einer Wand hängt eine verrostete, primitive Seilwinde an einem robusten Haken, daneben ein Seil. Er knotet das eine Ende

durch den Ring, das andere fädelt er in die Seilwinde und zieht mit aller Kraft. Die Bodentür bewegt sich nicht. Er rennt zurück zu seinem Auto, startet den Motor und fährt rückwärts bis zum Tor des Schuppens. Er bindet das Seil am Abschlepphaken des Wagens an und fährt behutsam ein paar Meter vorwärts. Als er Widerstand spürt, gibt er Gas. Dann zieht er die Handbremse und stellt den Motor ab.
Die Bodentür hat sich aus der Verankerung losgerissen. Michels Kopf erscheint. Er starrt Tanner an. Seine Hand ist mit einem blutigen Lappen umwickelt.
Ihr Männer von Athen! Du kommst in letzter Minute, Tanner. Claire ist angeschossen worden. Wenn sie nicht schnell ins Spital kommt, verblutet sie.
Und du? Bist du auch verletzt, Michel? Deine Hand blutet ja. Und am Kopf bist du auch verletzt.
Michel schüttelt den Kopf.
Lappalien. Hast du die Polizei schon alarmiert?
Ja, aber ruf einen Krankenwagen. Schnell. Ist Bruckner auch da unten?
Ja. Er ist unverletzt. Aber er lächelt die ganze Zeit. Wahrscheinlich steht er unter Schock.
Tanner reicht ihm die Hand und hilft ihm die schmale Kellertreppe hoch, dann gibt er ihm sein Mobiltelefon.
Ruf jetzt an. Mach schon. Ich hole aus dem Auto eine Taschenlampe.
Mittlerweile ist es Nacht geworden.
Mit der Lampe geht Tanner vorsichtig die Treppe hinunter. Durch das herabfließende Wasser sind die Stufen gefährlich rutschig. Bruckner sitzt völlig durchnässt und apathisch auf einer Matratze, auf der auch Claire liegt. Ihr Kopf liegt auf seinem Schoß. Er presst seine Jacke gegen ihre Brust.
Er spricht ihn vorsichtig an.
Hey, Bruckner. Ich bin es, Tanner. Es wird alles gut. Gleich wird eine Ambulanz hier sein.
Bruckner dreht seinen Kopf zu ihm und lächelt. Seine Lippen sind gesprungen. Aus seiner Nase rinnt Blut.
Ach, Tanner, wie schön, dass du es bist. Ich dachte schon, ich würde dich nie mehr sehen. Claire ist bewusstlos. Sie ist in die Brust geschossen worden.
Tanner blickt hoch. Er hat, durch das Prasseln des Regens hindurch,

den Klang eines Helikoptermotors gehört. Gleich darauf erfasst sie ein gleißender Lichtkegel. Tanner muss jetzt schreien.
Bruckner, wir holen euch gleich raus. Hier, nimm die Lampe.
Tanner klettert die Treppe hoch. Der Helikopter landet bereits. Michel winkt aufgeregt und schreit.
Hier sind wir! Hilfe! Wir brauchen Hilfe. So macht doch schneller. Verdammt noch mal. Ich zeige euch an, wenn ihr nicht schneller macht.
Michel, beruhige dich. Die machen so schnell, wie sie können.
Wo sind denn die Chinesen?
Im Fluss.
Okay. Da gehören sie auch hin!
Der Helikopter ist gelandet. Gleichzeitig fahren jetzt eine ganze Menge Polizeifahrzeuge auf das Gelände. Die Männer springen aus den Autos, bevor sie ganz angehalten haben. Tanner geht auf sie zu.
Wer hat das Kommando?
Ich. Halter ist mein Name. Ich bin der Einsatzleiter. Um was geht es?
Ich bin Tanner. Da im Schuppen ist Hauptkommissar Michel von der Mordkommission. Und seine schwer verletzte Assistentin. Es handelt sich um eine Entführung. Der Entführte ist auch da unten im Keller. Er ist unversehrt, soweit ich das beurteilen kann.
Gut. Und was sollen *wir* tun, Tanner?
Die Entführer, vier Mitglieder einer chinesischen Mafiabande, befinden sich im Fluss. Ich zeige Ihnen, wo.
Ungläubig starrt ihn Halter an. Tanner kümmert das nicht, er geht sofort los in Richtung Kanal. An der Piermauer holt ihn der Polizeioffizier ein. Tanner zeigt auf den Wagen im Wasser. Er ist bereits etwas tiefer gesunken.
Dort drin sind sie. Möglicherweise sind sie ertrunken. Ich rate trotzdem zu höchster Vorsicht. Wenn sie noch leben, sind sie sehr gefährlich. Wenn ich Sie wäre, würde ich versuchen, den großen Kran hier zu reaktivieren. Haben Sie Taucher dabei?
Ja, ja. Wir haben alles dabei. Und wie sind die in den Fluss geraten?
Sie haben mich verfolgt und beschossen. Sagen wir mal so: Ich hatte Glück mit dem Timing. Man könnte auch sagen: Wer andern eine Grube gräbt, fällt selbst hinein.
Gut. Ich verstehe. Ist dieser verbeulte Jaguar ihr Auto?
Ja. Das war mein Auto. Ein braves Auto. Übrigens, Halter, ich emp-

fehle Ihnen den Keller des Schuppens zu untersuchen. Es könnte sein, dass dort die Leiche eines gewissen Herrn Fukumoto liegt.
Er nickt und wird jetzt aktiv. Er rennt zu seinen Männern.
Tanner geht zurück zum Schuppen. Eben tragen die Sanitäter Claire zum Helikopter. Der Arzt stützt Bruckner, der durch das Wasser humpelt. Tanner schüttelt dem Arzt die Hand.
Was ist mit Claire?
Drei Schüsse in die Brust. Einer davon vermutlich ein glatter Lungendurchschuss. Sie hat viel Blut verloren. Ich hoffe, sie wird durchkommen.
Bruckner wendet sich zu Tanner.
Wo warst du denn so lange? Ich habe dir doch extra mein schnelles Auto ausgeliehen.
Tanner zeigt auf den verbeulten Jaguar.
Bruckner hustet. Sein Gesicht verkrampft sich zu einem Lächeln.
Ich sehe, du hast ihn auf Herz und Nieren geprüft.

ZWEIUNDVIERZIG

Weit nach Mitternacht erreicht Tanner seine Wohnung am See und legt sich erschöpft auf das Sofa im Wohnzimmer.
Er hat sich den Dienstwagen von Michel ausgeliehen, der im Spital geblieben ist.
Ich weiche nicht von Claires Seite, bis sie über den Berg ist.
Ständig wiederholte er diese Worte und machte sich heftige Vorwürfe, weil er sie nicht hatte schützen können und weil er mit ihr alleine ins Kieswerk gefahren war. Tanner hatte ihn noch nie so aufgelöst gesehen. Zeitweise konnte er nur stammelnd sprechen.
Sie habe ihn am späten Nachmittag zu sich nach Hause eingeladen gehabt und sie hätten einmal mehr ihr Spiel gespielt.
Und – ihr Männer von Athen, ich habe das erste Mal gewonnen!
Nach dem ersten hingebungsvollen Kuss habe sie ihn plötzlich zurückgestoßen und aufgeregt geflüstert, sie wisse jetzt, wo die Entfüh-

rer Bruckner versteckt hielten. Dann sei sie einfach aus der Wohnung gestürmt. Es sei ihm nichts anderes übrig geblieben, als ihr zu folgen. Erst im Auto habe sie ihm verraten, dass sie überzeugt sei, dass Bruckner im Kieswerk gefangen sitze. Irgendwie hätte ihn dann auch das Jagdfieber gepackt, und da er gerade eben das erste Mal in diesem verflixten Spiel gewonnen habe, habe er sich sehr sicher und sehr mächtig gefühlt. Übermütig eben. Und genau so habe er dann ja auch gehandelt. Gegen alle Vorschriften und gegen den gesunden Menschenverstand. Abgesehen davon habe er starke Zweifel gehabt, dass ihre Eingebung richtig sei. Er habe sich einfach nicht vorstellen können, dass die Chinesen so dumm seien und wieder denselben Ort benutzten, an dem sie schon die Kühe erschlagen hatten. Sie seien dann also auf das Gelände gefahren, das vollkommen verlassen schien. Weit und breit sei nichts Auffälliges zu sehen gewesen. Sie hätten vorsichtig, sich gegenseitig Deckung gebend, die Schuppen durchsucht. Als sie das letzte Tor öffneten, hätten die Chinesen sofort das Feuer eröffnet. Sie hätten keine Chance gehabt. Ihm hätten sie die Waffe aus der Hand geschossen, bevor er selber einen Schuss abgeben konnte, und Claire sei von mehreren Schüssen in die Brust getroffen worden. Da er als Folge des Schusses mit dem Kopf gegen die Grundmauer gestürzt sei, sei er erst wieder im Keller aus seiner Ohnmacht erwacht. Wie lange sie mit Bruckner im Keller gesessen hätten, könne er exakt gar nicht sagen, da er nicht wisse, wie lange er ohnmächtig gewesen sei. Aber eine Stunde sei es auf jeden Fall gewesen. Die längste Stunde seines Lebens. In vollkommener Dunkelheit. Dann sei der Regen gekommen und der Keller habe langsam angefangen, sich mit Wasser zu füllen.
Tanner versuchte, seinen Freund so gut wie möglich zu trösten. Aber er war nicht zu beruhigen. Auch ein Anruf vom Oberstaatsanwalt, der ihm zur Lösung des Falls gratulierte, half nicht viel. Immerhin konnte Tanner ihn überzeugen, etwas zu essen und ein Beruhigungsmittel zu nehmen.
Gegen Mitternacht meldete sich Halter, der Einsatzleiter des Spezialkommandos. Tanner sprach mit ihm, da Michel abwinkte, als er ihm das Telefon reichen wollte.
Wir haben sie lebend gefasst, Tanner. Sie haben den Sturz ins Wasser mit ein paar wenigen Blessuren überlebt. Und offenbar blieb eine genügend große Luftblase im abgesoffenen Lieferwagen.

Haben sie Widerstand geleistet?
Nein, nein. Unsere Taucher haben eine Spezialladung Tränengas ins Auto injiziert, solange es noch im Wasser war. Dann haben wir es mit dem Kran aus dem Wasser gehievt. Der Rest war Formsache. Wir haben einen nach dem anderen aus dem Wagen gepflückt. Bis jetzt haben die Herren es vorgezogen zu schweigen. Morgen früh wird wohl ein ganzer Trupp Anwälte anmarschieren. Die Herrschaften scheinen über gute Beziehungen im Ausland zu verfügen.
Ja, Halter, das kann man wohl sagen. Es wird ihnen aber nicht viel nützen, denn die Sachlage ist erdrückend. Außerdem kriegen wir, wenn wir Glück haben, auch noch den Auftraggeber auf dem Silbertablett serviert. Ich sage, wenn wir Glück haben.
Dann wäre das ja einmal ein vollkommener Erfolg für uns.
Ja, Halter, im Prinzip. Die Opfer macht es allerdings nicht mehr lebendig. Und Claire schwebt offenbar nach wie vor in Lebensgefahr.
Ja, Sie haben Recht. Aber immerhin, die Gerechtigkeit …
Die Gerechtigkeit? Was soll denn das sein? Ist sie Ihnen schon einmal begegnet, Halter? Welche Farbe hat sie denn?
Okay, Tanner, ich verstehe. Grüßen Sie Michel. Und ich drücke die Daumen für Claire. Meine Mannschaft tut das auch. Ach, ja. Ihr Hinweis war goldrichtig. Wir haben aus dem Boden des Kellers eine Leiche ausgegraben. Ein Japaner. Er liegt bereits in der Gerichtsmedizin.
Noch vom Krankenhaus aus informierte Tanner Hauptkommissar Schmid, der die Botschaft, dass Bruckner gefunden und die Viererbande gefasst war, kommentarlos entgegennahm. In dem Schweigen Schmids war deutlich der Neid auf den Erfolg der Kollegen zu spüren. Tanner war es egal, und so sagte er auch nichts mehr.
Tanner erhebt sich vom Sofa, holt sich in der Küche ein Bier und wählt die Nummer von Kiharu. Sie meldet sich, als hätte sie neben dem Telefon gesessen und auf seinen Anruf gewartet.
Kiharu, entschuldigen Sie bitte, dass ich Sie mitten in der Nacht anrufe, aber …
… aber, lieber Herr, ich habe Ihnen doch gesagt, dass ich nicht mehr schlafen werde, und zudem habe ich Ihren Anruf erwartet.
Sie haben ihn erwartet?
Ja. Sie waren in Gefahr, oder? Ich habe es gespürt. Ist mit Ihnen alles in Ordnung?

Ja, danke. Sie haben Recht, ich war tatsächlich in Gefahr. Aber ich hatte Glück.
Er spürt durchs Telefon, wie sie lächelt. Über Kiharu zu staunen, hat er sich längst abgewöhnt. Er berichtet ihr ausführlich über die Geschehnisse der letzten Stunden.
Ich bin so froh, lieber Herr, dass Ihnen nichts zugestoßen ist. Und glücklich bin ich natürlich auch, dass es Ihnen gelungen ist, Herrn Bruckner zu befreien. Ist er denn wohlauf?
Er ist nicht verletzt, wenn Sie das meinen, aber das Ganze hat ihn natürlich sehr mitgenommen. Er ist im Spital unter Beobachtung. Ein Wunder, dass sein Herz das durchgehalten hat.
Wissen Sie, Chiyo hat sich heute Abend gemeldet. Sie wollte wissen, wie es um Bruckner steht. Ich habe sie vertröstet. Jetzt bin ich froh, dass ich Bescheid weiß.
Liebe Kiharu, ich denke, die Tatsache, dass sie sich nach Bruckner erkundigt hat, ist ein gutes Zeichen. Glauben Sie, dass Sie Chiyo überreden können, Ito der Polizei zu übergeben?
Überreden nicht. Chiyo kann man nicht überreden. Ich kann sie nur demütig bitten. Und entweder kommt sie selber zu dem Schluss oder es ist nichts zu machen. Ito war übrigens nicht bereit, Auskunft über den Verbleib von Herrn Fukumoto zu geben. Ist das schlimm?
Nein, wir haben die Leiche bereits gefunden. Bis morgen wissen wir, was genau für den Tod von Fukumoto verantwortlich war.
Tanner muss wieder an Michiko denken und an den furchtbaren Moment ihrer Erkenntnis, dass die Pille, die sie ausgetauscht hatte, tödlich war.
Sind Sie noch dran, lieber Herr?
Ja. Rufen Sie mich bitte an, sobald Sie etwas von Chiyo hören. Egal wann. Und bitte, Kiharu, sagen Sie ihr, dass auch ich sie demütig bitte, Ito nicht zu töten.
Das werde ich tun, lieber Herr.
Tanner legt den Hörer auf. Sie hat schon wieder betont, dass sie nicht mehr schläft. Was meint sie nur damit? Ob er sie jemals wiedersehen wird?
Tanner öffnet das Fenster und schaut in die Nacht hinaus. Es regnet ohne Unterlass. Sintflutartig. Der Regen prasselt peitschend auf die Blätter der großen Laubbäume, die den Park hinter dem Haus bilden.
Tanner durchquert seine Wohnung und öffnet ein Fenster auf die

Straße hinaus. Längst sind Dachrinnen und Kanalisation überfordert. Das Wasser sucht sich den Weg des geringsten Widerstandes. Vereinigt sich mit vielen anderen Wässerchen zu schnell fließenden Strömen. Die Straße ist bereits zum Bachbett geworden.
All das Wasser, das in den letzten Wochen verdunstet und von der unerbittlichen Kraft der Sonne transformiert worden ist, kommt jetzt in flüssiger Form wieder zurück auf die Erde.
Was für eine gewaltige Maschinerie. All die unterirdischen und oberirdischen Wasserläufe, all die unendlichen Meere, Seen und Flüsse, bis zum kleinsten Gebirgsbach. Alle sind sie miteinander verbunden. Und die große Klammer ist der Kreislauf zwischen Erde und Atmosphäre. Geben und nehmen. Nehmen und geben. Kein Anfang und kein Ende. Seit Ewigkeiten. Und kein einziger Tropfen ist jemals verloren gegangen.
Das Gesetz des Wassers. Gesetz des Lebens.
Tanner hat einmal mehr das Gefühl, sein Kopf sei zu klein, um diese gewaltige Vorstellung zu denken. Aber fühlen kann er sie in diesem Moment wie nie zuvor. Glasklar und beinahe schmerzhaft sind die Bilder und er selber kommt sich dabei so klein und unnütz vor wie eine abgebrochene Nadelspitze.
Er tigert durch die Wohnung. Die Erschöpfung hat ein Stadium erreicht, in dem er sie nicht mehr spürt. Nur die Ohnmacht – die füllt ihn quälend aus.
Er öffnet eine zweite Bierflasche.
Morgen muss er dringend zu Elsie. Er wird den ganzen Tag an ihrem Bett sitzen und ihr vorlesen. Und den nächsten Tag auch – und so weiter.
Mein Gott, wie lange war ich nicht mehr bei ihr?
Er geht auf die Toilette und wäscht sich das Gesicht mit kaltem Wasser. Bevor er sich trocknet, betrachtet er sich lange im Spiegel. Die Ringe unter seinen Augen überraschen ihn nicht. Wie immer, wenn er sich etwas zu lange im Spiegel betrachtet, werden ihm seine eigenen Züge erschreckend fremd. Er verzieht das Gesicht zu einer Grimasse und wendet sich ab.
Er geht in die Küche, öffnet den Tiefkühler und wählt einen Beutel tiefgefrorener Riesencrevetten. Entgegen seiner sonstigen Gewohnheit taut er sie in der Mikrowelle auf. Er hat plötzlich ein gewaltiges Hungergefühl und will nicht warten, bis die Dinger von selbst auf-

tauen. Er brät sie in viel Olivenöl und Knoblauch, würzt sie mit Salz und Pfeffer. Am Schluss schneidet er noch zwei Tomaten klein, die er in der Gemüseschublade gefunden hat. Leider hat er kein frisches Brot, also öffnet er eine Notration Toastbrot und röstet einige Scheiben in einer zweiten Pfanne. Er hasst Toaster.
Dann setzt er sich ins Wohnzimmer und isst mit großem Genuss. Wann hatte er zuletzt so etwas wie einen normalen Alltag? Mit Einkaufen, Kochen und gar einer geregelten Arbeitszeit.
Nachdem er fertig gegessen hat, spült er minutiös und sorgfältig das Geschirr. Er genießt diese einfachen Handlungen. Und danach? Soll er sich ins Bett legen?
Kurz entschlossen zieht er sich die Schuhe wieder an, schlüpft in seine Regenjacke und verlässt die Wohnung. Nachdem er die Haustür abgeschlossen hat, hält er einen Moment inne.
Es regnet immer noch sehr heftig. Der alte Steinbrunnen zwischen Wohn- und Gärtnerhaus läuft glucksend über. Auf dem kiesbedeckten Vorplatz hat sich bereits ein kleiner See gebildet. In der Ferne hört er die Sirene der Feuerwehr.
Er nimmt mit großen Sprüngen die Strecke bis zu Michels Auto. Auch wenn es nur wenige Meter sind, ist sein Haar bereits tropfnass. Die Dorfstraße, die sich in ein Bachbett verwandelt hat, ist menschenleer. Obwohl er langsam fährt, bilden sich links und rechts vom Wagen hohe Spritzfontänen.
Michel sitzt immer noch am selben Ort, direkt vor dem Operationstrakt. In seiner Hand hält er einen leeren Plastikbecher. Tanner setzt sich ohne ein Wort neben ihn. Beide sind etwa gleich nass. Tanner vom Regen, Michel vom Schweiß.
Operieren sie immer noch?
Michel nickt.
Wenn sie stirbt, erschieße ich mich.
Sie stirbt nicht, Michel.
Stell dir vor, Tanner, der Oberstaatsanwalt war hier. Ihr Männer von Athen, das hat mich umgehauen. Er wollte sich persönlich nach Claires Zustand erkundigen. Du, der war wie ausgewechselt, direkt menschlich. Das hätte ich nie von dem gedacht.
Hat ihn Claire gestern auf der Rückfahrt vielleicht kuriert?
Das kann sein. Er sagte, er habe mit Claire ein tief schürfendes Gespräch gehabt. So nannte er es wortwörtlich.

Ja, Claire ist ihm Umgang mit Menschen offensichtlich sehr begabt.
Tanner nimmt ihm den leeren Becher aus der Hand.
Soll ich dir einen neuen Kaffee holen?
Michel schüttelt den Kopf.
Dann hole ich einen für mich.
Als Tanner mit dem Kaffee zurückkommt, spricht Michel mit einem Arzt.
Hey, Tanner, sie wird es schaffen! Ihr Männer von Athen, sie wird es überleben.
Der Arzt macht eine beschwichtigende Geste.
Also, sie ist noch nicht ganz über den Berg, aber die Operation verlief gut und sie hat ein starkes Herz. Sie kommt jetzt auf die Intensivstation. Die Herren dürfen gerne mitkommen.
Tanner umarmt seinen Freund.
Ich besuche unseren Freund Bruckner. Mal sehen, ob er schläft. Danach schaue ich in der Intensivstation vorbei.
Tanner öffnet leise die Tür des Krankenzimmers. Neben Bruckners Bett brennt eine Nachtlampe. Er schläft abgewandt von der Tür. Tanner lauscht auf seine ruhigen Atemzüge. Nach einer Weile zieht er die Tür wieder zu.
Wer ist da? Bist du das, Tanner? Ich schlafe nicht. Komm rein.
Hallo, mein Freund. Wie geht es dir?
Gut, gut. Komm, setz dich bitte zu mir.
Tanner angelt sich einen Stuhl und setzt sich ganz nahe zu Bruckner, der ziemlich erschöpft aussieht. Tiefschwarze Ringe unter den Augen zeugen von seinen Strapazen. Seine gesprungenen Lippen sind mit einer weißen Paste eingestrichen.
Wie bist du eigentlich darauf gekommen, dass die mich in dem Kieswerk versteckt halten?
Das kann ich dir nicht wirklich erklären. Ich war gerade jenseits der Grenze bei Charlotte Steinweg, von der ich die letzten bitteren Informationen über das Ende meines Großvaters erhalten habe. Auf dem Rückweg rief mich Deichmann an und sagte mir, dass Alois mit mir reden möchte. Mit Alois war ich beim Münster, wo er mit einem großen Schwarm Vögel sprach.
Wie? Sprach?
Ja, er hat sich mit ihnen unterhalten. Glaub es oder glaub es nicht: Ich habe es mit meinen eigenen Augen gesehen.

Gut. Dann glaube ich es. Erzähl weiter.
Ja, es ist nicht mehr viel. Als die Vögel mit einem Mal aufflogen, erinnerte ich mich, dass Michel auch von Vögeln gesprochen hatte, die äh, ja … ich weiß nicht, plötzlich war die Idee da, ich bin sofort hingefahren und …
… und hast dein Leben in Gefahr gebracht. Du musst zugeben, dass das auch hätte schief gehen können.
Ja, es hätte schief gehen können, aber ich konnte nicht mehr überlegen, also habe ich einfach gehandelt. Ich war dir das ja auch schuldig, Bruckner …
Papperlapapp, du warst mir gar nichts schuldig. Ich bin ganz allein schuld an der Situation, in die ich mich gebracht habe. Aber ich bedanke mich natürlich ganz herzlich bei dir, dass du so gehandelt hast. Ohne dich hätten die uns entweder alle getötet oder wir wären jämmerlich ersoffen. Das werde ich dir nie vergessen.
Ich hoffe, du ziehst die richtigen Lehren aus alledem.
Das tue ich, Tanner, das verspreche ich dir. Übrigens habe ich schon Kontakt mit Pinget aufgenommen. Der hofft natürlich, dass er aus dem erzwungenen Verkauf seines Verfahrens herauskommt. Du hättest es ihm versprochen, stimmt das?
Ich habe gar nichts versprochen. Ich habe lediglich darauf hingewiesen, dass im glücklichsten Fall der Vertrag für ungültig erklärt werden könnte.
Weißt du etwas Neues über die Entführung von Ito?
Ja, Bruckner, allerdings. Weißt du, wer ihn entführt hat?
Nein, ich habe keine Ahnung.
Ito befindet sich in der Gewalt von Chiyo.
Was? Die schöne Chiyo? Was ist denn in die gefahren?
Wie sie das genau angestellt hat, weiß ich nicht, denn Ito war sicher immer gut bewacht. Auf jeden Fall, als sie begriffen hatte, dass Ito für den Tod ihrer Schwester verantwortlich ist, hat sie sich in eine zu allem entschlossene Rächerin verwandelt. Ich habe sie gesehen. Und ich habe sie kaum wiedererkannt.
Du hast sie gesehen?
Sie war noch einmal in der Stadt. Ich habe sie bei Kiharu getroffen. Sie hat sich ihren Kopf kahl geschoren und sich ganz in schwarzes Tuch gehüllt. Sie sah wie die leibhaftige Rachegöttin aus und sie hat es tatsächlich geschafft, an Ito ranzukommen und ihn zu entführen.

Aber eben, wie sie das gemacht hat und mit wessen Hilfe, weiß ich nicht.
Sie hat in Japan viele mächtige Freunde. Ich nehme an, sie hatte gute Unterstützung. Wahrscheinlich hat sie ihm eine Falle gestellt.
Wie meinst du das?
Na ja, Ito war natürlich auch scharf auf sie. Du weißt ja, wie leicht bei einem Mann der Verstand ausfällt, wenn er glaubt, ans Ziel seiner Wünsche zu kommen.
Ja. Vielleicht hat sie es so geschafft, das wäre eine Möglichkeit.
Und wie geht es jetzt weiter, Tanner?
Ich war dabei, als Kiharu mit ihr telefoniert hat. Chiyo will Ito töten. Kiharu versucht sie zu überzeugen, ihn der Polizei auszuliefern.
Und? Wird sie es tun?
Das weiß ich nicht, Bruckner. Ich hoffe es. Was ihr die Entscheidung vielleicht erleichtern wird, ist die Tatsache, dass du jetzt frei bist. So steht sie nicht mehr unter so einem moralischen Druck.
Wie meinst du das?
Ich habe ihr gesagt, dass du sicher getötet wirst, wenn sie Ito tötet.
Das hast du ihr gesagt? Das war aber eine Lüge.
Sagen wir eine Notlüge. Dann habe ich Chiyo eröffnet, dass Michiko die Liebhaberin von Ito gewesen ist. Diese Information hat sie schwer aus dem Gleichgewicht gebracht. Ich hoffe, dass sich die Notwendigkeit, Michiko persönlich zu rächen, damit etwas gemindert hat.
Stimmt das denn mit Michiko und Ito?
Ja, das stimmt leider.
Warum leider? Passt es nicht ins Bild, das du dir von der Dame gemacht hast?
Gut, ich gebe es zu. Eins zu null für dich.
Und wie hast du das herausgefunden?
Sie hatte eine Tätowierung an einer sehr intimen Stelle. Den buddhistischen Knoten. Und die Tätowierung war nicht neu, verstehst du? Der Rest war Intuition, die aber voll ins Schwarze traf. Kiharu hat es bestätigt.
Aha, ich verstehe.
Wusstest du eigentlich, Bruckner, dass Tetsuo vor Jahren Michiko als Maiko entjungfert hat? Gegen Bezahlung!
Bruckner erstarrt.

Nein, das wusste ich nicht. Stimmt denn das auch?
Passt es etwa nicht ins Bild, das du dir von deinem Gott Tetsuo gemacht hast?
Gut, Tanner. Eins zu eins. Wir sind quitt.
Apropos ausgeglichen. Was wirst du jetzt mit deinen zwanzig Millionen anfangen?
Was schlägst du vor?
Behältst du das Geld?
Warum denn nicht? Ich habe es mir in dem Sinne ehrlich verdient, als es eine Abmachung gab und ich meinen Teil erfüllt habe.
Okay, Bruckner. Also, was wirst du mit dem Geld machen?
Das weiß ich noch nicht. Einstweilen liegt es sicher auf der Bank. Ich nehme an, dass du mir vorschlagen willst, irgendetwas *Gutes* mit dem Geld zu machen, oder?
Das ist eine geniale Idee, Bruckner. Und dass du es selber vorschlägst, ehrt dich ganz besonders.
Tanner lächelt. Bruckner verzieht schmerzerfüllt sein Gesicht.
Du hast sicher schon eine Idee. Ich sehe es auf deiner Stirn geschrieben.
Ja, es stimmt. Ich habe eine Idee, was man mit zwanzig Millionen machen könnte. Aber das sage ich dir später. Jetzt möchte ich, dass du dich gut erholst. Zudem ist noch nicht alles gelöst.
Du meinst Ito, nicht wahr?
Ja. Ich meine Ito.
Sie schweigen nachdenklich.
Übrigens Tanner, du wirst auch Geld kriegen.
Ich? Wieso?
Pinget will sich erkenntlich zeigen, wenn er wirklich aus dem Vertrag herauskommt. Du weißt, was das heißt, oder?
Nein, aber ich lass mich überraschen. Gute Nacht. Bis morgen.
Tanner öffnet die Tür.
Hey, Tanner! Danke. Und du – morgen habe ich auch eine kleine Überraschung für dich.

DREIUNDVIERZIG

Um Punkt zehn Uhr wird Tanner von einem hartnäckigen Klingeln aus dem Tiefschlaf gerissen. Er tastet nach dem Wecker und dreht sich auf die andere Seite, aber es klingelt weiter.

Mist, das ist ja mein Telefon.

Er steigt aus dem Bett und rennt ins Wohnzimmer, wo sein Handy liegt.

Mein lieber Herr, Chiyo hat sich gemeldet.

Und? Wie hat sie sich entschieden?

Sie ist bereit, Ito der Polizei auszuliefern.

Das ist ja wunderbar, Kiharu. Und das haben wir allein Ihnen zu verdanken. Sie sind großartig.

Chiyo stellt allerdings eine Bedingung.

Aha. Und was für eine?

Sie ist bereit, Ito leben zu lassen, aber übergeben wird sie ihn nur einem einzigen Menschen.

Wem?

Ihnen, lieber Herr. Das ist ihre ausdrückliche Bedingung.

Aber wieso?

Weil sie Ihnen vertraut, lieber Herr. Und weil Michiko Ihnen vertraut hat.

Aber das ist unmöglich. Ich habe keine offizielle Stellung. Zudem ist Japan weit weg.

Aber, lieber Herr, das spielt doch keine Rolle. Ihr Flug geht morgen Mittag. Ich habe bereits einen Platz gebucht. Alle weiteren Instruktionen erhalten Sie von Chiyo selbst. Sie hat Ihre Telefonnummer. Und jetzt muss ich das Gespräch beenden. Sie werden mich heute noch ein letztes Mal sehen.

Sie unterbricht die Verbindung.

Er öffnet ein Fenster. Es hat aufgehört zu regnen. Gerade bricht die Sonne durch ein dramatisch gestaltetes Wolkenband. Der See liegt bleiern da. Der Hügelzug gegenüber sieht wie frisch gewaschen aus. Welch zärtliche Form. Ein schlafender Frauenkörper. Sanft und üppig. Wenn das ein Gott geformt hat, muss er verliebt gewesen sein.

Was will Chiyo? Warum will sie, dass ich nach Japan komme?

Tanner geht unter die Dusche. Dann macht er sich einen Kaffee.

Kurz danach klingelt es wieder. Diesmal ist es an der Haustür. Tanner nimmt zwei Treppen auf einmal. Draußen steht grinsend ein junger Mann mit einem blonden Lockenschopf.
Sind Sie Tanner?
Ja. Guten Tag, Sie wünschen?
Wünschen? Sie sind gut, Mann. Ich bringe Ihren neuen Wagen. Mit freundlichen Grüßen von Herrn Bruckner. Hier sind die Schlüssel und die Papiere. Auf Wiedersehen.
He, warten Sie. Wie kommen Sie denn zurück in die Stadt?
Ich bestelle ein Taxi.
Er zückt sein Mobiltelefon.
Warten Sie mal. Könnten Sie nicht dieses Auto nehmen.
Er zeigt auf Michels Dienstwagen.
Sie müssten es allerdings beim Kriminalkommissariat abgeben. Der Schlüssel steckt.
Okay. Kann ich machen. Auf Wiedersehen dann.
Auf Wiedersehen. Benutzen Sie ja nicht das Blaulicht, sonst kriegen Sie Ärger.
Tanner dreht sich um und betrachtet den Jaguar, den ihm sein Freund hat schicken lassen.
Mein Gott, Bruckner ist wahnsinnig.
Er steigt ein und lässt den Motor an.
Ja doch, daran werde ich mich gewöhnen.
Er schaltet das Radio ein. Eine aufgeregte Stimme berichtet gerade von den unzähligen Überschwemmungen, die von den heftigen Regengüssen während der Nacht verursacht wurden. Einzelne Täler sind abgeschnitten. Einige Dörfer sind zum Teil unter Wasser. Armee und Zivilschutz sind im Großeinsatz.
Er steigt aus, geht zurück in die Wohnung und versucht seinen Freund zu erreichen. Man teilt ihm mit, dass Herr Bruckner gerade eine Reihe von Untersuchungen über sich ergehen lassen müsse.
Dann ruft er Michel an.
Serge, wie geht es Claire?
Tanner, sie hat es geschafft. Sie wird es überleben. Ihr Männer von Athen! Ich glaube, ich werde noch religiös. Verdammt, bin ich froh.
Ja, Gott sei Dank, Michel. Bleibst du bei ihr?
Ja, sicher. Ich weiche nicht von ihrer Seite. Und du? Was machst du?
Ich gehe jetzt zu Elsie. Und morgen Mittag fliege ich nach Japan.

Nach Japan? Warum denn das?
Chiyo hat sich in den Kopf gesetzt, Ito nur mir persönlich zu übergeben. Also hole ich ihn mir.
Das ist ja ein Ding. Ja, dann wünsche ich dir eine gute Reise. Gehen wir essen, wenn du zurück bist?
Ja, sicher. Dann lade ich dich ins beste Restaurant ein, das wir finden können.
Tanner legt erleichtert auf. Nicht auszumalen, wenn Claire gestorben wäre. Etwas widerwillig wählt er die Nummer von Hauptkommissar Schmid.
Herr Hauptkommissar, ich brauche dringend Ihre Unterstützung.
Ach ja? Das ist ja was ganz Neues! Worum handelt es sich?
Tanner beschließt, die Provokation zu überhören.
Ich werde morgen Mittag nach Japan fliegen und dort wird man mir persönlich den entführten Ito Amagatsu übergeben, der für den Mord an Michiko verantwortlich ist. Wahrscheinlich ist er auch für die Brandstiftung beim Busch verantwortlich, also auch für den Tod von Elfriede Weiß. Ganz zu schweigen von den erschlagenen Kühen und der Brandstiftung auf Pingets Bauerngut.
Den Mord an Fukumoto unterschlägt er ihm erneut. Er wird es noch früh genug erfahren.
Schmid räuspert sich und bricht ungehalten los.
Wer hat ihn denn entführt? Und wieso weiß ich nichts davon? Das ist ja wieder typisch. Eine Ungeheuerlichkeit ist das. Also wirklich, Tanner. Ich werde mich bei den entsprechenden Stellen über Sie beschweren, darauf können Sie Gift nehmen.
Jetzt machen Sie mal halblang, Schmid. Die Dinge haben sich überstürzt. Zudem ist Ito in Japan entführt worden. Ich weiß nicht, wie Sie da hätten aktiv werden wollen.
Schmid schnaubt ungehalten ins Telefon.
Was Tanner natürlich nicht wissen kann ist, dass die ungeheuren Niederschläge der letzten Nacht die ganze Salatzucht und Schmids mühevolle Aufbauarbeit komplett zerstört haben. Er ist stinksauer. Auf den Regen und vor allem auf sich selbst, weil er dem Hinweis von Tanner auf den kommenden Regen keinen Glauben geschenkt hatte.
Gut. Tanner. Okay. Nennen wir es einmal so: Die Ereignisse haben sich überstürzt. Wer hat ihn denn entführt?

Leider kann ich Ihnen das nicht sagen, denn ich darf die Übergabe nicht gefährden. Eine Bedingung, dass ich Ito in die Hand bekomme, ist die Anonymität des Entführers.
Jetzt sieht Schmid rot.
Damit machen Sie sich mitschuldig und ich werde Sie vor ein Gericht zerren, weil Sie der Polizei wichtige Informationen vorenthalten.
Dagegen kann ich nichts machen. Offen gestanden ist es mir auch egal. Mich interessiert eigentlich nur, ob Sie mithelfen, dass Ito in die richtigen Hände kommt, oder nicht?
Und was soll ich Ihrer Meinung nach tun?
Sie sollen die Übergabe in Japan vorbereiten. Mit den japanischen Behörden Kontakt aufnehmen. Und mich als Mittelsmann legitimieren.
Ich verstehe. Rufen Sie mich morgen an, bevor Sie nach Japan fliegen.
Schmid legt ohne ein weiteres Wort auf.
Kaum hat Tanner den Hörer aufgelegt, meldet sich sein Handy.
Hey, Tanner. Ich bin es, Martha. Wie geht es dir? Bruckner hat ja unglaubliche Dinge erzählt.
Danke, Martha, für die Nachfrage. Ja, es stimmt, die Ereignisse haben sich gestern Nacht überschlagen und –
Wenn ich die Situation richtig verstanden habe, hättet ihr alle sterben können.
Ja, ehrlich gesagt möchte ich auch nicht jeden Tag so etwas erleben. Wie geht es Bruckner? Hat er die Untersuchungen hinter sich?
Die Ärzte sind ganz zufrieden mit ihm. Meiner Meinung nach sieht er immer noch ziemlich mitgenommen aus. Es ist ja auch schier unvorstellbar, was er die letzten Wochen mitgemacht hat. Am meisten Schmerzen bereitet ihm der kleine Finger, obwohl er nicht mehr da ist.
Bist du denn bei ihm in der Klinik?
Ja, da kommt er. Er war gerade auf der Toilette. Er will dich sprechen.
Hallo, mein Lieber. Wie fühlst du dich?
Mit mir ist alles in Ordnung, Tanner. Ich verstehe nicht, was die Ärzte noch von mir wollen. Ich fühle mich sauwohl und die wollen mich immer noch beobachten. Was erwarten die denn? Dass ich plötzlich zusammenbreche? Ich will jetzt endlich nach Hause.

Ich denke, sie werden ihre Gründe haben. Du, Bruckner, ich habe heute Morgen einen fabrikneuen Jaguar bekommen. Ist das wirklich dein Ernst? Ich meine, ich kann das doch nicht …
Doch, natürlich kannst du. Mach jetzt nur ja kein Theater. Ich schwimme im Geld, wie du ja weißt. Und du musst gestatten, dass ich mich erkenntlich zeige. Basta.
Wann hast du denn den Wagen bestellt?
Als ich von Japan zurück war. Ich wollte mich mit dem Wagen dafür entschuldigen, dass ich dich einfach habe sitzen lassen. Nimm ihn jetzt einfach als Dank für alles.
Bruckner lacht.
Damals wusste ich halt noch nicht, dass ich gleich zwei hätte bestellen sollen. Ich hoffe nur, dass du ihn nicht wieder zu Schrott fährst. Übrigens, wir könnten Jaguar vorschlagen, die Szene für einen Werbefilm nachzudrehen.
Wie bitte? Welche Szene?
Ja, die Szene im Wald und so. Die ganze Verfolgungsjagd. Mit dem Slogan: *Wir prüfen unsere Autos auf Herz und Nieren.*
Bist du wahnsinnig?
Wieso? Das wäre doch eine tolle Werbung und wir lassen uns das Copyright an der Szene teuer bezahlen.
Mein Gott, Bruckner! Eben hast du selber gesagt, dass du im Geld schwimmst. Hast du denn nie genug?
Ja, das stimmt, aber ich brauche eben viel Wasser zum Schwimmen.
Okay, es hat keinen Sinn, mit dir zu streiten. Also, Richard, ich danke dir für das Auto. Und jetzt gib mir noch einmal Martha, aber sag mir zuerst, wie sie heute aussieht?
Blendend sieht sie aus, wie immer, und sie platzt beinah vor Neuigkeiten.
Man hört Marthas Protest. Offensichtlich reißt sie Bruckner das Handy aus der Hand.
Hör nicht auf ihn, Tanner. Du weißt ja, die Ärzte wollen ihn noch unter Beobachtung halten. Da er äußerlich kaum verletzt ist, misstrauen sie seinem geistigen Zustand. Am Ende kommt er noch zu Deichmann.
Martha lacht ihr fröhliches Lachen.
Haben deine Neuigkeiten etwas mit ihm zu tun, Martha?
Mit wem?

Mit Deichmann.
Ach, ihr Männer. Jetzt haltet ihr natürlich wieder zusammen. Neugier, dein Name sei Mann.
Halt, halt, Martha, du hast angefangen, mir davon zu erzählen. Jetzt kannst du mir doch auch sagen, ob es vollbracht ist.
Was meinst du mit vollbracht?
Hast du mit Deichmann geschlafen?
Nein, du Nervensäge. Aber ich gehe jetzt gleich zu ihm und dann tun wirs. Zufrieden?
Liebe Martha, wir wollen ja bloß, dass du glücklich bist.
Ja, das ist aber lieb von euch. Bist *du* denn glücklich, Tanner?
Sie legt die Hand vor den Mund.
Oh, entschuldige, ich habe vergessen, dass Elsie …
Nein, nein. Martha. Das hat damit eigentlich nichts zu tun. Es hat eher was mit der Relativität der Übereinstimmung zu tun.
Was heißt denn das? Relativität der Übereinstimmung?
Das ist ganz einfach. Jeder Mensch hat Wünsche. Und er wird sie nie alle erfüllt kriegen. Aber gar nichts erfüllt zu bekommen, dass nennen wir zu Recht Unglück. Daraus zu schließen, dass das größte Glück darin bestünde, möglichst alle Wünsche erfüllen und alle Ziele erreichen zu können, halte ich für einen Trugschluss. Der subjektive Zustand des Glücklichseins beginnt dort, wo ein ausgewogenes Verhältnis zwischen Erfüllung und Sehnsucht besteht. Das nenne ich die Relativität der Übereinstimmung.
Du bist ja in einer seltsam abgeklärten Stimmung, Simon. Wenn ich dich richtig verstehe, bist du trotz der Situation mit Elsie irgendwie glücklich, oder?
Tanner nickt und vergisst für einen Moment, dass Martha das nicht sehen kann. Er sieht Elsie, wie sie dem Schwarm gegenübersitzt und mit den Vögeln spricht. Sie hören ihr konzentriert zu. Wenn die Vögel auf ein geheimes Zeichen losfliegen werden, wird der Augenblick gekommen sein, da sie entweder aufwacht oder stirbt.
Hey, Tanner, bist du noch da?
Entschuldige, Martha, ich bin gerade in Gedanken etwas abgeschweift. Pass auf Bruckner auf.
Ja, gut. Das kann ich versuchen. Was machst du jetzt?
Ich werde zu Elsie fahren.
Simon, ich wünsche dir viel Glück und dass Elsie bald …

Er unterbricht sie.
Ich danke dir, Martha. Grüße bitte Deichmann von mir. Ah ja, und richte ihm bitte aus, dass ich jetzt die ganze Wahrheit über meinen Großvater Land erfahren habe. Eines Tages werde ich ihn besuchen und ihm alles erzählen, wenn es ihn interessiert.
Ich denke schon, dass es ihn interessiert. Ich sage es ihm. Mich interessiert es natürlich auch. Bis bald.
Tanner steht lange am Fenster. Draußen ist es absolut still. Der Brunnenstrahl plätschert wie immer. Aber gerade durch die Tatsache, dass man ihn so deutlich hört, entsteht erst recht der Eindruck der Stille. Kein Blättchen bewegt sich. Das Wasser der großen Pfützen im Garten versickert langsam im Boden.
Das Wasser des Sees liegt glatt wie ein Spiegel. Längst ist die rötliche Verfärbung des Wassers durch die Blutalgen verschwunden, die so viele Menschen erschreckt hat.
Warum können viele Menschen kein Blut sehen? Es wird schleunigst weggeputzt oder zugedeckt. Warum eigentlich? Blut ist Lebenssaft. Weil Blut für Verletzlichkeit steht? Oder Tod?
Vielleicht erinnert es unbewusst daran, dass Menschen in einen Blutrausch geraten können und dass unsere kultivierte Schicht relativ dünn ist. Tanner wischt diese Gedanken weg.
Erst durch Marthas Bemerkung ist ihm selber klar geworden, dass er sich tatsächlich in einer seltsamen Stimmungslage befindet.
Er wartet auf etwas. Aber worauf? Die ganze Geschichte ist doch abgeschlossen?
Was übersehe ich denn? Ich spüre, dass etwas passieren wird.
Es ist diese innere Stimme, die Tanner eigentlich noch nie getäuscht hat. Viele Lebensjahre sind verstrichen, bis er angefangen hat, sie überhaupt zu hören. Noch mehr Jahre, bis er angefangen hat, auf sie zu vertrauen. Aber was nützt jetzt die innere Stimme, wenn er nicht weiß, *was* passieren wird?
Tanner schlendert durch seine Wohnung, die ihm ein bisschen fremd geworden ist. Wie wenn man von einer langen Reise zurückgekehrt ist.
Er geht zurück zum Fenster. Am linken Rand des Fensterrahmens kommt pünktlich das kleine Kursschiff ins Bild. Nach diesem Schiff kann man jeden Tag die Uhr stellen. Es ist drei Minuten vor elf. Es pflügt den spiegelglatten See in zwei Teile. Wie ein Chirurg mit

sicherer Hand die Haut aufschneidet, schlitzt der Schiffsrumpf die schimmernde Wasserhaut. Aber Wasser blutet nicht.
Als Kind konnte Tanner kein Blut sehen. Weder das eigene noch fremdes. Schon allein die Vorstellung von Blut machte ihm ungeheure Angst. Sätze wie *Blut ist im Schuh* mochte er gar nicht. Die Bilder, die solche Sätze auslösten, verfolgten ihn bis tief in den Schlaf.
Schlaf? Er muss plötzlich an Kiharu denken. Seine innere Anspannung steigt dabei sprunghaft.
Warum hat sie betont, dass sie nicht mehr schlafen werde? Nämlich bis zu einem wunderschönen Ereignis, bei dem sie ein letztes Mal ihr weißes Maikokleid tragen würde.
Und warum hat sie vorhin am Telefon gesagt, dass er sie heute noch ein letztes Mal sehen werde?
Tanner schließt das Fenster. Er wandert unruhig durch die Wohnung. Plötzlich wird ihm übel. Die Erkenntnis überfällt ihn mit Macht.
Tanner greift nach seinem Handy, seiner Jacke und den neuen Autoschlüsseln und rennt die Treppe hinunter.
Der Motor springt sofort an. Er wendet auf dem engen Kiesplatz und fährt durch das Tor. Er bereut, den Dienstwagen von Michel nicht mehr zur Verfügung zu haben. Er hätte jetzt gut das Blaulicht gebrauchen können.
Er wählt die Nummer von Kiharu. Nach einer Weile vermeldet eine automatenhafte Stimme, dass es unter dieser Nummer keinen Anschluss gibt.
Verdammt. Sie hat sogar das Telefon abgemeldet.
Er überholt einen Traktor und wählt die Nummer von Michel. Zum Glück meldet er sich sofort.
Michel, ich brauche deine Hilfe. Hör mir zu. Kiharu will sich heute umbringen. Warum ich das weiß, kann ich dir jetzt nicht erklären. Vielleicht hat sie es schon getan, ich weiß es nicht. Aber ich bin mir sicher, dass sie es tun wird. Ich muss so schnell wie möglich zu ihr. Verstehst du? Kannst du mir irgendwie einen Streifenwagen organisieren?
Michel versteht sofort. Er sagt nicht mal etwas von wegen gegen die Vorschrift.
Tanner, ich melde mich, sobald ich einen habe. Du bist jetzt erst gerade losgefahren, oder?
Tanner legt das Handy auf den Nebensitz und fährt schnell und kon-

zentriert. Dann und wann hupt er energisch und kümmert sich nicht um die zeichensprachlichen Verwünschungen.
Martha! Vielleicht kann Martha helfen!
Er greift wieder nach dem Telefon. Sie meldet sich nicht.
Ah, die ist ja jetzt bei Deichmann. Verdammt.
Dann halt doch Schmid.
Es meldet sich aber Waibel.
Schmid und Natter sind beim Gericht, sagen Sie?
Ja, Herr Tanner.
Sind Sie also alleine?
Ja, Herr Tanner.
Hören Sie, Waibel. Es geht um Leben und Tod. Sie müssen mir helfen.
Ja, Herr Tanner.
Mensch Waibel, können Sie auch mal etwas anderes sagen?
Ja, Herr Ta…, also äh …, entschuldigen Sie. Ich wollte sagen, dass ich Ihnen selbstverständlich helfe – und wenn es mich die Stelle kostet. Schmid ist nicht besonders gut auf Sie zu sprechen, wissen Sie.
Waibel, ich habe jetzt keine Zeit zu plaudern. Sie müssen sofort in die Wohnung von Kiharu Tsumura. Es besteht akute Selbstmordgefahr.
Tanner gibt ihm die Adresse und erklärt ihm die genaue Lage der Wohnung.
Ist die Wohnung verschlossen, brechen Sie die Tür auf. Ich übernehme die Verantwortung. Haben Sie alles verstanden, Waibel?
Ja, sicher. Bin schon unterwegs. Ich rufe Sie an, sobald ich dort bin.
Tanner atmet etwas auf. Sein Handy klingelt. Es meldet sich der Streifenwagen, den Michel organisiert hat. Der Polizist, der sich meldet, heißt Tschanz.
Wo sind Sie jetzt, Tanner?
Kurz vor dem Tunnel.
Okay. Das passt. Wir stehen drei Kilometer nach dem Tunnel. Was haben Sie denn für ein Auto?
Tanner erklärt es ihm.
Bitte, Tschanz, wenn Sie mich sehen, müssen Sie Gas geben.
Ja, sicher. Michel hat uns die Situation erklärt. Wir organisieren dann eine fliegende Ablösung an der Kantonsgrenze. Wir werden den Kollegen Ihre Nummer geben, damit Sie miteinander sprechen können.

Zum Glück ist die Autobahn um die Uhrzeit ziemlich leer. Im Mittelland wird es dann sicher anders sein.
Tanner ist bereits durch den Tunnel durch und schaut von Zeit zu Zeit auf den Kilometerstand. Bald müsste er den Streifenwagen sehen.
Na endlich, da sind sie ja, meine Tempomacher.
Er betätigt die Lichthupe, bis er sieht, dass der Streifenwagen losfährt und das Blaulicht einschaltet. Die Sirene hört er erst später. Als er aufgeschlossen hat, winkt er den beiden Polizisten zu. Der Beifahrer winkt zurück. Wahrscheinlich ist das Tschanz. Dann wechselt der Streifenwagen auf die Überholspur und erhöht die Geschwindigkeit. Tanner atmet durch und drückt aufs Gaspedal.

VIERUNDVIERZIG

Nach der Hälfte des Aufstiegs beschließt Kiharu, eine kleine Rast einzulegen. Sie setzt sich auf die schmale Treppe. Es ist absolut still. Wie scharfe Messer dringt da und dort durch schmale Luken das Licht in den Turm. Sie schließt die Augen.
Sie denkt das Wort Totenstille und muss lächeln. Sie sehnt sich nach dieser ewigen Stille. Sie ist kaum außer Atem, trotz ihrer Jahre. Und doch weiß sie, dass es sie jetzt sehr bald einholen würde – das Alter. Sie wird es nicht erleben und sie will es nicht erleben, weil sie es so beschlossen hat.
Nach ihrem letzten Gespräch heute Morgen mit Tanner hatte sie sich ohne Eile nackt ausgezogen und lange unter der Dusche gestanden. Sie liebt Wasser über alles. Und am liebsten das schnell fließende Wasser. Sie hasst Badewannen. Etwas untypisch für eine Japanerin. Aber sie liebt das Strömende auf ihrem Körper. Sie wusch sich ausgiebig und gründlich die Haare und den ganzen Körper.
Auf der Terrasse ließ sie sich von dem lauen Lüftchen, das über die Dächer der Stadt streifte, trocknen und betrachtete ein letztes Mal durch das Fernrohr den Ort, zu dem sie aufbrechen würde.

Zuerst ließ sie sich aber noch einmal auf ihrer geliebten Ottomane nieder und streichelte wissend und zärtlich ihren Körper.
In der Nacht hatte sie lange vor dem Spiegel gestanden, um ihren Körper einer gewissenhaften Inspektion zu unterziehen. Noch ist die Haut glatt, noch gibt es keine Spuren von altersbedingter Veränderung. Ganz besonders liebt sie ihre Brüste, die noch nicht viel von ihrer jugendlich weiblichen Ausstrahlung verloren haben. Aber je länger sie ihren Körper betrachtet hatte, desto mehr meinte sie das Kommende zu erahnen. Als ob sich die Katastrophe unter der Hautoberfläche schon ankündige.
Nachdem sie ein letztes Mal verzückt die Wellen der Lust in ihrem Körper genossen hatte, ging sie zurück ins Badezimmer und vollzog heiter und geübt die geliebten Rituale. Salben, Parfümieren, Kämmen und Schminken. Bis zuletzt wusste sie nicht, ob sie zu ihrem jungfräulichen Maikokleid ihre Perücke tragen sollte. Am Schluss entschied sie sich gegen die Perücke. Sie wollte als Kiharu Tsumura sterben. Die Perücke stand für Rollen, die sie gespielt hatte. In den Tod geht man als man selbst. Am Ende zog sie einen ganz leichten Mantel über das weiße Kleid. Sie wollte unterwegs nicht auffallen.
Als sie sich ihrem Ziel näherte, sah sie von weitem, dass die Aussichtsterrasse des Turmes von einem Schwarm Touristen besetzt war. Sie schlenderte zum Brunnen und betrachtete eine Weile das große Steinbecken mit dem klaren Wasser. Sie liebte diesen Brunnen. Oft spazierte sie in ihren freien Stunden von Brunnen zu Brunnen. Sie hatte drei Lieblingsbrunnen, alle im nahen Umkreis von hier.
Die beiden steinernen Köpfe, die unermüdlich durch ihren Mund das Wasser spenden, hatten sie schon immer ganz besonders beeindruckt. Sie streichelte ein letztes Mal über die fein ziselierten Stirnfransen, trank einen Schluck von dem kühlen Wasser und wischte sich den Mund trocken.
Ins Wasser gehen könnte sie nie und nimmer. Zu sehr liebt sie dieses Element. Die Bewegungen im Wasser, die Berührungen mit der Haut. Nein, im Wasser könnte sie auf keinen Fall sterben.
Sie ging anschließend durch den Seiteneingang ins Kirchenschiff und setzte sich auf eine der langen Bänke. Sie wollte warten, bis die Gruppe runterkommen würde, um den Turm für sich allein zu haben. Deswegen hatte sie sich auch für die Mittagsstunde entschie-

den. Aber auch, weil es ihr scheint, dass es zu ihrer klaren Entscheidung besser passt, am helllichten Tag in den Tod zu gehen.
Nach einer Weile kam die Gruppe herunter. Sie erhob sich und löste ein Ticket für die Turmbesteigung. Sie fragte den gelangweilten Mann am Schalter, ob noch jemand oben sei.
Nein, nein, die Türme gehören jetzt Ihnen allein. Erschrecken Sie nicht, wenn die Glocken Mittag schlagen.
Er schaute auf die Uhr.
Das wird in sieben Minuten der Fall sein.
Kiharu öffnet die Augen und bricht ihre kleine Rast ab. Sie steht auf und entledigt sich ihres Mantels. Sie stopft ihn in eine große Maueröffnung. Sie wird ihn nicht mehr brauchen. Leichtfüßig setzt sie ihren Aufstieg fort. Ihrem selbst gewählten Ziel entgegen. Ihr Herz ist leicht. Kiharu lächelt.

Tanner und der Streifenwagen passieren den letzten Tunnel und nähern sich nun in schnellem Tempo dem Stadtgebiet. Die Fahrt ist bisher ohne Zwischenfälle verlaufen. Tschanz hat ihm schon gemeldet, dass bald ein Streifenwagen der städtischen Polizei die Führung übernehmen werde.
Kurz nach dem Tunnel meldet sich Waibel.
Ich bin jetzt in der Wohnung. Ich musste die Tür aufbrechen, denn es hat sich niemand gemeldet. Frau Tsumura ist nicht hier. Was soll ich jetzt machen?
Wir bleiben jetzt permanent in Verbindung, Waibel. Untersuchen Sie bitte die Wohnung. Vielleicht finden Sie einen Abschiedsbrief oder sonst einen Hinweis.
In diesem Moment bemerkt Tanner weit vorne auf dem Pannenstreifen den wartenden Streifenwagen der städtischen Polizei. Schon setzt er sich in Bewegung. Der erste Wagen biegt bei der nächsten Ausfahrt ab. Tanner schließt zu seinen neuen Begleitern auf und winkt.
Waibel, hören Sie mich?
Ja, Tanner.
Ich muss kurz unterbrechen. Ich rufe Sie gleich wieder an. Suchen Sie, bitte. Finden Sie einen Hinweis.
Tanner unterbricht die Verbindung und auf sein Zeichen hin meldet sich die Besatzung des Streifenwagens.
Hier spricht Wagner. Sind Sie Tanner?

Nach einem kurzen, klärenden Wortwechsel ruft Tanner wieder Waibel an.
Und? Haben Sie etwas gefunden, Waibel?
Nein, tut mir Leid. Keine Spur von irgendeinem Hinweis. Die Wohnung sieht aus, als ob die Frau kurz einkaufen gegangen ist.
Waibel, wir müssen irgendetwas finden, sonst geschieht ein Unglück.
Ja, ja, das verstehe ich. Aber ich finde nichts.
Wo sind Sie jetzt, Waibel?
Ich habe gerade die Tür zu einer Terrasse geöffnet.
Und? Was sehen Sie?
Ja, also ... ein großes Sofa unter einem Baldachin, jede Menge Sitzkissen. Kleine Tischchen und ...
Liegt irgendetwas auf den Tischchen? Oder auf der Ottomane?
Die Tischchen sind leer. Was ist eine Ottomane, bitte?
Das Sofa, Mensch. Liegt etwas auf dem Sofa?
Nein, nichts. Ich gehe jetzt zurück in die Wohnung. Sonst ist ja doch nichts auf der Terrasse, außer einem Fernrohr.
Tanners Herz macht einen Sprung. Das Fernrohr!
Mann, geh sofort zum Fernrohr. Berühre es aber auf keinen Fall. Schau durch das Fernrohr und sage mir, was du siehst. Aber ja nicht berühren.
Waibel bleibt einen Augenblick stumm. Tanner hört nur sein angestrengtes Keuchen.
Vor Tanner taucht in diesem Moment in der Ferne die Silhouette der Industriegebäude der Stadt auf. Und er sieht auch, wie der Beifahrer des Streifenwagens ihm aufgeregt zuwinkt. Er deutet auf das Handy. Er winkt zurück.
Ja, ja. Gleich rufe ich euch an. Was siehst du, Waibel? Was siehst du?
Also, äh ... ich glaube, dass das die Spitze eines Turmes ist.
Welcher Turm, Waibel? Verdammt, welcher Turm?
Ich glaube, es ist der Münsterturm. Doch, eindeutig, es ist einer der Türme vom Münster.
Und siehst du jemanden? Ich meine, steht jemand auf dem Aussichtsbalkon?
Nein, da ist kein Mensch zu sehen, tut mir Leid.
Okay, Waibel. Rühr dich nicht von der Stelle. Ich melde mich gleich wieder. Alarmiere sofort die Feuerwehr und erkläre denen die Situation. Kiharu wird sich vom Turm stürzen. Verstehst du?

Ja, ich verstehe, Tanner.
Der Streifenwagen meldet sich.
Hallo, Wagner? Ich kenne jetzt das Ziel. Wir fahren zum Münster. Haben Sie mich verstanden?
Ja. Ich habe verstanden. Wir fahren zum Münster.
Tanner blickt auf die Uhr. Es ist zwei Minuten vor zwölf.
Schneller. Schneller. Hoffentlich kommen wir nicht zu spät. Warum habe ich die Zeichen und Kiharus Andeutungen nicht ernst genommen?
Jetzt bekommt plötzlich alles einen Sinn.
Tanner schlägt mit der Hand verzweifelt auf das Steuerrad.
Warum habe ich das alles nicht früher verstanden. Aber, um Himmels willen, warum will sie sich umbringen? Warum?
Der Streifenwagen leistet gute Arbeit, trotzdem hat er das Gefühl, dass sie zu langsam sind.
Er ruft wieder Waibel an.
Waibel, siehst du was?
Ja, jetzt ist jemand durch die Tür auf den Aussichtsbalkon getreten. Ich glaube, von der Größe her, ist es aber ein Kind.
Nein, Waibel, das ist kein Kind. Das ist Kiharu. Sie ist relativ klein. Trägt sie ein weißes Kleid?
Ja, das könnte ein weißes Kleid sein.
Verdammt! Wir kommen zu spät.
Die Uhr zeigt gleich zwölf Uhr an.
Tanner und der Streifenwagen rasen mit heulender Sirene quer über den Platz beim Brückenkopf und biegen in die Straße ein, die direkt zum Münster führt.
Verdammt, stellt um Gottes willen die Sirene ab.
Auf dem Platz stoppt er den Jaguar aus voller Fahrt und reißt die Tür auf. Der Streifenwagen ist auch zum Stehen gekommen und hat die Sirene ausgeschaltet.
Der Platz ist menschenleer. Es ist mucksmäuschenstill, als ob die ganze Stadt den Atem anhält. Tanner steigt aus, blickt hinauf und erstarrt.
Kiharu steht hoch oben mit ausgebreiteten Armen auf der Balustrade. Ihr weißes Kleid leuchtet hell vor dem satten Rot des Mauerwerkes. Er bildet sich ein zu sehen, dass sie lächelt und dass ihre Augen geschlossen sind. Aber das ist unmöglich, denn die Distanz ist viel zu

groß und das Licht viel zu blendend. Schneller als ein Halm zu Boden fällt, wenn er geschnitten wird.
Nein, Kiharu, tu es nicht.
Tanner schreit es aus Leibeskräften, aber sie kann ihn nicht hören, denn im selben Moment ertönt mit Macht der erste Glockenschlag. Und genau so unerbittlich, wie sich das Uhrwerk im Turm dreht und damit die Stundenschläge ausgelöst hat, genau so unerbittlich geschieht etwas, das sich nicht zurücknehmen lässt.
Kaum haben sich die Schallwellen des ersten Glockenschlags voll entfaltet, geschehen auf dem Turm zwei Dinge gleichzeitig.
Ein riesiger Vogelschwarm erhebt sich mit tausendfachem Flügelschlag in die Luft. Lautlos. Der Klang der Glocke übertönt alles. Exakt über Kiharu. Offenbar saß der ganze Schwarm bis zum Glockenschlag in der Turmspitze.
Im selben Augenblick lässt sie sich fallen. Obwohl Tanner angestrengt zu ihr hinaufgeblickt hat, hat er den Augenblick verpasst, da er ganz kurz den Vögeln nachgeblickt hat.
Kiharu scheint mit ausgebreiteten Armen im freien Fall zu schweben. Mitten im Schwarm der Vögel. Dass die Vögel mit heftigen Flügelschlägen gen Himmel fliegen und Kiharu in der Gegenrichtung zur Erde fällt, spielt einen Augenblick lang durch die perspektivische Verkürzung von Tanners Blick keine Rolle.
Kurz darauf verliert er jedoch die stürzende Kiharu aus seinem Blickfeld. Keine Macht der Erde hätte seinen Kopf beugen können, um den Augenblick des Aufpralls mitzuerleben. Sein Blick bleibt magisch bei den Vögeln hängen, die immer kleiner werden. Und schließlich ganz verschwinden. Begleitet von den brutalen Hammerschlägen der Zeit, die in seinen Ohren dröhnen.
Deswegen hört er weder das Aufschlagen des Körpers auf dem harten Boden noch das Zerbrechen ihrer Knochen. Auch nicht das Zersplittern ihrer zarten Rippen und das Stöhnen, mit dem ihr letzter Atem aus ihrer Lunge gepeitscht wird.
In Tanners Rücken fahren drei Feuerwehrwagen in Stellung.
Er bemerkt es nicht.
Sein Telefon, das auf dem Beifahrersitz liegt, beginnt zu klingeln.
Er hört es nicht.
Noch immer schlägt die Glocke unerbittlich. Es kommt ihm vor, als würde sie immer lauter und drohender.

… sieben … acht … neun … zehn … elf … zwölf!
Der letzte Schlag verhallt um ein Vielfaches länger, als ihr Sturz gedauert hat. Dann ist es endlich still.
Stille.
Er blickt auf Kiharu. Eine weiße Blüte auf dunklem Boden.
Wie hingeweht. Tanner hält den Anblick nicht aus.
Seine Augen irren zu den Schatten spendenden Bäumen neben dem Bauwerk. Eine schmächtige Gestalt steht zwischen den mächtigen Stämmen.
Ist das Alois?
Tanner zuckt zusammen.
Er blickt zurück zu Kiharu. Langsam färbt sich von den Rändern her ihr Kleid. Blutrot.
Das Rot, das sie so sehr auf ihren Lippen liebte.
Ihre Lippen, die so gerne küssten. Sie sind nicht zu sehen. Ihr Kopf liegt mit dem Gesicht nach unten. Auf dem Asphalt.
Tanner blickt wieder hoch.
Sein Blick bleibt an der Statue des heiligen Martin hängen, der voller Mitleid und Erbarmen seinen Mantel teilt. Er sieht ihn nur verschwommen. Seine Augen haben sich mit Tränen gefüllt.
Schneller als ein Halm zu Boden fällt …

FÜNFUNDVIERZIG

Blut floss nur ganz wenig, als er in sie eindrang. Sie fragte sich, ob er den Widerstand auch gespürt hatte? Sie – sie hatte sehr wohl gespürt, wie etwas riss. Aber es war nicht wirklich ein Schmerz. Eher wie ein kurzer Stich. Das Eigentliche passierte in ihrem Kopf.
Sie hatten sich leidenschaftlich geküsst und gestreichelt. Seine Hände hatten ihr eine Art von Lust bereitet, wie sie es noch nie erlebt hatte. Nach und nach hatte sie ein ungeheures Verlangen nach ihm und nach Vereinigung verspürt. Sie war wirklich bereit gewesen.

Als es dann passierte und er mit jedem Stoß tiefer in sie drang, wusste sie, dass sie ihn danach hassen würde. Nicht, dass sie keine Lust empfunden hätte, im Gegenteil. Er war wild und gierig, gab Laute von sich wie ein Tier. Er pflügte mit seinem Begehren ihren ganzen Körper auf. Legte sie frei bis auf den Kern ihres Wesens. Als er stöhnend kam und sich in sie entleerte, explodierte etwas in ihr. Die lautlose Erschütterung riss Wände und Mauern nieder und ihr Innerstes fühlte sich wie eine hell erleuchtete Kathedrale an. Im Augenblick, als sie das dachte, schämte sie sich des kitschigen Bildes. Auch dafür hasste sie ihn.
Sie lagen eine Weile stumm ineinander verklammert. Verschwitzt und außer Atem. Beide weinten. Er aus einem überschäumenden Glücksgefühl heraus. Sie aus Ohnmacht. Denn sie wusste, dass sie ihm ab jetzt ausgeliefert sein würde. Als er sie erneut küsste und sie spürte, wie sein Glied zwischen ihren Schenkeln wieder anschwoll, täuschte sie eine volle Blase vor und ging ins Badezimmer. Sie musste dringend einen Moment alleine sein.
Vor der hohen Spiegelwand erschrak sie. Unvorbereitet sah sie sich mit ihrem eigenen Urbild konfrontiert. Das Gesicht flammend rot. Die Lippen vom heftigen Küssen geschwollen und aufgeworfen. Die Augen weit aufgerissen. Die Haare wild durcheinander. Ihr erhitzter Körper erschien ihr in dem Licht des Badezimmers primitiv und runder denn je.
Sie konnte den Blick nicht abwenden. Sie war fasziniert und gleichzeitig voller Abscheu. Sie war versucht, ihr eigenes Spiegelbild anzuspucken.
Jetzt siehst du aus wie das Weib, das du nie sein wolltest! Jetzt siehst du endlich aus wie deine Mutter.
Dieser Satz, der sich irgendwie selbstständig aus ihrem Mund herausschleuderte, ließ sie zusammenbrechen. Die Tränen schossen in die Augen. Sie setzte sich auf den Boden.
So nackt und erhitzt hatte sie einmal ihre Mutter gesehen, als ihr Vater auf Geschäftsreise und sie wegen eines Alptraumes aufgewacht war und geweint hatte. Ihre Mutter kam in aufgelöstem Körperzustand an ihr Bett gerannt und nahm sie in den Arm. Sie roch irritierend fremd. Später hörte sie, wie sich ihre Mutter leidenschaftlich flüsternd von dem fremden Mann verabschiedete.
Martha wühlte in ihrer Handtasche nach dem Telefon und versuchte

Tanner zu erreichen. Warum, wusste sie nicht. Aber sie musste einfach mit jemandem sprechen. Er antwortete nicht.
Idiot, wenn man dich einmal braucht, bist du nicht da.
Sie sah, dass es gerade Mittag war. In der Ferne hörte sie die gellenden Sirenen von mehreren Feuerwehrautos. Sie wusch das Gesicht mit kaltem Wasser und verbarg es in einem Badetuch. Als sie wieder aufblickte, waren die Sirenen nicht mehr zu hören. Dann hörte sie Deichmann telefonieren. Sie lauschte, verstand aber kein Wort.
Als sie zurück ins Schlafzimmer kam, ihren Körper eng in das Badetuch gewickelt, beendete er gerade sein Gespräch.
Es war meine Sekretärin. Alois ist verschwunden.
Aha, deine Sekretärin.
Damit hatte er ihr das Stichwort geliefert, mit dem sie ihn die nächste halbe Stunde quälen würde. Und das tat sie dann auch ausgiebig. Sie stritten, bis sie sich anschrien. Sie ließ nicht locker und versagte sich ihm, bis er ihr versprach, sie zu entlassen.
Dann erst durfte er sie wieder anfassen und sie liebten sich von neuem.

Tanner sitzt immer noch in seinem Auto, unfähig sich zu rühren. Mehr als eine Stunde ist vergangen, seit Kiharu sich vom Turm gestürzt hat. Die Feuerwehrwagen haben längst gewendet und sind weggefahren. Noch mehr Polizeiwagen sind gekommen. Dann eine Ambulanz. Zuletzt der Leichenwagen.
Tanner hat das ganze Geschehen durch die Windschutzscheibe betrachtet. Es ist absolut still im Auto. Kein Geräusch dringt hinein. Ein Film ohne Ton. Dann ist Hauptkommissar Schmid aufgetaucht und hat sich zusammen mit einem Arzt über die Tote gebeugt.
In diesem Moment klopft es leise an die Scheibe. Es ist Alois. Also hat Tanner sich doch nicht getäuscht, als er ihn zwischen den Bäumen sah. Er nickt nur. Alois öffnet die hintere Tür und setzt sich still auf den Rücksitz, hinter Tanner. Ihre Blicke treffen sich im Rückspiegel. Keiner sagt ein Wort.
Schmid kommt zum Auto. Tanner lässt die Scheibe runter.
Schmid streckt ihm ein winziges Stück zusammengefaltetes Papier entgegen.
Wir haben im Kleid der Toten dieses Papier gefunden. Ich denke, es ist am besten, wenn ich es Ihnen übergebe. Waibel hat die Wohnung

erstmal versiegelt. Ja, und was ich noch sagen wollte, äh ... herzliches Beileid. Ich glaube, die Dame hat Ihnen nahe gestanden, oder?
Tanner nickt.
Schmid räuspert sich.
Ach ja, die Sache mit Japan. Wir sind dabei, alles einzufädeln. Sie werden morgen früh von mir die Details bekommen.
Tanner nickt, schließt das Fenster und betrachtet das Stück Papier, das man in Kiharus Kleid gefunden hat. Er entfaltet es. Es ist ein hauchdünnes Papier, eng mit gestochen scharfen, japanischen Schriftzeichen beschrieben.
Er betrachtet es schweigend und reicht dann das Papier nach hinten zu Alois.
Nach einer Weile gibt er das Papier zurück.
Ich kann kein Japanisch.
Aber was siehst du?
Schönheit! Nichts als Schönheit!
In diesem Augenblick wird Kiharus Körper auf einer Bahre weggetragen. Tanner blickt noch einmal zum Turm hinauf und startet dann den Motor.
Bevor er losfährt, blickt er in den Rückspiegel zu Alois.
Hast du etwas vor?
Nein. Nicht dass ich wüsste. Fahr los.
Hast du einen Pass?
Sicher. Den habe ich immer dabei. Du weißt ja, der Pass ist in diesem Land der wichtigste Körperteil.
Er verzichtet darauf zu fragen, wie Alois als Insasse einer psychiatrischen Klinik in den Besitz seines Passes gelangt ist.
Tanner fährt los. Er muss jetzt etwas tun.
Er ist zu spät gekommen, das lässt sich nicht mehr ändern.
Er sieht Kiharu vor sich, ihre wissenden Augen, ihr Lächeln. Für sie war der Moment der Erfüllung gekommen. Sie war mit ihrem Leben an ein Ende gelangt. Sie hatte bei vollem Bewusstsein beschlossen, auf ihre Weise zu gehen. Tanner ist bereit, das zu akzeptieren.
Er blickt in den Spiegel.
Alois? Könntest du dir vorstellen, Kindern wieder Zeichnen beizubringen? Und vielleicht auch, wie man mit Vögeln spricht?
Ja, klar. Her mit den Kindern. Wo fahren wir denn hin?
Tanner erklärt es ihm.

Nach der Grenze fahren sie auf den kleinen Nebenstraßen, die für Tanner bereits sehr vertraut sind, ihrem Ziel entgegen.
Falls Charlotte Steinweg über den unangemeldeten Besuch von Tanner und seinem Begleiter überrascht ist, lässt sie es sich auf jeden Fall nicht anmerken. Herzlich lachend kommt sie ihnen auf der Treppe entgegen.
Ich habe Sie kommen sehen. Sie haben ein neues Auto? Oder kann ich mir neuerdings die Farben nicht mehr merken? Wollen Sie etwas trinken?
Liebe Frau Steinweg, ich habe tatsächlich ein neues Auto, aber das ist eine andere Geschichte. Darf ich Ihnen Alois Weiß vorstellen? Alois, das ist Charlotte Steinweg.
Nachdem sich die beiden begrüßt haben, räuspert sich Alois.
Ich werde mal die Gegend inspizieren.
Tanner nimmt sie beim Arm und sie gehen die Treppe hoch. In ihrem Büro schenkt sie zwei Gläser voll mit frisch gepresstem Orangensaft.
So, Herr Tanner, was kann ich für Sie tun? Ich nehme an, Sie kommen nicht, um mit mir zu plaudern, oder?
Zunächst einmal werde ich vielleicht etwas für Sie tun können. Dann können tatsächlich auch Sie etwas für mich tun.
Aha, jetzt bin ich aber gespannt?
Frau Steinweg, ich mache jetzt keine langen Vorreden: Würden zwanzig Millionen zur Verwirklichung Ihres Lebenstraumes ausreichen?
Sie lacht.
Sprechen Sie von Geld? Ja, natürlich würde das reichen. Mein Gott, Sie können einen ja erschrecken! Ist das jetzt eine ernsthafte Frage?
Ja, das ist eine ernsthafte Frage. Ich habe einen Geldgeber, der bereit wäre, so viel Geld in eine gute Sache zu investieren.
Also, Herr Tanner, jetzt bin ich einfach sprachlos.
Sie müssen jetzt auch gar nichts sagen. Denken Sie einfach mal in Ruhe darüber nach. Ich melde mich in ein paar Tagen wieder und dann werde ich den Geldgeber mitbringen.
Gut. Ich werde darüber nachdenken.
Sie fährt sich mit den Händen durchs Haar.
Was für eine Aufregung. Und das ohne Voranmeldung.
Sie wissen ja, wichtige Dinge geschehen immer ohne Voranmeldung.

Ja, da haben Sie Recht. Und was ist mit Alois? Hat er auch etwas damit zu tun?
Nein, er hat damit nichts zu tun. Aber vielleicht könnte sich das ändern. Damit Sie aber verstehen, muss ich Ihnen seine Geschichte erzählen.
Sie hört ihm aufmerksam zu. Dann und wann lächelt sie.
Ja, so ist seine Geschichte. Soweit ich sie kenne. Und eben – er würde sehr gerne wieder mit Kindern arbeiten. Alois ist ein ganz außergewöhnlicher Mensch.
Gut, Herr Tanner, ich verstehe. Aber – das ist natürlich nicht so einfach.
Sie erhebt sich und geht zum Fenster. Nach einer Weile dreht sie sich um und winkt Tanner.
Schauen Sie mal. Was tut er da?
Tanner geht zum Fenster. Alois steht auf der Gartenmauer und – ja, was macht er? Er tanzt. Vor der Mauer hat sich bereits eine Gruppe Kinder versammelt, die seinem Treiben aufmerksam folgt.
Ich glaube, er erzählt ihnen etwas über Vögel. Sie müssen wissen, Alois ist ein außergewöhnlicher Vogelspezialist.
Und tatsächlich, jetzt werden seine Bewegungen immer vogelartiger. Er stolziert majestätisch wie Herr Szabo, flattert mit den Flügeln und putzt sich. Die Kinder lachen. Alois legt die Finger auf seinen Mund. Die Kinder verstummen sofort. Jetzt dreht sich Alois um und pfeift oder ruft irgendetwas in die Ferne. Anschließend zeichnet er einen großen Kreis in die Luft.
Was tut er?
Warten Sie und schauen Sie.
Alois verharrt jetzt regungslos. Auch die Kinder geben keinen Mucks von sich. Nach einer Weile kommt er. Ein ganzer Schwarm großer Stare. Sie kreisen um Alois und lassen sich alle nach und nach auf der Mauer nieder. Alois setzt sich behutsam zwischen sie und bedeutet mit seinen ausgestreckten Händen, dass sich die Kinder auch langsam setzen sollen. Sie tun es mit offenen Mündern. Dann beginnt Alois mit den Vögeln zu sprechen. Die Vögel bewegen sich nicht und hören offensichtlich aufmerksam zu. Dann spricht er zu den Kindern. Leider können die beiden am Fenster nicht hören, was er sagt.
Charlotte Steinweg beginnt vor Aufregung zu flüstern.

Also, Herr Tanner, ich verstehe langsam. Ich meine, ich habe so etwas noch nie gesehen. Ich begreife es auch gar nicht.
Warten Sie, Frau Steinweg.
Tanner bedeutet ihr hinauszuschauen.
Einer der Stare hüpft nun auf den Boden und geht langsam zwischen den Kindern hindurch. Der Vogel schaut sich – man kann es nicht anders beschreiben – die einzelnen Kinder ganz genau an und fliegt dann wieder auf die Mauer. Jetzt entsteht Bewegung unter den Vögeln. Sie erheben sich alle auf einmal in die Luft, umkreisen im Tiefflug einige Male die Kindergruppe und fliegen dann steil in die Lüfte. Alois winkt den Vögeln, die Kinder tun es auch. Dann stürzen sich alle Kinder auf die schmale Gestalt, die bescheiden auf der Mauer sitzt.
Also ich muss sagen … nein, ich weiß ehrlich nicht was sagen.
Sie müssen jetzt ja gar nichts sagen, Frau Steinweg. Überlegen Sie sich in Ruhe meine Vorschläge und dann sehen wir weiter.
Ja, das ist wunderbar. Ich werde mit Deichmann sprechen. Ich denke, wir werden ganz sicher eine Lösung finden.
Charlottes Wangen sind ziemlich gerötet, als sie sich Tanner zuwendet.
So, liebe Frau Steinweg. Alois und ich müssen jetzt zurück. Ich werde Sie in ein paar Tagen anrufen.
Alois ist ziemlich aufgekratzt, als sie wieder im Auto sitzen.
Aufgeweckte Kinder, muss ich sagen. Die haben sehr gut reagiert. Unvoreingenommen, weißt du. Das ist überhaupt die wichtigste Voraussetzung, um zu lernen. Sie haben die Vögel ausgezeichnet beobachtet. Bevor man zeichnen lernen kann, muss man beobachten lernen. Sie müssen sehen lernen. Die Details erkennen und ihre Zusammenhänge. Erst wenn man das begriffen hat, macht es Sinn –
Plötzlich bricht Alois seinen Vortrag abrupt ab.
Ja? Was wolltest du sagen?
Ach, du hörst mir ja gar nicht zu. Ich weiß, entschuldige. Du hast andere Probleme, glaube ich.
Sie schweigen. Erst nach der Grenze meldet sich Alois wieder zu Wort.
Weißt du, was man machen muss, Tanner?
Nein.
Man muss sie ganz in sich aufnehmen.

In sich aufnehmen? Was?
Alles, was man an ihrem Wesen erkannt und geliebt hat, muss man selber weiterleben. So geht nichts verloren.
Ist das so?
Ja, glaub mir, das ist so. Es darf nichts verloren gehen. Kein Tröpfchen.
Tanner wirft einen Blick in den Rückspiegel und betrachtet Alois, der gelangweilt zum Fenster hinausblickt, als habe er gar nicht mit ihm geredet.
Tanner ist sich nicht einmal sicher, von wem er gesprochen hat.
Vor dem Eingang zur psychiatrischen Klinik entschwindet Alois aus dem Wagen, ohne sich zu verabschieden.
Tanner schaut ihm nach, bis seine schmale Gestalt verschwunden ist. Dann schaut er sich selber im Rückspiegel an.
Soll ich jetzt zu Elsie fahren?
Im Augenblick, da er sich die Frage stellt, weiß er schon, dass er das nicht tun wird. Zu viel ist heute passiert. Sein Innerstes ist aufgewühlt, als hätte der sintflutartige Regen der Nacht und Kiharus Sturz alles durcheinander gebracht.
Ich suche mir jetzt das teuerste Hotel in der Nähe des Flughafens. Dann werde ich zwei Stunden in der Sauna sitzen und im Hotelpool endlose Längen schwimmen.
Er sehnt sich nach Wasser. Vor allem nach der Stille unter Wasser.
Gepäck hat er keins dabei. Weder Zahnbürste noch Kleider. Alles Nötige wird er sich dort besorgen.
Es kommt ihm vor, als würde es am besten zu seiner Lebenssituation passen. Sein Leben ist aus den Angeln gehoben. Das Hotel als neutraler Boden, als Territorium des Übergangs, ist genau das Richtige. Unpersönlich. Unverbindlich.
Er hat in seiner Jacke Reisepass, Telefon, Kreditkarte und die letzte Botschaft von Kiharu, geschrieben auf einem hauchdünnen Stück Papier.
Chiyo wird es übersetzen. Dann wird sie weinen. Er wird ihr erzählen, was Alois ihm mit auf den Weg gegeben hat, und irgendwann wird auch Chiyo ihr Lächeln wiederfinden.

EPILOG

Pünktlich hebt das Flugzeug, das Tanner nach Japan bringen wird, von der Startpiste ab. Bevor er zur Zollabfertigung gegangen ist, überbrachte ihm eine Polizeistreife ein Bündel Legitimationspapiere und Anweisungen von Hauptkommissar Schmid und der Staatsanwaltschaft. In Japan wird er von einem hohen Beamten der Botschaft abgeholt werden, der alle weiteren Schritte einleiten wird. Chiyo wird ihn anrufen, wenn er in Japan gelandet ist, und dann wird er mit ihr aushandeln, wie die Übergabe vonstatten gehen soll.

Unter dem ganzen Bündel befindet sich noch eine persönliche Notiz von Schmid. Der Hauptkommissar Michel habe ihn über den toten Fukumoto aufgeklärt. Die Obduktion habe ergeben, dass der Japaner an einem Herzversagen gestorben sei. Allerdings habe sein Tod trotzdem keine natürliche Ursache gehabt. In einer Spezialanalyse habe man nämlich Spuren einer synthetisch hergestellten Variante von Curare gefunden.

Tanner weiß jetzt schon, dass sich diese Geschichte nie ganz klären lassen wird. Man wird ganz auf Itos Aussage angewiesen sein und der wird Michiko ganz sicher belasten. Ob es nun die Wahrheit ist oder nicht, Michiko wird es nicht mehr kümmern.

Kiharu hat für ihn einen Platz in der ersten Klasse gebucht. Tanner streckt seine Beine aus. Alles ist vorbereitet und geplant, soweit es möglich ist. Die nächsten Stunden wird er nichts tun können. Er wird viel Zeit zum Nachdenken haben.

Er wird über Kiharu nachdenken und über den Ratschlag, sich das anzueignen, was er an ihr erkannt und geliebt hat, wie Alois es ausgedrückt hat.

Er wird wahrscheinlich nicht allzu lange über das komplizierte Rätselwesen Martha nachdenken. Er wird in zehntausend Meter Höhe auf sie anstoßen und ihr einfach Glück wünschen. Und Deichmann viel Geduld.

Träumen wird er von dem schönen Projekt von Frau Steinweg, die

ihm geholfen hat, das entsetzliche Geheimnis um seinen verschollenen Großvater zu lösen. Er freut sich jetzt schon auf die Begegnung zwischen seinem Freund Bruckner und Charlotte Steinweg. Und auf die säuerliche Miene, wenn sein Freund den Scheck über zwanzig Millionen ausstellen muss. Und dass er es tun muss, dafür wird Tanner sorgen.
Und er wird es tun, ihr Männer von Athen – würde Michel sagen.
Ach ja, Michel. Michel und Claire. Über die beiden wird er nicht nachdenken. Er wird sich eines Tages sowieso unweigerlich endlose Berichte anhören müssen.
Und eines Tages wird er auch die Kraft aufbringen, Hadamar mit seinem Todeskeller zu besuchen, wo Gustav Adolf Land sein Leben auf die erbärmlichste Art und Weise lassen musste.
Aber zuallererst und vor allem wird er sich, wenn er zurück ist, um Elsie kümmern. Mit diesem Vorsatz schläft er ein.

Kurz danach aber, das Flugzeug hat bereits seine Reiseflughöhe erreicht, fliegt ein ungewöhnlich großer Vogelschwarm vom Garten der Klinik auf. Elsie ist ganz allein in ihrem Zimmer, in dem sie nun seit mehr als einem Jahr wie leblos liegt. Bis zu diesem letzten Augenblick gab es kein Anzeichen, dass ihr Leben zu Ende gehen würde.

Die Zeilen »Was ist das Größre vor dem Herrn …« sind dem Buch: Christine Lavant, Kunst wie meine ist nur verstümmeltes Leben, Salzburg 1998, entnommen.

1. Auflage 2006

Umschlaggestaltung: HildenDesign, München
Gesetzt aus der Celeste
Satz: Satz für Satz. Barbara Reischmann, Leutkirch
Druck und Bindung: Clausen & Bosse, Leck
Printed in Germany
ISBN 3-86612-078-8

Catalin Dorian Florescu

Der blinde Masseur

Roman

272 Seiten. Gebunden.
€ 17,90 | sFr 32,–
ISBN 3-86612-079-6

Ein Mann kehrt nach vielen Jahren aus dem reichen Westen in sein Heimatland im Osten zurück. Auf der Suche nach einer alten Liebe trifft er in einem abgelegenen Kurort auf einen blinden Masseur, der dreißigtausend Bücher besitzt. Eine Geschichte über Freundschaft und Betrug – und eine wunderbare Liebeserklärung an die Kraft der Literatur.

»Mit Talent allein ist es nicht getan, wenn man erzählen will wie Catalin Dorian Florescu. Man muss auch noch unter Erzählern aufgewachsen sein, dort, wo alle möglichen Geschichten, glaubhafte und phantastische, von Mund zu Mund gehen.« *Frankfurter Allgemeine Zeitung*

Pendo Verlag GmbH & Co. KG
Postfach 401540 | D-80715 München
Fon +49 (0)89 - 7 00 76 88-0
Fax +49 (0)89 - 7 00 76 88-9
www.pendo.de | www.pendo.ch

Urs Schaub

Tanner

Roman

392 Seiten. Gebunden.
€ 19,90 | sFr 38,–
ISBN 3-86612-027-3

Wenn Simon Tanner sich etwas in den Kopf gesetzt hat, kann er ganz schön hartnäckig sein. Als er von Marokko ins romantische Grenzland zur französischen Schweiz zieht, dann allerdings nicht, weil er die Schönheit der Landschaft genießen will, sondern weil er der Spur eines ungewöhnlichen Verbrechens folgt: den grausamen Morden an kleinen Mädchen. Tanners Ankunft in der Provinz bleibt nicht unbemerkt …
Ein Kriminalroman von hinreißender Üppigkeit und seltener erzählerischer Kraft.

»Ein packender Krimi-Lovestory-Mix.« *Freundin*

Ottavio Cappellani

Wer ist Lou Sciortino?

Roman

232 Seiten. Gebunden.
€ 17,90 | sFr 32,–
ISBN 3-86612-056-7

Lou Sciortino soll ein anständiges Leben führen: keine schmutzigen Geschäfte und vor allem keine Morde. Aber das ist leichter gesagt als getan, wenn man der Enkel eines Mafiabosses ist …
Ein fulminantes Krimidebüt mit glänzenden Dialogen und eine Parodie auf die moderne Mafia.

»Ein Meisterwerk des absurden Humors.«
Frankfurter Rundschau

»Eine sizilianische Version von Pulp Fiction.«
Il Giornale

Pendo Verlag GmbH & Co. KG
Postfach 401540 | D-80715 München
Fon +49 (0)89 - 7 00 76 88-0
Fax +49 (0)89 - 7 00 76 88-9
www.pendo.de | www.pendo.ch